Jürgen Habermas
Theorie des kommunikativen Handelns

Band 1
Handlungsrationalität
und gesellschaftliche Rationalisierung

Suhrkamp Verlag

Erste Auflage 1981
© Suhrkamp Verlag Frankfurt am Main 1981
Alle Rechte vorbehalten
Druck: Mühlberger, Augsburg
Printed in Germany

CIP-Kurztitelaufnahme der Deutschen Bibliothek
Habermas, Jürgen:
Theorie des kommunikativen Handelns / Jürgen
Habermas. – Frankfurt am Main : Suhrkamp
ISBN 3-518-07591-8
ISBN 3-518-07583-7
Bd. 1. Handlungsrationalität und gesellschaftliche Rationalisierung. – 1981.

Inhalt

Band 1
Handlungsrationalität und gesellschaftliche Rationalisierung

Band 2
Zur Kritik der funktionalistischen Vernunft

Für Ute Habermas-Wesselhoeft

Vorwort

Im Vorwort zur »Logik der Sozialwissenschaften« habe ich, vor etwas mehr als einem Jahrzehnt, eine Theorie des kommunikativen Handelns in Aussicht gestellt. Unterdessen hat das methodologische Interesse, das ich damals mit einer »sprachtheoretischen Grundlegung der Sozialwissenschaften« verbunden hatte, einem substantiellen Interesse Platz gemacht. Die Theorie des kommunikativen Handelns ist keine Metatheorie, sondern Anfang einer Gesellschaftstheorie, die sich bemüht, ihre kritischen Maßstäbe auszuweisen. Ich verstehe die Analyse der allgemeinen Strukturen verständigungsorientierten Handelns nicht als Fortsetzung der Erkenntnistheorie mit anderen Mitteln. So war die Handlungstheorie, die T. Parsons 1937 in »The Structure of Social Action« entwickelt hat, mit ihrer Verbindung von theoriegeschichtlicher Rekonstruktion und Begriffsanalyse, gewiß ein Vorbild; gleichzeitig hat sie mich aber, ihrer methodologischen Ausrichtung wegen, auch irregeführt. Die Formierung von Grundbegriffen und die Beantwortung substantieller Fragen bilden, gut hegelisch, einen unauflöslichen Zusammenhang.

Die zunächst gehegte Erwartung, daß ich die 1971 an der Princeton University gehaltenen Christian-Gauss-Lectures, die ich in anderem Zusammenhang veröffentlichen will, bloß auszuarbeiten brauchte, erwies sich als falsch. Je tiefer ich in Handlungstheorie, Bedeutungstheorie, Sprechakttheorie und ähnliche Domänen der analytischen Philosophie eindrang, um so mehr geriet über den Details das Ziel des ganzen Unternehmens aus dem Blick. Je mehr ich den Explikationsansprüchen des Philosophen zu genügen suchte, um so mehr entfernte ich mich vom Interesse des Soziologen, der fragen mußte, wozu denn die Begriffsanalysen dienen sollen. Ich hatte Schwierigkeiten, für das, was ich sagen wollte, die richtige Ebene der Darstellung zu finden. Nun sind Probleme der Darstellung, wie wir seit Hegel und Marx wissen[1], den Sach-

---

1 M. Theunissen, Sein und Schein, Ffm. 1978.

problemen nicht äußerlich. In dieser Situation war der Rat von Thomas A. McCarthy wichtig, der mich dazu ermutigt hat, einen neuen Anfang zu machen.

Das Buch, wie es nun vorliegt, habe ich, nur durch amerikanische Gastsemester unterbrochen, während der letzten vier Jahre geschrieben. Den Grundbegriff des kommunikativen Handelns entwickle ich in der Ersten Zwischenbetrachtung. Er erschließt den Zugang zu drei Themenkomplexen, die miteinander verschränkt sind: es geht zunächst um einen Begriff der kommunikativen Rationalität, der hinreichend skeptisch entwickelt wird und doch den kognitiv-instrumentellen Verkürzungen der Vernunft widersteht; sodann um ein zweistufiges Konzept der Gesellschaft, welches die Paradigmen Lebenswelt und System auf eine nicht nur rhetorische Weise verknüpft; und schließlich um eine Theorie der Moderne, die den Typus der heute immer sichtbarer hervortretenden Sozialpathologien mit der Annahme erklärt, daß die kommunikativ strukturierten Lebensbereiche den Imperativen verselbständigter, formal organisierter Handlungssysteme unterworfen werden. Die Theorie des kommunikativen Handelns soll also eine Konzeptualisierung des gesellschaftlichen Lebenszusammenhangs, die auf die Paradoxien der Moderne zugeschnitten ist, ermöglichen.

Die Einleitung begründet die These, daß die Rationalitätsproblematik nicht von außen an die Soziologie herangetragen wird. Für *jede* Soziologie mit gesellschaftstheoretischem Anspruch stellt sich das Problem der Verwendung eines (ja stets normativ gehaltvollen) Rationalitätsbegriffs auf drei Ebenen. Sie kann weder der metatheoretischen Frage nach den Rationalitätsimplikationen ihrer leitenden Handlungsbegriffe, noch der methodologischen Frage nach den Rationalitätsimplikationen des sinnverstehenden Zugangs zum Objektbereich, noch schließlich der empirisch-theoretischen Frage ausweichen, in welchem Sinne die Modernisierung von Gesellschaften als Rationalisierung beschrieben werden kann.

Die systematische Aneignung der Theoriegeschichte hat mir geholfen, die Integrationsebene zu finden, auf der sich heute die von Kant bis Marx entfalteten philosophischen Intentionen wissenschaftlich fruchtbar machen lassen. Ich behandle Weber, Mead, Durkheim und Parsons als Klassiker, d. h. als Gesellschaftstheoretiker, die uns noch etwas zu sagen haben. Die in diese Kapitel eingestreuten Exkurse sind, wie auch die Einleitung und die beiden Zwischenbetrachtungen, systematischen Fragen gewidmet. Die Schlußbetrachtung führt dann die theoriegeschichtlichen und die systematischen Untersuchungen zusammen. Sie wird einerseits die vorgeschlagene Deutung der Moderne an Verrechtlichungstendenzen plausibel machen und andererseits die Aufgaben präzisieren, die sich heute einer kritischen Gesellschaftstheorie stellen.

Eine solche Untersuchung, die den Begriff der kommunikativen Vernunft ohne zu erröten verwendet, setzt sich heute dem Verdacht aus, in die Fallstricke eines fundamentalistischen Ansatzes zu geraten. Aber die vermeintlichen Ähnlichkeiten des formalpragmatischen Ansatzes mit der klassischen Transzendentalphilosophie führen auf eine falsche Spur. Lesern, die diesen Argwohn hegen, empfehle ich, den Schlußabschnitt[2] zuerst zu lesen. Wir könnten uns der rationalen Binnenstruktur verständigungsorientierten Handelns nicht vergewissern, wenn wir nicht schon, gewiß nur fragmentarisch und verzerrt, die existierenden Formen einer auf symbolische Verkörperung und geschichtliche Situierung angewiesenen Vernunft vor uns hätten.[3]

Das zeitgeschichtliche Motiv liegt auf der Hand. Die westlichen Gesellschaften nähern sich seit Ende der 60er Jahre einem Zustand, in dem das Erbe des okzidentalen Rationalismus nicht mehr unbestritten gilt. Die Stabilisierung der inneren Verhältnisse, die auf der Grundlage des sozialstaatlichen Kompromisses (besonders eindrucksvoll vielleicht in der Bundesrepublik) erreicht worden ist, fordert nun wachsende sozialpsychologische und kulturelle Unkosten; auch die vorübergehend verdrängte, aber niemals bewältigte Labilität in den Beziehungen zwischen den Supermächten kommt stärker zu Bewußtsein. Bei der theoretischen Verarbeitung dieser Phänomene geht es an die Substanz der westlichen Traditionen und Inspirationen.

Die Neukonservativen möchten um jeden Preis am kapitalisti-

2 Siehe Bd. 2, S. 586 ff.
3 Zum Verhältnis von Wahrheit und Geschichte vgl. C. Castoriadis, Durchs Labyrinth, Ffm. 1981, 16 f.

9

schen Muster der wirtschaftlichen und gesellschaftlichen Modernisierung festhalten. Sie geben dem vom sozialstaatlichen Kompromiß gehegten, zunehmend auch eingeschnürten ökonomischen Wachstum erste Priorität. Gegen die sozial desintegrierenden Nebenfolgen dieses Wachstums suchen sie Zuflucht bei entwurzelten, aber rhetorisch beschworenen Traditionen einer biedermeierlichen Kultur. Es ist schwer einzusehen, wie eine Rückverlagerung der Probleme, die seit dem späten 19. Jahrhundert aus guten Gründen vom Markt auf den Staat verschoben worden sind, wie also das Hin- und Herschieben der Probleme zwischen den Medien Macht und Geld neuen Auftrieb geben sollte. Noch weniger plausibel ist der Versuch, die Traditionspolster, welche die kapitalistische Modernisierung aufgezehrt hat, aus einem historistisch aufgeklärten Bewußtsein zu erneuern. Der neukonservativen Apologetik antwortet eine zuweilen antimodernistisch zugespitzte Wachstumskritik, die sich gegen die Überkomplexität der wirtschaftlichen und administrativen Handlungssysteme ebenso wie gegen den autonom gewordenen Rüstungswettlauf richtet. Erfahrungen mit der Kolonialisierung der Lebenswelt, welche die andere Seite traditionalistisch auffangen und dämpfen möchte, führen auf dieser Seite zu radikaler Opposition. Wo sich diese Opposition zur Forderung nach Entdifferenzierung um jeden Preis verschärft, geht aber wiederum eine wichtige Unterscheidung verloren. Die Beschränkung des Wachstums monetär-administrativer Komplexität ist keineswegs gleichbedeutend mit der Preisgabe moderner Lebensformen. In strukturell ausdifferenzierten Lebenswelten prägt sich ein Vernunftpotential aus, das nicht auf den Begriff der Steigerung von Systemkomplexität gebracht werden kann.

Diese Bemerkung betrifft freilich nur den motivationalen Hintergrund[4], nicht das eigentliche Thema. Ich habe dieses Buch für diejenigen geschrieben, die ein fachliches Interesse an den Grundlagen der Gesellschaftstheorie nehmen. Zitate aus englischsprachigen Publikationen, für die Übersetzungen nicht vorliegen, werden im Original wiedergegeben. Die Übersetzung der Zitate aus dem Französischen hat dankenswerterweise Max Looser besorgt.

4 Vgl. mein Gespräch mit A. Honneth, E. Knödler-Bunte und A. Widmann, in: Ästhetik und Kommunikation, 45, 1981.

Mein erster Dank gilt Inge Pethran, die die verschiedenen Fassungen des Manuskripts und das Literaturverzeichnis hergestellt hat; dies ist freilich nur ein Glied in der Kette einer zehnjährigen engen Kooperation, ohne die ich hilflos gewesen wäre. Dankbar bin ich ferner Ursula Hering, die bei der Literaturbeschaffung behilflich war, sowie Friedhelm Herborth vom Suhrkamp Verlag.

Das Buch stützt sich unter anderem auf Vorlesungen, die ich an der Universität Frankfurt, an der University of Pennsylvania, Philadelphia, und an der University of California, Berkeley, gehalten habe. Ich bin meinen Studenten für anregende Diskussionen ebenso dankbar wie Kollegen an diesen Orten, vor allem Karl-Otto Apel, Dick Bernstein und John Searle.

Wenn meiner Darstellung, wie ich hoffe, stark diskursive Züge anhaften, so spiegelt sich darin nur das Argumentationsmilieu unseres Arbeitsbereichs am Starnberger Institut. In den Donnerstag-Kolloquien, an denen Manfred Auwärter, Wolfgang Bonß, Rainer Döbert, Klaus Eder, Günter Frankenberg, Edit Kirsch, Sigrid Meuschel, Max Miller, Gertrud Nunner-Winkler, Ulrich Rödel und Ernst Tugendhat teilgenommen haben, sind verschiedene Teile des Manuskripts auf eine für mich ergiebige Weise diskutiert worden; Ernst Tugendhat bin ich außerdem für eine Fülle von Annotationen dankbar. Lehrreich waren ferner die Gespräche mit Kollegen, die sich – wie Johann Paul Arnasson, Sheila Benhabib, Mark Gould und Thomas A. McCarthy – am Institut länger aufgehalten oder die das Institut – wie Aaron Cicourel, Helmut Dubiel, Claus Offe, Ulrich Oevermann, Charles Taylor, Lawrence Kohlberg und Albrecht Wellmer – regelmäßig besucht haben.

Max-Planck-Institut für Sozialwissenschaften
Starnberg, im August 1981.   J. H.

I. Einleitung:
Zugänge zur Rationalitätsproblematik

Die Rationalität von Meinungen und Handlungen ist ein Thema, das herkömmlicherweise in der Philosophie bearbeitet wird. Man kann sogar sagen, daß das philosophische Denken dem Reflexivwerden der im Erkennen, im Sprechen und Handeln verkörperten Vernunft entspringt. Das philosophische Grundthema ist Vernunft.[1] Die Philosophie bemüht sich seit ihren Anfängen, die Welt im ganzen, die Einheit in der Mannigfaltigkeit der Erscheinungen mit Prinzipien zu erklären, die in der Vernunft aufzufinden sind – und nicht in der Kommunikation mit einer Gottheit jenseits der Welt, nicht einmal strikt im Rückgang auf den Grund eines Natur und Gesellschaft umfassenden Kosmos. Das griechische Denken zielt weder auf eine Theologie noch auf eine ethische Kosmologie im Sinne der großen Weltreligionen, sondern auf Ontologie. Wenn den philosophischen Lehren etwas gemeinsam ist, dann die Intention, das Sein oder die Einheit der Welt auf dem Wege einer Explikation der Erfahrungen der Vernunft im Umgang mit sich selbst zu denken.

Indem ich so rede, bediene ich mich der Sprache der Philosophie der Neuzeit. Die philosophische Überlieferung ist aber, soweit sie die Möglichkeit eines philosophischen Weltbildes suggeriert, fragwürdig geworden.[2] Philosophie kann sich heute nicht mehr auf das Ganze der Welt, der Natur, der Geschichte, der Gesellschaft im Sinne eines totalisierenden Wissens beziehen. Die theoretischen Surrogate für Weltbilder sind nicht nur durch den faktischen Fortschritt der empirischen Wissenschaften, sondern mehr noch durch das reflexive Bewußtsein, das diesen Fortschritt begleitet hat, entwertet worden. Mit diesem Bewußtsein tritt das philosophische

1 B. Snell, Die Entdeckung des Geistes, Hbg. 1946; H. G. Gadamer, Platon und die Vorsokratiker, Kleine Schriften III, Tbg. 1972, 14 ff.; ders., Mythos und Vernunft, in: Kleine Schriften IV, Tbg. 1977, 48 ff.; W. Schadewaldt, Die Anfänge der Philosophie bei den Griechen, Ffm. 1978.
2 J. Habermas, Wozu noch Philosophie, in: ders., Philosophisch-politische Profile, Ffm. 1981, 15 ff.

Denken selbstkritisch hinter sich zurück; mit der Frage, was es mit seinen reflexiven Kompetenzen *im Rahmen* wissenschaftlicher Konventionen zu leisten vermag, wandelt es sich zur Metaphilosophie.[3] Dabei verändert sich das Thema und bleibt doch dasselbe. Wo immer sich in der gegenwärtigen Philosophie eine kohärentere Argumentation um festere thematische Kerne herausgebildet hat, sei es in Logik oder Wissenschaftstheorie, in Sprach- und Bedeutungstheorie, Ethik und Handlungstheorie, sogar in der Ästhetik, dort richtet sich das Interesse auf die formalen Bedingungen der Rationalität des Erkennens, der sprachlichen Verständigung und des Handelns, sei es im Alltag oder auf der Ebene methodisch eingerichteter Erfahrungen bzw. systematisch eingerichteter Diskurse. Eine besondere Bedeutung gewinnt dabei die Theorie der Argumentation, weil diese die Aufgabe hat, die formalpragmatischen Voraussetzungen und Bedingungen eines explizit rationalen Verhaltens zu rekonstruieren.

Wenn diese Diagnose nicht in die falsche Richtung weist; wenn es richtig ist, daß die Philosophie in ihren nachmetaphysischen, posthegelschen Strömungen auf den Konvergenzpunkt einer *Theorie der Rationalität* zustrebt, wie kann dann aber die Soziologie Zuständigkeiten für die Rationalitätsproblematik geltend machen? Es scheint so zu sein, daß das philosophische Denken, das den Totalitätsbezug preisgibt, auch seine Selbstgenügsamkeit verliert. Mit dem Ziel einer formalen Analyse der Bedingungen von Rationalität lassen sich weder ontologische Hoffnungen auf material gehaltvolle Theorien der Natur, der Geschichte, der Gesellschaft usw., noch transzendentalphilosophische Hoffnungen auf eine apriorische Rekonstruktion der Ausstattung eines nicht-empirischen Gattungssubjekts, eines Bewußtseins überhaupt, verbinden. Alle Letztbegründungsversuche, in denen die Intentionen der Ursprungsphilosophie fortleben, sind gescheitert.[4] In dieser Situation bahnt sich im Verhältnis von Philosophie und Wissenschaften eine neue Konstellation an. Wie sich am Beispiel von Wissenschafts-

3 R. Rorty (Ed.), The Linguistic Turn, Chicago 1964; ders., Philosophy and the Mirror of Nature, N. Y. 1979, dtsch. Ffm. 1981.
4 Zur Kritik der Ursprungsphilosophie vgl. Th. W. Adorno, Metakritik der Erkenntnistheorie, in: Ges. Schr. Bd. 5 Ffm. 1971; dagegen: K. O. Apel, Das Problem

theorie und Wissenschaftsgeschichte zeigt, greifen die formale Explikation von Bedingungen der Rationalität und die empirische Analyse der Verkörperung und geschichtlichen Entwicklung von Rationalitätsstrukturen eigentümlich ineinander. Die Theorien der modernen Erfahrungswissenschaften, ob sie nun auf der Linie des logischen Empirismus, des kritischen Rationalismus oder des methodischen Konstruktivismus angelegt sind, stellen einen normativen und zugleich universalistischen Anspruch, der nicht mehr durch fundamentalistische Annahmen ontologischer oder transzendentalphilosophischer Art gedeckt ist. Ihr Anspruch kann nur an der Evidenz von Gegenbeispielen geprüft und am Ende dadurch gestützt werden, daß sich die rekonstruktive Theorie als fähig erweist, interne Aspekte der Wissenschaftsgeschichte herauszupräparieren und, in Verbindung mit empirischen Analysen, die tatsächliche, narrativ belegte Wissenschaftsgeschichte im Kontext gesellschaftlicher Entwicklungen systematisch zu erklären.[5] Was für ein so komplexes Gebilde kognitiver Rationalität wie die neuere Wissenschaft gilt, trifft auch auf andere Gestalten des objektiven Geistes, d. h. auf Verkörperungen sei es kognitiver und instrumenteller oder moralisch-praktischer, vielleicht sogar ästhetisch-praktischer Rationalität zu.

Freilich müssen empirisch gerichtete Untersuchungen dieser Art grundbegrifflich so angelegt sein, daß sie an rationale Nachkonstruktionen von Sinnzusammenhängen und Problemlösungen anschließen können.[6] Die kognitivistische Entwicklungspsychologie bietet dafür ein Beispiel. In der Piagettradition wird beispielsweise

der philosophischen Letztbegründung im Lichte einer transzendentalen Sprachpragmatik, in: B. Kanitschneider (Hrsg.), Sprache und Erkenntnis, Innsbr. 1976, 55 ff.

5 Vgl. die Diskussion im Anschluß an Th. S. Kuhn, Die Struktur wissenschaftlicher Revolutionen, Ffm. 1967, vor allem: I. Lakatos, A. Musgrave, Criticism and the Growth of Knowledge, Cambr. 1970; W. Diederich (Hrsg.), Beiträge zur diachronischen Wissenschaftstheorie, Ffm. 1974; R. Bubner, Dialektische Elemente einer Forschungslogik, in: ders., Dialektik und Wissenschaft, Ffm. 1973, 129 ff. Th. S. Kuhn, Die Entstehung des Neuen, Ffm. 1977.

6 U. Oevermann, Programmatische Überlegungen zu einer Theorie der Bildungsprozesse und einer Strategie der Sozialisationsforschung, in: K. Hurrelmann, Sozialisation und Lebenslauf, Hbg. 1976, 34 ff.

die im engeren Sinne kognitive, wie auch die sozialkognitive und die moralische Entwicklung, als eine intern nachkonstruierbare Folge von Kompetenzstufen konzeptualisiert.[7] Wenn hingegen, wie in der Verhaltenstheorie, Geltungsansprüche, an denen sich Problemlösungen, rationale Handlungsorientierungen, Lernniveaus usw. bemessen, empiristisch umgedeutet und wegdefiniert werden, können Prozesse der Verkörperung von Rationalitätsstrukturen nicht im strengen Sinne als Lernvorgänge, sondern allenfalls als eine Zunahme adaptiver Fähigkeiten interpretiert werden.

Innerhalb der Sozialwissenschaften ist es nun die Soziologie, die in ihren Grundbegriffen an die Rationalitätsproblematik am ehesten anschließt. Das hat, wie der Vergleich mit anderen Disziplinen zeigt, wissenschaftshistorische und sachliche Gründe. Betrachten wir zunächst die *Politikwissenschaft*. Sie mußte sich vom rationalen Naturrecht emanzipieren. Auch das moderne Naturrecht ging noch von der alteuropäischen Auffassung aus, wonach sich die Gesellschaft als ein politisch konstituiertes und über Rechtsnormen integriertes Gemeinwesen darstellte. Die neuen Konzepte des bürgerlichen Formalrechts boten freilich die Möglichkeit, konstruktiv zu verfahren und die rechtlich-politische Ordnung unter normativen Gesichtspunkten als einen rationalen Mechanismus zu entwerfen.[8] Davon mußte sich eine Politikwissenschaft mit empirischer Ausrichtung radikal lösen. Diese befaßt sich mit Politik als einem gesellschaftlichen Teilsystem und entlastet sich von der Aufgabe, die Gesellschaft im ganzen zu konzipieren. Im Gegenzug zum naturrechtlichen Normativismus schließt sie moralisch-praktische Fragen der Legitimität aus der wissenschaftlichen Betrachtung aus oder behandelt sie als empirische Fragen eines jeweils deskriptiv zu erfassenden Legitimitäts*glaubens*. Damit bricht sie die Brücke zur Rationalitätsproblematik ab.

7 R. Döbert, J. Habermas, G. Nunner-Winkler (Hrsg.), Entwicklung des Ichs, Köln 1977.
8 W. Hennis, Politik und praktische Philosophie, Neuwied 1963; H. Maier, Die ältere deutsche Staats- und Verwaltungslehre, Neuwied 1966; J. Habermas, Die klassische Lehre von der Politik in ihrem Verhältnis zur Sozialphilosophie, in: ders., Theorie und Praxis, Ffm. 1971, 48 ff.

Anders verhält es sich mit der *Politischen Ökonomie,* die im 18. Jahrhundert zum rationalen Naturrecht in Konkurrenz getreten ist und die die Eigenständigkeit eines über Funktionen, nicht primär über Normen zusammengehaltenen Handlungssystems herausgearbeitet hat.[9] *Als* Politische Ökonomie hat die Wirtschaftswissenschaft zunächst noch den krisentheoretischen Bezug zur Gesellschaft im ganzen festgehalten. Sie war an der Frage interessiert, wie sich die Dynamik des Wirtschaftssystems auf die Ordnungen auswirkte, die die Gesellschaft normativ integrierten. Davon hat sich die zur Fachwissenschaft gewordene Ökonomie gelöst. Auch sie befaßt sich heute mit Wirtschaft als einem Teilsystem der Gesellschaft und entlastet sich von Legitimitätsfragen. Rationalitätsprobleme kann sie aus dieser Teilperspektive auf gleichgewichtsökonomische Überlegungen und auf Fragen der rationalen Wahl zurückschneiden.

Demgegenüber ist die *Soziologie* als eine Disziplin entstanden, die für das zuständig wurde, was Politik und Ökonomie auf ihrem Wege zur Fachwissenschaft an Problemen beiseiteschieben.[10] Ihr Thema sind die Veränderungen der sozialen Integration, die im Gefüge alteuropäischer Gesellschaften durch die Entstehung des modernen Staatensystems und durch die Ausdifferenzierung eines marktregulierten Wirtschaftssystems hervorgerufen wurden. Die Soziologie wird zur Krisenwissenschaft par excellence, die sich vor allem mit den anomischen Aspekten der Auflösung traditioneller und der Herausbildung moderner Gesellschaftssysteme befaßt.[11] Auch unter diesen Ausgangsbedingungen hätte sich freilich die Soziologie auf ein einziges Subsystem beschränken können. Wissenschaftshistorisch betrachtet, bilden Religions- und Rechtssoziologie ohnehin den Kern der neuen Disziplin.

9 F. Jonas, Was heißt ökonomische Theorie? Vorklassisches und klassisches Denken, in: Schmollers Jb. 78, 1958; H. Neuendorff, Der Begriff des Interesses, Ffm. 1973.
10 F. Jonas, Geschichte der Soziologie, Bd. I-IV, Reinbek 1968-69; R. W. Friedrichs, A Sociology of Sociology, N. Y. 1970; T. Bottomore, R. Nisbet, A History of Sociological Analysis, N. Y. 1978.
11 J. Habermas, Kritische und konservative Aufgaben der Soziologie, in: ders. (1971), 290 ff.

Wenn ich zu illustrativen Zwecken, d. h. vorerst ohne weitere Erläuterungen, auf das von Parsons vorgeschlagene Funktionsschema zurückgreifen darf, ergeben sich zwanglos Zuordnungen zwischen *sozialwissenschaftlichen Disziplinen* und *gesellschaftlichen Subsystemen*:

Fig. 1

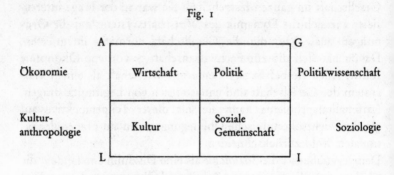

A: Anpassung   G: Zielerreichung
I: Integration   L: Erhaltung von Strukturmustern.

Natürlich hat es nicht an Bestrebungen gefehlt, auch die Soziologie zu einer Fachwissenschaft für soziale Integration zu machen. Aber es ist kein Zufall, eher ein Symptom, daß die großen Gesellschaftstheoretiker, die ich behandeln werde, von Haus aus Soziologen sind. Die Soziologie hat als einzige der sozialwissenschaftlichen Disziplinen den Bezug zu Problemen der Gesamtgesellschaft beibehalten. Sie ist immer *auch* Theorie der Gesellschaft geblieben und hat daher Fragen der Rationalisierung nicht wie andere Disziplinen abschieben, umdefinieren oder auf kleine Formate zurückschneiden können. Dafür sehe ich vorwiegend zwei Gründe. Der erste betrifft *Kulturanthropologie* und Soziologie gleichermaßen.

Die Zuordnung von Grundfunktionen zu gesellschaftlichen Subsystemen täuscht darüber hinweg, daß die sozialen Interaktionen in den Bereichen, die unter Aspekten der kulturellen Reproduktion, der sozialen Integration und der Sozialisation wichtig sind, keineswegs in derselben Weise spezialisiert sind wie Interaktionen in den Handlungsbereichen Ökonomie und Politik. Sowohl Soziologie wie Kulturanthropologie sind mit dem *ganzen Spektrum* der Erscheinungen sozialen Handelns konfrontiert und nicht mit den relativ klargeschnittenen Handlungstypen, die sich im Hinblick auf Probleme der Gewinnmaximierung oder des Erwerbs und der Verwendung politischer Macht zu Varianten zweckrationalen Handelns stilisieren lassen. Jene beiden Disziplinen befassen sich mit der Alltagspraxis in lebensweltlichen Kontexten und müssen daher *alle* Formen der symbolischen Handlungsorientierung in Betracht ziehen. Für sie ist es nicht mehr so einfach, die Grundlagenproblematik der Handlungstheorie und der sinnverstehenden Interpretation beiseitezuschieben. Dabei stoßen sie auf Strukturen der Lebenswelt, die den anderen, funktional genauer spezifizierten und in gewisser Weise stärker ausdifferenzierten Teilsystemen zugrunde liegen. Wie sich die paradigmatischen Begrifflichkeiten von »Lebenswelt« und »System« zueinander verhalten, wird uns noch beschäftigen.[12] Hier möchte ich nur hervorheben, daß sich die Untersuchung von sozialer Gemeinschaft und Kultur nicht ebenso einfach von sozialwissenschaftlichen Grundlagenproblemen und vom Lebensweltparadigma abkoppeln lassen wie die Untersuchung des ökonomischen und des politischen Teilsystems. Das erklärt die hartnäckige Verbindung von Soziologie und Gesellschaftstheorie.

Daß es nun aber die Soziologie und nicht die Kulturanthropologie ist, die eine besondere Bereitschaft zeigt, das Rationalitätsproblem aufzunehmen, wird erst verständlich, wenn man einen weiteren Umstand berücksichtigt. Die Soziologie entsteht als Theorie der bürgerlichen Gesellschaft; ihr fällt die Aufgabe zu, den Verlauf und die anomischen Erscheinungsformen der kapitalistischen Modernisierung vorbürgerlicher Gesellschaften zu erklären.[13] Diese, aus der objektiven geschichtlichen Situation sich ergebende Problemstellung bildet den Bezugspunkt, unter dem die Soziologie

12 Siehe unten, Kap. VI, Bd. 2, S. 173 ff.
13 H. Neuendorff, Artikel »Soziologie«, in: Evangelisches Staatslexikon, Stuttg. 1975, 2. Aufl., 2424 ff.

auch ihre Grundlagenprobleme bearbeitet. Auf *metatheoretischer Ebene* wählt sie Grundbegriffe, die auf den Rationalitätszuwachs der modernen Lebenswelt zugeschnitten sind. Die klassischen Denker der Soziologie versuchen fast ohne Ausnahme ihre Handlungstheorie so anzulegen, daß deren Kategorien die wichtigsten Aspekte des Übergangs von ›Gemeinschaft‹ zu ›Gesellschaft‹ treffen.[14] Und auf *methodologischer Ebene* wird das Problem des sinnverstehenden Zugangs zum Objektbereich symbolischer Gegenstände in entsprechender Weise behandelt; das Verständnis rationaler Handlungsorientierungen wird zum Bezugspunkt für das Verständnis aller Handlungsorientierungen.

Dieser Zusammenhang zwischen (a) der *metatheoretischen* Frage eines handlungstheoretischen Rahmens, der im Hinblick auf rationalisierungsfähige Aspekte des Handelns konzipiert ist, (b) der *methodologischen* Frage einer Theorie des Sinnverstehens, die interne Beziehungen zwischen Bedeutung und Geltung (zwischen der Explikation der Bedeutung einer symbolischen Äußerung und der Stellungnahme zu deren impliziten Geltungsansprüchen) klärt, wird schließlich (c) mit der *empirischen* Frage verknüpft, ob und in welchem Sinne die Modernisierung einer Gesellschaft unter dem Gesichtspunkt von kultureller und gesellschaftlicher Rationalisierung beschrieben werden kann. Dieser Zusammenhang ist besonders deutlich im Werk Max Webers ausgeprägt. Seine Hierarchie der Handlungsbegriffe ist auf den Typus zweckrationalen Handelns hin angelegt, so daß alle übrigen Handlungen als spezifische Abweichungen von diesem Typus eingestuft werden können. Die Methode des Sinnverstehens analysiert Weber so, daß die komplexeren Fälle auf den Grenzfall des Verstehens zweckrationalen Handelns bezogen werden können: das Verständnis des subjektiv erfolgsorientierten Handelns erfordert zugleich dessen objektive Bewertung (nach Maßstäben der Richtigkeitsrationalität). Schließlich liegt der Zusammenhang dieser grundbegrifflichen und methodologischen Entscheidungen mit Webers theoretisch zentraler

14 Zu den »Paarbegriffen« der älteren Soziologie vgl. J. Habermas, Technik und Wissenschaft als Ideologie, Ffm. 1968 a, 60 f.; C. W. Mills, Kritik der soziologischen Denkweise, Neuwied 1963.

Frage, wie der okzidentale Rationalismus erklärt werden kann, auf der Hand. Dieser Zusammenhang könnte freilich kontingent sein; er könnte einfach ein Anzeichen dafür sein, daß Max Weber von dieser einen Fragestellung präokkupiert war und daß dieses, theoretisch gesehen, eher zufällige Interesse auf die Grundlagen der Theoriebildung durchgeschlagen ist. Man braucht ja nur Modernisierungsprozesse vom Begriff der Rationalisierung lösen und unter *andere* Gesichtspunkte stellen, um einerseits die handlungstheoretischen Grundlagen von Konnotationen der Handlungsrationalität und andererseits die Methodologie des Sinnverstehens von einer problematischen Verschränkung der Bedeutungsfragen mit Geltungsfragen freizuhalten. Gegenüber diesen Zweifeln möchte ich die These vertreten, daß Max Weber die historisch, jedenfalls forschungspsychologisch, *zufällige* Frage des okzidentalen Rationalismus, die Frage nach der Bedeutung der Modernität und nach den Ursachen und Nebenfolgen der zunächst in Europa einsetzenden kapitalistischen Modernisierung der Gesellschaft aus *zwingenden* Gründen unter Gesichtspunkten rationalen Handelns, rationaler Lebensführung und rationalisierter Weltbilder behandelt. Ich möchte die These vertreten, daß der Zusammenhang von genau drei Rationalitätsthematiken, der sich an seinem Werk ablesen läßt, systematische Gründe hat. Damit will ich sagen, daß sich für *jede* Soziologie mit gesellschaftstheoretischem Anspruch, wenn sie nur radikal genug verfährt, das Problem der Rationalität gleichzeitig auf *metatheoretischer*, auf *methodologischer* und auf *empirischer Ebene stellt*.

Ich beginne mit einer provisorischen Erörterung des Rationalitätsbegriffs (1) und bringe diesen Begriff in die evolutionäre Perspektive der Entstehung eines modernen Weltverständnisses (2). Nach diesen Vorbereitungen will ich den internen Zusammenhang zwischen Rationalitäts- und Gesellschaftstheorie nachweisen; und zwar einerseits für die metatheoretische Ebene, indem ich die Rationalitätsimplikationen der heute gängigen soziologischen Handlungsbegriffe zeige (3), andererseits für die methodologische Ebene, indem ich zeige, daß sich ähnliche Implikationen aus dem sinnverstehenden Zugang zum Objektbereich der Soziologie ergeben (4).

Diese Argumentationsskizze soll dartun, daß wir eine Theorie des kommunikativen Handelns brauchen, wenn wir die seit Weber aus der soziologischen Fachdiskussion weitgehend verdrängte Problematik gesellschaftlicher Rationalisierung angemessen wiederaufnehmen wollen.

1. »Rationalität« – eine vorläufige Begriffsbestimmung

Wann immer wir den Ausdruck ›rational‹ verwenden, unterstellen wir eine enge Beziehung zwischen Rationalität und Wissen. Unser Wissen hat propositionale Struktur: Meinungen lassen sich explizit in der Form von Aussagen darstellen. Diesen Begriff des Wissens will ich ohne weitere Klärung voraussetzen, denn Rationalität hat weniger mit Erkenntnis und dem Erwerb von Wissen als damit zu tun, wie sprach- und handlungsfähige Subjekte *Wissen verwenden*. In sprachlichen Äußerungen wird Wissen explizit ausgedrückt, in zielgerichteten Handlungen drückt sich ein Können, ein implizites Wissen aus; auch dieses know-how kann grundsätzlich in die Form eines know-that übergeführt werden.[15] Wenn wir nach grammatischen Subjekten suchen, die den Prädikatausdruck ›rational‹ ergänzen können, bieten sich zunächst zwei Kandidaten an. Personen, die über Wissen verfügen, und symbolische Äußerungen, sprachliche und nicht-sprachliche, kommunikative oder nicht-kommunikative Handlungen, die Wissen verkörpern, können mehr oder weniger rational sein. Wir können Männer und Frauen, Kinder und Erwachsene, Minister und Busschaffner »rational« nennen, nicht aber Fische oder Fliederbüsche, Gebirge, Straßen oder Stühle. Wir können Entschuldigungen, Verspätungen, chirurgische Eingriffe, Kriegserklärungen, Reparaturen, Baupläne oder Konferenzbeschlüsse »irrational« nennen, nicht aber ein Unwetter, einen Unfall, einen Lottogewinn oder eine Erkrankung. Was bedeutet nun aber, daß sich Personen in einer bestimmten Lage »rational« verhalten; was heißt es, daß ihre Äußerungen als »rational« gelten dürfen?
Wissen kann als unzuverlässig kritisiert werden. Die enge Beziehung zwischen Wissen und Rationalität läßt vermuten, daß die Rationalität einer Äußerung von der Zuverlässigkeit des in ihr

---

15 G. Ryle, The Concept of Mind, London 1949; dazu: E. v. Savigny, Die Philosophie der normalen Sprache, Ffm. 1974, 97 ff.; D. Carr, The Logic of Knowing how and Ability, Mind, 88, 1979, 394 ff.

verkörperten Wissens abhängt. Betrachten wir zwei paradigmatische Fälle: eine Behauptung, mit der A in kommunikativer Absicht eine bestimmte Meinung äußert, und eine zielgerichtete Intervention in die Welt, mit der B einen bestimmten Zweck verfolgt. Beide verkörpern fehlbares Wissen; beides sind Versuche, die fehlschlagen können. Beide Äußerungen, die kommunikative und die teleologische Handlung, können kritisiert werden. Ein Hörer kann bestreiten, daß die von A aufgestellte Behauptung *wahr* ist; ein Beobachter kann bestreiten, daß die von B ausgeführte Handlung *Erfolg* hat. Die Kritik bezieht sich in beiden Fällen auf einen Anspruch, den die handelnden Subjekte mit ihren Äußerungen, soweit sie als Behauptungen oder als zielgerichtete Handlungen intendiert sind, notwendigerweise verbinden. Diese Notwendigkeit ist konzeptueller Natur. A stellt eben keine Behauptung auf, wenn er nicht für die behauptete Aussage ›p‹ einen Wahrheitsanspruch erhebt und damit seine Überzeugung zu erkennen gibt, daß sich seine Aussage nötigenfalls *begründen* läßt. Und B führt keine zielgerichtete Handlung aus, d. h. er will mit ihr gar keinen Zweck verwirklichen, wenn er die geplante Handlung nicht für aussichtsreich hält und damit die Überzeugung zu erkennen gibt, daß sich unter den gegebenen Umständen die Wahl der Mittel, die er getroffen hat, nötigenfalls *begründen* läßt.

Wie A für seine Aussage Wahrheit, so beansprucht B Aussicht auf Erfolg für seinen Handlungsplan bzw. Wirksamkeit für die Handlungsregel, nach der er diesen Plan ausführt. Die behauptete Wirksamkeit bedeutet den Anspruch, daß die gewählten Mittel unter gegebenen Umständen geeignet sind, das gesetzte Ziel zu erreichen. Die Wirksamkeit einer Handlung steht in einer internen Beziehung zur Wahrheit der bedingten Prognosen, welche der Handlungsplan bzw. die Handlungsregel implizieren. Wie sich *»Wahrheit«* auf die Existenz von Sachverhalten in der Welt bezieht, so *»Wirksamkeit«* auf Eingriffe in die Welt, mit deren Hilfe existierende Sachverhalte hervorgebracht werden können. Mit seiner Behauptung nimmt A Bezug auf etwas, das in der objektiven Welt tatsächlich *statthat*, mit seiner Zwecktätigkeit nimmt B auf etwas Bezug, das in der objektiven Welt *statthaben soll*. Indem sie das tun, erheben beide mit ihren symbolischen Äußerungen *An-*

sprüche, die kritisiert und verteidigt, d. h. *begründet* werden können. Die Rationalität ihrer Äußerungen bemißt sich an den internen Beziehungen zwischen dem Bedeutungsgehalt, den Gültigkeitsbedingungen und den Gründen, die nötigenfalls für ihre Gültigkeit, für die Wahrheit der Aussage oder für die Wirksamkeit der Handlungsregel angeführt werden können.

Die bisherigen Überlegungen laufen darauf hinaus, die Rationalität einer Äußerung auf Kritisierbarkeit und Begründungsfähigkeit zurückzuführen. Eine Äußerung erfüllt die Voraussetzungen für Rationalität, wenn und soweit sie fehlbares Wissen verkörpert, damit einen Bezug zur objektiven Welt, d. h. einen Tatsachenbezug hat, und einer objektiven Beurteilung zugänglich ist. Objektiv kann eine Beurteilung dann sein, wenn sie anhand eines *transsubjektiven* Geltungsanspruches vorgenommen wird, der für beliebige Beobachter und Adressaten dieselbe Bedeutung hat wie für das jeweils handelnde Subjekt selbst. Wahrheit und Effizienz sind Ansprüche dieser Art. So gilt für Behauptungen und für zielgerichtete Handlungen, daß sie um so rationaler sind, je besser der mit ihnen verknüpfte Anspruch auf propositionale Wahrheit oder Effizienz begründet werden kann. Entsprechend verwenden wir den Ausdruck ›rational‹ als Dispositionsprädikat für Personen, von denen solche Äußerungen, zumal in schwierigen Situationen, erwartet werden dürfen.

Dieser Vorschlag, die Rationalität einer Äußerung auf ihre Kritisierbarkeit zurückzuführen, hat freilich zwei Schwächen. Die Charakterisierung ist einerseits zu abstrakt, denn sie bringt wichtige Differenzierungen nicht zum Ausdruck (1). Andererseits ist sie noch zu eng, weil wir den Ausdruck ›rational‹ nicht nur im Zusammenhang mit Äußerungen verwenden, die wahr oder falsch, effektiv oder unwirksam sein können. Die der kommunikativen Praxis innewohnende Rationalität erstreckt sich über ein breiteres Spektrum. Sie verweist auf verschiedene Formen der Argumentation als ebensoviele Möglichkeiten, kommunikatives Handeln mit reflexiven Mitteln fortzusetzen (2). Da die Idee der diskursiven Einlösung von Geltungsansprüchen in der Theorie des kommunikativen Handelns einen zentralen Stellenwert hat, schiebe ich einen längeren Exkurs zur Argumentationstheorie ein (3).

(1) Ich bleibe zunächst bei der im engeren Sinne kognitiven Fassung des Rationalitätsbegriffs, der ausschließlich mit Bezugnahme auf die Verwendung deskriptiven Wissens definiert ist. Dieser Begriff läßt sich in zwei verschiedene Richtungen entwickeln.

Wenn wir von der nicht-kommunikativen Verwendung propositionalen Wissens in zielgerichteten Handlungen ausgehen, treffen wir eine Vorentscheidung zugunsten jenes Begriffs *kognitiv-instrumenteller Rationalität,* der über den Empirismus das Selbstverständnis der Moderne stark geprägt hat. Er führt die Konnotationen erfolgreicher Selbstbehauptung mit sich, welche durch informierte Verfügung über, und intelligente Anpassung an Bedingungen einer kontingenten Umwelt ermöglicht wird. Wenn wir hingegen von der kommunikativen Verwendung propositionalen Wissens in Sprechhandlungen ausgehen, treffen wir eine Vorentscheidung zugunsten eines weiteren Rationalitätsbegriffs, der an ältere Logosvorstellungen anknüpft.[16] Dieser Begriff *kommunikativer Rationalität* führt Konnotationen mit sich, die letztlich zurückgehen auf die zentrale Erfahrung der zwanglos einigenden, konsensstiftenden Kraft argumentativer Rede, in der verschiedene Teilnehmer ihre zunächst nur subjektiven Auffassungen überwinden und sich dank der Gemeinsamkeit vernünftig motivierter Überzeugungen gleichzeitig der Einheit der objektiven Welt und der Intersubjektivität ihres Lebenszusammenhangs vergewissern.[17]

Nehmen wir an, daß die Meinung »p« den identischen Wissensbestand, über den A und B verfügen, repräsentiert. Nun nimmt A (als einer von mehreren Sprechern) an einer Kommunikation teil und stellt die Behauptung ›p‹ auf, während B als (einsamer) Aktor

16 Zur Begriffsgeschichte vgl. K. O. Apel, Die Idee der Sprache in der Tradition des Humanismus von Dante bis Vico, Bonn 1963.

17 Anknüpfend an Wittgenstein D. Pole, Conditions of Rational Inquiry, London 1961; ders., The Concept of Reason, in: R. F. Dearden, D. H. Hirst, R. S. Peters (Eds.), Reason, Vol. 2, London 1972, 1 ff. Die Aspekte, unter denen Pole den Begriff der Rationalität klärt, sind vor allem: objectivity, publicity and interpersonality, truth, the unity of reason, the ideal of rational agreement. Zu Wittgensteins Begriff der Rationalität vgl. vor allem: St. Cavell, Must we mean what we say?, Cambr. 1976; ders., The Claim of Reason, Oxford 1979.

die Mittel wählt, die er aufgrund der Meinung »p« in einer gegebenen Situation für geeignet hält, um einen erwünschten Effekt zu erzielen. A und B verwenden *dasselbe* Wissen auf *verschiedene* Weise. Tatsachenbezug und Begründungsfähigkeit der Äußerung ermöglichen im einen Fall die Verständigung zwischen Kommunikationsteilnehmern über etwas, das in der Welt statthat. Für die Rationalität der Äußerung ist konstitutiv, daß der Sprecher für die Aussage ›p‹ einen kritisierbaren Geltungsanspruch erhebt, der vom Hörer akzeptiert oder zurückgewiesen werden kann. Im anderen Fall ermöglichen Tatsachenbezug und Begründungsfähigkeit der Handlungsregel die Möglichkeit einer erfolgreichen Intervention in die Welt. Für die Rationalität der Handlung ist konstitutiv, daß der Aktor seinem Handeln einen die Wahrheit von »p« implizierenden Plan zugrunde legt, demzufolge der gesetzte Zweck unter gegebenen Umständen verwirklicht werden kann. Eine Behauptung darf nur dann rational genannt werden, wenn der Sprecher die Bedingungen erfüllt, die für die Erreichung des illokutionären Zieles notwendig sind, sich mit mindestens einem weiteren Kommunikationsteilnehmer über etwas in der Welt zu verständigen; eine zielgerichtete Handlung nur dann, wenn der Aktor die Bedingungen erfüllt, die für die Verwirklichung der Absicht notwendig sind, erfolgreich in die Welt zu intervenieren. Beide Versuche können scheitern – der angestrebte Konsens nicht zustande kommen, der erwünschte Effekt nicht eintreten. Auch an der Art dieser Fehlschläge erweist sich die Rationalität einer Äußerung – Fehlschläge können erklärt werden.[18]

18 Freilich übernehmen die Gründe je nachdem, ob mit ihrer Hilfe ein Dissens zwischen Gesprächspartnern oder der Mißerfolg einer Intervention erklärt werden soll, verschiedene *pragmatische Rollen*. Der Sprecher, der eine Behauptung aufstellt, muß über eine »Deckungsreserve« guter Gründe verfügen, um erforderlichenfalls seine Gesprächspartner von der Wahrheit der Aussage überzeugen und ein rational motiviertes Einverständnis herbeiführen zu können. Hingegen ist es für den Erfolg einer instrumentellen Handlung nicht notwendig, daß der Aktor die befolgte Handlungsregel auch begründen kann. Im Fall teleologischer Handlungen dienen Gründe lediglich zur Erklärung der Tatsache, daß die Anwendung einer Regel unter gegebenen Umständen erfolgreich oder nicht erfolgreich war bzw. hätte sein können. Mit anderen Worten: wohl besteht ein interner Zusammenhang zwischen der Gültigkeit (Wirksamkeit) einer technischen oder strategischen Hand-

Auf beiden Linien kann die Analyse der Rationalität an den Begriffen des propositionalen Wissens und der objektiven Welt ansetzen; aber die genannten Fälle unterscheiden sich in der *Art der Verwendung* des propositionalen Wissens. Unter dem einen Verwendungsaspekt erscheint *instrumentelle Verfügung*, unter dem anderen *kommunikative Verständigung* als das der Rationalität innewohnende Telos. Die Analyse führt je nach dem Aspekt, auf den sie sich konzentriert, in verschiedene Richtungen.

Ich will beide Positionen kurz erläutern. Die erste Position, die ich einfachheitshalber die »realistische« nenne, geht von der ontologischen Voraussetzung der Welt als Inbegriff dessen, was der Fall ist, aus, um auf dieser Grundlage die Bedingungen rationalen Verhaltens zu klären (a). Die andere Position, die wir die »phänomenologische« nennen können, gibt dieser Fragestellung eine transzendentale Wendung und reflektiert auf den Umstand, daß diejenigen, die sich rational verhalten, selber eine objektive Welt voraussetzen müssen (b).

(a) Der Realist kann sich darauf beschränken, die Bedingungen zu analysieren, die ein handelndes Subjekt erfüllen muß, damit es Zwecke setzen und realisieren kann. Diesem Modell zufolge haben rationale Handlungen grundsätzlich den Charakter zielgerichteter und am Erfolg kontrollierter Eingriffe in eine Welt existierender Sachverhalte. Max Black nennt eine Reihe von Bedingungen, die eine Handlung erfüllen muß, um als mehr oder weniger rational (reasonable) gelten zu dürfen und einer kritischen Beurteilung (dianoetic appraisal) zugänglich zu sein:

1. Only actions under actual or potential control by the agent are suitable for dianoetic appraisal ...

2. Only actions directed towards some end-in-view can be reasonable or unreasonable ...

3. Dianoetic appraisal is relative to the agent and to his choice of end-in-view ...

lungsregel und den Erklärungen, die für ihre Gültigkeit gegeben werden können, aber die Kenntnis dieses Zusammenhangs ist keine notwendig subjektive Bedingung für eine erfolgreiche Anwendung dieser Regel.

4. Judgments of reasonableness are apropriate only where there is partial knowledge about the availability and efficacy of the means . . .
5. Dianoetic appraisal can always be supported by reasons.[19]

Wenn man den Rationalitätsbegriff am Leitfaden zielgerichteter, und das heißt problemlösender Handlungen entwickelt[20], wird übrigens auch ein abgeleiteter Sprachgebrauch von ›rational‹ verständlich. Manchmal sprechen wir ja von der ›Rationalität‹ eines reizstimulierten Verhaltens, der ›Rationalität‹ der Zustandsänderung eines Systems. Solche Reaktionen können als Lösungen von Problemen *gedeutet* werden, ohne daß der Beobachter der interpolierten Zweck*mäßigkeit* der beobachteten Reaktion eine Zweck*tätigkeit* unterstellt und diese einem entscheidungsfähigen, propositionales Wissen verwendenden Subjekt als Handlung zurechnet.

Verhaltensreaktionen eines durch innere oder äußere Stimuli gereizten Organismus, umweltinduzierte Zustandsänderungen eines selbstgeregelten Systems lassen sich zwar als *Quasihandlungen* verstehen, nämlich so, als ob sich darin die Handlungsfähigkeit eines Subjekts äußerte.[21] Aber von Rationalität sprechen wir hier nur in einem übertragenen Sinne. Denn die für rationale Äußerungen geforderte Begründungsfähigkeit bedeutet, daß das Subjekt, dem diese zugerechnet werden, unter geeigneten Umständen *selbst* in der Lage sein soll, Gründe anzuführen.

(b) Der Phänomenologe bedient sich nicht umstandslos des Leitfadens zielgerichteter oder problemlösender Handlungen. Er geht nämlich von der ontologischen Voraussetzung einer objektiven Welt nicht einfach aus, sondern macht diese zum Problem, indem er nach den Bedingungen fragt, unter denen sich die Einheit einer objektiven Welt für die Angehörigen einer Kommunikationsgemeinschaft konstituiert. Objektivität gewinnt die Welt erst dadurch, daß sie *für* eine Gemeinschaft sprach- und handlungsfähiger Subjekte als ein und dieselbe Welt *gilt*. Das abstrakte Welt-

19 Max Blanck, Reasonableness, in: Dearden, Hirst, Peters (1972).
20 Zusammenfassend W. Stegmüller, Probleme und Resultate der Wissenschaftstheorie und Analytischen Philosophie, Bln., Hdlbg., N. Y. 1969, Bd. 1, 335 ff.
21 N. Luhmann, Zweckbegriff und Systemrationalität, Tbg. 1968.

konzept ist eine notwendige Bedingung dafür, daß sich kommunikativ handelnde Subjekte miteinander über das verständigen, was in der Welt vorkommt oder in ihr bewirkt werden soll. Mit dieser *kommunikativen Praxis* vergewissern sie sich zugleich ihres gemeinsamen Lebenszusammenhangs, der intersubjektiv geteilten *Lebenswelt.* Diese wird durch die Gesamtheit der Interpretationen begrenzt, die von den Angehörigen als Hintergrundwissen vorausgesetzt werden. Um den Rationalitätsbegriff zu klären, muß also der Phänomenologe die Bedingungen für einen kommunikativ erzielten Konsensus untersuchen; er muß analysieren, was Melvin Pollner mit Bezugnahme auf A. Schütz »mundane reasoning« nennt: »That a community orients itself to the world as essentially constant, as one which is known and knowable in common with others, provides that community with the warrantable grounds for asking questions of a particular sort of which a prototypical representative is: ›How come, he sees it and you do not?‹«[22]

Diesem Modell zufolge haben rationale Äußerungen den Charakter sinnvoller, in ihrem Kontext verständlicher Handlungen, mit denen sich der Aktor auf etwas in der objektiven Welt bezieht. Die Gültigkeitsbedingungen symbolischer Äußerungen verweisen auf ein von der Kommunikationsgemeinschaft intersubjektiv geteiltes Hintergrundwissen. Für diesen lebensweltlichen Hintergrund stellt jeder Dissens eine Herausforderung eigener Art dar: »The assumption of a commonly shared world (Lebenswelt) does not function for mundane reasoners as a descriptive assertion. It is not falsifiable. Rather, it functions as an incorrigible specification of the relations which exist in principle among a community of perceivers' experiences of what is purported to be the same world (objektive Welt). ... In very gross terms, the anticipated unanimity of experience (or, at least of accounts of those experiences) presupposes a community of others who are deemed to be observing the same world, who are psychically constituted so as to be capable of veridical experience, who are motivated so as to speak ›truthfully‹ of their experience, and who speak according to recognizable, shared schemes of expression. On the occasion of a dis-

22 M. Pollner, Mundane Reasoning, Phil. Soc. Sci. 4, 1974, 40.

juncture, mundane reasoners are prepared to call these and other features into question. For a mundane reasoner, a disjuncture is compelling grounds for believing that one or another of the conditions otherwise thought to obtain in the anticipation of unanimity, did not. For example, a mundane solution may be generated by reviewing whether or not the other had the capacity for veridical experience. Thus, ›hallucination‹ ›paranoia‹, ›bias‹, ›blindness‹, ›deafness‹, ›false consciousness‹ etc., in so far as they are understood as indicating a faulted or inadequate method of observing the world, serve as candidate explanations of disjunctures. The significant feature of these solutions – the feature that renders them intelligible to other mundane reasoners as possibly correct solutions – is that they bring into question not the *world's intersubjectivity* but the adequacy of the methods through which the world is experienced and reported upon.«[23]

Diesem umfassenderen, aus dem phänomenologischen Ansatz entwickelten Begriff kommunikativer Rationalität läßt sich der aus dem realistischen Ansatz entwickelte Begriff kognitiv-instrumenteller Rationalität einfügen. Es bestehen nämlich interne Beziehungen zwischen der Fähigkeit zur dezentrierten Wahrnehmung und zur Manipulation von Dingen und Ereignissen einerseits, und der Fähigkeit intersubjektiver Verständigung über Dinge und Ereignisse andererseits. Deshalb wählt J. Piaget das kombinierte Modell der *gesellschaftlichen Kooperation*, demzufolge mehrere Subjekte ihre Eingriffe in die objektive Welt über kommunikatives Handeln koordinieren.[24] Erst wenn man, wie in empiristischen Forschungstraditionen üblich, die an der monologischen Verwendung deskriptiven Wissens abgelesene kognitiv-instrumentelle Rationalität von der kommunikativen *abzutrennen* versucht, treten die Kontraste hervor, beispielsweise in Begriffen wie Zurechnungsfähigkeit und Autonomie. Nur zurechnungsfähige Personen können

23 Pollner (1974), 47 f.
24 J. Piaget, Die Entwicklung des Erkennens III, Stuttgart 1973, 190: In der gesellschaftlichen Kooperation verbinden sich zwei Arten von Wechselwirkung: die durch teleologisches Handeln vermittelte »Wechselwirkung zwischen dem Subjekt und den Objekten« und die durch kommunikatives Handeln vermittelte »Wechselwirkung zwischen dem Subjekt und den anderen Subjekten« Vgl. unten, S. 104 ff.

sich rational verhalten. Bemißt sich ihre Rationalität am Erfolg zielgerichteter Interventionen, genügt es zu fordern, daß sie zwischen Alternativen wählen und (einige) Umweltbedingungen kontrollieren können. Bemißt sich ihre Rationalität aber am Gelingen von Verständigungsprozessen, so genügt es nicht, auf solche Fähigkeiten zu rekurrieren. In Zusammenhängen kommunikativen Handelns darf als zurechnungsfähig nur gelten, wer als Angehöriger einer Kommunikationsgemeinschaft sein Handeln an intersubjektiv anerkannten Geltungsansprüchen orientieren kann. Den verschiedenen Konzepten der Zurechnungsfähigkeit lassen sich verschiedene Begriffe von Autonomie zuordnen. Ein höheres Maß an kognitiv instrumenteller Rationalität verschafft eine größere Unabhängigkeit von Beschränkungen, die die kontingente Umwelt der Selbstbehauptung zielgerichtet handelnder Subjekte auferlegt. Ein höheres Maß an kommunikativer Rationalität erweitert innerhalb einer Kommunikationsgemeinschaft den Spielraum für die zwanglose Koordinierung von Handlungen und eine konsensuelle Beilegung von Handlungskonflikten (soweit diese auf im engeren Sinne kognitive Dissonanzen zurückgehen).

Die in Klammern hinzugefügte Einschränkung ist nötig, solange wir den Begriff kommunikativer Rationalität am Leitfaden von konstativen Äußerungen entwickeln. Auch M. Pollner beschränkt ›mundane reasoning‹ auf Fälle, wo ein Dissens über etwas in der objektiven Welt entsteht.[25] Aber die Rationalität von Personen zeigt sich offensichtlich nicht nur in der Fähigkeit, Konsens über Tatsachen herbeizuführen und effizient zu handeln.

(2) Begründete Behauptungen und effiziente Handlungen sind gewiß ein Zeichen für Rationalität. Sprach- und handlungsfähige Subjekte, die sich über Tatsachen und Zweck-Mittel-Relationen nach Möglichkeit nicht täuschen, nennen wir wohl rational. Aber es gibt offensichtlich *andere* Typen von Äußerungen, für die gute Gründe bestehen können, obgleich sie nicht mit Wahrheits- oder Erfolgsansprüchen verbunden sind. In Zusammenhängen der Kommunikation nennen wir nicht nur denjenigen rational,

---

25 Pollner wählt empirische Beispiele aus dem Bereich der Verkehrsjustiz (1974), 49 ff.

der eine Behauptung aufstellt und diese gegenüber einem Kritiker begründen kann, indem er auf entsprechende Evidenzen hinweist. Rational nennen wir auch denjenigen, der eine bestehende Norm befolgt und sein Handeln gegenüber einem Kritiker rechtfertigen kann, indem er eine gegebene Situation im Lichte legitimer Verhaltenserwartungen erklärt. Rational nennen wir sogar denjenigen, der einen Wunsch, ein Gefühl oder eine Stimmung aufrichtig äußert, ein Geheimnis preisgibt, eine Tat eingesteht usw., und der dann einem Kritiker über das derart enthüllte Erlebnis Gewißheit verschaffen kann, indem er daraus praktische Konsequenzen zieht und sich in der Folge konsistent verhält.

Auch *normenregulierte Handlungen* und *expressive Selbstdarstellungen* haben, ähnlich wie konstative Sprechhandlungen, den Charakter sinnvoller, in ihrem Kontext verständlicher Äußerungen, die mit einem kritisierbaren Geltungsanspruch verbunden sind. Statt eines Tatsachenbezuges haben sie einen Bezug zu Normen und Erlebnissen. Der Handelnde erhebt den Anspruch, daß sein Verhalten mit Bezug auf einen als legitim anerkannten normativen Kontext richtig oder daß die expressive Äußerung eines ihm privilegiert zugänglichen Erlebnisses wahrhaftig ist. Auch diese Äußerungen können, wie konstative Sprechhandlungen, fehlschlagen. Auch für ihre Rationalität ist die Möglichkeit der intersubjektiven Anerkennung eines kritisierbaren Geltungsanspruchs konstitutiv. Das Wissen, das in normenregulierten Handlungen oder in expressiven Äußerungen verkörpert ist, verweist jedoch nicht auf die Existenz von Sachverhalten, sondern auf die Sollgeltung von Normen und auf das zum Vorschein-Kommen subjektiver Erlebnisse. Mit ihnen kann sich der Sprecher nicht auf etwas in der objektiven Welt beziehen, sondern nur auf etwas in der gemeinsamen sozialen oder in der jeweils eigenen, subjektiven Welt. An dieser Stelle begnüge ich mich mit dem vorläufigen Hinweis, daß es kommunikative Akte gibt, die durch *andere* Weltbezüge charakterisiert und mit *anderen* Geltungsansprüchen verbunden sind als konstative Äußerungen.

Äußerungen, die mit Ansprüchen auf normative Richtigkeit und subjektive Wahrhaftigkeit in ähnlicher Weise verknüpft sind wie andere Akte mit dem Anspruch auf propositionale Wahrheit und

Effizienz, erfüllen die zentrale Voraussetzung für Rationalität: sie können begründet und kritisiert werden. Das gilt selbst für einen Typus von Äußerungen, der nicht mit einem klargeschnittenen Geltungsanspruch versehen ist, nämlich für *evaluative Äußerungen*, die weder einfach expressiv sind, ein bloß privates Gefühl oder Bedürfnis zum Ausdruck bringen, noch normative Verbindlichkeit in Anspruch nehmen, d. h. mit einer generalisierten Verhaltenserwartung konform gehen. Und doch können für solche evaluativen Äußerungen gute Gründe bestehen: seinen Wunsch nach Ferien, seine Vorliebe für eine herbstliche Landschaft, seine Ablehnung des Militärs, seine Eifersucht auf Kollegen kann der Handelnde gegenüber einem Kritiker mit Hilfe von Werturteilen erklären. Wertstandards haben weder die Allgemeinheit von intersubjektiv anerkannten Normen noch sind sie schlechthin privat. Wir unterscheiden immerhin zwischen einem vernünftigen und einem unvernünftigen Gebrauch jener Standards, mit denen die Angehörigen einer Kultur- und Sprachgemeinschaft ihre Bedürfnisse interpretieren. Das macht R. Norman an dem folgenden Beispiel klar: »To want simply a saucer of mud is irrational, because some further reason is needed for wanting it. To want a saucer of mud because one wants to enjoy its rich river-smell is rational. No further reason is needed for wanting to enjoy the rich river-smell, for to characterize what is wanted as ›to enjoy the rich river-smell‹ is itself to give an acceptable reason for wanting it, and therefore this want is rational.«[26]

Aktoren verhalten sich rational, solange sie Prädikate wie würzig, anziehend, fremdartig, schrecklich, ekelhaft usw. so verwenden, daß andere Angehörige ihrer Lebenswelt unter diesen Beschreibungen ihre eigenen Reaktionen auf ähnliche Situationen wiedererkennen würden. Wenn sie hingegen Wertstandards so eigenwillig verwenden, daß sie auf ein kulturell eingespieltes Verständnis nicht mehr rechnen können, verhalten sie sich idiosynkratisch. Unter solchen privaten Bewertungen mögen einige sein, die einen inno-

---

26 R. Norman, Reasons for Actions, N. Y. 1971, 63 f.; Norman diskutiert S. 65 ff. den Status von evaluativen Ausdrücken, die von Autoren wie Hare und Nowell-Smith wegen ihrer teils normativen, teils deskriptiven Bedeutung ›Janusworte‹ genannt werden.

vativen Charakter haben. Diese zeichnen sich freilich durch einen authentischen Ausdruck aus, z. B. durch die sinnfällige, d. h. ästhetische Form eines Kunstwerkes. Hingegen folgen idiosynkratische Äußerungen rigiden Mustern; ihr Bedeutungsgehalt wird nicht durch die Kraft poetischer Rede oder kreativer Gestaltung zugänglich und hat einen nur privatistischen Charakter. Das Spektrum solcher Äußerungen reicht von harmlosen Ticks wie der Vorliebe für den Geruch fauliger Äpfel bis zu den klinisch auffälligen Symptomen, z. B. der entsetzten Reaktion auf offene Plätze. Wer seine libidinöse Reaktion auf verfaulte Äpfel mit dem Hinweis auf den »betörenden«, »abgründigen«, »schwindelerregenden« Geruch, wer die panische Reaktion auf offene Plätze mit deren »lähmender«, »bleierner«, »soghafter« Leere erklärt, wird in den *Alltags*kontexten der meisten Kulturen kaum auf Verständnis stoßen. Für diese als abweichend empfundenen Reaktionen reicht die *rechtfertigende* Kraft der herangezogenen kulturellen Werte nicht aus. Diese Grenzfälle bestätigen nur, daß auch die Parteinahmen und Sensibilitäten von Wünschen und Gefühlen, die in Werturteilen ausgedrückt werden können, in einer internen Beziehung zu Gründen und Argumenten stehen. Wer sich in seinen Einstellungen und Bewertungen so privatistisch verhält, daß sie durch Appelle an Wertstandards nicht erklärt und plausibel gemacht werden können, der verhält sich nicht rational.

Zusammenfassend läßt sich sagen, daß normenregulierte Handlungen, expressive Selbstdarstellungen und evaluative Äußerungen konstative Sprechhandlungen zu einer kommunikativen Praxis ergänzen, die vor dem Hintergrund einer Lebenswelt auf die Erzielung, Erhaltung und Erneuerung von Konsens angelegt ist, und zwar eines Konsenses, der auf der intersubjektiven Anerkennung kritisierbarer Geltungsansprüche beruht. Die dieser Praxis innewohnende Rationalität zeigt sich darin, daß sich ein kommunikativ erzieltes Einverständnis *letztlich* auf Gründe stützen muß. Und die Rationalität derer, die an dieser kommunikativen Praxis teilnehmen, bemißt sich daran, ob sie ihre Äußerungen *unter geeigneten Umständen* begründen könnten. Die der kommunikativen Alltagspraxis innewohnende Rationalität verweist also auf die Argumentationspraxis als die Berufungsinstanz, die es ermöglicht, kommunikatives Handeln mit anderen Mitteln fortzusetzen, wenn ein Dissens durch Alltagsroutinen nicht mehr aufgefangen werden kann und gleichwohl nicht durch den unvermittelten oder den strategischen Einsatz von Gewalt entschieden werden soll. Ich meine deshalb, daß der Begriff der kommunikativen Rationalität, der sich auf einen bisher noch ungeklärten systematischen Zusammenhang universaler Geltungsansprüche bezieht, durch eine Theorie der Argumentation angemessen expliziert werden muß.

Argumentation nennen wir den Typus von Rede, in dem die Teilnehmer strittige Geltungsansprüche thematisieren und versuchen, diese mit Argumenten einzulösen oder zu kritisieren. Ein *Argument* enthält Gründe, die in systematischer Weise mit dem *Geltungsanspruch* einer problematischen Äußerung verknüpft sind. Die »Stärke« eines Arguments bemißt sich, in einem gegebenen Kontext, an der Triftigkeit der Gründe; diese zeigt sich u. a. daran, ob ein Argument die Teilnehmer eines Diskurses überzeugen, d. h. zur Annahme des jeweiligen Geltungsanspruchs motivieren kann. Vor diesem Hintergrund können wir die Rationalität eines sprach- und handlungsfähigen Subjekts auch danach beurteilen, wie es sich gegebenenfalls als Argumentationsteilnehmer verhält: »Anyone participating in an argument shows his rationality, or lack of it, by the manner in which he handles and responds to the offering of reasons for or against claims. If he is ›open to argument‹, he will either acknowledge the force of those reasons or seek to reply to them, and either way he will deal with them in a ›rational‹ manner. If he is ›deaf to argument‹, by contrast, he may either ignore contrary reasons or reply to them with dogmatic assertions, and either way he fails to deal with the issues ›rationally‹.«[27] Der Begründungsfähigkeit von rationalen Äußerungen entspricht auf seiten der Personen, die sich rational verhalten, die Bereitschaft, sich der Kritik auszusetzen und erforderlichenfalls an Argumentationen regelrecht teilzunehmen.

Rationale Äußerungen sind aufgrund ihrer Kritisierbarkeit auch *verbesserungsfähig:* wir können fehlgeschlagene Versuche korrigieren, wenn es gelingt, die Fehler, die uns unterlaufen, zu identifi-

27 St. Toulmin, R. Rieke, A. Janik, An Introduction to Reasoning, N. Y. 1979, 13.

zieren. Das Konzept der *Begründung* ist mit dem des *Lernens* verwoben. Auch für Lernprozesse spielt die Argumentation eine wichtige Rolle. So nennen wir eine Person, die im kognitiv-instrumentellen Bereich begründete Meinungen äußert und effizient handelt, rational; allein, diese Rationalität bleibt zufällig, wenn sie nicht mit der Fähigkeit gekoppelt ist, aus Fehlschlägen, aus der Widerlegung von Hypothesen und dem Scheitern von Interventionen zu lernen.

Das Medium, in dem diese negativen Erfahrungen produktiv *verarbeitet* werden können, ist der *theoretische Diskurs*, also die Form der Argumentation, in der kontroverse Wahrheitsansprüche zum Thema gemacht werden. Im moralisch-praktischen Bereich verhält es sich ähnlich. Rational nennen wir eine Person, die ihre Handlungen mit Bezugnahme auf bestehende normative Kontexte rechtfertigen kann. Erst recht gilt das aber für denjenigen, der im Falle eines normativen Handlungskonfliktes einsichtig handelt, also weder seinen Affekten nachgibt noch den unmittelbaren Interessen folgt, sondern bemüht ist, den Streit unter moralischen Gesichtspunkten unparteiisch zu beurteilen und konsensuell beizulegen. Das Medium, in dem hypothetisch geprüft werden kann, ob eine Handlungsnorm, sei sie nun faktisch anerkannt oder nicht, unparteiisch gerechtfertigt werden kann, ist der *praktische Diskurs*, also die Form der Argumentation, in der Ansprüche auf normative Richtigkeit zum Thema gemacht werden.

In der philosophischen Ethik gilt es keineswegs als ausgemacht, daß die mit Handlungsnormen verknüpften Geltungsansprüche, auf die sich Gebote oder Sollsätze stützen, in Analogie zu Wahrheitsansprüchen diskursiv eingelöst werden können. Aber im Alltag würde sich niemand auf moralische Argumentationen einlassen, der nicht intuitiv von der starken Voraussetzung ausginge, daß im Kreise der Betroffenen grundsätzlich ein begründeter Konsens erzielt werden kann. Das ergibt sich, wie ich meine, konzeptuell notwendig, aus dem *Sinn* normativer Geltungsansprüche. Handlungsnormen treten für ihren Geltungsbereich mit dem Anspruch auf, im Hinblick auf eine jeweils regelungsbedürftige Materie ein *allen* Betroffenen *gemeinsames* Interesse auszudrücken und darum allgemeine Anerkennung zu *verdienen*; deshalb müssen gültige

Normen unter Bedingungen, die alle Motive außer dem der kooperativen Wahrheitssuche neutralisieren, grundsätzlich auch die rational motivierte Zustimmung aller Betroffenen finden können.[28] Auf dieses intuitive Wissen stützen wir uns immer dann, wenn wir moralisch argumentieren; in diesen Präsuppositionen wurzelt der »moral point of view«.[29] Das muß noch nicht bedeuten, daß diese Laienintuition auch tatsächlich rekonstruktiv gerechtfertigt werden kann; allerdings neige ich selbst in dieser ethischen Grundfrage zu einer kognitivistischen Position, derzufolge praktische Fragen grundsätzlich argumentativ entschieden werden können.[30] Aussichtsreich ist diese Position gewiß nur zu verteidigen, wenn wir praktische Diskurse, die durch einen internen Bezug zu interpretierten Bedürfnissen der jeweils *Betroffenen* charakterisiert sind, nicht vorschnell an theoretische Diskurse mit ihrem Bezug zu interpretierten Erfahrungen eines *Beobachters* assimilieren.

Ein reflexives Medium besteht nun nicht nur für den kognitiv-instrumentellen und den moralisch-praktischen Bereich, sondern auch für evaluative und expressive Äußerungen.

---

28 Vgl. A. R. White, Truth, N. Y. 1970, 57 ff.; G. Patzig, Tatsachen, Normen Sätze, Stuttg. 1981.

29 K. Baier, The moral point of view, Ithaca 1964.

30 Vgl. J. Rawls, Eine Theorie der Gerechtigkeit, Ffm. 1975; dazu O. Höffe (Hrsg.), Über J. Rawls Theorie der Gerechtigkeit, Ffm. 1977; J. Rawls, Kantian Constructivism in Moral Theory, J. Phil., 77, 1980, 515 ff.; zum konstruktivistischen Ansatz vgl. O. Schwemmer, Philosophie der Praxis, Ffm. 1971; F. Kambartel (Hrsg.), Praktische Philosophie und konstruktive Wissenschaftstheorie, Ffm. 1975; zum transzendentalhermeneutischen Ansatz vgl. K. O. Apel, Das Apriori der Kommunikationsgemeinschaft und die Grundlagen der Ethik, in: ders., Transformation der Philosophie Bd. II, Ffm. 1973 a, 358 ff.; ders., Sprechakttheorie und transzendentale Sprachpragmatik, zur Frage ethischer Normen, in: ders. (Hrsg.), Sprachpragmatik und Philosophie, Ffm. 1976 a, 10 ff.; zum diskurstheoretischen Ansatz vgl. J. Habermas, Wahrheitstheorien, in: Fahrenbach, H. (Hrsg.), Wirklichkeit und Reflexion, Pfullingen, 1973, 211 ff.; R. Alexy, Theorie juristischer Argumentation, Ffm. 1978; ders., Eine Theorie des praktischen Diskurses, in: W. Oelmüller (Hrsg.), Normenbegründung, Normendurchsetzung, Paderborn 1978, 22 ff.; W. M. Sullivan, Communication and the Recovery of Meaning, Intern. Philos. Quart., 18, 1978, 69 ff. Zur Übersicht: R. Wimmer, Universalisierung in der Ethik, Ffm. 1980. R. Hegselmann, Normativität und Rationalität, Ffm. 1979.

Rational nennen wir eine Person, die ihre Bedürfnisnatur im Lichte kulturell eingespielter Wertstandards deutet; aber erst recht dann, wenn sie eine reflexive Einstellung zu den bedürfnisinterpretierenden Wertstandards selbst einnehmen kann. Kulturelle Werte treten nicht wie Handlungsnormen mit Allgemeinheitsanspruch auf. Werte *kandidieren* allenfalls für Interpretationen, unter denen ein Kreis von Betroffenen *gegebenenfalls* ein gemeinsames Interesse beschreiben und normieren kann. Der Hof intersubjektiver Anerkennung, der sich um kulturelle Werte bildet, bedeutet noch keineswegs einen Anspruch auf kulturell allgemeine oder gar universale Zustimmungsfähigkeit. Daher erfüllen Argumentationen, die der Rechtfertigung von Wertstandards dienen, nicht die Bedingungen von Diskursen. Im prototypischen Fall haben sie die Form der *ästhetischen Kritik*.

Diese variiert eine Form der Argumentation, in der die Angemessenheit von Wertstandards, überhaupt von Ausdrücken unserer evaluativen Sprache zum Thema gemacht werden. Das geschieht in den Erörterungen der Literatur-, Kunst- und Musikkritik allerdings auf indirekte Weise. Gründe haben in diesem Kontext die eigentümliche Funktion, ein Werk oder eine Darstellung so vor Augen zu führen, daß diese als authentischer Ausdruck einer exemplarischen Erfahrung, überhaupt als die Verkörperung eines Anspruchs auf Authentizität wahrgenommen werden können.[31]

31 Vgl. R. Bittner, Ein Abschnitt sprachanalytischer Ästhetik, in: R. Bittner, P. Pfaff, Das ästhetische Urteil, Köln 1977, 271: ».. . worauf es ankommt, das ist die eigene Wahrnehmung des Gegenstandes, und sie anzuleiten, ihr Hinweise zu geben und Perspektiven zu öffnen, versuchen die ästhetischen Urteile. Hampshire formuliert: es geht darum, jemanden dahin zu bringen, daß er die besonderen Eigenschaften des besonderen Gegenstandes wahrnimmt. Oder negativ Isenberg: ohne Gegenwart oder direkte Erinnerung des besprochenen Gegenstandes ist ästhetisches Urteilen überflüssig und sinnlos. Die beiden Bestimmungen widersprechen einander freilich nicht. In der Terminologie der Sprechakte läßt sich die Sachlage so beschreiben, daß der illokutionäre Akt, der mit Äußerungen wie ›Die Zeichnung X ist besonders ausgewogen‹ normalerweise ausgeführt wird, der Gattung der Aussagen angehört, während der perlokutionäre Akt, der mit solchen Äußerungen in der Regel ausgeführt wird, eine Anleitung zur eigenen Wahrnehmung ästhetischer Eigenschaften des Gegenstandes ist. Ich mache eine Aussage und leite damit jemanden in seiner ästhetischen Wahrnehmung an, gerade so wie man eine Aussage machen und damit jemanden über den betreffenden Tatbestand in Kenntnis setzen

Ein durch begründete ästhetische Wahrnehmung validiertes Werk kann dann seinerseits an die Stelle eines Arguments treten und für die Annahme genau der Standards werben, gemäß denen es als authentisches Werk gilt. Wie Gründe im praktischen Diskurs dazu dienen sollen, nachzuweisen, daß die zur Annahme empfohlene Norm ein verallgemeinerbares Interesse zum Ausdruck bringt, so dienen Gründe in der ästhetischen Kritik dazu, die Wahrnehmung anzuleiten und die Authentizität eines Werkes so evident zu machen, daß diese Erfahrung selbst zum rationalen Motiv für die Annahme entsprechender Wertstandards werden kann. Diese Überlegung macht plausibel, warum wir ästhetische Argumente für weniger zwingend halten als Argumente, die wir in praktischen oder gar in theoretischen Diskursen verwenden.

Ähnliches gilt für die Argumente eines Psychotherapeuten, der darauf spezialisiert ist, einen Analysanden in eine reflexive Einstellung zu seinen eigenen expressiven Äußerungen einzuüben. Rational nennen wir nämlich auch, und sogar mit einer besonderen Betonung, das Verhalten einer Person, die bereit und in der Lage ist, sich von Illusionen freizumachen, und zwar von Illusionen, die nicht auf Irrtum (über Tatsachen), sondern auf Selbsttäuschung (über eigene Erlebnisse) beruhen. Das betrifft die Äußerung eigener Wünsche und Neigungen, Gefühle und Stimmungen, die mit dem Anspruch auf Wahrhaftigkeit auftreten. In vielen Situationen hat ein Aktor gute Gründe, seine Erlebnisse vor anderen zu verbergen oder den Interaktionspartner über seine »wahren« Erlebnisse zu täuschen. Dann erhebt er keinen Wahrhaftigkeitsanspruch, er simuliert ihn allenfalls, indem er sich strategisch verhält. Äußerungen dieser Art können objektiv nicht wegen ihrer Unwahrhaftigkeit kritisiert werden, sie müssen vielmehr nach ihrem intendierten Erfolg beurteilt werden. An ihrer Wahrhaftigkeit können expressive Äußerungen nur im Kontext einer auf Verständigung abzielenden Kommunikation gemessen werden.

Wer sich systematisch über sich selbst täuscht, verhält sich irratio-

oder wie man eine Frage stellen und damit jemanden an etwas erinnern kann.«
Bittner nimmt damit eine Argumentationslinie auf, die durch Arbeiten von
M. McDonald, A. Isenberg und St. Hampshire charakterisiert ist, vgl. die Bibliographie, ebd., 281 ff.

nal; wer aber imstande ist, sich über seine Irrationalität aufklären zu lassen, der verfügt nicht nur über die Rationalität eines urteilsfähigen und zweckrational handelnden, eines moralisch einsichtigen und praktisch zuverlässigen, eines sensibel wertenden und ästhetisch aufgeschlossenen Subjekts, sondern über die Kraft, sich seiner Subjektivität gegenüber reflexiv zu verhalten und die irrationalen Beschränkungen zu durchschauen, denen seine kognitiven, seine moralisch- und ästhetisch-praktischen Äußerungen systematisch unterliegen. Auch in einem solchen *Prozeß der Selbstreflexion* spielen Gründe eine Rolle; den zugehörigen Typus von Argumentation hat Freud am Modell des zwischen Arzt und Analysanden geführten therapeutischen Gesprächs untersucht.[32] Im analytischen Gespräch sind die Rollen asymmetrisch verteilt, Arzt und Patient verhalten sich nicht wie Proponent und Opponent. Die Voraussetzungen eines Diskurses können erst erfüllt werden, nachdem die Therapie zum Erfolg geführt hat. Die Form der Argumentation, die der Aufklärung systematischer Selbsttäuschungen dient, nenne ich deshalb *therapeutische Kritik*.

Auf einer anderen, aber ebenfalls reflexiven Ebene liegen schließlich die Verhaltensweisen eines Interpreten, der sich durch hartnäckige Verständigungsschwierigkeiten veranlaßt sieht, die Mittel der Verständigung selbst zum Gegenstand der Kommunikation zu machen, um Abhilfe zu schaffen. Rational nennen wir eine Person, die sich verständigungsbereit verhält und auf Störungen der Kommunikation in der Weise reagiert, daß sie auf die sprachlichen Regeln reflektiert. Dabei geht es einerseits um die Prüfung der Verständlichkeit oder Wohlgeformtheit symbolischer Äußerungen, um die Frage also, ob symbolische Ausdrücke regelrecht, d. h. in Übereinstimmung mit dem entsprechenden System von Erzeugungsregeln hervorgebracht werden. Die linguistische Untersuchung mag hier als Modell dienen. Auf der anderen Seite geht es um eine Explikation der Bedeutung von Äußerungen – eine hermeneutische Aufgabe, für die die Praxis des Übersetzens ein

32 J. Habermas, Erkenntnis und Interesse, Ffm. 1968a, Kap. 10 f. u. P. Ricoeur, Die Interpretation, Ffm. 1969, Drittes Buch, 352 ff.; dazu: W. A. Schelling, Sprache, Bedeutung, Wunsch, Bln. 1978.

geeignetes Modell bietet. Irrational verhält sich, wer seine eigenen symbolischen Ausdrucksmittel dogmatisch verwendet. Der *explikative Diskurs* ist hingegen eine Form der Argumentation, in der die Verständlichkeit, Wohlgeformtheit oder Regelrichtigkeit von symbolischen Ausdrücken nicht mehr naiv unterstellt oder abgestritten, sondern als kontroverser Anspruch zum Thema gemacht wird.[33]

Unsere Überlegungen können wir dahingehend zusammenfassen, daß wir Rationalität als eine Disposition sprach- und handlungsfähiger Subjekte verstehen. Sie äußert sich in Verhaltensweisen, für die jeweils gute Gründe bestehen. Das bedeutet, daß rationale Äußerungen einer objektiven Beurteilung zugänglich sind. Das trifft für alle symbolischen Äußerungen zu, die mindestens implizit mit Geltungsansprüchen verbunden sind (oder mit Ansprüchen, die in einer internen Beziehung zu einem kritisierbaren Geltungsanspruch stehen). Jede explizite Überprüfung von kontroversen Geltungsansprüchen verlangt die anspruchsvolle Form einer Kommunikation, welche die Voraussetzungen der Argumentation erfüllt.

Argumentationen ermöglichen ein Verhalten, das in einem besonderen Sinne als rational gilt, nämlich das Lernen aus expliziten Fehlern. Während die Kritisierbarkeit und Begründungsfähigkeit rationaler Äußerungen auf die Möglichkeit der Argumentation bloß *verweist*, sind Lernprozesse, durch die wir theoretische Kenntnisse und moralische Einsichten erwerben, die evaluative Sprache renovieren und erweitern, Selbsttäuschungen und Verständnisschwierigkeiten überwinden, auf Argumentation *angewiesen.*

(3) *Exkurs zur Argumentationstheorie*
Der bisher eher intuitiv eingeführte Rationalitätsbegriff bezieht sich auf ein System von Geltungsansprüchen, das, wie Fig. 2 zeigt, durch eine Theorie der Argumentation aufgeklärt werden müßte. Diese Theorie steht aber, trotz einer ehrwürdigen, auf Aristoteles zurückgehenden philosophischen Überlieferung, noch in den An-

33 Zum explikativen Diskurs vgl. Schnädelbach, Reflexion und Diskurs, Ffm. 1977, 277 ff.

Fig. 2 *Argumentationstypen*

Formen der Argumentation \ Bezugsgrößen	Problematische Äußerungen	Kontroverse Geltungsansprüche
theoretischer Diskurs	kognitiv-instrumentell	Wahrheit von Propositionen; Wirksamkeit teleologischer Handlungen
praktischer Diskurs	moralisch-praktisch	Richtigkeit von Handlungsnormen
ästhetische Kritik	evaluativ	Angemessenheit von Wertstandards
therapeutische Kritik	expressiv	Wahrhaftigkeit von Expressionen
explikativer Diskurs	– – – – –	Verständlichkeit bzw. Wohlgeformtheit symbolischer Konstrukte

fängen. Die Logik der Argumentation bezieht sich nicht, wie die formale, auf Folgerungszusammenhänge zwischen semantischen Einheiten (Sätzen), sondern auf interne, auch nicht-deduktive Beziehungen zwischen pragmatischen Einheiten (Sprechhandlungen), aus denen sich Argumente zusammensetzen. Gelegentlich tritt sie unter dem Namen einer *»informellen Logik«* auf.[34] Für das

34 Für den deutschen Sprachbereich vgl. den Forschungsbericht von P. L. Völzing, Argumentation, in: Z. f. Litwiss. u. Ling., 10, 1980, 204 ff.

erste internationale Symposium zu Fragen der informellen Logik haben die Veranstalter rückblickend folgende Gründe und Motive genannt:

»– Serious doubt about whether deductive logic and the standard inductive logic approaches are sufficient to model all, or even the major, forms of legitimate argument.

– A conviction that there are standards, norms, or advice for argument evaluation that are at once logical – not purely rhetorical or domainspecific – and at the same time not captured by the categories of deductive validity, soundness and inductive strenght.

– A desire to provide a complete theory of reasoning that goes beyond formal deductive and inductive logic.

– A belief that theoretical clarification of reasoning and logical criticism in non-formal terms has direct implications for such other branches of philosophy as epistemology, ethics and the philosophy of language.

– An interest in all types of discursive persuasion, coupled with an interest in mapping the lines between the different types and the overlapping that occurs among them.«[35]

Diese Überzeugungen kennzeichnen eine Position, die St. Toulmin in seiner bahnbrechenden Untersuchung »The Uses of Argument«[36] entwickelt hat, und von der er in seinen wissenschaftshistorischen Untersuchungen über »Human Understanding«[37] ausgegangen ist.

Auf der einen Seite kritisiert Toulmin *absolutistische* Auffassungen, die theoretische Erkenntnisse, moralisch-praktische Einsichten und ästhetische Bewertungen auf deduktiv zwingende Argumente oder empirisch zwingende Evidenzen zurückführen. Soweit Argumente im Sinne logischer Folgerung zwingend sind, fördern sie nichts substantiell Neues zutage; und soweit sie überhaupt substantiellen Gehalt haben, stützen sie sich auf Evidenzen und Bedürfnisse, die mit Hilfe mehrerer Beschreibungssysteme und im Lichte wechselnder Theorien verschieden interpretiert werden

35 J. A. Blair, R. H. Johnson (Eds.), Informal Logic, Iverness, Cal. 1980, X.
36 St. Toulmin, The Uses of Argument, Cambr. 1958, dtsch. Kronberg 1975.
37 St. Toulmin, Human Understanding, Princeton 1972, dtsch. Kritik der kollektiven Vernunft, Ffm. 1978.

können und deshalb keine ultimative Grundlage bieten. Auf der anderen Seite kritisiert Toulmin ebensosehr *relativistische* Auffassungen, die den eigentümlich zwanglosen Zwang des besseren Argumentes nicht erklären und den universalistischen Konnotationen von Geltungsansprüchen, wie der Wahrheit von Propositionen oder der Richtigkeit von Normen, nicht Rechnung tragen können: »Toulmin argues that neither position is reflexive; that is, neither position can account for its ›rationality‹ within its own framework. The absolutist cannot call upon another First Principle to justify his initial First Principle to secure the status of the doctrine of First Principles. On the other hand, the relativist is in the peculiar (and self-contradictory) position of arguing that his doctrine is somehow above the relativity of judgments he asserts exist in all other domains.«[38]

Wenn aber die Geltung von Äußerungen weder empiristisch unterlaufen noch absolutistisch begründet werden kann, stellen sich genau diejenigen Fragen, auf die eine *Logik der Argumentation* Antwort geben soll: Wie können problematisch gewordene Geltungsansprüche durch gute Gründe gestützt werden? Wie können Gründe ihrerseits kritisiert werden? Was macht einige Argumente, und damit Gründe, die in relevanter Weise auf Geltungsansprüche bezogen werden, stärker oder schwächer als andere Argumente?

An der argumentativen Rede lassen sich drei Aspekte unterscheiden. Als *Prozeß* betrachtet, handelt es sich um eine unwahrscheinliche, weil idealen Bedingungen hinreichend angenäherte Form der Kommunikation. In dieser Hinsicht habe ich versucht, die allgemeinen kommunikativen Voraussetzungen der Argumentation als Bestimmungen einer idealen Sprechsituation anzugeben.[39] Dieser Vorschlag mag im einzelnen unbefriedigend sein; richtig scheint mir aber nach wie vor die Intention, die allgemeinen Symmetriebedingungen zu rekonstruieren, die jeder kompetente Sprecher, sofern er überhaupt in eine Argumentation einzutreten meint, als hinreichend erfüllt voraussetzen muß. Argumentationsteilnehmer

38 B. R. Burleson, On the Foundations of Rationality, in: Journ. Am. Forensic Assoc., 16, 1979, 113.
39 Habermas (1973 c).

müssen allgemein voraussetzen, daß die Struktur ihrer Kommunikation, aufgrund rein formal zu beschreibender Merkmale, jeden (sei es von außen auf den Verständigungsprozeß einwirkenden oder aus ihm selbst hervorgehenden) Zwang – außer dem des besseren Argumentes – ausschließt (und damit auch alle Motive außer dem der kooperativen Wahrheitssuche ausschaltet). Unter diesem Aspekt kann die Argumentation als eine *reflexiv gewendete Fortsetzung verständigungsorientierten Handelns mit anderen Mitteln* begriffen werden.

Sobald man die Argumentation, zweitens, als *Prozedur* betrachtet, handelt es sich um eine *speziell geregelte* Form der Interaktion. Und zwar wird der diskursive Verständigungsprozeß in der Form einer kooperativen Arbeitsteilung zwischen Proponenten und Opponenten derart normiert, daß die Beteiligten

– einen problematisch gewordenen Geltungsanspruch thematisieren und,

– von Handlungs- und Erfahrungsdruck entlastet, in hypothetischer Einstellung

– mit Gründen und nur mit Gründen prüfen, ob der vom Proponenten verteidigte Anspruch zu Recht besteht oder nicht.

Schließlich läßt sich die Argumentation unter einem dritten Gesichtspunkt betrachten: sie ist darauf angelegt, triftige, aufgrund intrinsischer Eigenschaften überzeugende *Argumente*, mit denen Geltungsansprüche eingelöst oder zurückgewiesen werden können, *zu produzieren*. Argumente sind diejenigen Mittel, mit deren Hilfe die intersubjektive Anerkennung für den zunächst hypothetisch erhobenen Geltungsanspruch eines Proponenten herbeigeführt und damit Meinung in Wissen transformiert werden kann. Argumente besitzen eine allgemeine Struktur, die Toulmin bekanntlich in folgender Weise charakterisiert. Ein Argument setzt sich zusammen aus der problematischen Äußerung, für die ein bestimmter Geltungsanspruch erhoben wird (conclusion), und aus dem Grund (ground), mit der dieser Anspruch etabliert werden soll. Der Grund wird mit Hilfe einer Regel (einer Schlußregel, eines Prinzips, eines Gesetzes usw.) gewonnen (warrant). Diese stützt sich auf Evidenzen verschiedener Art (backing). Gegebenenfalls muß der Geltungsanspruch modifiziert oder eingeschränkt werden (modifyer).[40] Auch dieser Vorschlag ist, insbesondere im Hinblick auf die Differenzierung zwischen verschiedenen Ebenen der Argumentation verbesserungsbedürftig, aber jede Argumentationstheorie steht vor der Aufgabe, allgemeine Eigenschaften triftiger Argumente anzugeben. Dafür ist die formalsemantische Beschreibung der in Argumenten verwendeten Sätze zwar notwendig, aber nicht hinreichend.

Die drei genannten analytischen Aspekte können die theoretischen Gesichtspunkte hergeben, unter denen sich die bekannten Disziplinen des aristotelischen Kanons voneinander abgrenzen lassen: die Rhetorik befaßt sich mit der Argumentation als *Prozeß*, die Dialektik mit den pragmatischen *Prozeduren* der Argumentation, und die Logik mit deren *Produkten*. Tatsächlich treten an Argumentationen unter jedem dieser Aspekte jeweils *andere* Strukturen hervor: die Strukturen einer idealen, gegen Repression und Ungleichheit in besonderer Weise immunisierten Sprechsituation; sodann die Strukturen eines ritualisierten Wettbewerbs um die besseren Argumente; schließlich die Strukturen, die den Aufbau einzelner Argumente und deren Beziehungen untereinander bestimmen. Auf keiner einzelnen dieser analytischen Ebenen kann jedoch die der argumentativen Rede innewohnende Idee selbst zureichend entfaltet werden. Die grundlegende Intuition, die wir mit Argumentationen verbinden, läßt sich unter dem Prozeßaspekt am ehesten durch die Absicht kennzeichnen, ein *universales Auditorium* zu überzeugen und für eine Äußerung allgemeine Zustimmung zu erreichen; unter prozeduralem Aspekt durch die Absicht, den Streit um hypothetische Geltungsansprüche mit einem *rational motivierten Einverständnis* zu beenden; und unter dem Produkt-

---

40 Toulmin hat diese Analyse ausgeführt in: Toulmin, Rieke, Janik (1979). Er faßt sie wie folgt zusammen: »It must be clear just what *kind* of issues the argument is intended to raise (aesthetic rather than scientific, say, or legal rather than psychiatric) and what its underlying *purpose* is. The *grounds* on which it rests must be relevant to the *claim* made in the argument and must be sufficient to support it. The *warrant* relied on to guarantee this support must be applicable to the case under discussion and must be based on solid *backing*. The *modality*, or strength, of the resulting claim must be made explicit, and the possible *rebuttals* or exceptions, must be well understood« (106).

aspekt durch die Absicht, einen Geltungsanspruch mit Argumenten zu begründen oder *einzulösen*. Interessanterweise zeigt sich jedoch bei dem Versuch, die entsprechenden argumentationstheoretischen Grundbegriffe wie »Zustimmung eines universalen Auditoriums«[41] oder »Erzielung eines rational motivierten Einverständnisses«[42] oder »diskursive Einlösung eines Geltungsanspruches«[43] zu analysieren, daß sich die Trennung der drei analytischen Ebenen nicht aufrechterhalten läßt.

Das möchte ich exemplarisch an einem der jüngsten Versuche, die Argumentationstheorie auf *nur einer* dieser Abstraktionsebenen, nämlich der der Argumentation als Prozeß, anzusetzen, nachweisen. Der Ansatz von Wolfgang Klein[44] empfiehlt sich durch die Absicht, der rhetorischen Fragestellung eine konsequent erfahrungswissenschaftliche Wendung zu geben. Klein wählt die externe Perspektive des Beobachters, der Argumentationsvorgänge beschreiben und erklären möchte. Dabei verfährt er nicht in dem Sinne objektivistisch, daß nur beobachtbares Verhalten von Argumentationsteilnehmern zugelassen wäre; unter streng behavioristischen Voraussetzungen könnte argumentatives Verhalten von verbalem Verhalten im allgemeinen gar nicht diskriminiert werden. Klein läßt sich auf den Sinn von Argumentationen ein; ohne eine objektive Bewertung der verwendeten Argumente will er diese aber in streng deskriptiver Einstellung untersuchen. Er distanziert sich nicht nur von Toulmin, der davon ausgeht, daß sich der Sinn von Argumentationen nicht ohne eine mindestens implizite Bewertung der in ihnen verwendeten Argumente erschließt; er ent-

41 Ch. Perelman, L. Olbrechts-Tyteca, La nouvelle rhétorique, 2. Aufl. Brüssel 1970.
42 Habermas (1973 c). Das wichtige Konzept der rationalen Motivation ist freilich noch nicht befriedigend analysiert; vgl. H. Aronovitch, Rational Motivation, Philos. Phenom. Res., 15, 1979, 173 ff.
43 Toulmin (1958).
44 W. Klein, Argumentation und Argument, in: Z. f. Litwiss. u. Ling., H. 38/39, 1980, 9 ff. Mit etwas anderen Akzenten ist dieser Ansatz von Max Miller auf moralische Gruppendiskussionen mit Kindern und Jugendlichen angewendet worden. Vgl. M. Miller, Zur Ontogenese moralischer Argumentationen, in: Z. f. Litwiss. u. Ling. H. 38/39, 1980, 58 ff.; ders., Moralität und Argumentation, in: Newsletter Soziale Kognition 3, TU Berlin 1980.

fernt sich auch von der Tradition der Rhetorik, die eher an der überzeugenden Rede als an deren Wahrheitsgehalt interessiert ist: »Toulmins Schema ist in gewisser Hinsicht wirklichen Argumentationen viel näher als die von ihm kritisierten formalen Ansätze, aber es ist ein Schema des *richtigen* Argumentierens; er hat keine empirischen Untersuchungen angestellt, wie die Leute es wirklich machen. Das gilt auch für Perelman/Olbrechts-Tyteca, obwohl sie unter allen philosophischen Ansätzen realen Argumentationen am nächsten kommen; das ›auditoire universel‹, einer der zentralen Begriffe, ist aber sicher nicht eine Gruppe wirklich lebender Menschen, z. B. die gegenwärtige Erdbevölkerung; es ist irgendeine – im übrigen nicht leicht dingfest zu machende – Instanz ... Mir geht es nicht darum, was rationale, vernünftige oder richtige Argumentation ist, sondern darum, wie die Leute, dumm wie sie sind, tatsächlich argumentieren.«[45]

Ich will nun zeigen, wie sich Klein bei seinem Versuch, eine externe Perspektive einzunehmen, um das »tatsächliche« vom »gültigen« Argumentieren säuberlich zu trennen, in instruktive Widersprüche verwickelt.

Klein definiert zunächst den Bereich der argumentativen Rede: »In einer Argumentation wird versucht, mit Hilfe des kollektiv Geltenden etwas kollektiv Fragliches in etwas kollektiv Geltendes zu überführen.«[46] Argumentationsteilnehmer möchten problematische Geltungsansprüche mit Gründen entscheiden; und diese ziehen ihre Überzeugungskraft letztlich aus einem kollektiv geteilten, unproblematischen Wissen. Die empiristische Verkürzung des Sinnes von Argumentation zeigt sich nun daran, wie Klein den Begriff des »kollektiv Geltenden« verwendet. Er versteht darunter nur diejenigen Auffassungen, die zu bestimmten Zeiten von bestimmten Gruppen faktisch geteilt werden; alle internen Beziehungen zwischen dem, was *faktisch* als geltend akzeptiert wird, und dem, was im Sinne eines lokale, zeitliche und soziale Beschränkungen transzendierenden Anspruchs *Gültigkeit* haben soll, blendet Klein

---

45 Klein (1980), 49. Vgl. auch M. A. Finocchiaro, The Psychological Explanation of Reasoning, Phil. Soc. Sc., 9, 1979, 277 ff.
46 Klein (1980), 19.

aus diesem Konzept aus: »Das *Geltende* und das *Fragliche* sind also relativ in Bezug auf Personen und Zeitpunkte.«[47]

Indem Klein das »kollektiv Geltende« auf die jeweils faktisch geäußerten und akzeptierten Überzeugungen beschränkt, bringt er Argumentationen unter eine Beschreibung, die Überzeugungsversuche um eine entscheidende Dimension verkürzt. Seiner Beschreibung zufolge sind es wohl Gründe, die Argumentationsteilnehmer motivieren, sich von etwas überzeugen zu lassen; aber diese *Gründe sind als opake Anlässe von Einstellungsänderungen konzipiert.* Kleins Beschreibung neutralisiert alle Maßstäbe, die eine Bewertung der Rationalität von Gründen ermöglichen würden; sie verbietet dem Theoretiker die Innenperspektive, aus der er eigene Maßstäbe der Beurteilung adoptieren könnte. Soweit uns die von Klein angetragenen Begriffe zur Verfügung stehen, zählt ein Argument soviel wie jedes andere, wenn es nur dazu führt, daß »eine Begründung unmittelbar akzeptiert wird«.[48]

Klein erkennt selbst die Gefahr, die für eine *Logik* der Argumentation entstehen muß, wenn man den Begriff der Geltung durch den der Akzeptanz ersetzt: ». . . bei diesem Ansatz fallen, so könnte man meinen, die Wahrheit und der Realitätsbezug weg, um die es möglicherweise in einer Argumentation auch gehen sollte; es sieht so aus, als käme es bei dieser Betrachtungsweise nur darauf an, wer sich durchsetzt, nicht aber, wer recht hat; das wäre allerdings ein schwerer Irrtum . . .«[49]

Die Logik der Argumentation erfordert einen begrifflichen Rahmen, der dem Phänomen des eigentümlich zwanglosen Zwangs

---

47 Klein (1980), 18. Zu Zwecken der Illustration bezieht sich Klein auf eine sektiererische Gruppe, die den Satz, daß Religion für das Volk schädlich sei, mit dem Hinweis begründet, dies stehe eben bei Lenin. In dieser Gruppe genügt die Berufung auf die Autorität Lenins, um etwas »kollektiv Fragliches« in etwas »kollektiv Geltendes« zu überführen. Klein verwendet diese Begriffe absichtlich so, daß die Frage ausgespart wird, welche Gründe diese Leute, die uns als Sektierer erscheinen mögen, unter Umständen angeben könnten, um andere davon zu überzeugen, daß die theoretischen Erklärungen, die Lenin für einschlägige Phänomene anbietet, konkurrierenden Erklärungen, etwa denen Durkheims oder Webers, überlegen sind.

48 Klein (1980), 16.

49 Klein (1980), 40.

des besseren Arguments Rechnung zu tragen erlaubt: »Die Entfaltung eines solchen Arguments ist keineswegs die freundschaftliche Einigung auf irgendwelche Ansichten. Was kollektiv gilt, ist unter Umständen für den einen der Beteiligten pragmatisch gesehen sehr unangenehm; aber wenn es sich aufgrund geltender Übergänge aus Geltendem ergibt, dann gilt es eben – gleichviel ob er es will oder nicht. Man kann sich gegen das Denken schlecht wehren. Übergänge von Geltendem zu Geltendem vollziehen sich in uns, ob sie uns gefallen oder nicht.«[50] Auf der anderen Seite sind relativistische Konsequenzen unausweichlich, wenn man das kollektiv Geltende allein als soziale Tatsache, also ohne eine interne Beziehung zur Rationalität von Gründen konzipiert: »Es erscheint... willkürlich, ob dies oder jenes bei einem einzelnen oder einem Kollektiv zur Geltung gelangt: die einen glauben dies, die anderen das, und was sich durchsetzt, hängt von Zufällen, vom größeren rhetorischen Geschick oder von physischer Gewalt ab. Das führt zu einigen wenig befriedigenden Konsequenzen. Man müßte dann hinnehmen, daß für den einen gilt ›Liebe deinen Nächsten wie dich selbst‹, für den anderen aber ›Schlage deinen Nächsten tot, wenn er dir zur Last ist‹. Es wäre auch schwer einzusehen, warum man dann noch Forschung betreibt oder überhaupt nach Erkenntnisgewinn strebt; für die einen gilt eben, daß die Erde eine Scheibe ist, für die anderen, daß sie eine Kugel ist oder ein Truthahn; das erste Kollektiv ist das größte, das dritte das kleinste, das zweite das aggressivste; ein größeres ›Recht‹ kann man keinem einräumen (obwohl ja zweifellos die zweite Auffassung richtig ist).«[51]

Das Dilemma besteht nun darin, daß Klein relativistische Konsequenzen nicht in Kauf nehmen und gleichwohl die externe Perspektive des Beobachters beibehalten möchte. Er weigert sich, zwischen der *sozialen Geltung* und der *Gültigkeit* von Argumenten zu unterscheiden: »Begriffe von ›wahr‹ und ›wahrscheinlich‹, die von den erkennenden Individuen und der Art, wie sie ihr Wissen gewinnen, absehen, mögen daher irgendeinen Nutzen ha-

50 Klein (1980), 30 f.
51 Klein (1980), 47 f.

ben, für Argumentationen sind sie aber irrelevant; dort kommt es darauf an, was für die einzelnen gilt.«[52]

Aus diesem Dilemma sucht Klein einen merkwürdigen Ausweg: »Der Scheidestein für Unterschiede im Geltenden ist nicht ihr unterschiedlicher Wahrheitsgehalt – denn wer entscheidet darüber? –, sondern die immanent wirksame Logik der Argumentation.«[53] Der Ausdruck »Wirksamkeit« hat in diesem Zusammenhang eine systematische Zweideutigkeit. Wenn Argumente gültig sind, kann die Einsicht in die internen Bedingungen ihrer Gültigkeit eine rational motivierende Kraft haben. Argumente können aber auch unabhängig von ihrer Gültigkeit auf die Einstellung von Adressaten Einfluß haben, wenn sie nur unter externen Bedingungen geäußert werden, die ihre Akzeptanz sichern. Während die »Wirksamkeit« der Argumente hier mit Hilfe einer Psychologie der Argumentation erklärt werden könnte, bedürfte es zur Erklärung des ersten Falls einer Logik der Argumentation. Klein postuliert indessen ein Drittes, nämlich eine Argumentationslogik, die *Geltungszusammenhänge wie empirische Gesetzmäßigkeiten* erforscht. Sie soll ohne Rückgriff auf Begriffe der objektiven Geltung die Gesetze darstellen, denen Argumentationsteilnehmer gegebenenfalls gegen ihre Neigungen und entgegen äußeren Einwirkungen unterworfen sind. Eine solche Theorie muß, was den Beteiligten als interne Zusammenhänge zwischen gültigen Äußerungen *erscheint,* als externe Zusammenhänge zwischen nomologisch verknüpften Ereignissen analysieren.

Klein kann das von ihm selbst gesehene Dilemma nur um den Preis eines (absichtlich in Kauf genommenen?) Kategorienfehlers überspielen, indem er der Logik der Argumentation eine Aufgabe zumutet, die nur von einer nomologischen Theorie beobachtbaren Verhaltens bewältigt werden könnte: »Ich glaube, daß sich bei der systematischen Analyse tatsächlicher Argumentationen – wie bei jeder *empirischen Analyse* – relativ feste *Gesetzmäßigkeiten* auffinden lassen, nach denen unter Menschen argumentiert wird – eben die Logik der Argumentation. Und ich glaube darüberhinaus, daß

52 Klein (1980), 47.
53 Klein (1980), 48.

dieser Begriff vieles von dem abdeckt, was man gemeinhin unter ›Rationalität der Argumentation‹ versteht.«[54] Klein will die Logik der Argumentation als eine nomologische Theorie aufziehen und muß deshalb Regeln an kausale Gesetzmäßigkeiten, Gründe an Ursachen assimilieren.[55]

Paradoxe Konsequenzen dieser Art ergeben sich aus einem Versuch, die Logik der Argumentation *ausschließlich* aus der Perspektive des Ablaufs von Kommunikationsprozessen zu entwerfen und zu vermeiden, Konsensbildungsprozesse von vornherein auch als Erzielung eines rational motivierten Einverständnisses und als diskursive Einlösung von Geltungsansprüchen zu analysieren. Die *Beschränkung auf die Abstraktionsebene der Rhetorik* hat zur Folge, daß die interne Perspektive einer Nachkonstruktion von Geltungszusammenhängen vernachlässigt wird. Es fehlt ein Begriff der Rationalität, der es erlauben würde, zwischen »ihren« und »unseren« Standards, zwischen dem, was »für sie« und dem, was »für uns« gilt, eine interne Beziehung herzustellen.

Interessanterweise begründet Klein die Eliminierung des Wahrheitsbezuges von Argumenten auch damit, daß sich nicht alle Geltungsansprüche, die in einer Argumentation strittig sein können, auf Wahrheitsansprüche zurückführen lassen. Bei vielen Argumentationen geht es »überhaupt nicht um Aussagen, die man nach ›wahr‹ oder ›wahrscheinlich‹ zu entscheiden hat, sondern um Fragen wie beispielsweise, was gut ist, was schön ist oder was man tun soll. Es versteht sich, daß es hier erst recht um das geht, was gilt,

---

54 Klein (1980), 49 f.

55 Das erklärt, warum Klein beispielsweise pathologische Abweichungen von Regeln der Argumentation auf eine höchst unplausible Weise mit der Überdeterminierung von physikalischen Erscheinungen vergleicht: »Selbstverständlich sind in einer Argumentation noch andere Gesetzlichkeiten wirksam als ihre Logik, und nicht alles, was in einer Argumentation gesagt wird, entspricht ihr. So wie die fallenden Äpfel zwar dem Gesetz der Gravitation folgen, und man dieses Gesetz anhand fallender Äpfel und anderer, sich relativ zueinander bewegender Körper studieren kann. Aber die Bewegung von Äpfeln wird auch von anderen Gesetzen bestimmt. Ich erwähne dies, weil ich den Hinweis auf Argumentationen unter Irren ebensowenig als Einwand gegen die eben versuchte Explikation ansehe wie man den Wurf eines Apfels als Einwand gegen das Gesetz der Gravitation betrachten würde« (Klein, 1980, 50).

was für bestimmte Menschen zu bestimmten Zeitpunkten gilt.«[56] Der Begriff der propositionalen Wahrheit ist in der Tat zu eng, um alles zu decken, wofür Argumentationsteilnehmer im logischen Sinne Geltung beanspruchen. Deshalb muß die Argumentationstheorie über ein umfassenderes, nicht auf Wahrheitsgeltung eingeschränktes Konzept von Geltung verfügen. Daraus ergibt sich indessen keineswegs die Notwendigkeit, auf *wahrheitsanaloge* Geltungskonzepte zu verzichten, alle kontrafaktischen Momente aus dem Geltungsbegriff zu tilgen und Geltung mit Akzeptanz, Gültigkeit mit sozialer Geltung gleichzusetzen.

Den Vorzug des Toulminschen Ansatzes sehe ich gerade darin, daß er eine Pluralität von Geltungsansprüchen zuläßt, ohne zugleich den kritischen, raumzeitliche und soziale Beschränkungen transzendierenden Sinn von Gültigkeit zu dementieren. Allerdings leidet auch dieser Ansatz noch daran, daß die Abstraktionsebenen des Logischen und des Empirischen nicht einleuchtend vermittelt werden.

Toulmin wählt einen alltagssprachlichen Ausgangspunkt, der ihn zunächst nicht zwingt, zwischen diesen beiden Ebenen zu unterscheiden. Er sammelt Beispiele für Versuche, argumentativ auf die Haltung eines Interaktionsteilnehmers Einfluß zu nehmen. Das kann in der Weise geschehen, daß wir eine Information preisgeben, einen Rechtsanspruch erheben, gegen die Übernahme einer neuen Strategie (z. B. der Unternehmenspolitik) oder einer neuen Technik (z. B. des Slalomlaufs oder der Stahlproduktion) Einwände erheben, daß wir eine musikalische Darbietung kritisieren, eine wissenschaftliche Hypothese verteidigen, einen Kandidaten bei der Auswahl für einen Job unterstützen usw. Diese Fälle haben die Form der Argumentation gemeinsam: wir bemühen uns, einen Anspruch mit guten Gründen zu stützen; die Qualität der Gründe und deren Relevanz kann von der Gegenseite in Frage gestellt werden; wir begegnen Einwänden und sind gegebenenfalls gezwungen, die ursprüngliche Äußerung zu modifizieren.

Allerdings unterscheiden sich die Argumentationen nach der *Art der Ansprüche*, die der Proponent verteidigen möchte. Die An-

56 Klein (1980), 47.

sprüche variieren mit den Handlungskontexten. Diese können zunächst anhand von Institutionen gekennzeichnet werden, so z. B. durch Gerichtshöfe, wissenschaftliche Kongresse, Aufsichtsratssitzungen, ärztliche Konsultationen, Universitätsseminare, Parlamentarische Anhörungen, Besprechungen von Ingenieuren zur Festlegung eines Designs usw.[57] Die Mannigfaltigkeit von Kontexten, in denen Argumentationen auftreten können, lassen sich einer Funktionsanalyse unterziehen und auf wenige soziale Arenen oder »Felder« reduzieren. Ihnen entsprechen verschiedene Typen von Ansprüchen und ebensoviele Typen der Argumentation. Toulmin unterscheidet also das allgemeine Schema, in dem er die feldinvarianten Merkmale von Argumenten festhält, von den besonderen, feldabhängigen Regeln der Argumentation, die für die Sprachspiele oder Lebensordnungen der Rechtsprechung, der Medizin, der Wissenschaft, der Politik, der Kunstkritik, der Unternehmensführung, des Sports usw. konstitutiv sind. Wir können die Stärke von Argumenten nicht beurteilen und die Kategorie der Geltungsansprüche, die mit ihnen eingelöst werden sollen, nicht verstehen, wenn wir nicht den Sinn des jeweiligen *Unternehmens* verstehen, das durch Argumentation gefördert werden soll: »What gives judicial arguments their force in the context of actual court proceedings? ... The status and force of those arguments – as *judicial* arguments – can be fully understood only if we put them back into their practical contexts and recognize what functions and purposes they possess in the actual enterprise of the law. Similarly the arguments advanced in a scientific discussion must be presented in an orderly and relevant manner if the initial claims are to be criticized in a rational manner, open to all concerned. But what finally gives strength and force to those arguments is, once again, something more than their structure and order. We shall understand their status and force fully only by putting them back into their original contexts and recognizeing how they contribute to the larger enterprise of science. Just as judicial arguments are sound only to the extent that they serve the deeper goals of the legal process, scientific arguments are sound only to the extent that they can serve the

57 Toulmin (1979), 15.

deeper goal of improving our scientific understanding. The same is true in other fields. We understand the fundamental force of medical arguments only to the extent that we understand the enterprise of medicine itself. Likewise for business, politics, or any other field. In all these fields of human activity, reasoning and argumentation find a place as central elements within a larger human enterprise. And to mark this feature – the fact that all these activities place reliance on the presentation and critical assessment of ›reasons‹ and ›arguments‹ – we shall refer to them all as rational enterprises.«[58]

Diesem Versuch, die Mannigfaltigkeit von Argumentationstypen und Geltungsansprüchen auf verschiedene »rationale Unternehmungen« und entsprechend institutionalisierte »Felder der Argumentation« zurückzuführen, haftet freilich eine Zweideutigkeit an. Es bleibt unklar, ob sich diese Totalitäten von Recht und Medizin, Wissenschaft und Management, Kunst und Ingenieurskunst nur funktional, z. B. soziologisch, oder auch argumentationslogisch voneinander abgrenzen lassen. Begreift Toulmin jene »rationalen Unternehmungen« als institutionelle Ausprägungen von intern zu charakterisierenden Formen der Argumentation, oder differenziert er die Felder der Argumentation *allein* nach institutionellen Kriterien? Toulmin neigt der zweiten, mit weniger Beweislasten verbundenen Alternative zu.

Wenn wir uns der oben eingeführten Unterscheidung von Prozeß-, Prozedur- und Produktaspekten bedienen, begnügt sich Toulmin für die Argumentationslogik mit der dritten Abstraktionsebene, auf der er den Aufbau und den Zusammenhang einzelner Argumente verfolgt. Die Differenzierung in verschiedene Felder der Argumentation sucht er dann unter Gesichtspunkten der Institutionalisierung zu erfassen. Dabei unterscheidet er auf der prozeduralen Ebene zwischen konflikt- und konsensorientierten *Mustern der Organisation*[59] und auf der Prozeßebene zwischen *funktional spezifizierten Handlungskontexten,* in welche die argumentative Rede als problemlösender Mechanismus eingebettet ist.

58 Toulmin (1979), 28.
59 Toulmin (1979), 279 ff.

Diese verschiedenen Argumentationsfelder müssen induktiv aufgesucht werden; sie sind nur einer empirisch verallgemeinernden Analyse zugänglich. Toulmin zeichnet fünf *repräsentative* Felder der Argumentation aus, nämlich Recht, Moral, Wissenschaft, Management und Kunstkritik: »By studying them we shall identify most of the characteristic modes of reasoning to be found in different fields and enterprises, and we shall recognize how they reflect the underlying aims of those enterprises.«[60]

Diese Absichtserklärung ist freilich nicht ganz so eindeutig, wie ich es dargestellt habe. Toulmin führt sein Programm zwar in der Weise aus, daß er aus den feldabhängigen Argumentationsweisen stets dasselbe Argumentationsschema herauspräpariert; insofern können die fünf Argumentationsfelder als *institutionelle Ausdifferenzierungen eines allgemeinen konzeptuellen Rahmens* für Argumentationen überhaupt begriffen werden. Nach dieser Lesart würde sich die Aufgabe der Argumentationslogik auf die Explikation eines Rahmens für mögliche Argumentationen beschränken. So verschiedene Unternehmungen wie Recht und Moral, Wissenschaft, Management und Kunstkritik würden ihre Rationalität diesem gemeinsamen Kern verdanken. In anderen Zusammenhängen wendet sich aber Toulmin entschieden gegen eine solche universalistische Auffassung; er zweifelt nämlich an der Möglichkeit des direkten Zugriffs auf einen fundamentalen und unwandelbaren Rahmen der Rationalität. So stellt er dem unhistorischen Vorgehen der normativen Wissenschaftstheorie Popperscher Observanz eine historisch-rekonstruierende Untersuchung des Konzept- und Paradigmenwandels gegenüber. Der Begriff der Rationalität soll sich allein einer historisch gerichteten empirischen Analyse des Wandels rationaler Unternehmungen erschließen können.

Dieser Lesart zufolge müßte sich die Logik der Argumentation vor allem auf jene substantiellen Konzeptionen erstrecken, die im Laufe der Geschichte die *jeweilige* Rationalität von Unternehmungen wie Wissenschaft, Technik, Recht, Medizin usw. erst konstituieren. Toulmin zielt auf eine »Kritik der kollektiven Vernunft«, die eine apriorische Abgrenzung von Argumentationen ebenso ver-

60 Toulmin (1979), 200.

meidet wie abstrakt eingeführte Definitionen von Wissenschaft oder Recht oder Kunst: »Wenn wir Kategorialausdrücke wie ›Wissenschaft‹ und ›Recht‹ verwenden, so meinen wir damit weder die zeitlose Verfolgung abstrakter Ideale, die unabhängig von unserem sich wandelnden Verständnis der jeweiligen Bedürfnisse und Probleme der Menschen definiert wären, noch auch das, was die Menschen in irgendeinem Milieu zufällig ›Wissenschaft‹ oder ›Recht‹ nennen. Vielmehr arbeiten wir mit bestimmten allgemeinen, ›offenen‹ und historisch wandelbaren Vorstellungen davon, was wissenschaftliche und juristische Unternehmungen *leisten sollen*. Zu diesen inhaltlichen Vorstellungen kommen wir im Lichte der Empirie, und zwar der Ziele, die sich die Menschen in den verschiedenen Milieus gesetzt haben, indem sie ihre Formen jener Vernunftunternehmungen herausbildeten, wie auch der Art der Erfolge, die sie bei deren Verfolgung tatsächlich erzielten.«[61]

Gleichwohl möchte Toulmin für die Vermeidung apriorischer Vernunftmaßstäbe nicht den Preis des Relativismus zahlen. Im Wandel der rationalen Unternehmungen und ihrer Rationalitätsstandards darf nicht *allein* das zählen, was die Beteiligten jeweils für ›rational‹ halten. Der in rekonstruktiver Absicht vorgehende Historiker muß sich, wenn er die Gestalten des objektiven Geistes »vernünftig vergleichen« will, an einem kritischen Maßstab orientieren. Diesen identifiziert Toulmin mit »dem unparteiischen Standpunkt des vernünftigen Urteils«, den er freilich, wie der Hegel der »Phänomenologie«, nicht willkürlich *voraussetzen*, sondern aus der begreifenden Aneignung des kollektiven Vernunftunternehmens der Menschengattung *gewinnen* möchte.

Unglücklicherweise unternimmt Toulmin keinen Versuch der Analyse des recht allgemein gefaßten *Standpunktes der Unparteilichkeit* und setzt sich dadurch dem Einwand aus, die Logik der Argumentation, die er nur auf der Ebene des allgemeinen Argumentationsschemas, nicht aber auf den Ebenen von Prozeduren und Prozessen durchführt, an *vorgefundene* Rationalitätsvorstellungen auszuliefern. Solange Toulmin nicht die allgemeinen kommunikativen Voraussetzungen und Verfahren kooperativer Wahr-

61 Toulmin (1978), 575 f.

heitssuche klärt, kann er auch nicht formalpragmatisch angeben, was es heißt, als Argumentationsteilnehmer einen unparteiischen Standpunkt einzunehmen. Diese ›Unparteilichkeit‹ läßt sich am Aufbau der verwendeten Argumente nicht ablesen, sondern nur anhand der Bedingungen der diskursiven Einlösung von Geltungsansprüchen klären. Und dieser Grundbegriff der Argumentationstheorie verweist wiederum auf die Grundbegriffe des rational motivierten Einverständnisses und der Zustimmung eines universalen Auditoriums: »Although Toulmin recognizes that the validity of a claim ... is ultimately established by community-produced consensual decisions, he only implicitly recognizes the crucial difference between warranted and unwarranted consensually achieved decisions. Toulmin does not clearly differentiate between these distinct types of consensus.«[62] Toulmin treibt die Logik der Argumentation nicht weit genug in die Bereiche von Dialektik und Rhetorik vor. Er legt nicht die richtigen Schnitte zwischen die zufälligen *institutionellen Ausprägungen* der *Argumentation* einerseits, und die durch innere Strukturen bestimmten *Argumentationsformen* andererseits.

Das gilt zunächst für die typologische Abgrenzung zwischen einer konflikt- und einer verständigungsorientierten Einrichtung von Argumentationen. Gerichtsverhandlung und Kompromißbildung dienen Toulmin als Beispiele für Argumentationen, die als *Streit* organisiert sind, wissenschaftliche und moralische Auseinandersetzungen, aber auch die Kunstkritik als Beispiele für Argumentationen, die als *Einigungsprozesse* eingerichtet sind. Tatsächlich stehen aber Konflikt- und Konsensmodelle nicht als gleichberechtigte Organisationsformen nebeneinander. Das Aushandeln von Kompromissen dient überhaupt nicht einer streng diskursiven Einlösung von Geltungsansprüchen, sondern der Abstimmung nichtverallgemeinerungsfähiger Interessen auf der Grundlage gleichgewichtiger Machtpositionen. Die Argumentation vor Gericht unterscheidet sich (wie andere Arten der juristischen Diskussion, z. B. richterliche Beratungen, dogmatische Erörterungen,

---

62 Burleson (1979), 112; vgl. W. R. Fischer, Toward a Logic of Good Reasons, Quart. J. Speech, 64, 1978, 376 ff.

Gesetzeskommentare usw.) von allgemeinen praktischen Diskursen durch die Bindung ans geltende Recht, auch durch spezielle Beschränkungen einer Prozeßordnung, die dem Erfordernis einer autorisierten Entscheidung und der Erfolgsorientierung der streitenden Parteien Rechnung tragen.[63] Gleichwohl enthält die Argumentation vor Gericht wesentliche Elemente, die nur nach dem Modell der moralischen Argumentation, überhaupt der Diskussion über die Richtigkeit normativer Aussagen erfaßt werden können. Deshalb verlangen *alle* Argumentationen, ob sie sich nun auf Fragen des Rechts und der Moral oder auf wissenschaftliche Hypothesen oder Kunstwerke beziehen, *dieselbe* grundlegende Organisationsform der kooperativen Wahrheitssuche, die die Mittel der Eristik dem Ziel unterordnet, intersubjektive Überzeugungen kraft besserer Argumente herauszubilden.

Vor allem an der Einteilung der Argumentationsfelder zeigt sich aber, daß Toulmin die intern motivierte Ausdifferenzierung verschiedener *Argumentationsformen* nicht klar von der institutionellen Ausdifferenzierung verschiedener *rationaler Unternehmungen* unterscheidet. Mir scheint der Fehler darin zu liegen, daß Toulmin *konventionelle*, von Handlungskontexten abhängige *Ansprüche* nicht deutlich von *universalen Geltungsansprüchen* trennt. Betrachten wir einige seiner bevorzugten Beispiele:

(1) The Oakland Raiders are a certainty for the Super Bowl this year.
(2) The epidemic was caused by a bacterial infection carried from ward to ward on food-service equipment.
(3) The company's best interim policy is to put this money into short term municipal bonds.
(4) I am entitled to have access to any papers relevant to dismissals in our firm's personnel files.
(5) You ought to make more efforts to recruit women executives.
(6) This new version of KING KONG makes more psychological sense than the original.
(7) Asparagus belongs to the order of Liliaceae.

63 Dieser Umstand hatte mich zunächst dazu bewogen, Gerichtsverhandlungen als strategisches Handeln zu konzipieren (Habermas, Luhmann, Theorie der Gesellschaft, Ffm. 1971, 200 f.). Inzwischen habe ich mich von R. Alexy (1978), 263 ff., davon überzeugen lassen, daß juristische Argumentationen in allen ihren institutionel-

Die Sätze (1) bis (7) repräsentieren Äußerungen, mit denen ein Proponent gegenüber einem Opponenten einen Anspruch erheben kann. Die Art des Anspruchs geht meistens erst aus dem Kontext hervor. Wenn ein Sportfan mit einem anderen eine Wette abschließt und dabei (1) äußert, handelt es sich überhaupt nicht um einen mit Argumenten einlösbaren Geltungsanspruch, sondern um einen Gewinnanspruch, über den nach konventionellen Spielregeln entschieden wird. Wird (1) hingegen in einer Debatte unter Sportsachverständigen geäußert, handelt es sich um eine Prognose, die mit Gründen gestützt oder bestritten werden kann. Auch in Fällen, wo sich schon an den Sätzen ablesen läßt, daß sie nur in Verbindung mit diskursiv einlösbaren Geltungsansprüchen geäußert werden können, entscheidet erst der Kontext über *die Art* des Geltungsanspruchs. So können sich interessierte Laien oder Biologen über die botanische Klassifikation von »Spargel« streiten und dabei (7) äußern; in diesem Fall erhebt der Sprecher den Anspruch auf die Wahrheit einer Proposition. Wenn hingegen ein Lehrer im Biologieunterricht die Linnésche Taxonomie erklärt und einen Schüler, der »Spargel« nicht richtig klassifiziert, verbessert, indem er (7) äußert, erhebt er den Anspruch auf die Verständlichkeit einer semantischen Regel.

Es ist auch keineswegs so, daß Argumentationsfelder zwischen verschiedenen Arten von Geltungsansprüchen hinreichend diskriminierten. Obwohl (4) und (5) verschiedenen Argumentationsfeldern, nämlich Recht und Moral zuzurechnen sind, kann ein Sprecher mit diesen Äußerungen unter Standardbedingungen allein normative Geltungsansprüche erheben: in beiden Fällen beruft er sich auf eine Handlungsnorm, wobei diese im Falle von (4) vermutlich durch die Organisationsvorschriften eines Betriebes gedeckt ist und daher Rechtscharakter hat.

Derselbe Geltungsanspruch, ob es sich nun um propositionale Wahrheit oder um normative Richtigkeit handelt, tritt zudem in modalisierten Formen auf. Man mag Behauptungen, die mit Hilfe einfacher prädikativer Sätze, genereller Aussagen oder Existenzsätze gebildet werden, in ähnlicher Weise wie Versprechungen

len Ausprägungen als Sonderfall des praktischen Diskurses begriffen werden müssen.

oder Befehle, die mit Hilfe singulärer oder genereller Sollsätze gebildet werden, als paradigmatisch für den *Grundmodus* wahrheitsfähiger bzw. richtigkeitsfähiger Äußerungen verstehen. An Voraussagen wie (1), Erklärungen wie (2) oder klassifizierenden Beschreibungen wie (7), an Berechtigungen wie (4) oder Ermahnungen wie (5) wird aber deutlich, daß der *Modus* einer Äußerung normalerweise etwas Spezifischeres bedeutet: er drückt auch die raumzeitliche oder sachliche Perspektive aus, aus der sich der Sprecher auf einen Geltungsanspruch bezieht.

Argumentationsfelder wie Medizin, Unternehmensführung, Politik usw. beziehen sich im wesentlichen auf wahrheitsfähige Äußerungen, unterscheiden sich aber im Praxisbezug. Eine Empfehlung von Strategien (oder Technologien) wie in (3) ist unmittelbar mit einem Anspruch auf die Wirksamkeit der angeratenen Maßnahmen verknüpft; dabei stützt sie sich auf die Wahrheit entsprechender Prognosen, Erklärungen oder Beschreibungen. Eine Äußerung wie (2) stellt umgekehrt eine Erklärung dar, aus der sich in praktischen Kontexten, etwa im Gesundheitswesen, unter Zuhilfenahme des Imperativs, die Ausbreitung von Epidemien zu verhindern, ohne weiteres technische Empfehlungen ableiten lassen.

Diese und ähnliche Überlegungen sprechen gegen den Versuch, die institutionelle Ausprägung von Argumentationsfeldern zum Leitfaden der Argumentationslogik zu machen. Die externen Differenzierungen setzen vielmehr an internen Differenzierungen zwischen verschiedenen Formen der Argumentation an, die einer auf Funktionen und Zwecke rationaler Unternehmungen abstellenden Betrachtung verschlossen bleiben. Die Argumentationsformen differenzieren sich nach universalen Geltungsansprüchen, die oft erst im Zusammenhang mit dem Kontext einer Äußerung *erkennbar* sind, die aber nicht erst durch Kontexte und Handlungsbereiche *konstituiert* werden.

Wenn das richtig ist, kommt freilich auf die Argumentationstheorie eine erhebliche Beweislast zu; dann muß sie nämlich ein *System von Geltungsansprüchen* angeben können.[64] Freilich braucht sie

64 Zum Zusammenhang zwischen der Theorie der Geltungsansprüche und der Argumentationslogik vgl. V. L. Völzing, Begründen, Erklären, Argumentieren, Heidelbg. 1979, 34 ff.

für ein solches System keine »Ableitung« im Sinne transzendentaler Deduktionen anzubieten; es genügt eine zuverlässige Prozedur für die Überprüfung entsprechender Rekonstruktionshypothesen. Hier begnüge ich mich mit einer Vorüberlegung.

Ein Geltungsanspruch kann von einem Sprecher gegenüber (mindestens) einem Hörer erhoben werden. Normalerweise geschieht das implizit. Indem der Sprecher einen Satz äußert, erhebt er einen Anspruch, der, wenn er ihn explizit machen würde, die Form annehmen könnte: »es ist wahr, daß ›p‹« oder »es ist richtig, daß ›h‹«, oder auch »ich meine, was ich sage, wenn ich hier und jetzt ›s‹ äußere«, wobei ›p‹ für eine Aussage, ›h‹ für die Beschreibung einer Handlung und ›s‹ für einen Erlebnissatz stehen mögen. Ein *Geltungsanspruch* ist äquivalent der Behauptung, daß die *Bedingungen* für die *Gültigkeit* einer Äußerung erfüllt sind. Gleichviel ob der Sprecher einen Geltungsanspruch implizit oder explizit erhebt, der Hörer hat nur die Wahl, den Geltungsanspruch anzunehmen, zurückzuweisen oder einstweilen dahingestellt sein zu lassen. Die zulässigen Reaktionen sind Ja/Nein-Stellungnahmen oder Enthaltungen. Freilich ist nicht jedes »Ja« oder »Nein« zu einem in kommunikativer Absicht geäußerten Satz eine Stellungnahme zu einem kritisierbaren Geltungsanspruch. Wenn wir normativ nicht-autorisierte, also willkürliche Aufforderungen »Imperative« nennen, dann drücken ein »Ja« oder ein »Nein« zu einem Imperativ ebenfalls Zustimmung oder Ablehnung aus, aber dies nur im Sinne der Bereitschaft oder der Weigerung, sich der Willensäußerung eines Anderen zu fügen. Diese Ja/Nein-Stellungnahmen zu *Machtansprüchen* sind selber Ausdruck einer *Willkür*. Hingegen bedeuten Ja/Nein-Stellungnahmen zu Geltungsansprüchen, daß der Hörer einer kritisierbaren Äußerung *mit Gründen* zustimmt oder nicht zustimmt; sie sind Ausdruck einer *Einsicht*.[65]

Wenn wir nun die oben wiedergegebene Liste mit Beispielssätzen unter dem Gesichtspunkt durchgehen, was ein Hörer jeweils bejahen oder verneinen könnte, ergeben sich die folgenden Geltungsansprüche: Falls (1) im Sinne einer Voraussage gemeint ist, nimmt

65 Diese wichtige Unterscheidung vernachlässigt E. Tugendhat, Vorlesungen zur Einführung in die sprachanalytische Philosophie, Ffm. 1976, 76 f., 219 ff.

der Hörer mit Ja oder Nein zur *Wahrheit einer Proposition* Stellung. Dasselbe gilt für (2). Ein Ja oder Nein zu (4) bedeutet die Stellungnahme zu einem Rechtsanspruch, allgemeiner zur *normativen Richtigkeit einer Handlungsweise*. Dasselbe gilt für (5). Eine Stellungnahme zu (6) bedeutet, daß der Hörer die *Anwendung eines Wertstandards* für *angemessen* hält oder nicht. Je nachdem ob (7) im Sinne einer Beschreibung oder als Explikation einer Bedeutungsregel verwendet wird, bezieht sich der Hörer mit seiner Stellungnahme entweder auf einen Wahrheits- oder auf einen Verständlichkeits- bzw. Wohlgeformtheitsanspruch.

Der Grundmodus dieser Äußerungen bestimmt sich nach den mit ihnen implizit erhobenen Geltungsansprüchen der Wahrheit, Richtigkeit, Angemessenheit oder Verständlichkeit (bzw. Wohlgeformtheit). Zu denselben Modi führt auch eine *semantisch ansetzende Analyse von Aussageformen*. Deskriptive Sätze, die im weitesten Sinne der Tatsachenfeststellung dienen, können unter dem Aspekt der Wahrheit einer Proposition bejaht oder verneint werden; normative Sätze (oder Sollsätze), die der Rechtfertigung von Handlungen dienen, unter dem Aspekt der Richtigkeit (bzw. der »Gerechtigkeit«) einer Handlungsweise; evaluative Sätze (oder Werturteile), die der Bewertung von etwas dienen, unter dem Aspekt der Angemessenheit von Wertstandards (bzw. des »Guten«)[66]; und Explikationen, die der Erklärung von Operationen

---

66 Ich beziehe mich hier nur auf »echte« Werturteile, denen Wertstandards nicht-deskriptiver Art zugrunde liegen. Bewertungen, die dazu dienen, etwas nach deskriptiv anwendbaren Kriterien in eine Rangordnung zu bringen, lassen sich als wahrheitsfähige Aussagen formulieren und gehören nicht zu Werturteilen im engeren Sinne. In diesem Sinne unterscheidet P. W. Taylor zwischen »value grading« und »value ranking«: »In order to make clear the difference between value gradings and value rankings, it is helpful to begin by considering the difference between two meanings of the word ›good‹. Suppose we are trying to decide whether a certain president of the United States was a good president. Do we mean good as far as presidents usually go? Or do we mean good in an absolute sense, with an ideal president in mind? In the first case, our class of comparison is the thirty-five men who have actually been president. To say that someone was a good president in this sense means that he was *better than average*. It is to claim that he fulfilled certain standards to a higher degree than most of the other men who were president. ›Good‹ is being used as a ranking word. In the second case, our class of comparison is not the class of actual presidents but the class of all possible (imaginable) presi-

wie sprechen, klassifizieren, rechnen, deduzieren, urteilen usw. dienen, unter dem Aspekt der Verständlichkeit oder Wohlgeformtheit symbolischer Ausdrücke.

Ausgehend von der Analyse der Aussageformen lassen sich zunächst die semantischen Bedingungen klären, unter denen ein entsprechender Satz *gilt*. Sobald aber die Analyse zu den Möglichkeiten der Begründung der Gültigkeit von Aussagen fortschreitet, zeigen sich die *pragmatischen Implikationen* des Geltungsbegriffs. Was Begründung heißt, läßt sich nur anhand der Bedingungen für eine diskursive Einlösung von Geltungsansprüchen erklären. Weil sich deskriptive, normative, evaluative, explikative, übrigens auch expressive Aussagen ihrer Form nach unterscheiden, machen aber gerade semantische Analysen darauf aufmerksam, daß sich mit der Form der Aussage auch der *Sinn von Begründung* in spezifischer Weise ändert. Die Begründung deskriptiver Aussagen bedeutet den Nachweis der Existenz von Sachverhalten; die Begründung normativer Aussagen den Nachweis der Akzeptabilität von Handlungen bzw. Handlungsnormen; die Begründung evaluativer Aussagen den Nachweis der Präferierbarkeit von Werten; die Begründung expressiver Aussagen den Nachweis der Transparenz von Selbstdarstellungen; und die Begründung explikativer Aussagen den Nachweis, daß symbolische Ausdrücke regelrecht erzeugt worden sind. Der Sinn der entsprechend differenzierten Geltungsansprüche läßt sich dann in der Weise explizieren, daß man die argumentationslogischen Bedingungen spezifiziert, unter denen jeweils ein solcher Nachweis geführt werden kann.

Ich kann diese formalsemantischen Anknüpfungspunkte für eine Systematisierung der Geltungsansprüche an dieser Stelle nicht wei-

dents. To say that a certain president was good in this sense means that he fulfilled to a high degree those standards whose complete fulfillment would define an ideal president. ›Good‹ is here used as a grading word. It is not possible to specify exactly to what degree the standards must be fulfilled for a man to be graded as a good president rather than as mediocre or bad. That depends on what standards one is appealing to (that is, what conception of an ideal president one has in mind), how clearly those standards are defined, to what extent the degrees to which they can be fulfilled are measurable, and how distant from reality is one's ideal.« P. W. Taylor, Normative Discourse, Englewood Cliffs 1961, 7 f.

ter verfolgen, möchte aber noch auf zwei Einschränkungen hinweisen, die für eine Theorie der Geltungsansprüche wichtig sind: Geltungsansprüche sind nicht *nur* in kommunikativen Äußerungen enthalten; und nicht *alle* in kommunikativen Äußerungen enthaltenen Geltungsansprüche haben einen direkten Anschluß an entsprechende Formen der Argumentation.

Satz (6) ist ein Beispiel für ästhetische Bewertungen; diese evaluative Aussage bezieht sich auf den Wert eines Filmes. Dabei wird der Film als ein Werk betrachtet, das selber mit einem Anspruch, sagen wir auf authentische Darstellung, auf eine instruktive Verkörperung von exemplarischen Erfahrungen auftritt. Wir können uns nun vorstellen, daß in einer Diskussion über die vergleichsweise positive Bewertung des remakes, welches nach Meinung des Sprechers die Ambivalenzen in der Beziehung zwischen King Kong, dem Ungeheuer, und seinem Opfer subtil entfaltet, der von ihm zunächst naiv angewendete Wertstandard seinerseits in Frage gestellt und zum Thema gemacht wird. Eine ähnliche Verschiebung findet in moralischen Argumentationen statt, wenn eine zur Rechtfertigung der problematischen Handlung herangezogene Norm selber in Zweifel gezogen wird. So könnte (5) auch im Sinne eines generellen Sollsatzes oder einer Norm verstanden werden, für deren Geltungsanspruch ein skeptischer Hörer nach einer Rechtfertigung verlangt. In ähnlicher Weise kann sich der Diskurs, der sich an (2) anschließt, auf die zugrundeliegenden theoretischen Annahmen über Infektionskrankheiten verschieben. Sobald sich kulturelle Handlungssysteme wie Wissenschaft, Recht und Kunst ausdifferenzieren, beziehen sich die institutionell verstetigten, professionell eingerichteten, also von Experten durchgeführten Argumentationen auf solche *höherstufigen Geltungsansprüche*, die nicht an einzelnen kommunikativen Äußerungen, sondern an kulturellen Objektivationen, an Kunstwerken, Moral- und Rechtsnormen oder an Theorien haften. Auf dieser Stufe kulturell gespeicherten und objektivierten Wissens liegen übrigens auch Technologien und Strategien, in denen theoretisches oder berufspraktisches Wissen unter bestimmten Praxisbezügen wie Medizin und Gesundheitsvorsorge, Militärtechnik, Unternehmensführung usw. organisiert wird. Trotz dieser *Stufendifferenz* bleibt die Analyse einzelner Äußerungen, die in kommunikativer Absicht geäußert werden, ein heuristisch tragfähiger Ausgangspunkt für die Systematisierung von Geltungsansprüchen, weil auf der Stufe kultureller Objektivationen kein Geltungsanspruch auftritt, der nicht *auch* in kommunikativen Äußerungen enthalten wäre.

Andererseits ist es kein Zufall, daß sich unter den angeführten Beispielen für kritisierbare und sozusagen argumentativ anschlußfähige Äußerungen kein Satz findet vom Typus:

(8) Ich bin, wie ich dir gestehen muß, über den schlechten Zustand, in dem sich mein Kollege befindet, seitdem er aus dem Krankenhaus zurück ist, beunruhigt.

Das ist auf den ersten Blick erstaunlich, denn solche in der ersten Person geäußerten expressiven Sätze sind durchaus mit einem Geltungsanspruch verbunden. Ein anderer Kollege könnte beispielsweise die Frage stellen: »Meinst Du das wirklich, oder bist Du nicht auch ein bißchen erleichtert darüber, daß er Dir im Augenblick keine Konkurrenz machen kann?« Expressive Sätze, die der Äußerung von Erlebnissen dienen, können unter dem Aspekt der Wahrhaftigkeit der Selbstdarstellung eines Sprechers bejaht oder verneint werden. Allerdings ist der mit expressiven Äußerungen verbundene Anspruch auf Wahrhaftigkeit nicht von der Art, daß er wie Wahrheits- oder Richtigkeitsansprüche unmittelbar mit Argumenten eingelöst werden könnte. Der Sprecher kann allenfalls in der Konsequenz seiner Handlungen beweisen, ob er das Gesagte auch wirklich gemeint hat. Die Wahrhaftigkeit von Expressionen läßt sich nicht *begründen,* sondern nur *zeigen;* Unwahrhaftigkeit kann sich in der mangelnden Konsistenz zwischen einer Äußerung und den mit ihr intern verknüpften Handlungen *verraten.*

Freilich läßt sich die Kritik eines Therapeuten an Selbsttäuschungen seines Analysanden auch als Versuch verstehen, Einstellungen mit Hilfe von Argumenten zu beeinflussen, d. h. den anderen zu *überzeugen.* Der Patient, der sich in seinen Wünschen und Gefühlen selbst nicht kennt, der in Illusionen über seine Erlebnisse befangen ist, soll ja im analytischen Gespräch durch Argumente dazu gebracht werden, die bis dahin nicht bemerkte Unwahrhaftigkeit seiner expressiven Äußerungen zu durchschauen. Jedoch besteht hier zwischen dem Wahrhaftigkeitsanspruch eines in kommunikativer Absicht geäußerten Erlebnissatzes und der argumentativen Rede nicht dasselbe Verhältnis wie zwischen einem problematisch gewordenen Geltungsanspruch und dem diskursiven Streitgespräch. Die Argumentation schließt sich hier nicht in der gleichen Weise an den in der kommunikativen Äußerung enthaltenen Geltungsanspruch an. In einem auf Selbsterkenntnis gerichteten therapeutischen Gespräch sind nämlich wichtige Voraussetzungen für einen Diskurs nicht erfüllt: der Geltungsanspruch wird nicht von vornherein als problematisch erkannt; der Analysand nimmt zum Gesagten keine hypothetische Einstellung ein; auf seiner Seite sind keineswegs alle Motive außer dem der kooperativen Wahrheitssuche ausgeschaltet; es bestehen auch keine symmetrischen Beziehungen unter den Gesprächspartnern usw. Gleichwohl beruht, nach psychoanalytischer Auffassung, die heilende Kraft des analytischen Gesprächs *auch* auf der überzeugenden Kraft der in ihm verwendeten Argumente. Diesen besonderen Umständen trage ich terminologisch dadurch Rechnung, daß ich immer dann von »Kritik« statt von »Diskurs« spreche, wenn Argumente verwendet werden, ohne daß die Beteiligten die Bedingungen für eine von externen und internen Zwängen freie Sprechsituation als erfüllt *voraussetzen* müßten.

Etwas anders liegen die Verhältnisse bei der Diskussion von Wertstandards, für die die ästhetische Kritik das Vorbild abgibt.[67] Auch in Disputen über Geschmacksfragen vertrauen wir auf die rational motivierende Kraft des besseren Argumentes, obgleich ein Streit dieser Art in charakteristischer Weise von Kontroversen über Wahrheits- und Gerechtigkeitsfragen abweicht. Wenn unsere oben angedeutete Beschreibung[68] zutrifft, fällt Argumenten hier die eigentümliche Rolle zu, Teilnehmern die Augen zu öffnen, d. h. zu einer beglaubigenden ästhetischen Wahrnehmung *hinzuführen.* Vor allem transzendiert aber die Art von Geltungsansprüchen, mit der kulturelle Werte auftreten, nicht in derselben radikalen Weise

---

67 J. Zimmermann, Sprachanalytische Ästhetik, Stuttg. 1980, 145 ff.
68 Siehe oben S. 41 ff.

lokale Schranken wie Wahrheits- und Richtigkeitsansprüche. Kulturelle Werte gelten nicht als universal; sie sind, wie der Name sagt, auf den Horizont der Lebenswelt einer bestimmten Kultur eingegrenzt. Werte können auch nur im Kontext einer besonderen Lebensform plausibel gemacht werden. Daher setzt die Kritik von Wertstandards ein gemeinsames Vorverständnis der Argumentationsteilnehmer voraus, das nicht zur Disposition steht, sondern den Bereich der thematisierten Geltungsansprüche zugleich konstituiert und begrenzt.[69] Allein die Wahrheit von Propositionen, die Richtigkeit von moralischen Handlungsnormen und die Verständlichkeit bzw. Wohlgeformtheit von symbolischen Ausdrükken sind ihrem Sinne nach universale Geltungsansprüche, die in Diskursen geprüft werden können. Nur in theoretischen, praktischen und explikativen Diskursen müssen die Argumentationsteilnehmer von der (oft kontrafaktischen) Voraussetzung ausgehen, daß die Bedingungen einer idealen Sprechsituation in hinreichender Annäherung erfüllt sind. Von ›Diskursen‹ will ich nur dann sprechen, wenn der Sinn des problematisierten Geltungsanspruches die Teilnehmer konzeptuell zu der Unterstellung nötigt, daß grundsätzlich ein rational motiviertes Einverständnis erzielt werden könnte, wobei »grundsätzlich« den idealisierenden Vorbehalt ausdrückt: wenn die Argumentation nur offen genug geführt und lange genug fortgesetzt werden könnte.[70]

69 Vgl. den Konferenzbericht: G. Großklaus, E. Oldemeyer (Hrsg.), Werte in kommunikativen Prozessen, Stuttg. 1980.
70 Zu dieser auf Peirce zurückgehenden formalpragmatischen Wahrheitstheorie vgl. jetzt H. Scheit, Studien zur Konsensustheorie der Wahrheit, Habilitationsschrift Univ. München (1981).

2. Einige Merkmale des mythischen und des modernen Weltverständnisses

Der Exkurs in den Vorhof der Argumentationstheorie sollte unsere provisorischen Bestimmungen des Rationalitätsbegriffs ergänzen. Wir hatten uns der Verwendung des Ausdrucks ›rational‹ als eines Leitfadens bedient, um Bedingungen der Rationalität sowohl von Äußerungen wie von sprach- und handlungsfähigen Subjekten zu klären. Dieser Begriff ist freilich für eine soziologische Betrachtungsweise wegen seines individualistischen und seines unhistorischen Zuschnittes nicht ohne weiteres brauchbar.

Schon wenn es darum geht, die Rationalität einzelner Personen zu beurteilen, genügt es nicht, auf diese oder jene Äußerung zu rekurrieren. Vielmehr stellt sich die Frage, ob sich A oder B oder eine Gruppe von Individuen *im allgemeinen* rational verhalten, ob man systematisch erwarten darf, daß für ihre Äußerungen gute Gründe bestehen und daß ihre Äußerungen, sei es in der kognitiven Dimension zutreffend oder erfolgreich, in der moralisch-praktischen Dimension zuverlässig oder einsichtig, in der evaluativen Dimension klug oder einleuchtend, in der expressiven Dimension aufrichtig und selbstkritisch, in der hermeneutischen Dimension verständnisvoll, oder gar in allen diesen Dimensionen »vernünftig« sind. Wenn sich in diesen Hinsichten über verschiedene Interaktionsbereiche und über längere Perioden (vielleicht sogar über den Zeitraum einer Lebensgeschichte) hinweg ein systematischer Effekt abzeichnet, sprechen wir auch von der Rationalität einer *Lebensführung*. Und in den soziokulturellen Bedingungen für eine solche Lebensführung spiegelt sich vielleicht die Rationalität einer nicht nur von Einzelnen, sondern von Kollektiven geteilten Lebenswelt.

Um den schwierigen Begriff der rationalisierten *Lebenswelt* aufzuklären, werden wir an den Begriff der kommunikativen Rationalität anknüpfen und die Strukturen der Lebenswelt untersuchen, die für Individuen und Gruppen rationale Handlungsorientierungen ermöglichen. Allerdings ist der Begriff der Lebenswelt zu komplex, als daß ich ihn im Rahmen der Einleitung befriedigend explizieren könnte.[71] Statt dessen beziehe ich mich zunächst auf die kulturellen Deutungssysteme oder Weltbilder, die das Hintergrundwissen sozialer Gruppen spiegeln und für einen Zusammenhang in der Mannigfaltigkeit ihrer Handlungsorientierungen bürgen. Ich will mich also zunächst nach den Bedingungen erkundigen, die die Strukturen handlungsorientierender Weltbilder erfüllen müssen, wenn für diejenigen, die ein solches Weltbild teilen, eine rationale Lebensführung möglich sein soll. Dieses Vorgehen bietet zwei Vorzüge: es nötigt uns einerseits, von der begrifflichen zu einer empirisch angeleiteten Analyse überzugehen und die in Weltbildern symbolisch verkörperten Rationalitätsstrukturen aufzusuchen; und es nötigt uns andererseits, die für das moderne Weltverständnis bestimmenden Rationalitätsstrukturen nicht ungeprüft als allgemeingültig zu unterstellen, sondern aus einer historischen Perspektive zu betrachten.

Indem wir den Rationalitätsbegriff anhand der Verwendung des Ausdrucks ›rational‹ zu klären versuchten, mußten wir uns auf ein *Vorverständnis* stützen, das in modernen Bewußtseinsstellungen verankert ist. Wir sind bis jetzt von der naiven Voraussetzung ausgegangen, daß sich in diesem modernen Weltverständnis Bewußtseinsstrukturen ausdrücken, die einer rationalisierten Lebenswelt angehören und grundsätzlich eine rationale Lebensführung ermöglichen. Mit unserem *okzidentalen Weltverständnis* verbinden wir implizit einen Anspruch auf *Universalität*. Um zu sehen, was es mit diesem Universalitätsanspruch auf sich hat, empfiehlt sich ein Vergleich mit dem mythischen Weltverständnis. Mythen erfüllen in archaischen Gesellschaften die einheitsstiftende Funktion von Weltbildern auf exemplarische Weise. Zugleich bilden sie innerhalb der uns zugänglichen kulturellen Überlieferungen den schärfsten Kontrast zu dem Weltverständnis, das in modernen Gesellschaften herrscht. Mythische Weltbilder sind weit davon entfernt, in unserem Sinne rationale Handlungsorientierungen zu ermöglichen. Sie bilden, was die Bedingungen der im angegebenen Sinne rationalen Lebensführung angeht, einen Gegensatz zum modernen Weltverständnis. Im Spiegel des mythischen Denkens

71 Vgl. unten Bd. 2, S. 182 ff.

müßten deshalb die bisher nicht thematisierten Voraussetzungen des modernen Denkens sichtbar werden.

Nun hat die ältere Diskussion über Levy-Bruhls Thesen zum »Denken der Naturvölker«[72] gezeigt, daß wir für das »wilde« Denken keine »prälogische« Stufe des Erkennens und Handelns postulieren dürfen.[73] Die berühmten Untersuchungen von Evans-Pritchard über den Hexenglauben des afrikanischen Zandestammes haben bestätigt, daß die Unterschiede zwischen mythischem und modernem Denken nicht auf der Ebene logischer Operationen liegen.[74] Der Grad der Rationalität von Weltbildern variiert offensichtlich nicht mit der Stufe der kognitiven Entwicklung der Individuen, die ihr Handeln an ihnen orientieren. Wir müssen davon ausgehen, daß erwachsene Mitglieder primitiver Stammesgesellschaften grundsätzlich dieselben formalen Operationen erwerben können wie Angehörige moderner Gesellschaften, wenngleich die höherstufigen Kompetenzen dort weniger häufig auftreten und selektiver, d. h. in engeren Lebensbereichen angewendet

---

72 L. Levy-Bruhl, La mentalité primitive, Paris 1922.

73 E. Cassirer, Philosophie der symbolischen Formen, Bd. II: Das mythische Denken, Darmstadt 1958; R. Horton, Levy-Bruhl, Durkheim and the Scientific Revolution, in: R. Horton, R. Finnegan (Eds.), Modes of Thought, London 1973, 249 ff.

74 E. E. Evans-Pritchard, Witchcraft, Oracles and Magic among the Azande, Oxford 1937, deutsch Ffm. 1978. Evans-Pritchard faßt seine Kritik an Levy-Bruhl (Levy-Bruhl's Theory of Primitive Mentality, in: Bulletin of the Faculty of Arts 2, 1934, 1 ff.) wie folgt zusammen:

»Die Tatsache, daß wir den Regen allein auf metereologische Ursachen zurückführen, während die Wilden glauben, Götter, Geister oder Magie könnten den Regen beeinflussen, ist kein Beweis dafür, daß unsere Gehirne anders funktionieren als ihre... Auf diese Schlußfolgerung bin ich nicht selbst, durch Beobachtung und Schließen, gekommen; in Wirklichkeit habe ich von den metereologischen Vorgängen, die zum Regen führen, nur geringe Kenntnisse. Ich anerkenne lediglich, was jeder andere in meiner Gesellschaft auch anerkennt, daß der Regen natürliche Ursachen hat... Dementsprechend ist ein Wilder, der glaubt, unter geeigneten natürlichen und rituellen Bedingungen könne der Regen durch angemessene magische Mittel beeinflußt werden, nicht als weniger intelligent zu betrachten. Er ist zu diesem Glauben nicht aufgrund eigener Beobachtungen und Folgerungen gelangt, sondern hat ihn in derselben Weise übernommen wie das übrige kulturelle Erbe, nämlich dadurch, daß er in seine Kultur hineingeboren wurde. Wir denken beide in Denkmustern, die uns von den Gesellschaften bereitgestellt wurden, in denen wir

werden.[75] Die Rationalität von Weltbildern bemißt sich nicht an logischen und semantischen Eigenschaften, sondern an den Grundbegriffen, die sie den Individuen für die Deutung ihrer Welt zur Verfügung stellen. Wir könnten auch von den »Ontologien« sprechen, die in die Weltbildstrukturen eingebaut sind, wenn dieser Begriff, der ja aus der Tradition der griechischen Metaphysik stammt, nicht auf einen speziellen Weltbezug, auf den kognitiven Bezug zur Welt des Seienden eingeengt wäre. Ein entsprechender Begriff, der den Bezug zur sozialen und zur subjektiven Welt ebenso einschließt wie den zur objektiven Welt, ist in der Philosophie nicht ausgebildet worden. Diesen Mangel soll die Theorie des kommunikativen Handelns wettmachen.

Ich will zunächst das mythische Weltverständnis grob charakterisieren. Dabei beschränke ich mich einfachheitshalber auf Ergebnisse der strukturalistischen Untersuchungen von C. Lévi-Strauss, vor allem auf diejenigen, die M. Godelier hervorhebt (1). Auf dieser Folie zeichnen sich die Grundbegriffe ab, die für das moderne Weltverständnis konstitutiv und uns deshalb intuitiv geläufig sind. So gewinnen wir aus kulturanthropologischer Distanz wieder Anschluß an den bereits eingeführten Begriff der Rationalität (2). Die Diskussion, die P. Winch mit einem provokativen Aufsatz über den konventionellen Charakter wissenschaftlicher Rationalität ausgelöst hat, wird die Gelegenheit bieten, zu klären, in welchem Sinne das moderne Weltverständnis Universalität beanspru-

---

leben. Es wäre unsinnig zu sagen, der Wilde denke über den Regen mystisch, wir dagegen wissenschaftlich. In beiden Fällen sind gleichartige mentale Vorgänge beteiligt und ist der Denkinhalt auf ähnliche Weise erlangt worden. Wir können jedoch sagen, daß der gesellschaftliche Gehalt unseres Denkens über den Regen wissenschaftlich ist und mit den objektiven Tatsachen übereinstimmt, während der gesellschaftliche Gehalt des wilden Denkens unwissenschaftlich ist, da er nicht mit der Wirklichkeit übereinstimmt und zudem mystisch ist, soweit er die Existenz übersinnlicher Kräfte annimmt.« (Zit. nach: H. G. Kippenberg, Zur Kontroverse über das Verstehen fremden Denkens, in: H. G. Kippenberg, B. Luchesi [Hrsg.], Magie, Ffm. 1978, 33 f.)

75 M. Cole, J. Gay, J. Glick, D. Sharp, The Cultural Concept of Learning and Thinking, N. Y. 1971; P. R. Dasen, Cross-Cultural Piagetian Research, in: J. Cross Cult. Psych., 3, 1972, 23 ff.; B. B. Lloyd, Perception and Cognition, Harmondsworth 1972.

chen darf (3). Schließlich greife ich Piagets Begriff der Dezentrierung auf, um die evolutionäre Perspektive anzudeuten, die wir einnehmen können, wenn wir mit Max Weber einen universalgeschichtlichen Prozeß der Weltbildrationalisierung behaupten wollen. Dieser Prozeß mündet in ein Weltverständnis, das den Weg zu einer Rationalisierung der Lebenswelt bahnt (4).

(1) Je tiefer man in das Netzwerk einer mythischen Weltdeutung eindringt, um so stärker tritt die totalisierende Kraft des wilden Denkens hervor.[76] Einerseits sind in Mythen reichhaltige und genaue Informationen über die natürliche und die soziale Umwelt, also geographische, astronomische, metereologische Kenntnisse, Kenntnisse über Fauna und Flora, über wirtschaftliche und technische Zusammenhänge, über komplexe Verwandtschaftsbeziehungen, über Riten, Heilpraktiken, Kriegführung usw. verarbeitet. Andererseits sind diese Erfahrungen so organisiert, daß jede einzelne Erscheinung in ihren typischen Aspekten allen übrigen Erscheinungen ähnelt oder kontrastiert. Durch diese *Ähnlichkeits-* und *Kontrastbeziehungen* fügt sich die Mannigfaltigkeit der Beobachtungen zu einer Totalität zusammen. Der Mythos »baut ein riesiges Spiegelspiel auf, in welchem das gegenseitige Bild vom Menschen und der Welt sich bis ins Unendliche widerspiegelt und sich im Prisma der Beziehungen von Natur und Kultur fortwährend spaltet und wieder zusammensetzt... Durch die Analogie gewinnt die ganze Welt einen Sinn, wird alles bezeichnend und kann alles bezeichnet werden innerhalb einer symbolischen Ordnung, in die alle... positiven Kenntnisse sich in der ganzen Fülle ihrer Einzelheiten einfügen.«[77] Die Strukturalisten erklären diese synthetische Leistung damit, daß das wilde Denken *konkretistisch* an der anschaulichen Oberfläche der Welt haftet und diese Wahrnehmungen durch Analogie- und Kontrastbildung ordnet.[78] Phä-

76 C. Lévi-Strauss, Strukturale Anthropologie, Bd. I, Ffm. 1967, Bd. II, Ffm. 1975; ders., Das wilde Denken, Ffm. 1973; dazu: W. Lepenies, H. H. Ritter (Hrsg.), Orte des wilden Denkens, Ffm. 1970.
77 M. Godelier, Mythos und Geschichte, in: K. Eder (Hrsg.), Die Entstehung von Klassengesellschaften, Ffm. 1973, 301 ff., hier 316.
78 Zum analogischen Charakter des wilden Denkens vgl. S. J. Tambiah, Form and Meaning of Magical Acts, in: Horton, Finnegan (1973), 199 ff.

nomenbereiche werden unter Gesichtspunkten von *Homologie* und *Ungleichartigkeit*, von Äquivalenz und Ungleichwertigkeit, von Identität und Gegensätzlichkeit miteinander in Beziehung gebracht und klassifiziert. Lévi-Strauss sagt, daß die Welt der Mythen zugleich *rund* und *hohl* sei. Das analogisierende Denken webt alle Erscheinungen zu einem einzigen Netz von Korrespondenzen zusammen, aber seine Interpretationen dringen nicht durch die Oberfläche des anschaulich Erfaßbaren hindurch.

Der Konkretismus eines anschauungsverhafteten Denkens und die Herstellung von Ähnlichkeits- und Kontrastbeziehungen sind zwei formale Aspekte, unter denen das wilde Denken mit ontogenetischen Stufen der kognitiven Entwicklung verglichen werden kann.[79] Hingegen stammen die Kategorien oder Grundbegriffe der mythischen Weltbilder aus Erfahrungsbereichen, die soziologisch analysiert werden müssen. Auf der einen Seite bieten sich die Reziprozitätsstrukturen des Verwandtschaftssystems, die Beziehungen des Gebens und Nehmens zwischen den Familien, zwischen den Geschlechtern und den Generationen als vielfältig verwendbares Deutungsschema an: »Die Tatsache, daß die imaginären Gesellschaften, in denen die ideellen Gestalten der Mythen leben, sterben und immer wieder auferstehen, eine Organisation erhalten, die auf den Blut- und Allianzbeziehungen beruht, kann ihren Ursprung weder in den ›reinen Prinzipien‹ des Denkens noch in irgendeinem in der Natur bestehenden Modell haben.«[80] Auf der anderen Seite gewinnen die Kategorien des Handelns eine konstitutive Bedeutung für mythische Weltbilder. Aktor und Handlungsfähigkeit, Intention und Zwecksetzung, Erfolg und Scheitern, Aktiv und Passiv, Angriff und Verteidigung – dies sind die Kategorien, in denen eine Grunderfahrung archaischer Gesellschaften verarbeitet wird: die Erfahrung des schutzlosen Ausgeliefertseins an die Kontingenzen einer nicht beherrschten Umwelt.[81] Diese Risiken können bei dem unentwickelten Stand der Produktivkräfte nicht unter Kontrolle gebracht werden. So entsteht das Bedürfnis, die Flut der

79 J. Piaget, The Child's Conception of Physical Causality, London 1930.
80 Godelier (1973 b), 314.
81 B. Malinowksi betont dieses Motiv in: Argonauts of the Western Pacific, N. Y. 1922. Malinowski zeigt, daß die Fischer des Trobriand Archipels magische Prakti-

Kontingenzen, wenn schon nicht faktisch, so doch imaginär einzudämmen, d. h. wegzuinterpretieren: »Durch die Analogiebildung werden die unsichtbaren Ursachen und Mächte, die die nichtmenschliche Welt (Natur) und die menschliche Welt (Kultur) erzeugen und bestimmen, mit den Eigenschaften des Menschen ausgestattet, d. h. sie präsentieren sich dem Menschen spontan als Wesen mit einem *Bewußtsein,* einem *Willen,* einer *Autorität* und einer *Macht,* also als dem Menschen analoge Wesen, die sich jedoch dadurch von ihm unterscheiden, daß sie wissen, was er nicht weiß, tun, was er nicht tun kann, kontrollieren, was er nicht kontrolliert, sich folglich von ihm dadurch unterscheiden, daß sie ihm überlegen sind.«[82]

Wenn man sich überlegt, wie diese *Kategorien,* die am Modell des Verwandtschaftssystems abgelesen sind und Erfahrungen der Interaktion mit einer übermächtigen Natur interpretieren, mit den *Operationen* eines anschaulich analogisierenden Denkens zusammenwirken, lassen sich die bekannten magisch-animistischen Grundzüge mythischer Weltbilder etwas besser verstehen. Am erstaunlichsten *für uns* ist die eigentümliche Nivellierung der verschiedenen Realitätsbereiche: Natur und Kultur werden auf dieselbe Ebene projiziert. Aus der wechselseitigen Assimilierung der Natur an die Kultur, und umgekehrt der Kultur an die Natur, geht einerseits eine mit anthropomorphen Zügen ausgestattete, in das Kommunikationsnetz der gesellschaftlichen Subjekte einbezogene, in diesem Sinne humanisierte Natur hervor, und andererseits eine Kultur, die gewissermaßen naturalisiert und verdinglicht in den objektiven Wirkungszusammenhang anonymer Mächte aufgesogen wird. Aus der Perspektive des aufgeklärten erzeugt das wilde Denken eine doppelte Illusion: »... eine Illusion über sich selbst und eine Illusion über die Welt: eine Illusion über sich selbst, da das Denken den Idealitäten, die es spontan erzeugt, eine Existenz außerhalb des Menschen und unabhängig von ihm verleiht und sich somit in seinen eigenen Weltbildern (von sich selbst) entfrem-

ken vor allem bei Gelegenheiten verwenden, wenn sie die Unzulänglichkeiten ihres Wissens erfahren und die Grenzen ihrer rationalen Methoden erkennen. Dazu B. Malinowski, Magie, Wissenschaft und Religion, Ffm. 1973.
82 Godelier (1973 b), 307.

det; und eine Illusion über die Welt, die es mit imaginären Wesen schmückt, die dem Menschen analog sind und die in der Lage sind, günstig oder ablehnend auf seine Bitten einzugehen.«[83] Eine solche Weltdeutung, derzufolge jede Erscheinung durch das Wirken mythischer Mächte mit allen übrigen Erscheinungen korrespondiert, ermöglicht nicht nur eine Theorie, die die Welt narrativ erklärt und plausibel macht, sondern zugleich eine Praxis, mit der die Welt auf imaginäre Weise kontrolliert werden kann. Die Technik der magischen Einwirkung auf die Welt ist eine logische Folgerung aus der mythischen Wechselbeziehung der Perspektiven zwischen Mensch und Welt, zwischen Kultur und Natur.

Nach dieser groben Skizze von Grundzügen des mythischen Denkens möchte ich zu der Frage zurückkehren, warum diese Weltbildstrukturen keine Handlungsorientierungen erlauben, die nach heute üblichen Maßstäben rational genannt werden dürfen.

(2) Uns, die wir einer modernen Lebenswelt angehören, irritiert, daß wir in einer mythisch gedeuteten Welt bestimmte Differenzierungen, die für unser Weltverständnis fundamental sind, nicht oder nicht hinreichend präzise vornehmen können. Von Durkheim bis Lévi-Strauss haben Anthropologen immer wieder auf die eigentümliche *Konfusion zwischen Natur* und *Kultur* hingewiesen. Dieses Phänomen können wir zunächst als eine Vermischung von zwei Objektbereichen, eben der Bereiche der physischen Natur und der soziokulturellen Umwelt verstehen. Der Mythos erlaubt keine klare grundbegriffliche Differenzierung zwischen Dingen und Personen, zwischen Gegenständen, die manipuliert werden können, und Agenten, sprach- und handlungsfähigen Subjekten, denen wir Handlungen und sprachliche Äußerungen zurechnen. So ist es nur konsequent, wenn die magischen Praktiken die Unterscheidung zwischen teleologischem und kommunikativem Handeln, zwischen einem zielgerichtet instrumentellen Eingriff in objektiv gegebene Situationen einerseits und der Herstellung interpersonaler Beziehungen andererseits nicht kennen. Die *Ungeschicklichkeit*, auf die der technische oder therapeutische Mißerfolg einer zielgerichteten Handlung zurückgeht, fällt unter diesel-

83 Godelier (1971 b), 308.

be Kategorie wie die *Schuld* für den moralisch-normativen Fehler einer Interaktion, die gegen bestehende soziale Ordnungen verstößt; das moralische ist wiederum mit dem physischen Versagen, das *Böse* ist mit dem *Schädlichen* konzeptuell ebenso verwoben wie das *Gute* mit dem *Gesunden* und dem *Vorteilhaften*. Umgekehrt bedeutet die Entmythologisierung der Weltsicht gleichzeitig eine Desozialisierung der Natur und eine Denaturalisierung der Gesellschaft.

Dieser intuitiv leicht zugängliche, deskriptiv oft behandelte, aber keineswegs gut durchanalysierte Vorgang führt, so scheint es, zu einer grundbegrifflichen *Differenzierung zwischen* den *Objektbereichen* Natur und Kultur. Diese Sicht läßt freilich den Umstand außer acht, daß die kategoriale Unterscheidung zwischen Objektbereichen ihrerseits von einem Differenzierungsprozeß abhängt, der sich besser anhand von *Grundeinstellungen* gegenüber *Welten* analysieren läßt. Das mythische Konzept der ›Mächte‹ und das magische Konzept der ›Beschwörung‹ verhindern systematisch die Trennung zwischen der objektivierenden Einstellung gegenüber einer Welt existierender Sachverhalte und der konformen bzw. nicht-konformen Einstellung gegenüber einer Welt legitim geregelter interpersonaler Beziehungen. Als Objektbereiche betrachtet, gehören Natur und Kultur zur Welt der Tatsachen, über die wahre Aussagen möglich sind; sobald wir aber explizit angeben sollen, worin sich Dinge von Personen, Ursachen von Motiven, Ereignisse von Aktionen usw. unterscheiden, müssen wir hinter die Ausdifferenzierung von Gegenstandsbereichen zurückgehen, und zwar auf die Differenzierung zwischen einer Grundeinstellung gegenüber der objektiven Welt dessen, was der Fall ist, und einer Grundeinstellung gegenüber der sozialen Welt dessen, was legitimerweise erwartet werden darf, was geboten oder gesollt ist. Wir legen in dem Maße die richtigen begrifflichen Schnitte zwischen kausale Zusammenhänge der Natur und normative Ordnungen der Gesellschaft, wie uns der Wechsel der Perspektiven und der Einstellungen zu Bewußtsein kommt, den wir vollziehen, wenn wir von Beobachtungen oder Manipulationen dazu übergehen, legitime Handlungsnormen zu befolgen oder zu verletzen.

Allerdings bedeutet die Konfusion zwischen Natur und Kultur keineswegs nur die *konzeptuelle Vermengung* von objektiver und sozialer Welt, sondern auch eine für unser Empfinden mangelhafte Differenzierung *zwischen Sprache* und *Welt*, also zwischen dem Kommunikationsmedium Sprache und dem, *worüber* in einer sprachlichen Kommunikation eine Verständigung erreicht werden kann. In der totalisierenden Betrachtungsweise mythischer Weltbilder scheint es schwierig zu sein, die uns geläufigen *semiotischen Unterscheidungen* zwischen dem Zeichensubstrat eines sprachlichen Ausdrucks, seinem semantischen Gehalt und dem Referenten, auf den ein Sprecher mit Hilfe des Ausdrucks jeweils Bezug nehmen kann, hinreichend präzise zu treffen. Die magische Beziehung zwischen Namen und bezeichneten Gegenständen, die konkretistische Beziehung zwischen der Bedeutung von Ausdrücken und den repräsentierten Sachverhalten belegen die systematische Verwechslung zwischen *internen Sinn-* und *externen Sach*zusammenhängen. Interne Beziehungen bestehen zwischen symbolischen Ausdrücken, externe Beziehungen zwischen Entitäten, die in der Welt vorkommen. In diesem Sinne gilt die logische Beziehung zwischen Grund und Folge als intern, die kausale Beziehung zwischen Ursache und Wirkung als extern (physical vs. symbolic causation). Mythische Weltdeutung und magische Weltbeherrschung können nahtlos ineinandergreifen, weil interne und externe Beziehungen konzeptuell noch integriert sind. Es gibt offenbar noch keinen präzisen Begriff für die nicht-empirische Geltung, die wir symbolischen Äußerungen zuschreiben. Geltung wird mit empirischer Wirksamkeit konfundiert. Dabei dürfen wir nicht an spezielle Geltungsansprüche denken: im mythischen Denken sind verschiedene Geltungsansprüche wie propositionale Wahrheit, normative Richtigkeit und expressive Wahrhaftigkeit noch gar nicht ausdifferenziert. Aber selbst der diffuse Begriff von Geltung überhaupt ist noch nicht von empirischen Beimengungen befreit; Geltungsbegriffe wie Moralität und Wahrheit sind mit empirischen Ordnungsbegriffen wie Kausalität und Gesundheit amalgamiert. Darum kann das sprachlich konstituierte Weltbild so weitgehend mit der Weltordnung selbst identifiziert werden, daß es nicht *als* Weltdeutung, als eine Interpretation, die dem Irrtum unterliegt und der Kritik zugänglich ist, durchschaut werden kann. In dieser Hinsicht gewinnt die Konfusion von Natur und Kultur die Bedeutung einer Reifikation des Weltbildes.

Die sprachliche Kommunikation und die in sie einfließende kulturelle Überlieferung heben sich erst in dem Maße als eine Realität eigenen Rechts von der Realität der Natur und der Gesellschaft ab, wie sich formale Weltkonzepte und nicht-empirische Geltungsansprüche ausdifferenzieren. In Verständigungsprozessen gehen wir heute von denjenigen *formalen Gemeinsamkeitsunterstellungen* aus, die notwendig sind, damit wir auf etwas in der einen objektiven, für alle Beobachter identischen bzw. auf etwas in unserer intersubjektiv geteilten sozialen Welt Bezug nehmen können. Die Ansprüche auf propositionale Wahrheit oder normative Richtigkeit aktualisieren diese Gemeinsamkeitsunterstellungen jeweils für eine bestimmte Äußerung. So bedeutet die Wahrheit einer Aussage, daß der behauptete Sachverhalt als etwas in der objektiven Welt existiert; und die Richtigkeit, die für eine Handlung hinsichtlich eines bestehenden normativen Kontexts geltend gemacht wird, bedeutet, daß die hergestellte interpersonale Beziehung als ein legitimer Bestandteil der sozialen Welt Anerkennung verdient. Geltungsansprüche können grundsätzlich kritisiert werden, weil sie sich auf formale Weltkonzepte stützen. Sie präsupponieren eine für *alle möglichen* Beobachter identische bzw. eine *von den Angehörigen* intersubjektiv geteilte Welt in abstrakter, d. h. von allen bestimmten Inhalten losgelöster Form. Ferner erfordern Geltungsansprüche die rationale Stellungnahme eines Gegenübers.

Aktoren, die Geltungsansprüche erheben, müssen darauf verzichten, das Verhältnis von Sprache und Wirklichkeit, von Kommunikationsmedien und dem, worüber kommuniziert wird, inhaltlich zu präjudizieren. Unter der Voraussetzung formaler Weltbegriffe und universaler Geltungsansprüche müssen die Inhalte des sprachlichen Weltbildes von der supponierten Weltordnung selbst abgelöst werden. Nur dann kann der Begriff einer kulturellen Überlieferung, einer verzeitlichten Kultur gebildet werden, wobei zu Bewußtsein kommt, daß die Interpretationen gegenüber der natürlichen und der sozialen Wirklichkeit, daß Meinungen und Werte gegenüber der objektiven bzw. der sozialen Welt variieren. Demgegenüber verhindern mythische Weltbilder eine kategoriale Entkoppelung von Natur und Kultur, und dies nicht nur im Sinne einer konzeptuellen Vermengung von objektiver und sozialer Welt, sondern auch im Sinne einer Reifizierung des sprachlichen Weltbildes, was zur Folge hat, daß das Konzept der Welt mit bestimmten, der rationalen Stellungnahme und damit der Kritik entzogenen Inhalten dogmatisch besetzt wird.

Bisher haben wir bei der Formel der Konfusion von Natur und Kultur stets die *äußere* Natur oder die objektive Welt gemeint. Eine analoge Vermengung von Realitätsbereichen läßt sich aber auch für das Verhältnis von Kultur und *innerer* Natur oder subjektiver Welt nachweisen. Erst in dem Maße wie sich das formale Konzept einer *Außenwelt*, und zwar einer objektiven Welt existierender Sachverhalte wie einer sozialen Welt geltender Normen ausbildet, kann sich der Komplementärbegriff der *Innenwelt* oder der Subjektivität ergeben, der alles zugerechnet wird, was der Außenwelt nicht inkorporiert werden kann und wozu der Einzelne einen privilegierten Zugang hat. Nur vor dem Hintergrund einer objektiven Welt, und gemessen an kritisierbaren Wahrheits- und Erfolgsansprüchen, können Meinungen als systematisch falsch, Handlungsabsichten als systematisch aussichtslos, können Gedanken als Phantasien, als bloße Einbildungen erscheinen; nur vor dem Hintergrund einer gegenständlich gewordenen normativen Realität, und gemessen an dem kritisierbaren Anspruch auf normative Richtigkeit, können Absichten, Wünsche, Einstellungen, Gefühle als illegitim oder auch nur idiosynkratisch, als nicht verallgemeinerbar und bloß subjektiv erscheinen. In dem Maße wie mythische Weltbilder Kognitionen und Handlungsorientierungen beherrschen, scheint die klare Abgrenzung eines Bereichs der Subjektivität nicht möglich zu sein. Absichten und Motive werden von den Handlungen und ihren Konsequenzen ebenso wenig getrennt wie Gefühle von ihren normativ festgelegten, stereotypisierten Äußerungen. Charakteristisch ist in diesem Zusammenhang die Beobachtung, daß die Mitglieder archaischer Gesellschaften ihre eigene Identität in hohem Maße an die Details des mythisch festgeschriebenen kollektiven Wissens und an die formellen Einzelheiten der rituellen Vorschriften binden. So wenig sie über ein formales

Konzept der Welt verfügen, das die Identität der natürlichen und der sozialen Wirklichkeit gegenüber wechselnden Interpretationen einer verzeitlichten kulturellen Überlieferung verbürgen könnte, so wenig kann sich der Einzelne auf ein formales Konzept des Ich verlassen, das die eigene Identität gegenüber einer verselbständigten und ins Fließen geratenen Subjektivität sichern könnte.

In Anlehnung an den alltäglichen Sprachgebrauch, in dem wir die symmetrischen Begriffe von Innen- und Außenwelt verwenden, spreche ich von der subjektiven Welt im Unterschied zur objektiven und zur sozialen Welt. Freilich legt der Ausdruck »Welt« in diesem Zusammenhang Mißverständnisse nahe. Der Bereich der Subjektivität verhält sich komplementär zu der Außenwelt, die dadurch definiert ist, daß sie mit anderen geteilt wird. Die objektive Welt wird gemeinsam als die Gesamtheit der Tatsachen unterstellt, wobei Tatsache bedeutet, daß die Aussage über die Existenz eines entsprechenden Sachverhalts ›p‹ als wahr gelten darf. Und eine soziale Welt wird gemeinsam als die Gesamtheit aller interpersonalen Beziehungen unterstellt, die von den Angehörigen als legitim anerkannt werden. Demgegenüber gilt die subjektive Welt als die Gesamtheit der Erlebnisse, zu denen jeweils nur ein Individuum einen privilegierten Zugang hat. Allerdings ist der Ausdruck subjektive »Welt« insofern berechtigt, als es sich auch in diesem Fall um ein abstraktes Konzept handelt, das in der Form gemeinsamer Präsuppositionen für jeden Beteiligten einen *Bereich von Nicht-Gemeinsamkeiten* gegenüber der objektiven und der sozialen Welt ausgrenzt. Der Begriff der subjektiven Welt hat einen ähnlichen Status wie seine Komplementärbegriffe. Das zeigt sich auch daran, daß wir dieses Konzept im Rückgang auf eine weitere Grundeinstellung und einen weiteren Geltungsanspruch analysieren können.

Die expressive Einstellung eines Subjekts, das einen Gedanken preisgibt, einen Wunsch erkennen läßt, ein Gefühl zum Ausdruck bringt, das ein Stück seiner Subjektivität vor den Augen anderer enthüllt, unterscheidet sich auf charakteristische Weise von der objektivierenden Einstellung eines manipulierenden oder beobachtenden Subjekts gegenüber Dingen und Ereignissen wie auch von der konformen (oder nicht-konformen) Einstellung eines

Interaktionsteilnehmers gegenüber normativen Erwartungen. Im übrigen verbinden wir auch expressive Äußerungen mit einem kritisierbaren Geltungsanspruch, nämlich mit dem Anspruch auf Wahrhaftigkeit. Deshalb können die subjektiven Welten als privilegiert zugängliche Bereiche von Nicht-Gemeinsamkeiten in die öffentliche Kommunikation einbezogen werden.

Wir haben die »Geschlossenheit« mythischer Weltbilder bisher unter zwei Gesichtspunkten diskutiert: einmal unter dem Gesichtspunkt der mangelnden Differenzierung zwischen den fundamentalen Einstellungen zur objektiven, zur sozialen und zur subjektiven Welt, und zum anderen unter dem Gesichtspunkt der fehlenden Reflexivität des Weltbildes, das nicht *als* Weltbild, als kulturelle Überlieferung identifiziert werden kann. Mythische Weltbilder werden von Angehörigen nicht als Deutungssysteme verstanden, die an eine kulturelle Überlieferung angeschlossen sind, die durch interne Sinnzusammenhänge konstituiert, auf die Wirklichkeit symbolisch bezogen, mit Geltungsansprüchen verbunden, daher der Kritik ausgesetzt und einer Revision fähig sind. Auf diese Weise lassen sich an den kontrastreichen Strukturen des wilden Denkens tatsächlich wichtige Voraussetzungen des modernen Weltverständnisses ablesen. Ob freilich die mutmaßliche Rationalität unseres Weltverständnisses nicht nur die partikularen Züge einer durch Wissenschaft geprägten Kultur widerspiegelt, sondern zu Recht einen Anspruch auf Universalität erhebt, ist damit noch nicht gezeigt.

(3) Diese Frage ist aktuell geworden, als gegen Ende des 19. Jahrhunderts die Reflexion auf die Grundlagen der historischen Geisteswissenschaften einsetzte. Die Diskussion ist im wesentlichen unter zwei Aspekten geführt worden. Unter methodologischen Gesichtspunkten hat sie sich auf die Frage nach der Objektivität des Verstehens konzentriert und mit Gadamers Untersuchungen zur philosophischen Hermeneutik einen gewissen Abschluß gefunden.[84] Gleichzeitig ist unter dem Titel des Historismusproblems vor allem die substantielle Frage nach Einzigartigkeit und Vergleichbarkeit von Zivilisationen und Weltanschauungen ver-

84 H. G. Gadamer, Wahrheit und Methode, Tbg. 1960.

handelt worden. Dieser Teil der Diskussion ist Ende der 20er Jahre eher versandet als beendet worden[85], weil es nicht gelungen ist, dem Problem eine hinreichend scharfe Fassung zu geben. Das mag unter anderem damit zusammenhängen, daß der Objektbereich der Geisteswissenschaften, vornehmlich die schriftlich überlieferten, intellektuell durchgearbeiteten Zeugnisse aus den Blüteperioden der Hochkulturen, nicht in gleicher Weise wie mythische Überlieferungen, Riten, Zauberei usw. zu einer *radikalen* Frontbildung in der einen fundamentalen Frage genötigt hat: ob und in welcher Hinsicht die Rationalitätsstandards, von denen sich die Wissenschaftler selbst mindestens intuitiv leiten lassen, universelle Geltung beanspruchen dürfen. In der Kulturanthropologie hat diese Frage von Anbeginn eine große Rolle gespielt; seit den 60er Jahren steht sie wiederum im Zentrum einer zwischen Sozialwissenschaftlern und Philosophen geführten Diskussion.[86] Sie ist angestoßen worden durch zwei Publikationen von P. Winch.[87] Ich werde nur eine Argumentationslinie, die in unserem Kontext wichtig ist, verfolgen.[88] Diese konstruiere ich einfachheitshalber als eine Folge von jeweils sechs Paaren von Argumenten für und gegen eine universalistische Position. Diese Folge entspricht natürlich nicht dem tatsächlichen Gang der Diskussion.

a) Die erste Runde bewegt sich noch im Vorfeld der Diskussion. Steven Lukes macht auf eine Vorentscheidung aufmerksam, die die

85 E. Troeltsch, Der Historismus und seine Probleme, Tbg. 1922; K. Mannheim, Historismus, in: Arch. f. Sozialpol., 52 (1924), 1 ff.; ders., Ideologie und Utopie, Bonn 1929; zum gesamten Komplex: J. Rüsen, Für eine erneuerte Historik, Stuttg. 1976.

86 B. R. Wilson (Ed.), Rationality, Oxford 1970; Horton, Finnegan (Eds.) (1973); K. Nielsen, Rationality and Relativism, in: Phil. Soc. Sci., 4, 1974, 313 ff.; E. Fales, Truth, Tradition, Rationality, in: Phil. Soc. Sci., 6, 1976, 97 ff.; I. C. Jarvie, On the Limits of Symbolic Interpretation in Anthropology, Curr. Anthr., 1976, 687 ff.; R. Horton, Professor Winch on Safari, Arch. Eur. Soc., 17, 1976, 157 ff.; K. Dixon, Is cultural relativism self-refuting? Brit. J. Soc., 1977, 75 ff.; J. Kekes, Rationality and Social Sciences, Philos. Soc. Sci., 9, 1979, 105 ff., L. Hertzberg, Winch on Social Interpretation, Philos. Soc. Sci., 10, 1980, 151 ff.

87 P. Winch, The Idea of a Social Science, London 1958; deutsch: Ffm. 1966; ders., Understanding a Primitive Society, in: Wilson (1970), 78 ff.

88 Dabei folge ich Th. A. McCarthy, The Problem of Rationality in Social Anthropology, Stony Brook Studies in Philosophy, 1974, 1 ff.; ders., The Critical Theory

Auseinandersetzung selbst erübrigen könnte: »When I come across a set of beliefs which appear *prima facie* irrational, what should be my attitude towards them? Should I adopt a critical attitude, taking it as a fact about the beliefs that they *are* irrational and seek to explain how they came to be held, how they managed to survive unprofaned by rational criticism, what their consequences are, etc.? Or should I treat such beliefs *charitably*: should I begin from the assumption that what appears to me to be irrational may be interpreted as rational when fully understood in its context? More briefly, the problem comes down to whether or not there are *alternative standards* of *rationality*.«[89] Lukes scheint zu unterstellen, daß der Anthropologe angesichts einer unverständlichen, prima facie undurchsichtigen, opaken Äußerung die Wahl habe, auf den Versuch einer hermeneutischen Aufklärung ihrer Bedeutung zu verzichten oder nicht. Ferner behauptet er, daß der Entscheidung für ein hermeneutisches Vorgehen implizit die Annahme alternativer Rationalitätsstandards zugrunde liege. Beide Thesen kann Winch mit guten Gründen bestreiten.

Wenn sich eine vorderhand irrationale Äußerung Interpretationsversuchen hartnäckig widersetzt, kann der Interpret gewiß dazu übergehen, die unzugängliche Äußerung im Sinne des Eintretens eines empirischen Ereignisses mit Hilfe von kausalen Hypothesen und Anfangsbedingungen, beispielsweise psychologisch oder soziologisch zu erklären. Diese Position vertritt etwa A. MacIntyre gegen Winch.[90] In dieser forschungsstrategischen Lesart ist das Argument von Lukes unbedenklich; aber in einem strengen methodologischen Sinne besteht die von Lukes behauptete Alternative nicht. Symbolische Äußerungen sprach- und handlungsfähiger Subjekte können nur unter Beschreibungen identifiziert werden, die auf die Handlungsorientierungen (und die möglichen Gründe)

of Jürgen Habermas, Cambridge 1978, 317 ff.; wesentliche Anregungen verdanke ich vor allem einem unveröffentlichten Vorlesungsmanuskript von A. Wellmer, On Rationality, I-IV (1977).
89 St. Lukes, Some Problems about Rationality, in: Wilson (1970), 194.
90 A. MacIntyre, The Idea of Social Science, in: ders., Against the Self Images of the Age, London 1971, 211 ff.; ders., Rationality and the Explanation of Action, in: ders. (1971), 244 ff.

eines Aktors Bezug nehmen. Deshalb hat der Interpret keine andere Wahl, als zu prüfen, ob eine obskure, d. h. nicht schlechthin, sondern unter bestimmten Aspekten unverständliche Äußerung nicht doch als rational erscheinen wird, wenn man die Präsuppositionen klärt, von denen der Handelnde in seinem Kontext ausgeht: »Notice that in ascribing irrationality to him we should be pointing to the incoherence and incompatibility between the beliefs and criteria which he already possessed and his new behavior. It is not just that his behavior would be at odds with what we believe to be appropriate; it would be at odds with what we know him to believe to be appropriate.«[91] Für den Interpreten ist es keine Frage der hermeneutischen *Barmherzigkeit*, sondern ein methodisches Gebot, von der präsumptiven Rationalität der fraglichen Äußerung auszugehen, um sich gegebenenfalls schrittweise ihrer Irrationalität zu vergewissern. Nur die hermeneutische *Unnachsichtigkeit* gegenüber eigenen Präsuppositionen kann ihn davor bewahren, Kritik ohne Selbstkritik zu üben und eben dem Fehler zu verfallen, den Winch viktorianischen Anthropologen zu Recht ankreidet – vermeintlich allgemeine Rationalitätsstandards der eigenen Kultur fremden Kulturen bloß überzustülpen.

Ferner ergibt sich aus dieser methodologischen Position keineswegs, wie Lukes behauptet, eine Vorentscheidung über alternative Rationalitätsstandards. Wenn sich der Interpret auf die Gründe einläßt, die ein Aktor für seine Äußerung angibt oder unter geeigneten Umständen angeben könnte, begibt er sich auf eine Ebene, wo er zu kritisierbaren Geltungsansprüchen mit Ja oder Nein Stellung nehmen muß. Was jeweils als ein guter Grund zählt, hängt offensichtlich von Kriterien ab, die sich im Verlaufe der Geschichte (auch der Wissenschaftsgeschichte) geändert haben. Die Kontextabhängigkeit der Kriterien, anhand deren die Angehörigen verschiedener Kulturen zu verschiedenen Zeiten die Gültigkeit von Äußerungen differentiell beurteilen, bedeutet aber nicht, daß die der Wahl von Kriterien freilich nur intuitiv zugrunde liegenden Ideen der Wahrheit, der normativen Richtigkeit und der Wahrhaftigkeit oder Authentizität in gleichem Maße kontextabhängig sind.

91 MacIntyre (1971 b), 251 f.

Mit einem hermeneutischen Zugang zum Objektbereich wird diese Frage jedenfalls nicht in einem affirmativen Sinn präjudiziert. Sie läßt sich vielmehr im Sinne der universalistischen Position, die Lukes zu verteidigen wünscht, beantworten, wenn man nur der Problematik des Sinnverstehens auf den Grund geht. Darauf komme ich noch zurück.

b) Evans-Pritchards Untersuchung über Hexerei, Orakel und Magie bei dem afrikanischen Stamm der Zande ist eines der besten Beispiele dafür, daß man gegenüber obskuren Äußerungen ein hohes Maß an hermeneutischer Barmherzigkeit walten lassen kann, ohne die relativistischen Konsequenzen zu ziehen, die Lukes mit diesem Vorgehen verknüpft sieht. Ich möchte die zweite Runde mit einem Argument von Evans-Pritchard eröffnen, der den Hexenglauben und damit auch die Gründe für die entsprechenden magischen Praktiken soweit aufklärt, daß seine Leser die Kohärenz des Zande-Weltbildes erkennen können. Als Anthropologe hält er gleichzeitig an den Standards wissenschaftlicher Rationalität fest, wenn es darum geht, die Auffassungen und die Techniken dieses Stammes objektiv zu beurteilen. Evans-Pritchard unterscheidet zwischen der logischen Forderung nach Konsistenz, der der Hexenglauben der Zande weitgehend genügt, und den methodischen Forderungen, denen nach unserer Auffassung empirische Kenntnisse über, und technische Eingriffe in Naturvorgänge gehorchen sollten; in dieser Hinsicht ist das mythische Denken dem modernen offensichtlich unterlegen: »Scientific notions are those which accord with objective reality both with regard to the validity of their premisses and to the inferences drawn from their propositions ... Logical notions are those in which according to the rules of thought inferences would be true were the premisses true, the truth of the premisses being irrelevant ... A pot has broken during firing. This is probably due to grit. Let us examine the pot and see if this is the cause. That is logical and scientific thought. Sickness is due to witchcraft. A man is sick. Let us consult the oracles to discover who is the witch responsible. That is logical and unscientific thought.«[92]

92 Zit. nach: P. Winch, in: Wilson (1970).

Indem der Anthropologe Äußerungen von Eingeborenen interpretiert, bezieht er sie sowohl auf andere Äußerungen wie auf etwas in der Welt. In der ersten Dimension kann er sich auf ein Regelsystem stützen, das für beide Seiten in gleicher Weise gilt – auf die intuitiv beherrschten Grundsätze der formalen Logik. Was die Dimension des Weltbezuges anbetrifft, so muß der Anthropologe in Zweifelsfällen auf die Klasse von Äußerungen zurückgehen, deren Gebrauchsregeln unproblematisch sind. Dabei unterstellt er, daß alle Beteiligten von demselben Konzept einer Welt von Entitäten ausgehen, daß in einer gegebenen Situation die Eingeborenen mehr oder weniger dasselbe wahrnehmen, die Situation mehr oder weniger in derselben Weise interpretieren wie er selbst.[93]

Hier können freilich die Parteien nicht, wie im Falle der Logik, auf einen unzweideutigen Satz intersubjektiv gültiger Interpretationsregeln rekurrieren. Wo sich ein hartnäckiger Dissens über die Wahrheit von Propositionen und die Wirksamkeit von Interventionen ergibt, muß sich der Anthropologe, so verstehe ich Evans-Pritchard, auf Prüfmethoden verlassen, deren universale Gültigkeit erst zu Bewußtsein kommen konnte, nachdem sie im Rahmen unserer Kultur wissenschaftlich hochstilisiert worden sind.

Winch legt nun seinen Einwänden gegen Evans-Pritchard einen kulturalistischen, durch Wittgenstein inspirierten Begriff der Sprache zugrunde. Unter »Sprache« versteht er sprachlich artikulierte Weltbilder und entsprechend strukturierte Lebensformen. Weltbilder speichern das kulturelle Wissen, mit dessen Hilfe jeweils eine Sprachgemeinschaft die Welt interpretiert. Jede Kultur stellt in ihrer Sprache einen Bezug zur Realität her. Insofern sind ›wirklich‹ und ›unwirklich‹, ›wahr‹ und ›unwahr‹ Begriffe, die zwar allen Sprachen innewohnen und nicht etwa in dieser Sprache vorkommen, in jener fehlen können. Aber jede Kultur trifft diese kategorialen Unterscheidungen *innerhalb* ihres eigenen Sprachsystems: »Reality is not what gives language sense. What is real and what is unreal shows itself *in* the sense that language has. Further, both the distinction between the real and the unreal and the concept of

93 Den Status dieser formalen Gemeinsamkeitsunterstellungen charakterisiert zutreffend M. Hollis, The Limits of Rationality, in: Wilson (1970), 214 ff.

agreement with reality, themselves belong to our (i. e. to each different, J. H.) language... If then we wish to understand the significance of these concepts, we must examine the use they actually do have – *in* the language.«[94]

Nun sprechen die Zande und die Anthropologen offensichtlich verschiedene Sprachen; das zeigt schon der hohe Interpretationsaufwand, den die Anthropologen leisten müssen. Und Evans-Pritchard selbst macht klar, daß die Sprache der Zande ein kohärentes Weltbild spiegelt. Dieses legt ebenso wie das moderne Weltverständnis, aber in anderer Weise als dieses, die kategorialen Unterscheidungen zwischen real und nicht-real fest und bestimmt, wie man entscheidet, ob eine Auffassung mit der Realität übereinstimmt oder nicht. Nach Winch ist es daher *sinnlos*, zu unterstellen, daß beide Seiten von demselben Konzept der Welt ausgehen. Der Anthropologe hat kein Recht, Hexenglauben und Magie nach Maßstäben wissenschaftlicher Rationalität zu beurteilen. Evans-Pritchard kann dieses Recht für sich nur reklamieren, weil er von der unhaltbaren Annahme ausgeht, »that the conception of ›reality‹ must be regarded as intelligible and applicable *outside* the context of scientific reasoning itself, since it is that to which scientific notions do, and unscientific notions do not, have a relation. Evans-Pritchard, although he emphasizes that a member of scientific culture has a different conception of reality from that of a Zande believer in magic, wants to go beyond merely registering this fact and making the differences explicit, and to say, finally, that the scientific conception agrees with what reality actually is like, whereas the magical conception does not.«[95]

c) Bevor wir in der dritten Runde die Schwäche von Winchs Einwand aufdecken, müssen wir zunächst erklären, worin genau dessen Stärke besteht. Sprache, sprachlich artikuliertes Weltbild, Lebensform sind Begriffe, die sich einerseits auf etwas Partikulares beziehen; denn Sprachen, Weltbilder und Lebensformen treten nur im Plural auf. Andererseits beziehen sie sich auf Totalitäten: für die Angehörigen derselben Kultur sind die Grenzen ihrer Spra-

94 Winch, in: Wilson (1970), 82.
95 Winch, in: Wilson (1970), 81.

91

che die Grenzen ihrer Welt. Sie können den Horizont ihrer Lebenswelt beliebig ausdehnen, aber nicht aus ihm heraustreten; insofern ist jede Interpretation auch ein Vorgang der Assimilation. Indem sich Weltbilder auf eine Totalität beziehen, sind sie, auch wenn sie revidiert werden können, als Artikulationen eines Weltverständnisses nicht hintergehbar. In dieser Hinsicht gleichen sie einem Portrait, das mit dem Anspruch auftritt, eine Person im ganzen darzustellen.

Ein Portrait ist weder *Abbildung* im Sinne einer Landkarte, die genau oder ungenau, noch *Sachverhaltswiedergabe* im Sinne einer Proposition, die wahr oder falsch sein kann. Ein Portrait bietet vielmehr einen Blickwinkel, aus dem die dargestellte Person in bestimmter Weise erscheint. Deshalb kann es von derselben Person mehrere Portraits geben; diese können den Charakter unter ganz verschiedenen Aspekten zum Vorschein bringen und doch in gleicher Weise als zutreffend, authentisch oder angemessen empfunden werden. In ähnlicher Weise legen Weltbilder den grundbegrifflichen Rahmen fest, innerhalb dessen wir alles, was in der Welt vorkommt, in bestimmter Weise als etwas interpretieren. Weltbilder können so wenig wie Portraits wahr oder falsch sein.[96]

Andererseits unterscheiden sich Weltbilder von Portraits dadurch, daß sie einzelne wahrheitsfähige Äußerungen *ermöglichen*. Insofern haben sie einen, wenn auch indirekten Wahrheitsbezug; es ist dieser Umstand, den Winch nicht berücksichtigt. Zwar sind Weltbilder durch ihren Totalitätsbezug der Dimension enthoben, in der eine Beurteilung nach Wahrheitskriterien sinnvoll ist; sogar die Wahl der Kriterien, nach denen jeweils die Wahrheit von Aussagen beurteilt wird, mag von dem grundbegrifflichen Kontext eines Weltbildes abhängen. Daraus folgt aber nicht, daß die Idee der Wahrheit selbst partikularistisch verstanden werden dürfte. Wel-

---

96 Ich verdanke diesen Vergleich einer offensichtlich durch Wittgenstein inspirierten Ausarbeitung von Patrick Burke über »Truth and Worldviews« (1976), die mir R. Rorty zur Verfügung gestellt hat: »World views, like portraits, are cases of ›seeing as‹. We have a world view, when we succeed in seeing the sum total of things as something or other. It is not necessary that we give an account of all the items in the world individually, but of the whole as the whole. So in one sense a world view must embrace everything, but in another sense not.« (Ms. p. 3)

ches Sprachsystem wir auch immer wählen, stets gehen wir intuitiv von der Voraussetzung aus, daß Wahrheit ein universaler Geltungsanspruch ist. Wenn eine Aussage wahr ist, verdient sie, gleichviel in welcher Sprache sie formuliert ist, universale Zustimmung. Daher kann gegen die von Winch entwickelte These eingewendet werden, daß Weltbilder nicht nur unter den quasi ästhetischen und wahrheitsindifferenten Gesichtspunkten der Kohärenz, Tiefe, Ökonomie, Vollständigkeit usw. miteinander verglichen werden können, sondern auch unter dem Gesichtspunkt *kognitiver Angemessenheit*. Die Angemessenheit eines sprachlich artikulierten Weltbildes ist eine Funktion der wahren Aussagen, die in diesem Sprachsystem möglich sind.[97]

Freilich kann Winch diesen Einwand zunächst als ein kognitivistisches Mißverständnis zurückweisen. Sprachlich artikulierte Weltbilder sind in der Weise mit Lebensformen, d. h. mit der Alltagspraxis vergesellschafteter Individuen verwoben, daß sie nicht auf die Funktionen von Erkenntnis und Verfügbarmachung der äußeren Natur reduziert werden dürfen: »Language games are played by men who have lives to live – lives involving a wide variety of different interests, which have all kinds of different bearings on each other. Because of this, what a man says or does may make a difference not merely to the performance of the activity upon which he is at present engaged, but to his life and to the lives of other people ... What we may learn by studying other cultures are not merely possibilities of different ways of doing things, other techniques. More importantly we may learn different possibilities of making sense of human life, different ideas about the possible importance that the carrying out of certain activities may take on for a man, trying to contemplate the sense of his life as a whole.«[98]

Im Rahmen ihres Weltbildes verständigen sich die Angehörigen einer Sprachgemeinschaft über zentrale Themen ihres persönlichen und gesellschaftlichen Lebens. Wenn wir die Rationalitätsstandards, die in verschiedene kulturelle Deutungssysteme eingebaut

---

97 Ich habe das Kriterium der »Angemessenheit« in diesem Sinne zur Kennzeichnung theoretisch verwendbarer Sprachsysteme eingeführt in: J. Habermas (1973 c), 245 ff.

98 Winch (1970), 105 f.

sind, miteinander vergleichen wollen, dürfen wir uns nicht auf die durch *unsere* Kultur nahegelegte Dimension von Wissenschaft und Technik beschränken und die Ermöglichung wahrer Aussagen und wirksamer Techniken zum Maßstab *ihrer* Rationalität machen; vergleichbar sind Weltbilder allein im Hinblick auf ihre Potenz der Sinnstiftung. Weltbilder werfen Licht auf die in allen Kulturen wiederkehrenden existenziellen Themen von Geburt und Tod, Krankheit und Not, Schuld, Liebe, Solidarität und Einsamkeit. Sie eröffnen gleichursprüngliche Möglichkeiten »of making sense of human life«. Damit strukturieren sie Lebensformen, die *in ihrem Wert unvergleichbar* sind. Die Rationalität von Lebensformen läßt sich nicht auf die kognitive Angemessenheit der ihnen zugrundeliegenden Weltbilder zurückführen.

d) Mit diesem Argument weicht Winch auf inhaltliche Aspekte aus, obgleich die Rationalität von Weltbildern und Lebensformen gegebenenfalls an formalen Eigenschaften abgelesen werden müßte. Wir können die nächste Runde der Argumentation damit eröffnen, daß wir zeigen, in welchem Sinne Winch das Problem, um das es geht, verfehlt. Die kognitive Angemessenheit von Weltbildern, nämlich die Kohärenz und Wahrheit der in ihnen möglichen Aussagen, wie auch die Effektivität der davon abhängigen Handlungspläne, spiegelt sich ja *auch* in der Praxis der Lebensführung. Winch selbst greift die Beobachtung von Evans-Pritchard auf, daß die Zande offensichtliche Widersprüche, beispielsweise die zwischen zwei Orakelsprüchen oder die zwischen einer Voraussage des Orakels und den eintretenden Ereignissen, zwar mit Hilfe des Hexenglaubens erklären können, aber doch nur bis zu einem gewissen Grade. Evans-Pritchard diskutiert am Beispiel von Vorstellungen über die Vererbung magischer Kräfte Widersprüche, die sich aus bestimmten Grundannahmen des animistischen Weltbildes unvermeidlich ergeben. Und er läßt keinen Zweifel daran, daß die Zande unausweichliche Absurditäten selbst als mißlich empfinden, sobald sie sich auf eine hartnäckige Konsistenzprüfung, wie sie der Anthropologe vornimmt, einlassen. Aber eine Forderung dieser Art wird an sie *herangetragen,* sie entsteht im Rahmen ihrer eigenen Kultur nicht. Und im allgemeinen entziehen sich ihr die Zande, wenn sie durch einen Anthropologen damit konfrontiert werden. Ist aber diese Weigerung, die höhere Toleranz für Widersprüche, nicht ein Zeichen für eine irrationalere Lebensführung? Müssen wir nicht Handlungsorientierungen, die nur um den Preis der Verdrängung von Widersprüchen stabilisiert werden können, irrational nennen? Das bestreitet Winch.

Winch bezieht sich auf Evans-Pritchards Bemerkung, daß die Zande kein theoretisches Interesse daran haben, das erwähnte Problem, wenn sie mit der Nase darauf gestoßen werden, zu verfolgen: »It might now appear as though we had clear grounds for speaking of the superior rationality of European over Zande thought, in so far as the latter involves a contradiction which it makes no attempt to remove and does not even recognize: one, however, which is recognizable as such in the context of European ways of thinking. But does Zande thought on this matter really involve a contradiction? It appears from Evans-Pritchard's account that Azande do not press their ways of thinking about witches to a point at which they would be involved in contradictions.«[99] Winch hält es nicht für legitim, die Forderung nach Konsistenz weiter zu treiben, als die Zande es *von sich aus* tun; er kommt zu dem Schluß, »that it is the European, obsessed with pressing Azande thought where it would not naturally go – to a contradiction – who is guilty of misunderstanding, not the Azande. The European is in fact committing a category-mistake«.[100]

Ein Hexenglauben darf nicht mit einer Quasitheorie verwechselt werden; mit ihm wollen die Zande nämlich Vorgänge in der Welt *nicht in der gleichen objektivierenden Einstellung* begreifen wie ein moderner Physiker oder ein naturwissenschaftlich gebildeter Mediziner.

e) Der gegen den europäischen Anthropologen erhobene Vorwurf des Kategorienfehlers kann in einem starken und in einem schwachen Sinne verstanden werden. Wenn er lediglich besagt, daß der Wissenschaftler den Eingeborenen nicht sein eigenes Interesse an der Auflösung von Inkonsistenzen unterschieben dürfe, liegt die Rückfrage nahe, ob dieser Mangel an theoretischem Interesse nicht

99 Winch (1970), 92.
100 Winch (1970), 93.

darauf zurückzuführen ist, daß das Weltbild der Zande weniger anspruchsvolle Rationalitätsstandards auferlegt und in diesem Sinne weniger rational ist als das Weltverständnis der Moderne. Damit ist die vorletzte Runde der Auseinandersetzung eröffnet.

R. Horton entwickelt dieses Argument im Anschluß an Poppers Unterscheidung zwischen »geschlossenen« und »offenen« Mentalitäten und den entsprechenden Lebensformen traditionsverhafteter und moderner Gesellschaften. Er akzeptiert Winchs Auffassung, daß sich die Strukturen von Weltbildern in Lebensformen ausdrücken, beharrt aber auf der Möglichkeit, Weltbilder wenn nicht nach dem Grad ihrer kognitiven Angemessenheit, so doch danach zu bewerten, in welchem Maße sie kognitiv-instrumentelle Lernprozesse behindern oder fördern: »For the progressive acquisition of knowledge, man needs both the right kind of theories *and* the right attitude to them.«[101] Horton und Winch stützen sich auf nahezu dieselben Stellen in Evans-Pritchards Bericht über die unkritische Haltung der Zande; aber Horton führt diese Haltung nicht auf eine dem Zande-Weltbild eigentümliche, der wissenschaftlichen im Prinzip gleichwertige Rationalität zurück. Vielmehr weist der Hexenglaube eine Struktur auf, die das Bewußtsein der Zande an überlieferte Interpretationen mehr oder weniger blind bindet und ein Bewußtsein von der Möglichkeit alternativer Deutungen gar nicht aufkommen läßt: »In other words, absence of any awareness of alternatives makes for an absolute acceptance of the established theoretical tenets, and removes any possibility of questioning them. In these circumstances, the established tenets invest the believer with a compelling force. It is this force which we refer to when we talk of such tenets as sacred ... Here, then, we have two basic predicaments: the ›closed‹ – characterized by lack of awarness of alternatives, sacredness of beliefs, and anxiety about threats to them; and the ›open‹ – characterized by awareness of alternatives, diminished sacredness of beliefs, and diminished anxiety about threats to them.«[102]

Mit der Dimension Geschlossenheit vs. Offenheit scheint sich ein

---

101 R. Horton, African Thought and Western Science, in: Wilson (1970), 153.
102 Horton (1970), 154 f.

kontextunabhängiger Maßstab für die Rationalität von Weltbildern zu bieten. Den Bezugspunkt bildet freilich wiederum die moderne Wissenschaft; denn Horton führt den »heiligen«, d. h. identitätssichernden Charakter geschlossener Weltbilder auf eine Immunisierung gegen Deutungsalternativen zurück, die mit Lernbereitschaft und Kritikfähigkeit als den hervorstechenden Zügen des wissenschaftlichen Geistes kontrastiert. Zwar subsumiert Horton den Hexenglauben nicht umstandslos Forderungen einer Protowissenschaft, aber seine Struktur beurteilt er allein unter dem Gesichtspunkt der Unverträglichkeit der mythisch-magischen Vorstellungswelt mit jener reflexiven Grundeinstellung, ohne die wissenschaftliche Theorien nicht entstehen können. Der Einwand, hier sei es der moderne Europäer, der einen Kategorienfehler begehe, läßt sich deshalb auf anderer Ebene erneuern.

Auch wenn wir zuzugestehen bereit sind, daß Lernbereitschaft und Kritikfähigkeit keineswegs idiosynkratische Züge nur unserer eigenen Kultur sind, ist es mindestens *einseitig*, Weltbilder danach zu beurteilen, ob sie eine wissenschaftliche Mentalität hemmen oder fördern. In diesem Punkt stimmt MacIntyre mit Winch überein: »It is right to wonder whether, sophisticated as we are, we may not sometimes at least continue to make Frazer's mistake, but in a more subtle way. For when we approach the utterances and activities of an alien culture with a well-established classification of genres in our mind and ask of a given rite or other practice ›Is it a piece of applied science? Or a piece of symbolic and dramatic activity? Or a piece of theology?‹ We may in fact be asking a set of questions to which any answer may be misleading... For the utterances and practice in question may belong, as it were, to all and to none of the genres that we have in mind. For those who engage in the given practice the question of how their utterances are to be interpreted – in the sense of ›interpretation‹ in which to allocate a practice or an utterance to a genre is to interpret it, as a prediction, say, rather than as a symbolic expression of desire, or vice versa – may never have arisen. If we question them as to how their utterances are to be interpreted, we may therefore receive an answer which is sincere and yet we may still be deceived. For we may, by the very act of asking these questions, have brought them

97

to the point where they cannot avoid beginning to construe their own utterances in one way rather than another. But perhaps this was not so until we asked the question. Perhaps before that time their utterances were poised in ambiguity . . . Myths would then be seen as perhaps potentially science *and* literature *and* theology; but to understand them as myths would be to understand them as actually yet none of these. Hence the absurdity involved in speaking of myths as misrepresenting reality; the myth is at most a possible misrepresentation of reality, for it does not aspire, while still only a myth, to be a representation.«[103]

Horton definiert »Geschlossenheit« und »Offenheit« von Weltbildern in der Dimension des Sinnes für theoretische Alternativen. Er nennt ein Weltbild insoweit geschlossen, wie es den Umgang mit der äußeren Realität, mit dem also, was in der objektiven Welt wahrgenommen oder behandelt werden kann, *alternativenlos* regelt. Schon diese Gegenüberstellung von Weltbildern und einer Realität, mit der sie mehr oder weniger in Einklang stehen können, suggeriert die Vorstellung, als sei Theoriebildung der primäre Sinn von Weltbildern. Tatsächlich bestimmen die Strukturen von Weltbildern aber eine Lebenspraxis, die ja im kognitiv-instrumentellen Umgang mit der äußeren Realität keineswegs aufgeht. Weltbilder sind vielmehr *auf ganzer Breite* konstitutiv für Verständigungs- und Vergesellschaftungsprozesse, in denen sich die Beteiligten ebenso sehr auf die Ordnungen ihrer gemeinsamen sozialen Welt und auf die Erlebnisse ihrer jeweils subjektiven Welt wie auf Vorgänge in der einen objektiven Welt beziehen. Wenn das mythische Denken die kategoriale Trennung zwischen kognitiv-instrumentellen, moralisch-praktischen und expressiven Weltbezügen *noch nicht zuläßt*, wenn die Äußerungen der Zande für uns voller Ambiguitäten stecken, ist das ein Zeichen dafür, daß die ›Geschlossenheit‹ ihres animistischen Weltbildes nicht allein anhand von Einstellungen gegenüber der objektiven Welt, die ›Offenheit‹ des modernen Weltverständnisses nicht allein anhand formaler Eigenschaften der wissenschaftlichen Mentalität beschrieben werden darf.

103 A. MacIntyre (1971 c), 252 f.

f) Dieser Einwand liegt schon nicht mehr ganz auf der Argumentationslinie von Winch; denn er zielt nicht mehr auf die Erschütterung, sondern auf eine subtilere Verteidigung der universalistischen Position. Insofern verzeichnet diese zu Beginn der sechsten und letzten Argumentationsrunde sozusagen einen Vorsprung nach Punkten. Auch Gellner moniert, daß Horton die Geschlossenheit bzw. Offenheit von Weltbildern und Lebensformen mit dem Kriterium »Sinn für theoretische Alternativen« zu eng faßt.[104] Die Phänomene, die Horton dabei anführt, lassen sich auch gar nicht in diese eine Dimension hineinpressen, sondern erfordern ein komplexeres Bezugssystem, das die *gleichzeitige* Ausdifferenzierung von *drei formalen Weltkonzepten* erfassen kann.

Hortons und Gellners Beobachtungen[105] fügen sich ohne weiteres den formalpragmatischen Gesichtspunkten ein, unter denen ich oben die Geschlossenheit mythischer Weltbilder bzw. die Offenheit des modernen Weltverständnisses charakterisiert habe.[106] Unter den Stichworten ›mixed vs. segregated motives‹ bzw. ›low vs. high cognitive division of labor‹ beschreiben beide Autoren übereinstimmend die zunehmende kategoriale Trennung zwischen objektiver, sozialer und subjektiver Welt, die Spezialisierung von kognitiv-instrumentellen, moralisch-praktischen und expressiven Fragestellungen, vor allem die Ausdifferenzierung von Geltungsaspekten, unter denen diese Probleme jeweils bearbeitet werden können. Sodann betonen Horton und Gellner die zunehmende Differenzierung zwischen sprachlichem Weltbild und Realität. Sie erörtern verschiedene Aspekte unter den Stichworten ›magical vs. non-magical attitudes to words‹; ›ideas bound to occasions vs. ideas bound to ideas‹ (ein Merkmal, das die Trennung von internen Sinn- und externen Sachzusammenhängen betrifft und bei Gellner unter dem Stichwort ›the use of idiosyncratic norms‹ wiederkehrt). Schließlich bezieht sich die Gegenüberstellung von ›unreflective vs. reflective thinking‹ auf jene ›second-order intellectual activities‹, die nicht nur formalwissenschaftliche Disziplinen wie Mathe-

---

104 E. Gellner, The Savage and the Modern Mind, in: Horton, Finnegan (1973), 162 ff.
105 Zum Folgenden vgl. Horton (1970), 155 ff.; und Gellner (1973), 162 ff.
106 Siehe oben S. 85.

matik, Logik, Grammatik usw., sondern überhaupt die systematische Bearbeitung und formale Durchgestaltung von Symbolsystemen ermöglichen.

Aber Weltbilder sind nicht nur konstitutiv für Verständigungsprozesse, sondern auch für die Vergesellschaftung der Individuen. Weltbilder erfüllen eine identitätsbildende und -sichernde Funktion, indem sie die Individuen mit einem Kernbestand von Grundbegriffen und Grundannahmen versorgen, die nicht revidiert werden können, ohne die Identität der Einzelnen wie der sozialen Gruppen zu affizieren. Dieses *identitätsverbürgende Wissen* wird auf der Linie vom geschlossenen zum offenen Weltbild immer formaler; es haftet an Strukturen, die sich immer weitergehend von den zur Revision freigegebenen Inhalten lösen. Gellner spricht von ›entrenched constitutional clauses‹, die im modernen Denken auf ein formales Minimum zusammenschrumpfen: »There is a systematic difference in the distribution of the entrenched clauses, of the sacred, in this sense, as between savage and modern thought-systems. In a traditional thought-system, the sacred or the crucial is more extensive, more untidily dispersed, and much more pervasive. In a modern thought-system, it is tidier, narrower, as it were economical, based on some intelligible principles, and tends not to be diffused among the detailed aspects of life. Fewer hostages are given to fortune; or, looking at it from the other end, much less of the fabric of life and society benefits from reinforcement from the sacred and entrenched convictions.«[107] Horton bringt diese Entwicklung unter das Stichwort »protective vs. destructive attitude« und begreift in diesem Zusammenhang das Tabu als eine Institution, die die kategorialen Grundlagen des Weltbildes überall dort schützt, wo regelmäßig dissonante Erfahrungen auftreten und fundamentale Unterscheidungen zu verwischen drohen.[108]

107 Gellner (1973), 178.
108 Horton (1970), 165: »Perhaps the most important occasion of taboo reaction in traditional African cultures is the commission of incest. Incest is one of the most flagrant defiances of the established category-system: for he who commits it treats a mother, daughter, or sister like a wife. Another common occasion for taboo reaction is the birth of twins. Here, the category distinction involved is that of human beings versus animals – multiple births being taken as characteristic of animals as

Wenn wir Hortons und Gellners anthropologisch informierten Gebrauch von Poppers Begriffspaar ›geschlossen vs. offen‹ formal-pragmatisch durchanalysieren, stoßen wir auf eine Perspektive, aus der sich Winchs Bedenken gegen die Hypostasierung wissenschaftlicher Rationalität zugleich verständlich machen und von voreiligen Konsequenzen abkoppeln lassen. Wissenschaftliche Rationalität gehört zu einem Komplex kognitiv-instrumenteller Rationalität, der gewiß über den Kontext einzelner Kulturen hinaus Gültigkeit beanspruchen kann. Dennoch bleibt, nachdem wir Winchs Argumente erörtert und entkräftet haben, ein Stück seines Pathos zurück, dem wir nicht gerecht geworden sind: »My aim is not to engage in moralizing, but to suggest that the concept of ›learning from‹ which is involved in the study of other cultures is closely linked with the concept of *wisdom*.«[109] Können wir, die wir modernen Gesellschaften angehören, aus dem Verständnis alternativer, insbesondere vormoderner Lebensformen nicht etwas lernen? Sollten wir uns nicht – jenseits der Romantisierung überwundener Entwicklungsstufen, jenseits des exotischen Reizes fremder kultureller Inhalte – der Verluste erinnern, die der eigene Weg in die Moderne gefordert hat? Auch R. Horton hält diese Frage keineswegs für sinnlos: »As a scientist, it is perhaps inevitable that I should at certain points give the impression that traditional African thought is a poor, shackled thing when compared with the tought of the sciences. Yet as a man, here I am living by choice in a still-heavily-traditional Africa rather than in the scientifically oriented Western subculture I was brought up in. Why? Well, there may be a lots of queer, sinister, unacknowledged reasons. But one certain reason is the discovery of *things lost* at home. An intensely poetic quality in everyday life and thought, and a vivid

opposed to men. Yet another very generally tabooed object is the human corpse, which occupies, as it were, a classificatory no-man's land between the living and the inanimate. Equally widely tabooed are such human bodily excreta as faeces and menstrual blood, which occupy the same no-man's-land between the living and the inanimate. Taboo reactions are often given to occurrences that are radically strange or new; for these too (almost by definition) fail to fit into the established category system.«
109 Winch (1970), 106.

enjoyment of the passing moment – both driven out of sophisticated Western life by the quest for purity of motive and the faith in progress.«[110]

In dem Ausdruck ›quest for purity of motive‹ klingt noch einmal die Differenzierung von Weltkonzepten und Geltungsaspekten an, aus dem das moderne Weltverständnis hervorgegangen ist. Indem Horton seiner Bemerkung den Satz hinzufügt: »How necessary these are for the advance of science; but what a disaster they are when they run wild beyond their appropriate bounds!« gibt er der universalistischen Position eine *selbstkritische Betonung*. Nicht die wissenschaftliche Rationalität als solche, wohl aber ihre Hypostasierung scheint zu den idiosynkratischen Zügen der westlichen Kultur zu gehören und auf ein Muster der kulturellen und der gesellschaftlichen Rationalisierung zu verweisen, das der kognitiv-instrumentellen Rationalität nicht nur im Umgang mit der äußeren Natur, sondern im Weltverständnis und in der kommunikativen Alltagspraxis insgesamt zu einseitiger Dominanz verhilft.

Der Gang der Argumentation läßt sich vielleicht so zusammenfassen, daß Winchs Argumente zu schwach sind, um die These zu festigen, daß jedem sprachlich artikulierten Weltbild und jeder kulturellen Lebensform ein unvergleichlicher Begriff von Rationalität innewohnt. Aber seine Argumentationsstrategie ist stark genug, um den im Grundsatz berechtigen Universalitätsanspruch für jene Rationalität, die sich im modernen Weltverständnis Ausdruck verschafft, gegen eine unkritische, auf Erkenntnis und Verfügbarmachung der äußeren Natur fixierte Selbstauslegung der Moderne abzuheben.

(4) Die in England geführte Rationalitätsdebatte legt den Schluß nahe, daß dem modernen Weltverständnis zwar allgemeine Rationalitätsstrukturen zugrunde liegen, daß aber die modernen Gesellschaften des Westens ein verzerrtes, ein an kognitiv-instrumentellen Aspekten haftendes und insofern nur partikulares Verständnis von Rationalität fördern. Ich will abschließend auf einige Implikationen eines solchen Konzepts hinweisen.

Wenn die Rationalität von Weltbildern in der formalpragmatisch

110 Horton (1970), 170.

bestimmten Dimension Geschlossenheit/Offenheit beurteilt werden kann, rechnen wir mit systematischen Veränderungen von Weltbildstrukturen, die nicht allein psychologisch, ökonomisch oder soziologisch, also mit Hilfe externer Faktoren erklärt, sondern auch auf einen intern nachkonstruierbaren Wissenszuwachs zurückgeführt werden können. Gewiß müssen Lernvorgänge ihrerseits mit Hilfe empirischer Mechanismen erklärt werden; sie sind aber zugleich in der Weise als Problemlösung konzipiert, daß sie einer systematischen Bewertung anhand *interner Gültigkeitsbedingungen* zugänglich sind. Die universalistische Position zwingt zu der mindestens im Ansatz evolutionstheoretischen Annahme, daß sich die Rationalisierung von Weltbildern über Lernprozesse vollzieht. Das heißt keineswegs, daß sich Weltbildentwicklungen kontinuierlich, linear oder gar, im Sinne einer idealistischen Kausalität, notwendig vollziehen müßten. Fragen der Entwicklungs-*dynamik* sind mit dieser Annahme nicht präjudiziert. Wenn man historische Übergänge zwischen verschieden strukturierten Deutungssystemen als Lernprozesse begreifen will, muß man aber der Forderung nach einer formalen Analyse von Sinnzusammenhängen genügen, die es erlaubt, die empirische Aufeinanderfolge von Weltbildern als eine aus der Teilnehmerperspektive einsichtig nachvollziehbare und intersubjektiv überprüfbare Folge von Lernschritten zu rekonstruieren.

MacIntyre erhebt gegen Winch den Einwand, daß dieser *kognitive Entwicklungen* in diskontinuierliche Gestaltsprünge *umdeuten* müsse: »I refer to those transitions from one system of beliefs to another which are necessarily characterized by raising questions of the kind that Winch rejects. In seventeenth-century Scotland, for example, the question could not but be raised, ›But are there witches?‹ If Winch asks, from within what way of social life, under what system of belief was this question asked, the only answer is that it was asked by men who confronted alternative systems and were able to draw out of what confronted them independent criteria of judgment. Many Africans today are in the same situation.«[111] Die Kehrseite dieses Einwandes ist freilich die Beweislast, die

111 MacIntyre (1971 b), 228.

MacIntyre der universalistischen Position aufbürdet. Danach müßte man annehmen, daß der Wissenschaftler, der einer modernen Gesellschaft angehört, den Hexenglauben der Zande oder auch die Kreuzigung Jesu nicht ernstlich verstehen könnte, bevor er nicht (in großen Zügen) jene Lernvorgänge rekonstruiert hätte, die den Übergang vom Mythos zu einer Weltreligion, oder den Übergang von einem religiös-metaphysischen Weltbild zum modernen Weltverständnis ermöglicht haben.[112]

Ich will im zweiten Kapitel anhand der Weberschen Religionssoziologie den Versuch machen, die Entwicklung religiöser Weltbilder unter dem theoretischen Gesichtspunkt der Herausbildung formaler Weltkonzepte, d. h. als einen Lernvorgang zu begreifen. Dabei werde ich mich stillschweigend eines Lernkonzeptes bedienen, das Piaget für die Ontogenese von Bewußtseinsstrukturen entwickelt hat. Piaget unterscheidet bekanntlich Stufen der kognitiven Entwicklung, die nicht durch neue Inhalte, sondern durch strukturell beschriebene Niveaus des Lernvermögens gekennzeichnet sind. Um etwas Ähnliches könnte es sich auch im Falle der Emergenz neuer Weltbildstrukturen handeln. Die Zäsuren zwischen der mythischen, der religiös-metaphysischen und der modernen Denkweise sind durch Veränderungen im System der Grundbegriffe charakterisiert. Die Interpretationen einer überwundenen Stufe, gleichviel wie sie *inhaltlich* aussehen, werden mit dem Übergang zur nächsten *kategorial entwertet*. Nicht dieser oder jener Grund überzeugt nicht mehr, die *Art* der Gründe ist es, die nicht mehr überzeugt. Eine Entwertung von Erklärungs- und Rechtfertigungspotentialen ganzer Überlieferungen ist in den Hochkulturen bei der Ablösung mythisch-narrativer, in der Neuzeit bei der Ablösung religiöser, kosmologischer oder metaphysischer Denkfiguren eingetreten. Diese *Entwertungsschübe* scheinen mit Übergängen zu neuen Lernniveaus zusammenzuhängen; damit verändern sich die Bedingungen des Lernens in den Dimensio-

---

112 Unter dieser Voraussetzung wäre der im Europa der frühen Neuzeit verbreitete Hexenglaube als kognitive Regression zu verstehen. Vgl. dazu R. Döbert, The Role of Stage-models within a Theory of Social Evolution, illustrated by the European Witchcraze, in: R. Harré, U. J. Jensen (Eds.), Studies in the Concept of Evolution, Brighton 1981.

nen sowohl des objektivierenden Denkens wie der moralisch-praktischen Einsicht und der ästhetisch-praktischen Ausdrucksfähigkeit.

Piagets Theorie ist nicht nur nützlich für die Unterscheidung zwischen Struktur- und Inhaltslernen, sondern für die Konzeptualisierung einer Entwicklung, die sich auf Weltbilder im ganzen, d. h. auf verschiedene Dimensionen des Weltverständnisses gleichzeitig erstreckt. Die kognitive Entwicklung im engeren Sinne bezieht sich auf Strukturen des Denkens und Handelns, die der Heranwachsende in aktiver Auseinandersetzung mit der äußeren Realität, mit Vorgängen in der objektiven Welt konstruktiv erwirbt.[113] Piaget verfolgt aber diese kognitive Entwicklung im Zusammenhang mit der »Bildung des äußeren und des inneren Universums«; es ergibt sich »nach und nach eine Abgrenzung durch die Konstruktion des Universums der Objekte und des inneren Universums des Subjekts«.[114] Die Konzepte der Außenwelt und der Innenwelt erarbeitet sich der Heranwachsende gleichursprünglich im praktischen Umgang mit den Objekten wie mit sich selbst. Dabei unterscheidet Piaget den Umgang mit physischen von dem mit sozialen Objekten, nämlich »die Wechselwirkung zwischen dem Subjekt und den Objekten und die Wechselwirkung zwischen dem Subjekt und den anderen Subjekten«.[115] Entsprechend differenziert sich das äußere Universum in die Welt der wahrnehmbaren und manipulierbaren Gegenstände einerseits, in die Welt der normativ geregelten interpersonalen Beziehungen andererseits. Während der Kontakt mit der äußeren Natur, der durch instrumentelles Handeln hergestellt wird, den konstruktiven Erwerb des »intellektuellen Normensystems« vermittelt, bahnt die Interaktion mit anderen Personen den Weg zum konstruktiven Hineinwachsen in

113 Einen Überblick enthält J. Piaget, Abriß der genetischen Epistemologie, Olten 1974; ferner J. H. Flavell, The Developmental Psychology of Jean Piaget, Princeton 1963; H. G. Furth, Piaget and Knowledge, Chicago ²1981; B. Kaplan, Meditation on Genesis, Hum. Developm., 10, 1967, 65 ff.; N. Rotenstreich, An Analysis of Piagets Concept of Structure, Phil. Phenom. Res., 37, 1977, 368 ff.
114 J. Piaget, Die Entwicklung des Erkennens, Bd. 3, Stuttg. 1973, 179.
115 Piaget (1973), 190; vgl. J. M. Broughton, Genetic Metaphysics, in: R. W. Rieber (Ed.), Body and Mind, N. Y. 1980, 177 ff.

das gesellschaftlich anerkannte »System moralischer Normen«. Die Lernmechanismen, Anpassung und Akkomodation, werden über diese beiden Handlungsarten in spezifischer Weise wirksam: »Wenn ... die Wechselwirkungen zwischen Subjekt und Objekt diese beiden modifizieren, ist es *a fortiori* evident, daß jede Wechselwirkung zwischen individuellen Subjekten diese gegenseitig modifiziert. Jede soziale Beziehung ist also eine Totalität in sich, die neue Eigenschaften schafft, indem sie das Individuum in seiner geistigen Struktur transformiert.«[116]

So ergibt sich für Piaget eine kognitive Entwicklung im weiteren Sinne, die nicht allein als Konstruktion eines äußeren Universums verstanden wird, sondern als die Konstruktion eines Bezugssystems für die *gleichzeitige* Abgrenzung der objektiven und der sozialen von der subjektiven Welt. Kognitive Entwicklung bedeutet allgemein die *Dezentrierung* eines *egozentrisch geprägten Weltverständnisses.*

Erst in dem Maße wie das formale Bezugssystem der drei Welten ausdifferenziert wird, kann ein reflexiver Begriff von Welt ausgebildet und der Zugang zur Welt durch das Medium gemeinsamer Interpretationsanstrengungen im Sinne eines kooperativen Aushandelns von Situationsdefinitionen gewonnen werden. Das Konzept der subjektiven Welt gestattet uns, nicht nur die eigene Innenwelt, sondern auch die subjektiven Welten der Anderen von der Außenwelt abzuheben. Ego kann überlegen, wie sich bestimmte Tatsachen (das, was er für einen existierenden Sachverhalt in der objektiven Welt hält), oder bestimmte normative Erwartungen (das, was er für einen legitimen Bestand der gemeinsamen sozialen Welt hält) aus der Perspektive eines Anderen, d. h. als Bestandteil von dessen subjektiver Welt darstellen; er kann sich weiterhin überlegen, daß Alter seinerseits überlegt, wie sich das, was er für existierende Sachverhalte und geltende Normen hält, in der Perspektive von Ego, d. h. als Bestandteil von Egos subjektiver Welt darstellt. Nun könnten die subjektiven Welten der Beteiligten als Spiegelflächen dienen, in denen sich Objektives, Normatives und anderes Subjektives beliebig oft reflektieren. Aber die forma-

116 Piaget (1973), 190.

len Weltkonzepte haben gerade die Funktion, zu verhindern, daß sich die Bestände an Gemeinsamkeiten in der Flucht iterativ aneinander gespiegelter Subjektivitäten auflösen; sie ermöglichen es, gemeinsam die Perspektive eines Dritten oder Unbeteiligten einzunehmen.

Jeder Akt der Verständigung läßt sich als Teil eines kooperativen Deutungsvorgangs begreifen, der auf intersubjektiv anerkannte Situationsdefinitionen abzielt. Dabei dienen die Konzepte der drei Welten als das gemeinsam unterstellte Koordinatensystem, in dem die Situationskontexte so geordnet werden können, daß Einverständnis darüber erzielt wird, was die Beteiligten jeweils als Faktum oder als gültige Norm oder als subjektives Erlebnis behandeln dürfen.

An dieser Stelle kann ich den *Begriff der Lebenswelt* zunächst als Korrelat zu Verständigungsprozessen einführen. Kommunikativ handelnde Subjekte verständigen sich stets im Horizont einer Lebenswelt. Ihre Lebenswelt baut sich aus mehr oder weniger diffusen, stets unproblematischen Hintergrundüberzeugungen auf. Dieser lebensweltliche Hintergrund dient als Quelle für Situationsdefinitionen, die von den Beteiligten als unproblematisch vorausgesetzt werden. Bei ihren Interpretationsleistungen grenzen die Angehörigen einer Kommunikationsgemeinschaft die eine objekte Welt und ihre intersubjektiv geteilte soziale Welt gegen die subjektiven Welten von Einzelnen und (anderen) Kollektiven ab. Die Weltkonzepte und die korrespondierenden Geltungsansprüche bilden das formale Gerüst, mit dem die kommunikativ Handelnden die jeweils problematischen, d. h. einigungsbedürftigen Situationskontexte in ihre als unproblematisch vorausgesetzte Lebenswelt einordnen.

Die Lebenswelt speichert die vorgetane Interpretationsarbeit vorangegangener Generationen; sie ist das konservative Gegengewicht gegen das Dissensrisiko, das mit jedem aktuellen Verständigungsvorgang entsteht. Denn die kommunikativ Handelnden können eine Verständigung nur über Ja/Nein-Stellungnahmen zu kritisierbaren Geltungsansprüchen erreichen. *Die Relation zwischen diesen Gewichten ändert sich mit der Dezentrierung der Weltbilder.* Je weiter das Weltbild, das den kulturellen Wissensvorrat bereitstellt, dezentriert ist, um so weniger ist der Verständigungsbedarf *im vorhinein* durch eine kritikfest interpretierte Lebenswelt gedeckt; und je mehr dieser Bedarf durch die Interpretationsleistungen der Beteiligten selbst, d. h. über ein riskantes, weil rational motiviertes Einverständnis befriedigt werden muß, um so häufiger dürfen wir rationale Handlungsorientierungen erwarten. Deshalb läßt sich die Rationalisierung der Lebenswelt vorerst in der Dimension »normativ zugeschriebenes Einverständnis« vs. »kommunikativ erzielte Verständigung« charakterisieren. Je mehr kulturelle Traditionen eine Vorentscheidung darüber treffen, welche Geltungsansprüche wann, wo, für was, von wem und wem gegenüber akzeptiert werden müssen, um so weniger haben die Beteiligten selbst die Möglichkeit, die potentiellen Gründe, auf die sie ihre Ja/Nein-Stellungnahmen stützen, explizit zu machen und zu prüfen.

Wenn wir unter diesem Gesichtspunkt kulturelle Deutungssysteme beurteilen, zeigt sich, warum mythische Weltbilder einen instruktiven Grenzfall darstellen. In dem Maße wie die Lebenswelt einer sozialen Gruppe durch ein mythisches Weltbild interpretiert wird, wird die Last der Interpretation dem einzelnen Angehörigen ebenso abgenommen wie die Chance, selber ein kritisierbares Einverständnis herbeizuführen. Soweit das Weltbild im Sinne Piagets soziozentrisch[117] bleibt, läßt es eine Differenzierung zwischen den Welten existierender Sachverhalte, geltender Normen und ausdrucksfähiger subjektiver Erlebnisse nicht zu. Das sprachliche Weltbild wird als Weltordnung reifiziert und kann nicht als kritisierbares Deutungssystem durchschaut werden. Innerhalb eines solchen Orientierungssystems können Handlungen jene kritische Zone gar nicht erreichen, in der ein kommunikativ erzieltes Einverständnis von autonomen Ja/Nein-Stellungnahmen zu kritisierbaren Geltungsansprüchen abhängt.

Auf dieser Folie wird deutlich, welche formalen Eigenschaften kulturelle Überlieferungen aufweisen müssen, wenn in einer entsprechend interpretierten Lebenswelt rationale Handlungsorientierungen möglich sein, wenn sie sich gar zu einer rationalen Lebensführung verdichten können sollen:

117 Piaget (1973), 229

a) Die kulturelle Überlieferung muß formale Konzepte für die objektive, die soziale und die subjektive Welt bereitstellen, sie muß differenzierte Geltungsansprüche (propositionale Wahrheit, normative Richtigkeit, subjektive Wahrhaftigkeit) zulassen und zu einer entsprechenden Differenzierung von Grundeinstellungen (objektivierend, normenkonform und expressiv) anregen. Dann können symbolische Äußerungen auf einem formalen Niveau erzeugt werden, auf dem sie systematisch mit Gründen verknüpft werden und einer objektiven Beurteilung zugänglich sind.

b) Die kulturelle Überlieferung muß ein reflexives Verhältnis zu sich selbst gestatten; sie muß ihrer Dogmatik soweit entkleidet sein, daß die durch Tradition gespeisten Interpretationen grundsätzlich in Frage gestellt und einer kritischen Revision unterzogen werden dürfen. Dann können interne Sinnzusammenhänge systematisch bearbeitet und alternative Deutungen methodisch untersucht werden. Es entstehen kognitive Aktivitäten zweiter Ordnung: hypothesengesteuerte und argumentativ gefilterte Lernprozesse in Bereichen des objektivierenden Denkens, der moralisch-praktischen Einsicht und der ästhetischen Wahrnehmung.

c) Die kulturelle Überlieferung muß sich in ihren kognitiven und evaluativen Bestandteilen soweit mit spezialisierten Argumentationen rückkoppeln lassen, daß die entsprechenden Lernprozesse gesellschaftlich institutionalisiert werden können. Auf diesem Wege können kulturelle Subsysteme für Wissenschaft, Moral und Recht, für Musik, Kunst und Literatur entstehen, in denen sich argumentativ gestützte, durch Dauerkritik verflüssigte, aber zugleich professionell abgesicherte Traditionen bilden.

d) Die kulturelle Überlieferung muß schließlich die Lebenswelt in der Weise interpretieren, daß erfolgsorientiertes Handeln von den Imperativen einer immer wieder kommunikativ zu erneuernden Verständigung freigesetzt und von verständigungsorientiertem Handeln wenigstens partiell entkoppelt werden kann. Dadurch wird eine gesellschaftliche Institutionalisierung zweckrationalen Handelns für generalisierte Zwecke, z. B. eine über Geld und Macht gesteuerte Subsystembildung für rationales Wirtschaften und rationale Verwaltung möglich. Max Weber betrachtet, wie wir sehen werden, die unter c) und d) genannten Subsystembildungen als eine Ausdifferenzierung von Wertsphären, die für ihn den Kern der kulturellen und gesellschaftlichen Rationalisierung in der Moderne darstellten.

Wenn wir in dieser Weise Piagets Begriff der Dezentrierung als Leitfaden benützen, um den internen Zusammenhang zwischen den Strukturen eines Weltbildes, der Lebenswelt als dem Kontext von Verständigungsprozessen und den Möglichkeiten rationaler Lebensführung aufzuklären, stoßen wir wiederum auf den Begriff kommunikativer Rationalität. Dieser bezieht das dezentrierte Weltverständnis auf die Möglichkeit der diskursiven Einlösung kritisierbarer Geltungsansprüche. A. Wellmer charakterisiert diesen Begriff im Anschluß an die anthropologische Debatte folgendermaßen: »»Discursive rationality‹ is not a ›relational‹ conception of rationality in the same sense as the ›minimal‹ notions of rationality advocated by Winch, MacIntyre, Lukes and others, are. Such minimal conceptions of rationality are simple derivatives of the law of non-contradiction and can be expressed in the form of a postulate of coherence. Now, ›discursive rationality‹ does not just signify a specific standard of rationality which would be ›parasitic‹ on the minimal standard of rationality, as e. g. the specific standards of rationality are which are operative in primitive magic or in modern economic systems. ›Discursive rationality‹ rather signifies (a) a p r o c e d u r a l conception of rationality, i. e. a. specific way of coming to grips with incoherences, contradictions and dissension, and (b) a formal standard of rationality which operates on a ›meta-level‹ vis-à-vis all those ›substantive‹ standards of rationality which are ›parasitic‹ on a minimal standard of rationality in Lukes' sense.«[118] Wellmer hält einen solchen Rationalitätsbegriff für komplex genug, um Winchs berechtigte Bedenken als Fragestellungen aufzunehmen: sowohl seine Skepsis gegen die einseitig kognitiv-instrumentelle Selbstauslegung neuzeitlicher Rationalität, wie auch sein Motiv, von anderen Kulturen zu lernen, um dieser Einseitigkeit des modernen Selbstverständnisses innezuwerden.

---

118 Wellmer IV, MS 12 ff. Vgl. auch K. O. Apel, The Common Presuppositions of Hermeneutics and Ethics, in: J. Bärmark (Ed.), Perspectives on Metascience, Göteborg 1980, 39 ff.

Wenn man den Begriff des Egozentrismus ebenso weit faßt wie den der Dezentrierung und annimmt, daß sich der Egozentrismus auf jeder Stufe erneuert, folgt den Prozessen des Lernens der Schatten systematischer Irrtümer.[119] Dann könnte es wohl sein, daß auch mit dem dezentrierten Weltverständnis eine spezielle Illusion entsteht – die Vorstellung nämlich, *daß die Ausdifferenzierung einer objektiven Welt die Ausgliederung der sozialen und der subjektiven Welt aus dem Bereich rational motivierter Verständigung überhaupt bedeutet.*
Diese Illusion *verdinglichenden* Denkens wird uns noch beschäftigen. Ein komplementärer Irrtum der Moderne ist allerdings der *Utopismus,* der meint, daß wir aus dem Begriff des dezentrierten Weltverständnisses und der prozeduralen Rationalität »zugleich das Ideal einer vollkommen rational gewordenen Form des Lebens«[120] gewinnen könnten. Lebensformen bestehen ja nicht nur aus Weltbildern, die wir unter strukturellen Gesichtspunkten als mehr oder weniger dezentriert einstufen können, nicht nur aus Institutionen, die unter den Aspekt der Gerechtigkeit fallen. Winch beharrt mit Recht darauf, daß Lebensformen konkrete

119 Für die Ontogenese hat D. Elkind die stufenspezifischen Formen des Egozentrismus eindrucksvoll beschrieben: Egozentrismus in der Adoleszenz, in: Döbert, Habermas, Nunner-Winkler (Hrsg.), Entwicklung des Ichs, Köln 1977, 170 ff. Vgl. die Zusammenfassung 177 f.: »Im Kleinkindalter äußert sich der Egozentrismus in der Vorstellung, daß Objekte mit ihrer Wahrnehmung identisch seien, und diese Form des Egozentrismus wird durch die Entfaltung der Symbolfunktion überwunden. Während der Vorschuljahre tritt der Egozentrismus in Form der Annahme auf, Symbole enthielten die gleichen Informationen wie die Objekte, die sie vertreten. Mit dem Auftauchen konkreter Operationen kann das Kind zwischen Symbol und bezeichnetem Objekt unterscheiden und so diese Form von Egozentrismus überwinden. Der Egozentrismus der Voradoleszenz ist durch die Unterstellung charakterisiert, daß die eigenen Denkvorstellungen einer höheren Form von Wahrnehmungsrealität entsprechen. Mit dem Einsetzen formal-operationalen Denkens und der Fähigkeit, kontrafaktische Hypothesen aufzustellen, löst sich diese Art von Egozentrismus auf, denn der Jugendliche kann nun die Willkürlichkeit seiner Denkvorstellungen erkennen. In der Frühadoleszenz schließlich tritt der Egozentrismus auf als die Vorstellung, die Gedanken anderer konzentrierten sich ganz auf das eigene Selbst. Diese Variante des Egozentrismus wird durch die Erfahrung des Auseinanderklaffens der vom Jugendlichen antizipierten Reaktionen und der tatsächlich auftretenden überwunden.«
120 A. Wellmer, Thesen über Vernunft, Emanzipation und Utopie, MS (1979), 32.

»Sprachspiele« darstellen, geschichtliche Konfigurationen aus eingewöhnten Praktiken, Gruppenzugehörigkeiten, kulturellen Deutungsmustern, Sozialisationsformen, Kompetenzen, Einstellungen
usw. Es wäre sinnlos, ein solches Syndrom als ganzes, die *Totalität
einer Lebensform* unter *einzelnen* Rationalitätsaspekten beurteilen
zu wollen. Wenn wir auf Standards, anhand deren eine Lebensform als mehr oder weniger verfehlt, entstellt, unglücklich oder
entfremdet bewertet werden könnte, nicht überhaupt verzichten
wollen, bietet sich als Modellfall allenfalls der von Krankheit und
Gesundheit an. Lebensformen und Lebensgeschichten beurteilen
wir insgeheim nach Normalitätsmaßstäben, die eine *Annäherung
an ideale Grenzwerte* nicht zulassen. Vielleicht sollten wir statt
dessen von einem *Ausgleich zwischen ergänzungsbedürftigen Mo-
menten*, einem gleichgewichtigen Zusammenspiel des Kognitiven
mit dem Moralischen und dem Ästhetisch-Expressiven sprechen.
Aber der Versuch, ein Äquivalent für das anzugeben, was einmal
mit der Idee des guten Lebens gemeint war, darf nicht dazu verleiten, aus dem prozeduralen Begriff der Rationalität, mit dem uns das
dezentrierte Weltverständnis der Moderne zurückgelassen hat, eine Idee des guten Lebens *abzuleiten*: »Aus diesem Grunde können
wir nur bestimmte formale *Bedingungen* eines vernünftigen Lebens angeben – wie universalistisches moralisches Bewußtsein,
universalistisches Recht, eine reflexiv gewordene kollektive Identität usw.; soweit es aber um die Möglichkeit eines in einem substantiellen Sinne vernünftigen Lebens, einer vernünftigen Identität
geht, gibt es keinen in terms formaler Strukturen beschreibbaren
idealen Grenzwert; es gibt vielmehr nur das Gelingen oder Mißlingen der Bemühung um eine Form des Lebens, bei der zwanglose
Identität der Individuen mit zwangloser Reziprozität zwischen
den Individuen zu einer erfahrbaren Realität wird.«[121] Mit der
Rede von einem »im substantiellen Sinne vernünftigen Leben« will
Wellmer einen Rückgriff auf die Begrifflichkeit substantiell vernünftiger Weltbilder natürlich nicht nahelegen. Wenn man darauf
aber verzichten muß, bleibt nur die Kritik an den Entstellungen,
die den Lebensformen kapitalistisch modernisierter Gesellschaften

121 Wellmer (1979), 53.

auf doppelte Weise zugefügt werden: durch die Entwertung ihrer Traditionssubstanz und die Unterwerfung unter Imperative einer vereinseitigten, aufs Kognitiv-Instrumentelle beschränkten Rationalität.[122]

Einer solchen Kritik kann freilich der prozedurale Begriff kommunikativer Rationalität zugrunde gelegt werden, wenn sich nachweisen läßt, daß die Dezentrierung des Weltverständnisses und die Rationalisierung der Lebenswelt notwendige Bedingungen für eine emanzipierte Gesellschaft sind. Utopistisch ist nur die Verwechslung einer hochentwickelten kommunikativen Infrastruktur *möglicher* Lebensformen mit der historischen Artikulation einer *gelungenen* Lebensform.

122 Vgl. J. Habermas, Reply to my critics, in: D. Held, W. Thompson, Habermas: Critical Debates, forthcoming.

3. Weltbezüge und Rationalitätsaspekte des Handelns in vier soziologischen Handlungsbegriffen

Der Begriff kommunikativer Rationalität, der sich aus der vorläufigen Analyse der Verwendung des sprachlichen Ausdrucks ›rational‹ wie auch aus der anthropologischen Debatte über die Stellung des modernen Weltverständnisses ergeben hat, bedarf einer genaueren Explikation. Diese Aufgabe werde ich nur indirekt, nämlich auf dem Wege einer formalpragmatischen Klärung des Begriffs kommunikativen Handelns verfolgen, und dies auch nur in den Grenzen eines systematischen Durchgangs durch theoriegeschichtliche Positionen. Zunächst können wir festhalten, daß der Begriff der kommunikativen Rationalität am Leitfaden sprachlicher Verständigung analysiert werden muß. Der Begriff der Verständigung verweist auf ein unter Beteiligten erzieltes rational motiviertes Einverständnis, das sich an kritisierbaren Geltungsansprüchen bemißt. Die Geltungsansprüche (propositionale Wahrheit, normative Richtigkeit und subjektive Wahrhaftigkeit) kennzeichnen verschiedene Kategorien eines Wissens, das in Äußerungen symbolisch verkörpert wird. Diese Äußerungen können näher analysiert werden, und zwar einerseits unter dem Aspekt, wie solche Äußerungen begründet werden können, andererseits unter dem Aspekt, wie sich Aktoren mit ihnen auf etwas in einer Welt beziehen. Der Begriff der kommunikativen Rationalität verweist nach der einen Seite auf verschiedene Formen der diskursiven Einlösung von Geltungsansprüchen – daher spricht Wellmer auch von ›diskursiver‹ Rationalität; nach der anderen Seite auf die Weltbezüge, die die kommunikativ Handelnden, indem sie für ihre Äußerungen Geltungsansprüche erheben, aufnehmen – deshalb hat sich die Dezentrierung des Weltverständnisses als die wichtigste Dimension der Weltbildentwicklung erwiesen. Die Spur der argumentationstheoretischen Erörterungen werde ich nicht weiter verfolgen; wir stoßen aber auf den Pfad der Untersuchung formaler Weltkonzepte, wenn wir nun zu der eingangs entwickelten These zurückkehren, daß sich für jede Soziologie mit gesellschafts- theoretischem Anspruch das Problem der Rationalität gleichzeitig auf metatheoretischer und auf methodologischer Ebene stellt. Die erste Teilthese möchte ich in der Weise begründen, daß ich die im weiteren Sinne ›ontologischen‹ Voraussetzungen von *vier* für die sozialwissenschaftliche Theoriebildung relevant gewordenen *Handlungsbegriffen* expliziere. Die Rationalitätsimplikationen dieser Begriffe werde ich anhand der jeweils vorausgesetzten *Bezüge zwischen Aktor und Welt* analysieren. Im allgemeinen wird in soziologischen Handlungstheorien der Zusammenhang zwischen sozialen Handlungen und Aktor-Weltbezügen nicht explizit hergestellt. Eine Ausnahme bildet I. C. Jarvie, der einen interessanten Gebrauch von Poppers Dreiweltentheorie macht.[123] Um die von mir provisorisch eingeführten Begriffe der objektiven, der sozialen und der subjektiven Welt zu vertiefen, will ich zunächst auf Poppers Theorie der dritten Welt eingehen (1). Sodann analysiere ich die Begriffe des teleologischen, des normenregulierten und des dramaturgischen Handelns in Begriffen von Aktor-Weltbezügen (2). Diese Rekonstruktion ermöglicht dann die provisorische Einführung des Begriffs des kommunikativen Handelns (3).

(1) In seinem 1967 gehaltenen Vortrag über »Erkenntnistheorie ohne erkennendes Subjekt« macht Popper einen überraschenden Vorschlag: »...man kann folgende drei Welten oder Universen unterscheiden: erstens die Welt der physikalischen Gegenstände oder physikalischen Zustände; zweitens die Welt der Bewußtseinszustände oder geistigen Zustände oder vielleicht der Verhaltensdispositionen zum Handeln; und drittens die Welt der *objektiven Gedankeninhalte*, insbesondere der wissenschaftlichen und dichterischen Gedanken und der Kunstwerke.«[124] Später spricht Popper allgemein von der Welt der »Produkte des menschlichen Geistes«.[125] Er betont, daß auch solche internen Beziehungen zwischen symbolischen Gebilden, die auf ihre Entdeckung und Explikation durch den menschlichen Geist noch warten, der dritten Welt zugerechnet werden müssen.[126] In unserem Zusammenhang

123 I. C. Jarvie, Die Logik der Gesellschaft, Mü. 1974, 227 ff.
124 K. R. Popper, Objektive Erkenntnis, Hbg. 1973, 123.
125 K. R. Popper, J. C. Eccles, The Self and its Brain, N. Y., Hdlbg. 1977, 38.
126 K. R. Popper, Reply to my Critics, in P. A. Schilp (Ed.), The Philosophy of K. Popper, II, La Salle, Ill. 1974, 1050.

sind die speziellen erkenntnistheoretischen Überlegungen, die Popper veranlassen, an Freges Konzept des »Gedankens« anzuknüpfen, Husserls Psychologismuskritik aufzunehmen und für den Bedeutungsgehalt symbolischer, in der Regel sprachlich objektivierter Erzeugnisse des menschlichen Geistes einen von mentalen Akten und Zuständen unabhängigen Status zu behaupten, ebenso wenig von Interesse wie der spezielle Lösungsvorschlag, den er mit Hilfe des Konzepts der dritten Welt für das Problem der Beziehung zwischen Geist und Körper entwickelt.[127] Interessant ist aber der Umstand, daß sich Popper in beiden Fällen mit der empiristischen Grundauffassung auseinandersetzt, nach der das Subjekt unvermittelt der Welt gegenübersteht, über Sinneswahrnehmungen seine Eindrücke aus ihr empfängt oder durch Handlungen auf Zustände in ihr einwirkt.

Dieser Problemkontext erklärt, warum Popper seine Lehre vom objektiven Geist als eine Erweiterung des empiristischen Konzepts versteht und den objektiven ebenso wie den subjektiven Geist als »Welten«, d. h. als spezielle Gesamtheiten von *Entitäten* einführt. Die älteren Theorien des objektiven Geistes, die von Dilthey bis Theodor Litt und Hans Freyer in der historistischen und der neuhegelschen Tradition entwickelt worden sind, gehen vom Primat eines tätigen Geistes aus, der sich in den von ihm konstituierten Welten *auslegt*. Popper hält demgegenüber am Primat der Welt gegenüber dem Geist fest und begreift die zweite und die dritte Welt in Analogie zur ersten Welt *ontologisch*. In dieser Hinsicht erinnert seine Konstruktion der dritten Welt eher an Nicolai Hartmanns Theorie des geistigen Seins.[128]

Die Welt gilt als die Gesamtheit dessen, was der Fall ist; und was der Fall ist, kann in der Form wahrer Aussagen festgestellt werden. Ausgehend von diesem allgemeinen Konzept von Welt spezifiziert Popper die Begriffe der ersten, zweiten und dritten Welt durch die Art, in der Sachverhalte existieren. Die Entitäten haben je nach ihrer Zugehörigkeit zu einer der drei Welten eine spezifische Seinsweise: es handelt sich um physische Gegenstände und Ereignisse;

127 Popper, Eccles (1977), 100 ff.
128 N. Hartmann, Das Problem des geistigen Seins, Bln. 1932.

um mentale Zustände und innere Episoden; um die Bedeutungsgehalte symbolischer Gebilde. Wie Nicolai Hartmann zwischen
objektiviertem und objektivem Geist, so unterscheidet Popper
zwischen expliziten Bedeutungsgehalten, die in Phonemen und
Schriftzeichen, in Farbe oder Stein, in Maschinen usw. bereits *verkörpert* sind, und jenen impliziten Bedeutungsgehalten, die noch
nicht ›entdeckt‹, noch nicht in Trägerobjekten der ersten Welt ver-
gegenständlicht worden sind, sondern den bereits verkörperten
Bedeutungen bloß inhärieren.

Diese »unembodied world 3 objects«[129] sind ein wichtiger Indi-
kator für die Unabhängigkeit der Welt des objektiven Geistes.
Die symbolischen Gebilde werden zwar durch den produktiven
menschlichen Geist erzeugt; obschon selber Produkte, treten sie
dem subjektiven Geist mit der Objektivität eines spröden, problematischen, undurchschauten, durch intellektuelle Arbeit erst auf-
zuschließenden Sinnzusammenhangs entgegen. Die *Produkte* des
menschlichen Geistes kehren sich unverzüglich als *Probleme* gegen
ihn: »Diese Probleme sind offensichtlich *selbständig*. Sie werden in
keiner Weise von uns geschaffen; vielmehr *entdecken* wir sie, und
in diesem Sinne existieren sie schon vor ihrer Entdeckung. Darüber hinaus sind mindestens einige dieser Probleme möglicherweise unlösbar. Um diese Probleme zu lösen, erfinden wir vielleicht
neue Theorien. Diese Theorien werden auch wieder von uns geschaffen: sie sind das Erzeugnis unseres kritischen und schöpferischen Denkens, bei dem uns andere Theorien aus der dritten Welt
sehr zugute kommen. Wenn wir aber diese Theorien einmal geschaffen haben, dann erzeugen sie neue, unbeabsichtigte und uner-
wartete Probleme, selbständige Probleme, die entdeckt werden
müssen. So erklärt sich, warum die dritte Welt, die ihrem Ursprung nach unser Erzeugnis ist, doch im Hinblick auf ihren, sagen wir, ontologischen Status *selbständig* ist. So erklärt sich, warum wir sie bearbeiten können, obwohl kein Mensch auch nur
einen kleinen Teil von ihr beherrschen kann. Wir tragen alle zu
ihrem Wachstum bei, doch fast alle diese einzelnen Beiträge sind
verschwindend klein. Wir versuchen alle, sie zu begreifen, und

129 Popper, Eccles (1977), 41 ff.

keiner von uns könnte ohne Verbindung mit ihr leben, denn wir gebrauchen alle die Sprache, ohne die wir kaum Menschen wären. Und doch ist die dritte Welt weit über das Begreifen nicht nur des einzelnen, sondern sogar aller Menschen hinausgewachsen (wie die Existenz unlösbarer Probleme zeigt).«[130]

Aus dieser Statusbestimmung der dritten Welt ergeben sich zwei bemerkenswerte Konsequenzen. Die erste betrifft die *Interaktion zwischen den Welten*, die zweite die *kognitivistisch verkürzte Interpretation der dritten Welt*.

Nach Poppers Auffassung stehen die erste und die zweite Welt ebenso unmittelbar im Austausch wie die zweite und die dritte. Die erste und die dritte Welt interagieren hingegen nur durch Vermittlung der zweiten. Das bedeutet eine Absage an zwei grundlegende empiristische Auffassungen. Einerseits dürfen die Entitäten der dritten Welt nicht als Äußerungsformen des subjektiven Geistes auf mentale Zustände, also Entitäten der zweiten Welt reduziert werden; andererseits können die Beziehungen zwischen Entitäten der ersten und der zweiten Welt nicht ausschließlich nach dem kausalen Modell, das für die Beziehungen zwischen den Entitäten der ersten Welt untereinander gilt, begriffen werden. Popper schiebt der psychologistischen Auffassung des objektiven Geistes ebenso einen Riegel vor wie der physikalistischen Auffassung des subjektiven Geistes. Die Autonomie der dritten Welt garantiert vielmehr, daß die Erkenntnis von, wie auch der Eingriff in Zustände der objektiven Welt durch die Entdeckung des Eigensinns interner Sinnzusammenhänge vermittelt sind: ».. . und deshalb kann man die dritte Welt nicht einfach als einen Ausdruck der zweiten oder die zweite als bloßen Abglanz der dritten auffassen.«[131]

In anderer Hinsicht bleibt Popper dem empiristischen Kontext, von dem er sich absetzt, verhaftet. Auch für ihn stehen die kognitiv-instrumentellen Beziehungen zwischen dem erkennenden und dem handelnden Subjekt einerseits, den in der objektiven Welt auftretenden Dingen und Ereignissen andererseits so sehr im Zentrum der Betrachtung, daß sie den Austausch zwischen subjekti-

---

130 Popper (1973), 180 f.
131 Popper (1973), 168 f.

vem und objektivem Geist beherrschen. Der Prozeß der Hervor-bringung von, der Entäußerung an, des Eindringens in und der Aneignung von Produkten des menschlichen Geistes dient in er-ster Linie dem Wachstum *theoretischen* und der Erweiterung *tech-nisch verwendbaren Wissens.* Die Wissenschaftsentwicklung, die Popper als einen kumulativen Kreisprozeß zwischen Ausgangs-problem, schöpferischer Hypothesenbildung, kritischer Überprü-fung, Revision und Entdeckung eines neuen Problems begreift, dient nicht nur als Modell für den Zugriff des subjektiven Geistes auf die Welt des objektiven; vielmehr *besteht* die dritte Welt nach Poppers Meinung *wesentlich* aus Problemen, Theorien und Argu-menten. Popper erwähnt neben Theorien und Werkzeugen wohl auch soziale Institutionen und Kunstwerke als Beispiele für Enti-täten der dritten Welt; aber in ihnen sieht er nur Varianten einer Verkörperung propositionaler Gehalte. Strenggenommen ist die dritte Welt die Gesamtheit Fregescher »Gedanken«, ob wahr oder falsch, verkörpert oder nicht: »Theorien oder Behauptungen oder Aussagen sind die wichtigsten sprachlichen Gegenstände in der dritten Welt.«

Popper begreift die dritte Welt nicht nur ontologisch als eine Ge-samtheit von Entitäten einer bestimmten Seinsart, er versteht sie in diesem Rahmen auch *einseitig* aus der begrifflichen Perspektive der Wissenschaftsentwicklung: die dritte Welt umfaßt die wissen-schaftlich bearbeitbaren kognitiven Bestandteile der kulturellen Überlieferung. Beide Aspekte erweisen sich bei dem Versuch, Poppers Begriff der dritten Welt für eine Grundlegung der Sozio-logie nutzbar zu machen, als empfindliche Beschränkungen. I. C. Jarvie knüpft an die phänomenologische, von Alfred Schütz inspi-rierte Wissenssoziologie an, die die Gesellschaft als eine aus den Interpretationsprozessen handelnder Subjekte hervorgehende, zur Objektivität gerinnende soziale Konstruktion der Alltagswelt be-greift.[132] Den ontologischen Status des gesellschaftlichen Lebens-zusammenhangs, der vom menschlichen Geist produziert wird und ihm gegenüber gleichwohl eine relative Selbständigkeit wahrt,

132 P. Berger, Th. Luckmann, Die gesellschaftliche Konstruktion der Wirklich-keit, Ffm. 1969.

analysiert Jarvie aber nach dem Modell der dritten Welt: »Wir haben dargelegt, daß das Gesellschaftliche ein unabhängiger Bereich zwischen der ›harten‹ materiellen und der ›weichen‹ mentalen Welt ist. Dieser Bereich, diese Wirklichkeit, diese Welt – wie immer wir sagen wollen – ist sehr unterschiedlich und komplex, und die Menschen in der Gesellschaft sind ständig durch Ausprobieren bestrebt, mit dieser Welt zurecht zu kommen, sie zu kartographieren, ihre entsprechenden Karten zu koordinieren. Das Leben in einer unhandlich großen und veränderlichen Gesellschaft gestattet weder ein perfektes Kartographieren noch eine perfekte Koordination der Karten. Das bedeutet, daß die Angehörigen der Gesellschaft ständig etwas über sie lernen; sowohl die Gesellschaft wie ihre Angehörigen befinden sich in einem fortwährenden Prozeß der Selbstentdeckung und der Selbsterzeugung.«[133] Dieser Vorschlag beleuchtet einerseits den interessanten Zusammenhang zwischen einem soziologischen Handlungsbegriff und den darin präsupponierten Weltbezügen des Aktors. Andererseits macht die *Übertragung der Popperschen Dreiweltentheorie* aus *erkenntnistheoretischen* in *handlungstheoretische* Zusammenhänge die Schwächen der Konstruktion sichtbar.

Indem Jarvie Poppers Begriff der dritten Welt für die Charakterisierung gesellschaftlicher Beziehungen und Einrichtungen adoptiert, muß er die sozial handelnden Subjekte nach dem Vorbild theoriebildender und problemlösender Wissenschaftler vorstellen; in der Lebenswelt konkurrieren die Alltagstheorien in ähnlicher Weise wie in der Kommunikationsgemeinschaft der Forscher die wissenschaftlichen Theorien: »Menschen, die in einer Gesellschaft leben, müssen sich zurechtfinden, sowohl um zu erreichen, was sie wollen, wie auch zur Vermeidung dessen, was sie nicht wollen. Man könnte sagen, daß sie sich dazu eine geistig-begriffliche Landkarte der Gesellschaft mit ihren Einzelzügen anlegen, und in diese Karte tragen sie ihre eigene Position, Wege, die zu ihren Zielen führen, und die Gefahren am Rand der verschiedenen Wege ein. Diese Karten sind auf gewisse Weise ›weicher‹ als geographische: wie Traumkarten schaffen sie die Landschaft, die sie darstellen.

133 Jarvie (1974), 254 f.

Auf bestimmte Weise ist dies dennoch eine ›härtere‹ Wirklichkeit: geographische Karten sind niemals wirklich, geben jedoch zuweilen wirkliche Landschaften wieder, gesellschaftliche Karten hingegen *sind* Landschaften, die andere Menschen zu studieren und kartographisch aufzunehmen haben.«[134] Dieser Vorschlag begegnet mindestens drei Schwierigkeiten:

(a) Zunächst verwischt Jarvie den Unterschied zwischen einer performativen und einer hypothetisch-reflexiven Einstellung gegenüber kulturellen Überlieferungen. In der kommunikativen Alltagspraxis bedient sich der Handelnde des gültigen kulturellen Wissensvorrats, um zu konsensfähigen Situationsdefinitionen zu gelangen. Dabei können sich Dissense ergeben, die zur Revision einzelner Deutungsmuster nötigen; deshalb ist aber die traditionsfortbildende Applikation überlieferten Wissens noch nicht gleichbedeutend mit der quasi-wissenschaftlichen Bearbeitung eines systematisch in Frage gestellten Wissens. Unter dem Entscheidungsdruck einer gegebenen Handlungssituation nimmt der Laie an Interaktionen in der Absicht teil, die Handlungen der Beteiligten über einen Verständigungsprozeß, und das heißt: unter Verwendung eines gemeinsamen kulturellen Wissens zu koordinieren. Gewiß, auch der Wissenschaftler nimmt an Interaktionen teil; aber in seinem Fall dienen kooperative Deutungsprozesse dem Ziel, die Gültigkeit problematischer Wissensbestandteile zu prüfen. Ziel ist nicht die Koordinierung von Handlungen, sondern Kritik und Erweiterung des Wissens.

(b) Jarvie vernachlässigt ferner die Bestandteile der kulturellen Überlieferung, die nicht auf ›Gedanken‹ oder wahrheitsfähige Aussagen zurückgeführt werden können. Er schränkt die objektiven Sinnzusammenhänge, die die handelnden Subjekte zugleich erzeugen und entdecken, auf die im engeren Sinne *kognitiven Deutungsmuster* ein. In dieser Hinsicht ist Poppers Modell der dritten Welt besonders unplausibel; denn für Interaktionen ist die handlungsorientierende Kraft von kulturellen Werten wichtiger als die von Theorien. Entweder wird der Status von gesellschaftlichen Entitäten an den von Theorien angeglichen; dann kann nicht er-

134 Jarvie (1974), 248.

klärt werden, wie Gesellschaftsstrukturen Handlungsmotive prägen können. Oder das Modell wissenschaftlicher Theorien ist mit Rücksicht darauf, daß sich deskriptive, normative und evaluative Bedeutungen in den Alltagstheorien durchdringen, nicht so ernst gemeint; dann läßt sich eine Rückkoppelung der Motive an Dritte-Welt-Konzepte durchaus vorstellen. Diese Version würde aber eine Erweiterung der Popper-Version der dritten Welt nötig machen, und zwar in dem Sinne, daß die normative Realität der Gesellschaft ihre Selbständigkeit gegenüber dem subjektiven Geist nicht, und nicht einmal vorwiegend, der Autonomie von Wahrheitsansprüchen verdankt, sondern dem Verpflichtungscharakter von Werten und Normen. Dann stellt sich die Frage, wie die sozialintegrativ relevanten Bestandteile der kulturellen Überlieferungen als Wissenssysteme verstanden und mit wahrheitsanalogen Geltungsansprüchen verknüpft werden können.

(c) Die empfindlichste Schwäche sehe ich schließlich darin, daß Jarvies Vorschlag keine Unterscheidung zwischen kulturellen Werten und der institutionellen Verkörperung von Werten in Normen zuläßt. Institutionen sollen in ähnlicher Weise aus den Verständigungsprozessen handelnder Subjekte hervorgehen (und sich ihnen gegenüber als objektiver Sinnzusammenhang verdichten) wie nach Poppers Vorstellung Probleme, Theorien und Argumente aus Erkenntnisprozessen hervorgehen. Mit diesem Modell können wir zwar die konzeptuelle Natur und die relative Selbständigkeit der gesellschaftlichen Realität erklären, nicht aber die spezifische Widerständigkeit und den Zwangscharakter geltender Normen und bestehender Institutionen, durch den sich gesellschaftliche gegenüber kulturellen Gebilden auszeichnen. Jarvie selbst bemerkt einmal: »Anders jedoch als ein richtiger Gedanke, dessen Status durch allgemeinen Unglauben nicht bedroht ist, können gesellschaftliche Entitäten durch allgemeinen Unglauben – durch eine weitverbreitete Abneigung, sie ernst zu nehmen – in Gefahr geraten.«[135] Daher empfiehlt es sich, im Sinne von Parsons den Bereich institutionalisierter Werte vom Bereich freischwebender kultureller Werte zu unterscheiden; diese verfügen nicht über den

135 Jarvie (1974), 236.

gleichen verpflichtenden Charakter wie legitime Handlungsnormen.

Ich halte Jarvies Strategie, Poppers Dreiweltentheorie zu benützen, für instruktiv, weil sie die in soziologische Handlungsbegriffe
eingehenden *ontologischen Voraussetzungen* offenlegt. Wenn man
die Schwächen, die Jarvies Vorschlag anhaften, vermeiden will,
bedarf es freilich einer Revision der zugrunde gelegten Dreiweltentheorie. Gewiß, kulturelle Objektivationen lassen sich weder
auf die generative Tätigkeit erkennender, sprechender und handelnder Subjekte noch auf die raumzeitlichen, kausalen Beziehungen zwischen Dingen und Ereignissen reduzieren. Deshalb begreift Popper die semantischen Gehalte symbolischer Gebilde als
Entitäten einer »dritten Welt«. Diesem Konzept legt er den für
eine Gesamtheit von Entitäten eingeführten ontologischen Begriff
der ›Welt‹ zugrunde. Bevor der Begriff der Welt handlungstheoretisch fruchtbar werden kann, muß er aber in den drei erwähnten
Hinsichten modifiziert werden.

ad a) Zunächst möchte ich den ontologischen Begriff der Welt
durch einen konstitutionstheoretischen ersetzen und das Begriffspaar ›Welt‹ und ›Lebenswelt‹ adoptieren. Es sind die vergesellschafteten Subjekte selbst, die, wenn sie an kooperativen Deu-
tungsprozessen teilnehmen, das Konzept der Welt implizit verwenden. Dabei übernimmt die kulturelle Überlieferung, die Popper unter dem Stichwort ›Produkte des menschlichen Geistes‹
einführt, verschiedene Rollen je nachdem, ob sie als kultureller
Wissensvorrat fungiert, aus dem die Interaktionsteilnehmer ihre
Interpretationen beziehen, oder ob sie ihrerseits zum Gegenstand
intellektueller Bearbeitung gemacht wird. Im *ersten* Fall ist die von
einer Gemeinschaft geteilte kulturelle Überlieferung konstitutiv
für die Lebenswelt, welche der einzelne Angehörige inhaltlich interpretiert vorfindet. Diese intersubjektiv geteilte *Lebenswelt* bildet den Hintergrund fürs kommunikative Handeln. Deshalb sprechen Phänomenologen wie A. Schütz von der Lebenswelt als dem
unthematisch mitgegebenen Horizont, innerhalb dessen sich die
Kommunikationsteilnehmer gemeinsam bewegen, wenn sie sich
thematisch auf etwas in der *Welt* beziehen. Im *anderen* Fall werden
einzelne Bestandteile der kulturellen Überlieferung selber zum

Thema gemacht. Dabei müssen die Beteiligten gegenüber kulturellen Deutungsmustern, die normalerweise ihre Interpretationsleistungen erst *ermöglichen*, eine reflexive Einstellung einnehmen. Dieser Einstellungswechsel bedeutet, daß die Gültigkeit des thematisierten Deutungsmusters suspendiert und das entsprechende Wissen problematisiert wird; zugleich bringt der Einstellungswechsel den problematischen Bestandteil der kulturellen Überlieferung unter die Kategorie eines Sachverhalts, auf den man objektivierend Bezug nehmen kann. Poppers Theorie der dritten Welt erklärt, wie kulturelle Bedeutungsgehalte und symbolische Gegenstände als etwas in der Welt verstanden und gleichzeitig als höherstufige Objekte von (beobachtbaren) physikalischen und (erlebbaren) mentalen Vorkommnissen unterschieden werden können.

ad b) Weiterhin möchte ich die einseitig kognitivistische Fassung des Begriffs »objektiver Geist« zugunsten eines nach mehreren Geltungsansprüchen differenzierten Begriffs von kulturellem Wissen überwinden. Poppers dritte Welt umfaßt höherstufige, in reflexiver Einstellung zugängliche Entitäten, die gegenüber dem subjektiven Geist eine relative Selbständigkeit bewahren, weil sie aufgrund ihres Wahrheitsbezuges ein Netz von erforschbaren Problemzusammenhängen bilden. In der Sprache des Neukantianismus ließe sich sagen, daß die dritte Welt die Unabhängigkeit einer Geltungssphäre genießt. Die *wahrheitsfähigen* Entitäten der dritten Welt stehen in einem besonderen Verhältnis zur *ersten* Welt. Die Probleme, Theorien und Argumente, die der dritten Welt zugerechnet werden, dienen letztlich der Beschreibung und Erklärung von Vorgängen der ersten Welt. Und beide sind wiederum durch die Welt des subjektiven Geistes, durch Akte des Erkennens und Handelns vermittelt. Dabei geraten die nicht-kognitiven Bestandteile der Kultur in eine eigentümliche Randstellung. Gerade sie sind aber für eine soziologische Handlungstheorie von Bedeutung. Aus der Perspektive der Handlungstheorie lassen sich die Aktivitäten des menschlichen Geistes schlecht auf die kognitiv-instrumentelle Auseinandersetzung mit der äußeren Natur beschränken; soziale Handlungen sind an kulturellen Werten orientiert. Diese haben aber keinen Wahrheitsbezug.

So stellt sich die folgende Alternative: entweder sprechen wir den nicht-kognitiven Bestandteilen der kulturellen Überlieferung den Status, den die Entitäten der dritten Welt dank ihrer Einbettung in eine Sphäre von Geltungszusammenhängen einnehmen, ab und stufen sie empiristisch als Äußerungsformen des subjektiven Geistes ein; oder wir suchen nach *Äquivalenten* für den *fehlenden Wahrheitsbezug.*

Den zweiten Weg wählt, wie wir sehen werden, Max Weber. Er unterscheidet mehrere kulturelle Wertsphären – Wissenschaft und Technik, Recht und Moral sowie Kunst und Kritik. Auch die nicht-kognitiven Wertsphären bilden Geltungssphären. Rechts- und Moralvorstellungen können unter dem Gesichtspunkt normativer Richtigkeit, Kunstwerke unter dem von Authentizität (oder Schönheit) kritisiert und analysiert, d. h. als eigenständige Problembereiche bearbeitet werden. Weber versteht die kulturelle Überlieferung *insgesamt* als einen Wissensvorrat, aus dem sich unter verschiedenen Geltungsansprüchen spezielle Wertsphären und Wissenssysteme herausbilden können. Darum würde er die evaluativen und die expressiven Bestandteile der Kultur ebenso der dritten Welt zurechnen wie die kognitiv-instrumentellen. Wenn man diese Alternative wählt, muß freilich geklärt werden, was »Geltung« und »Wissen« in Anbetracht der nicht-kognitiven Bestandteile der Kultur heißen kann. Diese lassen sich nicht in gleicher Weise wie Theorien und Aussagen Entitäten der ersten Welt zuordnen. Kulturelle Werte erfüllen keine Darstellungsfunktion.

ad c) Dieses Problem gibt Anlaß, den Weltbegriff von seinen beschränkten *ontologischen* Konnotationen zu befreien. Popper führt verschiedene Weltbegriffe ein, um Seinsregionen *innerhalb* der einen objektiven Welt abzugrenzen. In den späteren Publikationen legt er Wert darauf, nicht von verschiedenen Welten zu sprechen, sondern von *einer* Welt mit den Indizes 1, 2 und 3.[136] Demgegenüber möchte ich auf der Rede von drei Welten (die ihrerseits von der Lebenswelt zu unterscheiden sind) beharren. Von ihnen kann nur eine, nämlich die objektive Welt, als Korrelat zur

---

136 Popper (1974), 1050. Popper übernimmt diese Terminologie von J. C. Eccles, Facing Realities, N. Y., Hdlbg. 1970.

Gesamtheit wahrer Aussagen verstanden werden; nur dieser Begriff behält die im strengen Sinne ontologische Bedeutung einer Gesamtheit von Entitäten. Hingegen bilden die Welten insgesamt ein in Kommunikationsprozessen gemeinsam unterstelltes Bezugssystem. Mit diesem Bezugssystem legen die Beteiligten fest, worüber Verständigung *überhaupt* möglich ist. Kommunikationsteilnehmer, die sich miteinander über etwas verständigen, nehmen nicht nur eine Beziehung zu der einen objektiven Welt auf, wie es das im Empirismus herrschende präkommunikative Modell nahelegt. Sie beziehen sich keineswegs nur auf etwas, das in der objektiven Welt statthat oder eintreten bzw. hervorgebracht werden kann, sondern auch auf etwas in der sozialen oder in der subjektiven Welt. Sprecher und Hörer handhaben ein *System von gleichursprünglichen Welten*. Mit der propositional ausdifferenzierten Rede beherrschen sie nämlich nicht nur, wie es Poppers Einteilung in niedere und höhere Funktionen der Sprache nahelegt, ein Niveau, auf dem sie Sachverhalte darstellen können; vielmehr liegen alle drei: Darstellungs-, Appell- und Ausdrucksfunktion auf ein und derselben evolutionären Ebene.

(2) Im folgenden werde ich die Poppersche Terminologie nicht mehr verwenden. Ich habe an Jarvies handlungstheoretischer Anwendung der Popperschen Dreiweltentheorie nur deshalb angeknüpft, um die These vorzubereiten, daß wir uns allgemein mit der Wahl bestimmter soziologischer Handlungsbegriffe auf bestimmte ontologische Voraussetzungen einlassen. Von den Weltbezügen, die wir dem Aktor damit unterstellen, hängen wiederum die Aspekte der möglichen Rationalität seines Handelns ab. Die Fülle der in sozialwissenschaftlichen Theorien meistens implizit verwendeten Handlungsbegriffe läßt sich im wesentlichen auf vier analytisch gut zu unterscheidende Grundbegriffe zurückführen.

Der Begriff des *teleologischen Handelns* steht seit Aristoteles im Mittelpunkt der philosophischen Handlungstheorie.[137] Der Aktor verwirklicht einen Zweck bzw. bewirkt das Eintreten eines erwünschten Zustandes, indem er die in der gegebenen Situation erfolgversprechenden Mittel wählt und in geeigneter Weise anwen-

137 R. Bubner, Handlung, Sprache und Vernunft, Ffm. 1976, 66 ff.

det. Der zentrale Begriff ist die auf die Realisierung eines Zwecks gerichtete, von Maximen geleitete und auf eine Situationsdeutung gestützte *Entscheidung* zwischen Handlungsalternativen.

Das teleologische wird zum *strategischen* Handlungsmodell erweitert, wenn in das Erfolgskalkül des Handelnden die Erwartung von Entscheidungen mindestens eines weiteren zielgerichtet handelnden Aktors eingehen kann. Dieses Handlungsmodell wird oft utilitaristisch gedeutet; dann wird unterstellt, daß der Aktor Mittel und Zwecke unter Gesichtspunkten der Maximierung von Nutzen bzw. Nutzenerwartungen wählt und kalkuliert. Dieses Handlungsmodell liegt den entscheidungs- und spieltheoretischen Ansätzen in Ökonomie, Soziologie und Sozialpsychologie zugrunde.[138]

Der Begriff des *normenregulierten* Handelns bezieht sich nicht auf das Verhalten eines prinzipiell einsamen Aktors, der in seiner Umwelt andere Aktoren vorfindet, sondern auf Mitglieder einer sozialen Gruppe, die ihr Handeln an gemeinsamen Werten orientieren. Der einzelne Aktor befolgt eine Norm (oder verstößt gegen sie), sobald in einer gegebenen Situation die Bedingungen vorliegen, auf die die Norm Anwendung findet. Normen drücken ein in einer sozialen Gruppe bestehendes Einverständnis aus. Alle Mitglieder einer Gruppe, für die eine bestimmte Norm gilt, dürfen voneinander erwarten, daß sie in bestimmten Situationen die jeweils gebotenen Handlungen ausführen bzw. unterlassen. Der zentrale Begriff der *Normbefolgung* bedeutet die Erfüllung einer generalisierten Verhaltenserwartung. Verhaltenserwartung hat nicht den kognitiven Sinn der Erwartung eines prognostizierten Ereignisses, sondern den normativen Sinn, daß die Angehörigen zur Erwartung eines Verhaltens *berechtigt* sind. Dieses normative Handlungsmodell liegt der Rollentheorie zugrunde.[139]

---

138 Zur Entscheidungstheorie vgl. H. Simon, Models of Man, N. Y. 1957; G. Gäfgen, Theorie der wirtschaftlichen Entscheidung, Tbg. 1968; W. Krelle, Präferenz- und Entscheidungstheorie, Tbg. 1968; zur Spieltheorie: R. D. Luce, H. Raiffa, Games and Decisions, N. Y. 1957; M. Shubik, Spieltheorie und Sozialwissenschaften, Ffm., Hbg. 1965; zu den tauschtheoretischen Ansätzen in der Sozialpsychologie vgl.: P. P. Ekeh, Social Exchange Theory, London 1964.
139 Th. R. Sarbin, Role-Theory, in: G. Lindsey (Ed.), Handbook of Social Psy-

Der Begriff des *dramaturgischen* Handelns bezieht sich primär weder auf den einsamen Aktor noch auf das Mitglied einer sozialen Gruppe, sondern auf Interaktionsteilnehmer, die füreinander ein Publikum bilden, vor dessen Augen sie sich darstellen. Der Aktor ruft in seinem Publikum ein bestimmtes Bild, einen Eindruck von sich selbst hervor, indem er seine Subjektivität mehr oder weniger gezielt enthüllt. Jeder Handelnde kann den öffentlichen Zugang zur Sphäre seiner eigenen Absichten, Gedanken, Einstellungen, Wünsche, Gefühle usw., zu der nur er einen privilegierten Zugang hat, kontrollieren. Im dramaturgischen Handeln machen sich die Beteiligten diesen Umstand zunutze und steuern ihre Interaktion über die Regulierung des gegenseitigen Zugangs zur jeweils eigenen Subjektivität. Der zentrale Begriff der *Selbstrepräsentation* bedeutet deshalb nicht ein spontanes Ausdrucksverhalten, sondern die zuschauerbezogene Stilisierung des Ausdrucks eigener Erlebnisse. Dieses dramaturgische Handlungsmodell dient in erster Linie phänomenologisch gerichteten Interaktionsbeschreibungen; bisher ist es aber noch nicht zu einem theoretisch verallgemeinernden Ansatz ausgearbeitet worden.[140]

Der Begriff des *kommunikativen* Handelns schließlich bezieht sich auf die Interaktion von mindestens zwei sprach- und handlungsfähigen Subjekten, die (sei es mit verbalen oder extraverbalen Mitteln) eine interpersonale Beziehung eingehen. Die Aktoren suchen eine Verständigung über die Handlungssituation, um ihre Handlungspläne und damit ihre Handlungen einvernehmlich zu koordinieren. Der zentrale Begriff der *Interpretation* bezieht sich in erster Linie auf das Aushandeln konsensfähiger Situationsdefinitionen. In diesem Handlungsmodell erhält die Sprache, wie wir sehen werden, einen prominenten Stellenwert.[141]

---

chology, Vol. 1, Cambr. 1954, 223-258; T. Parsons, Social Interaction, in: IESS, Vol. 7, 1429-1441; H. Joas, Die gegenwärtige Lage der Rollentheorie, Ffm. 1973; D. Geulen, Das vergesellschaftete Subjekt, Ffm. 1977, 68 ff.

140 G. J. McCall, J. L. Simmons, Identity and Interactions, N. Y. 1966; E. Goffman, Interaktionsrituale, Ffm. 1971; ders., Das Individuum im öffentlichen Austausch, Ffm. 1974; ders., Rahmenanalyse, Ffm. 1977; R. Harré, P. F. Secord, Explanation of Behavior, Totowa N. J. 1972; R. Harré, Social Being, Oxford 1979.

141 Einen Überblick über symbolischen Interaktionismus und Ethnomethodolo-

Der teleologische Handlungsbegriff ist von den Begründern der Neoklassik zunächst für eine ökonomische Theorie der Wahlhandlungen, von Neumann und Morgenstern für eine Theorie strategischer Spiele fruchtbar gemacht worden. Der Begriff des normenregulierten Handelns hat durch Durkheim und Parsons, der des dramaturgischen Handelns durch Goffman, der des kommunikativen Handelns durch Mead und später Garfinkel paradigmatische Bedeutung für die sozialwissenschaftliche Theoriebildung gewonnen. Ich kann die analytische Explikation dieser vier Begriffe hier nicht im Detail durchführen. Mir geht es vielmehr um die Rationalitätsimplikationen der entsprechenden Begriffsstrategien. Auf den ersten Blick scheint nur der teleologische Handlungsbegriff einen Aspekt der Handlungsrationalität freizugeben; das als Zwecktätigkeit vorgestellte Handeln läßt sich unter dem Aspekt der Zweckrationalität betrachten. Dies ist ein Gesichtspunkt, unter dem Handlungen mehr oder weniger rational geplant und ausgeführt oder von einer dritten Person als mehr oder weniger rational beurteilt werden können. In elementaren Fällen der Zwecktätigkeit kann der Handlungsplan in der Form eines praktischen Schlusses dargestellt werden.[142] Die drei anderen Handlungsmodelle scheinen das Handeln zunächst nicht in den Blickwinkel von Rationalität und möglicher Rationalisierung zu rücken. Daß dieser Anschein täuscht, sieht man, wenn man sich die im weiteren Sinne »ontologischen« Voraussetzungen vergegenwärtigt, die konzeptuell notwendig mit diesen Handlungsmodellen verknüpft sind. In der Reihenfolge des teleologischen, normativen und dramaturgischen Handlungsmodells werden diese Voraussetzungen nicht nur zunehmend komplexer, sie enthüllen zugleich immer stärkere Rationalitätsimplikationen.

(a) Der Begriff des teleologischen Handelns setzt Beziehungen zwischen einem Aktor und einer Welt existierender Sachverhalte

gie gibt z. B. der Reader einer Arbeitsgruppe Bielefelder Soziologen (Hrsg.), Alltagswissen, Interaktion und gesellschaftliche Wirklichkeit, 2 Bde., Hbg. 1973; ferner H. Steinert, Das Handlungsmodell des symbolischen Interaktionismus, in: H. Lenk (Hrsg.), Handlungstheorien Bd. 4, Mü. 1977, 79 ff.

142 Im Anschluß an G. E. M. Anscombe, Intention, Oxford 1957, G. H. von Wright, Explanation and Understanding, London 1971, 96 ff.

voraus. Diese objektive Welt ist als Gesamtheit der Sachverhalte definiert, die bestehen oder eintreten bzw. durch gezielte Intervention herbeigeführt werden können. Das Modell stattet den Handelnden mit einem »kognitiv-volitiven Komplex« aus, so daß er einerseits (durch Wahrnehmungen vermittelt) *Meinungen* über existierende Sachverhalte ausbilden und andererseits *Absichten* mit dem Ziel entwickeln kann, erwünschte Sachverhalte zur Existenz zu bringen. Auf der semantischen Ebene sind solche Sachverhalte als propositionale Gehalte von Aussage- oder Absichtssätzen repräsentiert. Über seine Meinungen und Absichten kann der Aktor grundsätzlich zwei Klassen rationaler Beziehungen zur Welt aufnehmen. Rational nenne ich diese Beziehungen, weil sie je nach der Anpassungsrichtung[143] einer objektiven Beurteilung zugänglich sind. In der einen Richtung stellt sich die Frage, ob es dem Aktor gelingt, seine Wahrnehmungen und Meinungen mit dem, was in der Welt der Fall ist, in Übereinstimmung zu bringen; in der anderen Richtung stellt sich die Frage, ob es dem Aktor gelingt, das, was in der Welt der Fall ist, mit seinen Wünschen und Absichten in Übereinstimmung zu bringen. Beide Male kann der Aktor Äußerungen hervorbringen, die im Hinblick auf fit and misfit durch einen Dritten beurteilt werden können: er kann Behauptungen aufstellen, die *wahr* oder *falsch* sind, und zielgerichtete Interventionen ausführen, die Erfolg haben oder scheitern, d. h. den beabsichtigten Effekt in der Welt *erzielen* oder *verfehlen*. Diese Beziehungen zwischen Aktor und Welt lassen also Äußerungen zu, die nach Kriterien der *Wahrheit* und der *Wirksamkeit* beurteilt werden können.

Im Hinblick auf die ontologischen Voraussetzungen können wir

---

143 J. L. Austin spricht von der direction of fit oder vom onus of match, was A. Kenny, Will, Freedom and Power, Oxf. 1975, 38, folgendermaßen erläutert: »Any sentence whatever can be regarded as – *inter alia* – a description of a state of affairs ... Now let us suppose that the possible state of affairs described in the sentence does not, in fact, obtain. *Do we fault the sentence, or do we fault the facts?* If the former, then we shall call the sentence assertoric, if the latter, let us call it for the moment imperative.« Nun können wir uns Absichtssätze als Imperative vorstellen, die ein Sprecher an sich selbst adressiert. Aussage- und Absichtssätze sind dann repräsentativ für die beiden, objektiver Beurteilung zugänglichen Möglichkeiten der Übereinstimmung zwischen Satz und Sachverhalt.

teleologisches Handeln als einen Begriff klassifizieren, der *eine* Welt, und zwar die objektive Welt voraussetzt. Das gleiche gilt für den Begriff des *strategischen Handelns*. Dabei gehen wir von mindestens zwei zielgerichtet handelnden Subjekten aus, die ihre Zwecke auf dem Wege der Orientierung an, und der Einflußnahme auf Entscheidungen anderer Aktoren verwirklichen.[144]

Der Handlungserfolg ist auch von anderen Aktoren abhängig, die an ihrem jeweils eigenen Erfolg orientiert sind und sich nur in dem Maße kooperativ verhalten wie es ihrem egozentrischen Nutzenkalkül entspricht.[145] Strategisch handelnde Subjekte müssen daher

---

144 G. Gaefgen, Formale Theorie des strategischen Handelns, in: H. Lenk, (Hrsg.), Handlungstheorien, Bd. 1, Mü. 1980, 249 ff.

145 Vgl. O. Höffe, Strategien der Humanität, Mü. 1975: »Ein strategisches Spiel setzt sich aus vier Elementen zusammen:

(1) aus den *Spielern*, den souveränen Entscheidungseinheiten, die ihre Ziele verfolgen und nach eigenen Überlegungen und Richtlinien handeln;

(2) aus den *Regeln*, die die Variablen festlegen, die jeder Spieler kontrollieren kann: den Informationsbedingungen, den Hilfsmitteln und anderen relevanten Umweltaspekten; das System der Regeln legt den Spieltyp, die Gesamtheit der Verhaltensmöglichkeiten und am Ende den Gewinn oder Verlust jedes Spielers fest; eine Veränderung der Regeln schafft ein neues Spiel;

(3) aus dem Endresultat oder den *Auszahlungen* (pay offs), dem Nutzen oder Wert, der den alternativen Ergebnissen der Partien (plays) zuzuordnen ist (beim Schachspiel, Gewinn, Verlust, Remis; in der Politik etwa Ämter, öffentliches Prestige, Macht oder Geld);

(4) aus den *Strategien*, den umfassenden alternativ möglichen Aktionsplänen. Sie werden ebenso unter Beachtung und Ausnutzung der Regeln wie unter Berücksichtigung der alternativ möglichen Antworten des Gegners konstruiert; die Strategien stellen ein System von Instruktionen dar, die im vorhinein und oft nur auf recht globale Weise bestimmen, wie man in jeder möglichen Spielsituation aus der Menge der nach den Spielregeln erlaubten Züge (moves, Einzelhandlungen) einen Zug auswählt. In der spieltheoretischen Interpretation der sozialen Wirklichkeit sind bestimmte Strategien oft nur für einen Abschnitt der Auseinandersetzung günstig; für andere Abschnitte sind dann neue Strategien zu entwickeln; die einzelnen Strategien haben die Bedeutung von Teilstrategien im Rahmen einer umfassenden Gesamtstrategie.

Das Rationalitätskriterium der Spieltheorie bezieht sich nicht auf die Wahl einzelner Züge, sondern auf die Wahl von Strategien. In der Form einer Entscheidungsmaxime formuliert, lautet das Grundmuster: ›Wähle die Strategie, die im Rahmen der Spielregeln und angesichts der Opponenten den günstigsten Erfolg verspricht.‹« (77 f.)

kognitiv so ausgestattet sein, daß für sie in der Welt nicht nur physische Gegenstände, sondern auch Entscheidungen fällende Systeme auftreten können. Sie müssen ihren konzeptuellen Apparat für das, was der Fall sein kann, erweitern, aber sie brauchen keine reicheren *ontologischen* Voraussetzungen. Mit der Komplexität der innerweltlichen Entitäten wird der Begriff der objektiven Welt selbst nicht komplexer. Auch die zum strategischen Handeln ausdifferenzierte Zwecktätigkeit bleibt, nach ihren ontologischen Voraussetzungen beurteilt, ein *Ein-Welt-Begriff*.

(b) Hingegen setzt der Begriff des normenregulierten Handelns Beziehungen zwischen einem Aktor und genau zwei Welten voraus. Neben die objektive Welt existierender Sachverhalte tritt die soziale Welt, der der Aktor als rollenspielendes Subjekt ebenso angehört wie weitere Aktoren, die untereinander normativ geregelte Interaktionen aufnehmen können. Eine soziale Welt besteht aus einem normativen Kontext, der festlegt, welche Interaktionen zur Gesamtheit berechtigter interpersonaler Beziehungen gehören. Und alle Aktoren, für die entsprechende Normen gelten (von denen sie als gültig akzeptiert werden), gehören derselben sozialen Welt an.

Wie der Sinn der objektiven Welt mit Bezugnahme auf das Existieren von Sachverhalten, so kann der Sinn der sozialen Welt mit Bezugnahme auf das Bestehen von Normen erläutert werden. Dabei ist es wichtig, das Bestehen von Normen *nicht* im Sinne von Existenzsätzen zu verstehen, die aussagen, daß es soziale Tatsachen von der Art normativer Regelungen gibt. Der Satz »Es ist der Fall, daß q geboten ist« hat ersichtlich eine andere Bedeutung als der Satz: »Es ist geboten, daß q«. Dieser Satz drückt eine Norm bzw. ein bestimmtes Gebot aus, wenn er in geeigneter Form mit dem Anspruch auf normative Richtigkeit, d. h. so geäußert wird, daß er für einen Kreis von Adressaten *Gültigkeit* beansprucht. Und wir sagen, daß eine Norm besteht oder *soziale Geltung* genießt, wenn sie von den Normadressaten *als gültig* oder gerechtfertigt *anerkannt* wird.

Existierende Sachverhalte sind durch wahre Aussagen repräsentiert, bestehende Normen durch allgemeine Sollsätze oder Gebote, die bei den Normadressaten als gerechtfertigt gelten. Daß eine

Norm idealiter *gilt*, bedeutet: sie *verdient* die Zustimmung aller Betroffenen, weil sie Handlungsprobleme in deren gemeinsamem Interesse regelt. Daß eine Norm faktisch *besteht*, bedeutet hingegen: der Geltungsanspruch, mit dem sie auftritt, wird von den Betroffenen anerkannt, und diese intersubjektive Anerkennung begründet die *soziale Geltung* der Norm.

Mit kulturellen Werten verbinden wir einen solchen normativen Geltungsanspruch nicht, aber Werte kandidieren für eine Verkörperung in Normen; sie *können* im Hinblick auf eine regelungsbedürftige Materie allgemeine Verbindlichkeiten erlangen. Im Lichte kultureller Werte erscheinen die Bedürfnisse eines Individuums auch anderen Individuen, die in der gleichen Überlieferung stehen, als plausibel. Einleuchtend interpretierte Bedürfnisse werden jedoch in legitime Handlungsmotive erst dadurch transformiert, daß die entsprechenden Werte bei der Regelung bestimmter Problemlagen für einen Kreis von Betroffenen normativ verbindlich werden. Die Angehörigen dürfen dann voneinander erwarten, daß jeder von ihnen in entsprechenden Situationen sein Handeln an den für alle Betroffenen normativ festgeschriebenen Werten orientiert.

Diese Überlegung soll verständlich machen, daß das normative Handlungsmodell den Handelnden nicht nur mit einem »kognitiven«, sondern auch mit einem »motivationalen Komplex« ausstattet, welcher normenkonformes Verhalten ermöglicht. Das Handlungsmodell wird zudem mit einem Lernmodell der Wertinternalisierung verbunden.[146] Ihm zufolge gewinnen geltende Normen in dem Maße handlungsmotivierende Kraft, wie die in ihnen verkörperten Werte die Standards darstellen, nach denen im Kreis der Normadressaten Bedürfnisse interpretiert und in Lernprozessen zu Bedürfnispositionen ausgebildet werden.

Unter diesen Voraussetzungen kann der Aktor wiederum Beziehungen zu einer Welt, hier zur sozialen Welt, aufnehmen, die je nach der Anpassungsrichtung einer objektiven Beurteilung zugänglich sind. In der einen Richtung stellt sich die Frage, ob die

146 H. Gerth, C. W. Mills, Character and Social Structure, N. Y. 1953, dtsch. Ffm. 1970.

Motive und die Handlungen eines Aktors mit den bestehenden Normen übereinstimmen oder von diesen abweichen. In der anderen Richtung stellt sich die Frage, ob die bestehenden Normen selbst Werte verkörpern, die im Hinblick auf eine bestimmte Problemlage verallgemeinerungsfähige Interessen der Betroffenen zum Ausdruck bringen und somit eine Zustimmung der Normadressaten verdienen. Im einen Fall werden Handlungen daraufhin beurteilt, ob sie mit einem bestehenden normativen Kontext übereinstimmen oder von ihm abweichen, d. h. ob sie mit Bezug auf einen als legitim anerkannten normativen Kontext richtig sind oder nicht. Im anderen Fall werden Normen daraufhin beurteilt, ob sie gerechtfertigt werden können, d. h. ob sie es verdienen, als legitim anerkannt zu werden.[147]

Im Hinblick auf seine im weiteren Sinne ontologischen Voraussetzungen können wir *normenreguliertes Handeln* als Begriff klassifizieren, der *zwei Welten* voraussetzt, und zwar die objektive und eine soziale Welt. Normenkonformes Handeln setzt voraus, daß der Handelnde die faktischen von den normativen Bestandteilen

---

147 Damit wird die Frage, ob wir als Sozialwissenschaftler und Philosophen in Ansehung moralisch-praktischer Fragen eine kognitivistische oder eine skeptische Position einnehmen, also eine Rechtfertigung von Handlungsnormen, die nicht nur auf gegebene Zwecke relativ ist, für möglich halten, nicht präjudiziert. T. Parsons teilt z. B. mit Weber eine Position des Wertskeptizismus. Wenn wir den Begriff normenregulierten Handelns verwenden, müssen wir aber die Aktoren so beschreiben, *als ob* diese die Legitimität von Handlungsnormen, gleichviel in welchem metaphysischen, religiösen oder theoretischen Rahmen, grundsätzlich objektiver Beurteilung für zugänglich halten. Andernfalls würden sie ihrem Handeln den Begriff einer Welt legitim geregelter interpersonaler Beziehungen nicht zugrunde legen und sich nicht an geltenden Normen, sondern allein an sozialen Tatsachen orientieren können. Handeln in normenkonformer Einstellung verlangt ein intuitives Verständnis von normativer Geltung; und dieser Begriff setzt *irgendeine* Möglichkeit der normativen Begründung voraus. Es kann nicht a priori ausgeschlossen werden, daß diese *konzeptuelle Notwendigkeit* eine in den sprachlichen Bedeutungskonventionen angelegte *Täuschung* ist und daher der Aufklärung bedarf; z. B. in der Weise, daß wir den Begriff ›normative‹ Geltung‹ sei es emotivistisch oder dezisionistisch umdeuten und mit Hilfe anderer Begriffe wie Gefühläußerung, Appell oder Befehl umschreiben. Das Handeln von Aktoren, denen nur noch solche kategorial »bereinigten« Handlungsorientierungen zugeschrieben werden dürfen, könnte aber in Begriffen normenregulierten Handelns nicht mehr beschrieben werden.

seiner Handlungssituation, d. h. Bedingungen und Mittel von Werten unterscheiden kann. Das normative Handlungsmodell geht davon aus, daß die Beteiligten sowohl eine objektivierende Einstellung zu etwas, das der Fall oder nicht der Fall ist, wie auch eine normenkonforme Einstellung zu etwas, das, ob nun zu Recht oder zu Unrecht, geboten ist, einnehmen können. Wie im teleologischen Handlungsmodell wird aber die Handlung *primär* als Beziehung zwischen dem Aktor und einer Welt vorgestellt – dort als eine Beziehung zur objektiven Welt, der der Aktor erkennend gegenübersteht, oder in die er zielgerichtet intervenieren kann, hier als eine Beziehung zur sozialen Welt, der der Aktor in seiner Rolle als Normadressat angehört, und in der er legitim geregelte interpersonale Beziehungen aufnehmen kann. Weder hier noch dort wird freilich der Aktor *selbst* als eine Welt vorausgesetzt, zu der er sich reflexiv verhalten könnte. Erst der Begriff des dramaturgischen Handelns erfordert die weitere Voraussetzung einer subjektiven Welt, auf die sich der Aktor, der sich im Handeln selbst in Szene setzt, bezieht.

(c) Der Begriff des dramaturgischen Handelns ist in der sozialwissenschaftlichen Literatur weniger klar ausgeprägt als der des teleologischen und des normengeleiteten Handelns. Goffman führt ihn 1956 in seiner Untersuchung über »Selbstdarstellung im Alltag« zuerst explizit ein.[148]

148 Er charakterisiert mit ihm eine bestimmte analytische Perspektive der Beschreibung einfacher Interaktionen: »Die Gesichtspunkte, die in diesem Bericht angewandt wurden, sind die einer Theatervorstellung, das heißt, sie sind von der Dramaturgie abgeleitet. Ich werde darauf eingehen, wie in normalen Arbeitssituationen der Einzelne sich selbst und seine Tätigkeit anderen darstellt, mit welchen Mitteln er den Eindruck, den er auf jene macht, kontrolliert und lenkt, welche Dinge er tun oder nicht tun darf, wenn er sich in seiner Selbstdarstellung vor ihnen behaupten will. Die offensichtliche Unzulänglichkeit eines solchen Verhaltensmodells sei nicht verschwiegen. Auf der Bühne werden Dinge vorgetäuscht. Im Leben hingegen werden höchstwahrscheinlich Dinge dargestellt, die echt, dabei aber nur unzureichend geprobt sind. Und was wohl noch entscheidender ist: Auf der Bühne stellt sich ein Schauspieler in der Verkleidung eines Charakters vor anderen Charakteren dar, die wiederum von Schauspielern gespielt werden; das Publikum ist der dritte Partner innerhalb der Interaktion – ein wichtiger Partner, und dennoch einer, der nicht da wäre, wenn die Vorstellung Wirklichkeit wäre. Im wirklichen Leben sind die drei Partner auf zwei reduziert; die Rolle, die ein Einzelner spielt, ist

Unter dem Gesichtspunkt dramaturgischen Handelns verstehen wir eine soziale Interaktion als Begegnung, in der die Beteiligten ein füreinander sichtbares Publikum bilden und sich gegenseitig etwas vorführen. ›Encounter‹ und ›performance‹ sind die Schlüsselbegriffe. Die Vorführung eines Teams vor den Augen Dritter ist lediglich ein spezieller Fall. Eine Vorführung dient dazu, daß sich der Aktor vor seinen Zuschauern in bestimmter Weise präsentiert; indem er etwas von seiner Subjektivität zur Erscheinung bringt, möchte er vom Publikum in einer bestimmten Weise gesehen und akzeptiert werden.

Die dramaturgischen Qualitäten des Handelns sind in gewisser Weise parasitär; sie sitzen einer Struktur zielgerichteten Handelns auf: »For certain purposes people control the style of their actions ... and superimpose this upon other activities. For instance work may be done in a manner in accordance with the principles of a dramatic performance in order to project a certain impression of the people working to an inspector or manager ... In fact what people are doing is rarely properly described as *just* eating, or *just* working, but has stylistic features which have certain conventional meanings associated with recognized types of personae.«[149]

Freilich gibt es spezielle Rollen, die auf virtuose Selbstinszenierung zugeschnitten sind: »Die Rolle des Preisboxers, des Chirurgen, des Violinisten und des Polizisten sind gute Beispiele dafür. Diese Tätigkeiten erlauben ein solches Maß an dramatischem Ausdruck, daß vorbildliche Praktiker – in der Wirklichkeit oder in Romanen – berühmt werden und einen besonderen Platz in den kommerziell organisierten Träumen der Nation einnehmen.«[150] Der hier zum Element der Berufsrolle stilisierte Zug, nämlich der reflexive Charakter der Selbstdarstellung vor anderen, ist aber für soziale Interaktionen im allgemeinen, soweit sie nur unter dem Aspekt der Begegnung von Personen betrachtet werden, konstitutiv.

auf die Rollen abgestimmt, die andere spielen; aber diese anderen bilden zugleich das Publikum.« E. Goffman, Wir spielen alle Theater. Die Selbstdarstellung im Alltag, Mü. 1969, 3.
149 Harré, Secord (1972), 215 f.
150 Goffman (1969), 31.

Im dramaturgischen Handeln muß sich der Aktor, indem er einen Anblick von sich präsentiert, zu seiner eigenen subjektiven Welt verhalten. Diese habe ich als die Gesamtheit der subjektiven Erlebnisse definiert, zu der der Handelnde einen gegenüber anderen privilegierten Zugang hat.[151] Dieser Bereich der Subjektivität verdient den Namen einer ›Welt‹ freilich nur, wenn die Bedeutung der subjektiven Welt in ähnlicher Weise expliziert werden kann, wie ich die Bedeutung der sozialen Welt durch Bezugnahme auf ein zum Existieren von Sachverhalten analoges Bestehen von Normen erläutert habe. Vielleicht kann man sagen, daß Subjektives so durch wahrhaftig geäußerte Erlebnissätze repräsentiert wird wie existierende Sachverhalte durch wahre Aussagen und gültige Normen durch gerechtfertigte Sollsätze. Subjektive Erlebnisse dürfen wir nicht als mentale Zustände oder innere Episoden auffassen; damit würden wir sie an Entitäten, an Bestandteile der objektiven Welt angleichen. Wir können das Haben von Erlebnissen als etwas zum Existieren von Sachverhalten Analoges begreifen, ohne eins ans andere zu assimilieren. Ein äußerungsfähiges Subjekt »hat« oder »besitzt« nicht in demselben Sinne Wünsche oder Gefühle wie ein beobachtbares Objekt Ausdehnung, Gewicht, Farbe und ähnliche Eigenschaften. Ein Aktor hat Wünsche und Gefühle in dem Sinne, daß er diese Erlebnisse nach Belieben vor einem Publikum, und zwar so äußern könnte, daß dieses Publikum die geäußerten Wünsche oder Gefühle dem Handelnden, wenn es seinen expressiven Äußerungen vertraut, als etwas Subjektives zurechnet.

Wünsche und Gefühle haben in diesem Zusammenhang einen exemplarischen Stellenwert. Gewiß gehören auch Kognitionen wie

---

151 Ich beschränke mich einfachheitshalber auf *intentionale* Erlebnisse (unter Einschluß schwach intentionaler Stimmungen), um den komplizierten Grenzfall der Empfindungen nicht behandeln zu müssen. Die Komplikation besteht darin, daß hier die irreführende Assimilation von Erlebnissätzen an Propositionen besonders naheliegt. Erlebnissätze, die eine Empfindung ausdrücken, haben fast dieselbe Bedeutung wie Aussagesätze, die sich auf einen entsprechenden, durch Sinnesreizung hervorgerufenen inneren Zustand beziehen. Zu der ausgedehnten, von Wittgenstein ausgelösten Diskussion über die Äußerungen von Schmerzempfindungen vgl. H. J. Giegel, Zur Logik seelischer Ereignisse, Ffm. 1969; P. M. S. Hacker, Illusion and Insight, Oxf. 1972, 251 ff.; dtsch. Ffm. 1978; siehe unten S. 419 ff.

Meinungen und Absichten zur subjektiven Welt; diese stehen aber in einer internen Beziehung zur objektiven Welt. *Als* subjektiv kommen Meinungen und Absichten nur zu Bewußtsein, wenn ihnen in der objektiven Welt kein existierender oder kein zur Existenz gebrachter Sachverhalt entspricht. Um eine »bloße«, nämlich irrtümliche Meinung handelt es sich, sobald sich herausstellt, daß die entsprechende Aussage unwahr ist. Lediglich um eine »gute«, d. h. kraftlose Absicht handelt es sich, sobald sich herausstellt, daß eine entsprechende Handlung entweder unterblieben oder gescheitert ist. In ähnlicher Weise stehen etwa Gefühle der Verpflichtung wie Scham oder Schuld in einer internen Beziehung zur sozialen Welt. Aber im allgemeinen können Gefühle und Wünsche *nur* als etwas Subjektives geäußert werden. Sie können nicht *anders* geäußert werden, nicht zur Außenwelt, weder zur objektiven noch zur sozialen Welt in Beziehung treten. Deshalb bemißt sich die Expression von Wünschen und Gefühlen allein am reflexiven Verhältnis des Sprechers zu seiner Innenwelt.

Wünsche und Gefühle sind zwei Aspekte einer Parteilichkeit, die in Bedürfnissen wurzelt.[152] Bedürfnisse haben ein doppeltes Gesicht. Sie differenzieren sich, nach der volitiven Seite, zu Neigungen und Wünschen, und nach der anderen, der intuitiven Seite zu Gefühlen und Stimmungen. Wünsche richten sich auf Situationen der Bedürfnisbefriedigung; Gefühle nehmen Situationen im Lichte möglicher Bedürfnisbefriedigung wahr. Die Bedürfnisnatur ist gleichsam der Hintergrund einer Parteilichkeit, die unsere subjektiven Einstellungen gegenüber der Außenwelt bestimmt. Solche Parteinahmen äußern sich sowohl im aktiven Streben nach Gütern wie auch in der affektiven Wahrnehmung von Situationen (solange diese nicht zu etwas in der Welt objektiviert sind und damit ihren Situationscharakter verloren haben). Die Parteilichkeit der Wünsche und Gefühle drückt sich auf sprachlicher Ebene in der Interpretation von Bedürfnissen aus, d. h. in Bewertungen, für die evaluative Ausdrücke zur Verfügung stehen. An dem deskriptiv-prä-

---

152 Vgl. die Analyse von Wünschen und Gefühlen bei Ch. Taylor, Erklärung des Handelns, in: ders., Erklärung und Interpretation in den Wissenschaften vom Menschen, Ffm. 1975.

skriptiven Doppelgehalt dieser evaluativen, bedürfnisinterpretierenden Ausdrücke kann man sich den Sinn von Werturteilen klarmachen. Sie dienen dazu, eine Parteinahme verständlich zu machen. Diese Komponente der Rechtfertigung[153] ist die Brücke zwischen der Subjektivität eines Erlebnisses und jener intersubjektiven Transparenz, die das Erlebnis dadurch gewinnt, daß es wahrhaftig geäußert und, auf dieser Grundlage, von seiten der Zuschauer einem Aktor zugerechnet wird. Indem wir z. B. einen Gegenstand oder eine Situation als großartig, reich, erhebend, glücklich, gefährlich, abschreckend, entsetzlich usw. charakterisieren, versuchen wir, eine Parteinahme auszudrücken und zugleich in dem Sinne zu rechtfertigen, daß sie durch Appell an allgemeine, jedenfalls in der eigenen Kultur verbreitete Standards der Bewertung plausibel wird. Evaluative Ausdrücke oder Wertstandards haben rechtfertigende Kraft, wenn sie ein Bedürfnis so charakterisieren, daß die Adressaten, im Rahmen einer gemeinsamen kulturellen Überlieferung, unter diesen Interpretationen ihre eigenen Bedürfnisse wiedererkennen können. Das erklärt, warum im dramaturgischen Handeln Stilmerkmale, ästhetischer Ausdruck, überhaupt formale Qualitäten ein so großes Gewicht erhalten.

Auch im Falle dramaturgischen Handelns ist die Beziehung zwischen Aktor und Welt einer objektiven Beurteilung zugänglich. Da sich der Aktor in Gegenwart seines Publikums auf die eigene subjektive Welt richtet, kann es freilich nur *eine* Anpassungsrichtung geben. Angesichts eines Selbstverständnisses stellt sich die Frage, ob der Aktor die Erlebnisse, die er hat, zum geeigneten Zeitpunkt auch äußert, ob er *meint*, was er *sagt*, oder ob er die Erlebnisse, die er äußert, bloß vortäuscht. Solange es sich dabei um Meinungen oder Absichten handelt, ist die Frage, ob jemand sagt, was er meint, eindeutig eine Frage der Wahrhaftigkeit. Bei Wünschen und Gefühlen ist das nicht immer der Fall. In Situationen, wo es auf die Genauigkeit des Ausdrucks ankommt, ist es manchmal schwer, die Frage der Wahrhaftigkeit von der der Authentizität zu trennen. Oft fehlen uns die Worte, um zu sagen, was wir fühlen; und das wiederum rückt die Gefühle selbst in ein fragwürdiges Licht.

---

153 Norman (1971), 65 ff.

Dem dramaturgischen Handlungsmodell zufolge können die Beteiligten in der Rolle des Aktors eine Einstellung zur eigenen Subjektivität und in der Rolle des Publikums eine Einstellung zu expressiven Äußerungen eines anderen Aktors nur in dem Bewußtsein einnehmen, daß Egos Innenwelt durch eine Außenwelt begrenzt ist. In dieser Außenwelt kann der Aktor gewiß zwischen normativen und nicht-normativen Bestandteilen der Handlungssituation unterscheiden; aber in Goffmans Handlungsmodell ist nicht vorgesehen, daß er sich zur sozialen Welt *in normenkonformer* Einstellung verhält. Er zieht legitim geregelte interpersonale Beziehungen nur als soziale Tatsachen in Betracht. Daher scheint es mir richtig zu sein, auch *dramaturgisches Handeln* als einen Begriff zu klassifizieren, der *zwei Welten* voraussetzt, nämlich Innen- und Außenwelt. Expressive Äußerungen führen die Subjektivität in Abgrenzung von der Außenwelt vor; dieser gegenüber kann der Aktor grundsätzlich nur eine objektivierende Einstellung einnehmen. Und das gilt, anders als im Fall des normenregulierten Handelns, nicht nur für physische, sondern ebenso für soziale Objekte.

Aufgrund dieser Option kann das dramaturgische Handeln in dem Maße, wie der Aktor die Zuschauer nicht als Publikum, sondern als *Gegenspieler* behandelt, latent strategische Züge annehmen. Die Skala der Selbstdarstellung reicht von der aufrichtigen Kommunikation eigener Absichten, Wünsche, Stimmungen usw. bis zur zynischen Steuerung der Eindrücke, die der Aktor bei anderen erweckt: »Da finden wir auf der einen Seite den Darsteller, der vollständig von seinem eigenen Spiel gefangengenommen wird; er kann ehrlich davon überzeugt sein, daß der Eindruck von Realität, den er inszeniert, ›wirkliche‹ Realität sei. Teilt sein Publikum diesen Glauben an sein Spiel – und das scheint der Normalfall zu sein –, so wird wenigstens für den Augenblick nur noch der Soziologe oder der sozial Desillusionierte irgendwelche Zweifel an der ›Realität‹ des Dargestellten hegen. Auf der anderen Seite ... ist es möglich, daß der Darsteller nur mittelbar und zu anderen Zwecken daran interessiert ist, die Überzeugungen seines Publikums zu beeinflussen, so daß ihm letztlich die Auffassung, mit der es ihm und seiner Situation gegenübersteht, gleichgültig ist. Ist der Darsteller nicht von seiner eigenen Rolle überzeugt und nicht ernsthaft an den Überzeugungen seines Publikums interessiert, mögen wir ihn ›zynisch‹ nennen, während wir den Ausdruck ›aufrichtig‹ für Darsteller reservieren, die an den Eindruck glauben, den ihre eigene Vorstellung hervorruft.«[154]

Freilich ist die manipulative Erzeugung falscher Eindrücke – Goffman studiert die Techniken dieses impression managements von der harmlosen Segmentierung bis zur langfristig angelegten Informationskontrolle – mit strategischem Handeln keineswegs identisch. Auch sie bleibt auf ein Publikum angewiesen, das einer Vorführung beizuwohnen wähnt und deren strategischen Charakter verkennt. Noch die strategisch angelegte Selbstinszenierung muß als eine Äußerung verstanden werden können, die mit dem Anspruch auf subjektive Wahrhaftigkeit auftritt. Sie fällt erst dann nicht mehr unter die Beschreibung dramaturgischen Handelns, wenn sie auch von seiten des Publikums nur noch nach Erfolgskriterien beurteilt würde. Dann liegt der Fall einer strategischen Interaktion vor, bei der die Beteiligten allerdings die objektive Welt konzeptuell so weit angereichert haben, daß darin nicht nur zweckrational handelnde, sondern auch expressiv ausdrucksfähige Gegenspieler vorkommen können.

(3) Mit dem Begriff des kommunikativen Handelns kommt die weitere Voraussetzung eines *sprachlichen Mediums* zum Zuge, in dem sich die Weltbezüge des Aktors *als solche* spiegeln. Auf diesem Niveau der Begriffsbildung rückt die Rationalitätsproblematik, die sich bislang nur *für den Sozialwissenschaftler* ergibt, in die Perspektive des *Handelnden selbst*. Wir müssen klären, in welchem Sinne damit sprachliche Verständigung als ein Mechanismus der Handlungskoordinierung eingeführt wird. Auch das strategische Handlungsmodell *kann* so gefaßt werden, daß die über egozentrische Nutzenkalküle gesteuerten, durch Interessenlagen koordinierten Handlungen der Interaktionsteilnehmer durch Sprechhandlungen *vermittelt* sind. Für normenreguliertes wie für dramaturgisches Handeln *muß* sogar eine Konsensbildung zwischen Kommunikationsteilnehmern unterstellt werden, die im

154 Goffman (1969), 19 f.

Prinzip sprachlicher Natur ist. Aber in diesen drei Handlungsmodellen wird Sprache in jeweils anderen Hinsichten *einseitig* konzipiert.

Das teleologische Handlungsmodell setzt Sprache als eines von
mehreren Medien an, über das die am eigenen Erfolg orientierten
Sprecher aufeinander einwirken, um den Gegenspieler zu veranlassen, die im eigenen Interesse erwünschten Meinungen oder Absichten zu bilden oder zu fassen. Dieses vom Grenzfall indirekter
Verständigung ausgehende Sprachkonzept liegt beispielsweise der
intentionalen Semantik zugrunde.[155] Das normative Handlungsmodell setzt Sprache als ein Medium voraus, das kulturelle Werte
überliefert und einen Konsens trägt, der sich mit jedem weiteren
Akt der Verständigung lediglich reproduziert. Dieses kulturalistische Sprachkonzept findet in Kulturanthropologie und inhaltlich
orientierter Sprachwissenschaft Verbreitung.[156] Das dramaturgische Handlungsmodell setzt Sprache als Medium der Selbstinszenierung voraus; dabei wird die kognitive Bedeutung der propositionalen Bestandteile und die interpersonale Bedeutung der
illokutionären Bestandteile zugunsten ihrer expressiven Funktionen heruntergespielt. Sprache wird an stilistische und ästhetische
Ausdrucksformen assimiliert.[157] Allein das kommunikative Handlungsmodell setzt Sprache als ein Medium unverkürzter Verständigung voraus, wobei sich Sprecher und Hörer aus dem Horizont
ihrer vorinterpretierten Lebenswelt gleichzeitig auf etwas in der
objektiven, sozialen und subjektiven Welt beziehen, um gemeinsame Situationsdefinitionen auszuhandeln. Dieses Interpretations-
konzept der Sprache liegt den verschiedenen Bemühungen um eine
formale Pragmatik zugrunde.[158]

Die Einseitigkeit der drei anderen Sprachkonzepte zeigt sich dar-

155 Auf diese von H. P. Grice entwickelte nominalistische Sprachtheorie komme
ich zurück; s. unten S. 370 f.
156 B. L. Whorf, Language, Thought, and Reality, Cambr. 1956; dazu: H. Gipper,
Gibt es ein sprachliches Relativitätsprinzip?, Ffm. 1972; P. Henle (Hrsg.), Sprache,
Denken, Kultur, Ffm. 1969.
157 Harré, Secord (1972), 215 ff; vor allem Ch. Taylor, Language and Human
Nature, Carleton University, 1978.
158 F. Schütze, 2 Bde., Mü. 1975.

an, daß sich die von ihnen jeweils ausgezeichneten Typen der Kommunikation als Grenzfälle kommunikativen Handelns erweisen, nämlich *erstens* als die indirekte Verständigung derer, die allein die Realisierung ihrer eigenen Zwecke im Auge haben; *zweitens* als das konsensuelle Handeln derer, die ein schon bestehendes normatives Einverständnis bloß aktualisieren; und *drittens* als zuschauerbezogene Selbstinszenierung. Dabei wird jeweils nur eine Funktion der Sprache thematisiert: die Auslösung perlokutiver Effekte, die Herstellung interpersonaler Beziehungen und die Expression von Erlebnissen. Hingegen berücksichtigt das kommunikative Handlungsmodell, das die an Meads symbolischen Interaktionismus, Wittgensteins Konzept der Sprachspiele, Austins Sprechakttheorie und Gadamers Hermeneutik anschließenden sozialwissenschaftlichen Traditionen bestimmt, alle Sprachfunktionen gleichermaßen. Wie sich bei den ethnomethodologischen und den philosophisch-hermeneutischen Ansätzen zeigt, besteht hier freilich die Gefahr, daß soziales *Handeln* auf die Interpretationsleistungen der Kommunikationsteilnehmer reduziert, Handeln an Sprechen, Interaktion an Konversation angeglichen wird. Tatsächlich ist aber die sprachliche Verständigung nur der Mechanismus der Handlungskoordinierung, der die Handlungspläne und die Zwecktätigkeiten der Beteiligten zur Interaktion zusammenfügt.

Ich will an dieser Stelle den Begriff des kommunikativen Handelns erst provisorisch einführen. Dabei beschränke ich mich auf Bemerkungen (a) zum Charakter selbständiger Handlungen und (b) zum reflexiven Weltbezug der Aktoren in Verständigungsprozessen.

(a) Um den Begriff des kommunikativen Handelns nicht von vornherein falsch zu plazieren, möchte ich die Komplexitätsstufe von Sprechhandlungen, die gleichzeitig einen propositionalen Gehalt, das Angebot einer interpersonalen Beziehung und eine Sprecherintention ausdrücken, charakterisieren. Bei der Durchführung der Analyse würde sich zeigen, wieviel dieser Begriff den auf Wittgenstein zurückgehenden sprachphilosophischen Untersuchungen verdankt; gerade deshalb halte ich den Hinweis für angebracht, daß das Konzept der Regelbefolgung, bei dem die analytische Sprachphilosophie ansetzt, zu kurz greift. Wenn man sprachliche Konventionen aus der begrifflichen Perspektive der Regelbefolgung erfaßt und mit Hilfe eines auf Regelbewußtsein zurückgeführten Konzepts der Handlungsintention erklärt, geht jener Aspekt des *dreifachen Weltbezuges* kommunikativen Handelns verloren, der mir wichtig ist.[159]

Handlungen nenne ich nur solche symbolischen Äußerungen, mit denen der Aktor, wie in den bisher untersuchten Fällen des teleologischen, normenregulierten und dramaturgischen Handelns, einen Bezug zu mindestens einer Welt (aber stets *auch* zur objektiven Welt) aufnimmt. Davon unterscheide ich *Körperbewegungen* und *Operationen,* die in Handlungen *mitvollzogen* werden und nur *sekundär,* nämlich durch *Einbettung in eine Spiel-* oder *Lehrpraxis,* die Selbständigkeit von Handlungen erlangen können. Das kann man sich am Beispiel der Körperbewegungen leicht vor Augen führen.

Unter dem Aspekt beobachtbarer Vorgänge in der Welt erscheinen Handlungen als körperliche Bewegungen eines Organismus. Diese zentralnervös gesteuerten körperlichen Bewegungen sind das Substrat, in dem Handlungen ausgeführt werden. Mit seinen Bewegungen verändert der Handelnde etwas in der Welt. Freilich können wir die Bewegungen, mit denen ein Subjekt in die Welt ein-

159 Aus ähnlichen Gründen beharrt M. Roche auf der Unterscheidung von *sprachlichen* und *gesellschaftlichen* Konventionen: »Charakteristischerweise hat die begriffsanalytische Schule zwischen Intention und Konvention keinen Gegensatz gesehen; ihrer Vorstellung nach enthält letztere die erstere und umgekehrt.« (M. Roche, Die philosophische Schule der Begriffsanalyse, in: R. Wiggershaus [Hrsg.], Sprachanalyse und Soziologie, Ffm. 1975, 187) Man könnte sagen, räumt Roche ein, »daß kommunikative Konventionen eine ganz bestimmte Art von gesellschaftlichen Konventionen sind; daß das Leben der normalen Sprache und ihre Verwendung in gesellschaftlichen Situationen unabhängig von gesellschaftlichen Interaktionen in gesellschaftlichen Situationen beschrieben werden kann. Diese Behauptung wäre jedoch schwer zu begründen, und die Begriffsanalyse hat auch kein Interesse daran, sie zu klären. Sie nimmt normalerweise mit Recht an, daß die Analyse von Begriffen eine Analyse von ›Sprachspielen‹ und gesellschaftlichen ›Lebensformen‹ erfordert (Wittgenstein), oder daß die Analyse von Sprechakten eine Analyse sozialer Akte erfordert (Austin). Daraus folgert sie jedoch fälschlicherweise, daß die Konventionen der Kommunikation Paradigmen der sie umgebenden gesellschaftlichen Konventionen sind, und daß ein Sprachgebrauch in derselben Beziehung zu der Kommunikationskonvention steht, wie eine gesellschaftliche Handlung zu einer gesellschaftlichen Konvention.« (ebd., 188 f.)

greift (instrumentell handelt), von den Bewegungen unterscheiden, mit denen ein Subjekt eine Bedeutung verkörpert (sich kommunikativ äußert). Die Körperbewegungen bewirken beidemal eine physische Veränderung in der Welt; diese ist im einen Fall kausal, im anderen Fall semantisch relevant. Beispiele für kausal relevante Körperbewegungen eines Handelnden sind: Aufrichten des Körpers, Spreizen der Hand, Heben des Arms, Anwinkeln des Beins usw. Beispiele für semantisch relevante Körperbewegungen sind: die Bewegungen von Kehlkopf, Zunge, Lippen usw. bei der Erzeugung phonetischer Laute; Kopfnicken, Achselzucken, Fingerbewegungen beim Klavierspiel, Handbewegungen beim Schreiben, Zeichnen usw.

A. C. Danto hat diese Bewegungen als basic actions analysiert.[160] Daran hat sich eine breite Diskussion angeschlossen, die von der Vorstellung präjudiziert ist, daß Körperbewegungen nicht das Substrat darstellen, über das Handlungen in die Welt treten, sondern daß sie selbst primitive Handlungen sind.[161] Eine komplexe

---

160 A. C. Danto, Basishandlungen, in: G. Meggle (Hrsg.), Analytische Handlungstheorie, Bd. I, Handlungsbeschreibungen, Ffm. 1977, 89 ff.; ders., Analytical Philosophy of Action, London 1973; dtsch. Königstein 1979.
161 Der falsche Eindruck, daß handlungskoordinierte Körperbewegungen selber Basishandlungen seien, kann allenfalls mit dem Hinweis auf bestimmte Übungen gestützt werden, bei denen wir unselbständige Handlungen *als solche* intendieren. Bei therapeutischen Veranstaltungen oder beim Sporttraining, zu Zwecken einer anatomischen Vorführung, im Gesangs- oder Fremdsprachenunterricht oder zur Veranschaulichung handlungstheoretischer Behauptungen kann gewiß jedes sprach- und handlungsfähige Subjekt nach Aufforderung den linken Arm heben, den rechten Zeigefinger krümmen, eine Hand spreizen, Vokallaute in einem bestimmten Rhythmus wiederholen, Zischlaute hervorbringen, mit dem Zeichenstift eine Kreis- oder eine Schlangenbewegung ausführen, eine Linie in Mäanderform nachziehen, ein englisches ›th‹ aussprechen, den Körper aufrichten, die Augen verdrehen, einen Satz nach einem bestimmten Versmaß betonen, die Stimme heben oder senken, die Beine spreizen usw. Aber die Tatsache, daß solche Körperbewegungen intentional ausgeführt werden können, widerspricht nicht der These, daß sie *unselbständige Handlungen* darstellen. Das zeigt sich daran, daß bei diesen intentional ausgeführten Körperbewegungen die normale *Vermittlungsstruktur* des Handelns
(1) S öffnet das Fenster, indem er mit seiner Hand eine Drehbewegung ausführt
fehlt; denn es ist künstlich zu sagen:
(2) S hebt (absichtlich) seinen rechten Arm, indem er seinen rechten Arm hebt.

Handlung wird, dieser Vorstellung zufolge, dadurch charakterisiert, daß sie »durch« Ausführung einer anderen Handlung getan wird: »durch« Drehen des Lichtschalters mache ich Licht, »durch« Heben meines rechten Arms grüße ich, »durch« einen kräftigen Tritt gegen einen Ball schieße ich ein Tor. Dies sind Beispiele für Handlungen, die durch eine Basishandlung ausgeführt werden. Eine Basishandlung ist ihrerseits dadurch charakterisiert, daß sie nicht vermittels einer weiteren Handlung ausgeführt werden kann. Ich halte dieses Konzept für falsch.

Handlungen werden in gewissem Sinne durch Bewegungen des Körpers realisiert, aber doch nur so, daß der Aktor diese Bewegungen, wenn er einer technischen oder einer sozialen Handlungsregel folgt, *mitvollzieht*. Der Mitvollzug bedeutet, daß der Aktor die Ausführung eines Handlungsplans intendiert, aber nicht etwa die Körperbewegung, mit deren Hilfe er seine Handlungen realisiert.[162] *Eine Körperbewegung ist Element einer Handlung, aber keine Handlung.*

Was den Status als unselbständige Handlungen anbetrifft, gleichen nun *Körperbewegungen* genau jenen *Operationen*, an denen Wittgenstein sein Konzept der Regel und der Regelbefolgung entwickelt.

Denk- und Sprechoperationen werden immer nur in *anderen* Handlungen mitvollzogen. Sie können allenfalls im Rahmen einer Übungspraxis zu Handlungen *verselbständigt* werden – so wenn ein Lateinlehrer im Rahmen des Unterrichts die Passivtransformation an einem im Aktiv gebildeten Beispielsatz vorführt.

Freilich läßt sich die intentional ausgeführte Körperbewegung als Teil einer *Praxis* verstehen:
(2') Während des Gymnastikunterrichts folgt S der Aufforderung des Turnlehrers, den rechten Arm zu heben, indem er den rechten Arm hebt.
Unselbständige Handlungen müssen typischerweise in eine Vorführungs- oder Übungspraxis eingebettet werden, wenn sie *als* Handlungen sollen auftreten können. Aufforderungen der erwähnten Art treten immer im Zusammenhang einer Praxis auf, die unselbständige Elemente von Handlungen *als solche* demonstriert oder einübt. Die Einübung kann zur normalen Ausbildung von Heranwachsenden gehören, sie kann aber auch zu einer Trainingspraxis gehören, die auf spezielle Handlungen vorbereitet: auf *Fertigkeiten*.
162 A. I. Goldmann, A Theory of Action, Englewood Cliffs 1970.

Das erklärt auch den besonderen heuristischen Nutzen des Modells von Gesellschaftsspielen; Wittgenstein erläutert ja Operationsregeln vorzugsweise am Schachspiel. Er sieht freilich nicht, daß dieses Modell nur einen begrenzten Wert hat. Wir können gewiß Rechnen oder Sprechen als eine Praxis verstehen, die durch Regeln der Arithmetik oder einer (einzelsprachlichen) Grammatik in ähnlicher Weise konstituiert wird wie die Schachpraxis durch die bekannten Spielregeln. Aber beide unterscheiden sich voneinander wie die mitvollzogene Armbewegung von einer Turnübung, die mit Hilfe derselben Armbewegung ausgeführt wird. Indem wir arithmetische oder grammatische Regeln anwenden, erzeugen wir symbolische Gegenstände wie Rechnungen oder Sätze; aber diese haben keine selbstgenügsame Existenz. Mit Hilfe von Rechnungen und Sätzen führen wir normalerweise *andere* Handlungen wie z. B. Schularbeiten oder Befehle aus. Operativ erzeugte Gebilde können, für sich betrachtet, als mehr oder weniger korrekt, regelkonform oder wohlgeformt beurteilt werden; sie sind aber nicht wie Handlungen einer Kritik unter Gesichtspunkten der Wahrheit, Wirksamkeit, Richtigkeit oder Wahrhaftigkeit zugänglich; denn sie gewinnen nur als Infrastruktur anderer Handlungen einen Bezug zur Welt. *Operationen berühren die Welt nicht.*

Das zeigt sich unter anderem daran, daß Operationsregeln dazu dienen können, ein operativ erzeugtes Gebilde als mehr oder weniger wohlgeformt zu identifizieren, d. h. *verständlich* zu machen, nicht aber dazu, ihr Auftreten zu *erklären.* Sie gestatten eine Antwort auf die Frage, ob es sich bei hingekritzelten Symbolen um Sätze, Messungen, Rechnungen, und gegebenenfalls um welche Rechnung es sich handelt. Der Nachweis, daß jemand gerechnet, und zwar korrekt gerechnet hat, erklärt aber nicht, *warum* er diese Rechnung durchgeführt hat. Wenn wir *diese* Frage beantworten wollen, müssen wir auf eine *Handlungs*regel rekurrieren, z. B. auf den Umstand, daß ein Schüler diesen Zettel bei der Lösung einer mathematischen Aufgabe verwendet hat. Mit Hilfe einer arithmetischen Regel können wir zwar *begründen*, warum er die Zahlenreihe 1, 3, 6, 10, 15 ... mit 21, 28, 36 usw. fortsetzt; aber nicht *erklären*, warum er diese Zahlenfolge auf einen Zettel schreibt. Wir explizieren damit die Bedeutung eines symbolischen Gebildes und

geben nicht etwa eine rationale Erklärung für dessen Zustande-
kommen. Operationsregeln haben keine explanatorische Kraft; sie
zu befolgen bedeutet nämlich nicht, wie im Fall der Befolgung von
Handlungsregeln, daß sich der Aktor auf etwas in der Welt bezieht
und sich dabei an Geltungsansprüchen orientiert, die mit hand-
lungsmotivierenden Gründen verknüpft sind.

(b) Diese Überlegung soll klarmachen, warum wir die für das
kommunikative Handeln konstitutiven Verständigungsakte nicht
in ähnlicher Weise analysieren können wie die grammatischen Sätze, mit deren Hilfe sie ausgeführt werden. Für das kommunikative
Handlungsmodell ist Sprache allein unter dem pragmatischen Gesichtspunkt relevant, daß Sprecher, indem sie Sätze verständi-
gungsorientiert verwenden, Weltbezüge aufnehmen, und dies
nicht nur wie im teleologischen, normengeleiteten oder dramaturgischen Handeln direkt, sondern auf eine reflexive Weise. Die
Sprecher integrieren die drei formalen Weltkonzepte, die in den
anderen Handlungsmodellen einzeln oder paarweise auftreten, zu
einem System und setzen dieses gemeinsam als einen Interpreta-
tionsrahmen voraus, innerhalb dessen sie eine Verständigung erzielen können. Sie nehmen nicht mehr *geradehin* auf etwas in der
objektiven, sozialen oder subjektiven Welt Bezug, sondern relativieren ihre Äußerung an der Möglichkeit, daß deren Geltung von
anderen Aktoren bestritten wird. Verständigung funktioniert als
handlungskoordinierender Mechanismus nur in der Weise, daß
sich die Interaktionsteilnehmer über die beanspruchte *Gültigkeit*
ihrer Äußerungen einigen, d. h. *Geltungsansprüche*, die sie reziprok erheben, intersubjektiv anerkennen. Ein Sprecher macht
einen kritisierbaren Anspruch geltend, indem er sich mit seiner
Äußerung zu mindestens einer »Welt« verhält und dabei den Umstand, daß diese Beziehung zwischen Aktor und Welt grundsätzlich einer objektiven Beurteilung zugänglich ist, nutzt, um sein
Gegenüber zu einer rational motivierten Stellungnahme aufzufor-
dern. Der Begriff des kommunikativen Handelns setzt Sprache als
Medium einer Art von Verständigungsprozessen voraus, in deren
Verlauf die Teilnehmer, indem sie sich auf die eine Welt beziehen,
gegenseitig Geltungsansprüche erheben, die akzeptiert und bestritten werden können.

Mit diesem Handlungsmodell wird unterstellt, daß die Interaktionsteilnehmer das Rationalitätspotential, das nach unserer bisherigen Analyse in den drei Weltbezügen des Aktors steckt, ausdrücklich für das kooperativ verfolgte Ziel der Verständigung mobilisieren. Wenn wir von der Wohlgeformtheit des verwendeten symbolischen Ausdrucks absehen, muß ein Aktor, der in diesem Sinne an Verständigung orientiert ist, mit seiner Äußerung implizit genau drei Geltungsansprüche erheben, nämlich den Anspruch

– daß die gemachte Aussage wahr ist (bzw. daß die Existenzvoraussetzungen eines nur erwähnten propositionalen Gehalts tatsächlich erfüllt sind);

– daß die Sprechhandlung mit Bezug auf einen geltenden normativen Kontext richtig (bzw. daß der normative Kontext, den sie erfüllen soll, selbst legitim) ist; und

– daß die manifeste Sprecherintention so gemeint ist, wie sie geäußert wird.

Der Sprecher beansprucht also Wahrheit für Aussagen oder Existenzpräsuppositionen, Richtigkeit für legitim geregelte Handlungen und deren normativen Kontext, und Wahrhaftigkeit für die Kundgabe subjektiver Erlebnisse. Darin erkennen wir unschwer die drei Aktor-Weltbeziehungen wieder, die mit den bisher analysierten Handlungsbegriffen *vom Sozialwissenschaftler* unterstellt worden sind, mit dem Begriff des kommunikativen Handelns aber der Perspektive *der Sprecher und Hörer selber* zugeschrieben werden. Die Aktoren selbst sind es, die den Konsens suchen und an Wahrheit, Richtigkeit und Wahrhaftigkeit bemessen, also an fit und misfit zwischen der Sprechhandlung einerseits und den drei Welten, zu denen der Aktor mit seiner Äußerung Beziehungen aufnimmt, andererseits. Eine solche Beziehung besteht jeweils zwischen der Äußerung und

– der objektiven Welt (als der Gesamtheit aller Entitäten, über die wahre Aussagen möglich sind);

– der sozialen Welt (als der Gesamtheit aller legitim geregelten interpersonalen Beziehungen); und

– der subjektiven Welt (als der Gesamtheit der privilegiert zugänglichen Erlebnisse des Sprechers).

Jeder Verständigungsvorgang findet vor dem Hintergrund eines

kulturell eingespielten Vorverständnisses statt. Das Hintergrundwissen bleibt als ganzes unproblematisch; nur der Teil des
Wissensvorrates, den die Interaktionsteilnehmer für ihre Interpretationen jeweils benützen und thematisieren, wird auf die Probe
gestellt. In dem Maße, wie die Situationsdefinitionen von den Beteiligten *selber* ausgehandelt werden, steht mit der Verhandlung
jeder neuen Situationsdefinition auch dieser thematische Ausschnitt aus der Lebenswelt zur Disposition.

Eine Situationsdefinition stellt eine Ordnung her. Mit ihr ordnen
die Kommunikationsteilnehmer die verschiedenen Elemente der
Handlungssituation jeweils einer der drei Welten zu und inkorpo-
rieren damit die aktuelle Handlungssituation ihrer vorinterpretierten Lebenswelt. Die Situationsdefinition eines Gegenübers, die
prima facie von der eigenen Situationsdefinition abweicht, stellt
ein Problem eigener Art dar; denn in kooperativen Deutungspro-
zessen hat keiner der Beteiligten ein Interpretationsmonopol. Für
beide Seiten besteht die Interpretationsaufgabe darin, die Situa-
tionsbedeutung des anderen in die eigene Situationsdeutung derart
einzubeziehen, daß in der revidierten Fassung »seine« Außenwelt
und »meine« Außenwelt vor dem Hintergrund »unserer Lebenswelt« an »der Welt« relativiert und die voneinander abweichenden
Situationsdefinitionen hinreichend zur Deckung gebracht werden
können. Das bedeutet freilich nicht, daß Interpretationen in jedem
Fall oder auch nur normalerweise zu einer *stabilen* und *eindeutig
differenzierten* Zuordnung führen müßten. Stabilität und Eindeu-
tigkeit sind in der kommunikativen Alltagspraxis eher die Ausnahme. Realistischer ist das von der Ethnomethodologie gezeichnete
Bild einer diffusen, zerbrechlichen, dauernd revidierten, nur für
Augenblicke gelingenden Kommunikation, in der sich die Beteiligten auf problematische und ungeklärte Präsuppositionen stützen
und von einer okkasionellen Gemeinsamkeit zur nächsten tasten.

Um Mißverständnissen vorzubeugen, möchte ich wiederholen, daß
das kommunikative Handlungsmodell Handeln nicht mit Kommunikation gleichsetzt. Sprache ist ein Kommunikationsmedium,
das der Verständigung dient, während Aktoren, indem sie sich
miteinander verständigen, um ihre Handlungen zu koordinieren,
jeweils bestimmte Ziele verfolgen. Insofern ist die teleologische

Struktur für *alle* Handlungsbegriffe fundamental.[163] Die Begriffe des *sozialen Handelns* unterscheiden sich aber danach, wie sie die *Koordinierung* für die zielgerichteten Handlungen verschiedener Interaktionsteilnehmer ansetzen: als das Ineinandergreifen egozentrischer Nutzenkalküle (wobei der Grad von Konflikt und Kooperation mit den gegebenen Interessenlagen variiert); als ein durch kulturelle Überlieferung und Sozialisation einreguliertes sozial-integrierendes Einverständnis über Werte und Normen; als konsensuelle Beziehung zwischen Publikum und Darstellern; oder eben als Verständigung im Sinne eines kooperativen Deutungsprozesses. In allen Fällen wird die teleologische Handlungsstruktur insofern vorausgesetzt, als den Aktoren die Fähigkeit zu Zwecksetzung und zielgerichtetem Handeln, auch das Interesse an der Ausführung ihrer Handlungspläne zugeschrieben wird. Aber nur das strategische Handlungsmodell *begnügt* sich mit einer Explikation der Merkmale unmittelbar erfolgsorientierten Handelns, während die übrigen Handlungsmodelle Bedingungen spezifizieren, unter denen der Aktor seine Ziele verfolgt – Bedingungen der Legitimität, der Selbstdarstellung oder des kommunikativ erzielten Einverständnisses, unter denen Ego seine Handlungen an die von Alter »anschließen« kann.

Im Fall kommunikativen Handelns stellen die Interpretationsleistungen, aus denen sich kooperative Deutungsprozesse aufbauen, den Mechanismus der Handlungskoordinierung dar; die *kommunikative Handlung* geht nicht im interpretatorisch ausgeführten *Akt der Verständigung* auf. Wenn wir einen einfachen von S ausgeführten *Sprechakt*, zu dem mindestens ein Interaktionsteilnehmer mit Ja oder Nein Stellung nehmen kann, als Analyseeinheit wählen, können wir die Bedingungen kommunikativer *Handlungskoordinierung* klären, indem wir angeben, was es für einen Hörer heißt, die Bedeutung des Gesagten zu verstehen.[164] Aber kommunikatives Handeln bezeichnet einen Typus von Interaktionen, die durch Sprechhandlungen koordiniert werden, nicht mit ihnen zusammenfallen.

163 R. Bubner (1976), 168 ff.
164 Siehe unten S. 397 ff.

4. Die Problematik des Sinnverstehens in den Sozialwissenschaften

Dieselbe Rationalitätsproblematik, auf die wir bei der Untersuchung soziologischer Handlungsbegriffe stoßen, zeigt sich von einer anderen Seite, wenn wir der Frage nachgehen, was es heißt, soziale Handlungen zu verstehen. Die Grundbegriffe des sozialen Handelns und die Methodologie des Verstehens sozialer Handlungen hängen zusammen. Verschiedene Handlungsmodelle setzen jeweils andere Beziehungen des Aktors zur Welt voraus; und diese Weltbezüge sind nicht nur für Aspekte der Rationalität des Handelns konstitutiv, sondern auch für die Rationalität der Deutung dieser Handlungen durch einen (z. B. sozialwissenschaftlichen) Interpreten. Mit einem formalen Weltkonzept läßt sich nämlich der Aktor auf Gemeinsamkeitsunterstellungen ein, die aus seiner Perspektive über den Kreis der unmittelbar Beteiligten hinausweisen und auch für einen von außen hinzutretenden Interpreten Geltung beanspruchen.

Dieser Zusammenhang ist am Fall des teleologischen Handelns leicht klarzumachen. Der mit diesem Handlungsmodell vorausgesetzte Begriff der objektiven Welt, in die ein Aktor zielgerichtet eingreifen kann, muß für den Aktor selbst wie für einen beliebigen Interpreten seiner Handlungen in gleicher Weise gelten. Darum kann Max Weber für teleologisches Handeln den Idealtypus des zweckrationalen Handelns, und für die Interpretation zweckrationaler Handlungen den Maßstab »objektiver Richtigkeitsrationalität« bilden.[165]

Subjektiv zweckrational nennt Weber ein zielgerichtetes Handeln, »welches ausschließlich orientiert ist an (subjektiv) als adäquat vorgestellten Mitteln für (subjektiv) eindeutig gefaßte Zwecke«.[166] Die Handlungsorientierung läßt sich nach dem (von G. H. von Wright vorgeschlagenen) Schema für praktische Schlüsse beschrei-

---

165 Zum Zusammenhang von Webers ontologischen Voraussetzungen mit der Theorie des Handelns und der Methodologie des Verstehens vgl. S. Benhabib, Rationality and Social Action, Philos. Forum, Vol. XII, July 1981.
166 M. Weber, Methodologische Schriften, Ffm. 1968, 170.

ben.[167] Ein Interpret kann über diese *subjektiv* zweckrationale Handlungsorientierung hinausgehen und den tatsächlichen Handlungsablauf mit dem konstruierten Fall eines entsprechenden *objektiv* zweckrationalen Handlungsablaufs vergleichen. Diesen idealtypischen Fall kann der Interpret ohne Willkür konstruieren, weil sich der Handelnde subjektiv zweckrational auf eine Welt bezieht, die aus kategorialen Gründen für Aktor und Beobachter identisch, d. h. in derselben Weise kognitiv-instrumentell zugänglich ist. Der Interpret braucht nur festzustellen, »wie das Handeln bei Kenntnis aller Umstände und aller Absichten der Mitbeteiligten und bei streng zweckrationaler, an der *uns* gültig scheinenden Erfahrung orientierter Wahl der Mittel verlaufen *wäre*«.[168]

Je eindeutiger eine Handlung dem objektiv zweckrationalen Ablauf entspricht, um so weniger bedarf es weiterer *psychologischer* Überlegungen, um sie zu erklären. Im Falle objektiv zweckrationalen Handelns hat die (mit Hilfe eines praktischen Schlusses vorgenommene) Beschreibung einer Handlung zugleich explanatorische Kraft im Sinne einer intentionalen Erklärung.[169] Allerdings bedeutet die Feststellung der objektiven Zweckrationalität einer Handlung keineswegs, daß sich der Handelnde auch subjektiv zweckrational verhalten haben *muß*; andererseits kann natürlich ein subjektiv zweckrationales Handeln nach objektiver Beurteilung suboptimal sein: »Wir konfrontieren das faktische Handeln mit dem, ›teleologisch‹ angesehen, nach allgemeinen kausalen Erfahrungsregeln rationalen, um so *entweder* ein rationales Motiv, welches den Handelnden geleitet haben *kann* und welches wir zu ermitteln beabsichtigen, dadurch festzustellen, daß wir seine faktischen Handlungen als geeignete Mittel zu einem Zweck, den er verfolgt haben ›könnte‹, aufzeigen – *oder* um verständlich zu machen, warum ein uns bekanntes Motiv des Handelnden infolge der Wahl der Mittel einen *anderen* Erfolg hatte, als der Handelnde subjektiv erwartete.«[170]

167 Zur Diskussion dieses Vorschlags vgl. K. O. Apel, J. Manninen, R. Tuoemala (Hrsg.), Neue Versuche über Erklären und Verstehen, Ffm. 1978.
168 M. Weber, Wirtschaft und Gesellschaft, Köln 1964, 5.
169 G. H. v. Wright, Erwiderungen, in: K. O. Apel et al. (1978), 266.
170 Weber (1968), 116 f.

Eine Handlung kann als mehr oder weniger zweckrational gedeutet werden, wenn es Standards der Beurteilung gibt, die der Handelnde und sein Interpret gleichermaßen als gültig, d. h. als Maßstäbe einer objektiven oder unparteiischen Beurteilung akzeptieren. Indem der Interpret eine, wie Weber sagt, rationale Deutung vorschlägt, nimmt er selbst Stellung zu dem Anspruch, mit dem zweckrationale Handlungen auftreten; er selbst verläßt die Einstellung einer dritten Person zugunsten der Einstellung eines Beteiligten, der einen problematischen Geltungsanspruch prüft und gegebenenfalls kritisiert. Rationale Deutungen werden in performativer Einstellung vorgenommen, weil der Interpret eine von allen Seiten geteilte Beurteilungsbasis voraussetzt.

Eine ähnliche Grundlage bieten auch die beiden anderen Weltbezüge. Auch normenregulierte und dramaturgische Handlungen sind einer rationalen Deutung zugänglich. Freilich ist in diesen Fällen die Möglichkeit der rationalen Rekonstruktion von Handlungsorientierungen nicht so offensichtlich, und tatsächlich nicht so unkompliziert, wie in dem soeben betrachteten Fall zweckrationalen Handelns.

Bei normenregulierten Handlungen bezieht sich der Aktor, indem er eine interpersonale Beziehung eingeht, auf etwas in der sozialen Welt. Subjektiv »richtig« (im Sinne normativer Richtigkeit) verhält sich ein Aktor, der aufrichtig einer geltenden Handlungsnorm zu folgen meint; und objektiv richtig, wenn die betreffende Norm im Kreise der Adressaten tatsächlich als gerechtfertigt gilt. Auf dieser Ebene stellt sich freilich die Frage einer rationalen Deutung noch nicht, weil ein Beobachter deskriptiv feststellen kann, ob eine Handlung mit einer gegebenen Norm übereinstimmt, und ob diese ihrerseits soziale Geltung hat oder nicht. Nun kann aber ein Aktor, nach den Voraussetzungen dieses Handlungsmodells, nur solchen Normen folgen (bzw. gegen solche Normen verstoßen), die er subjektiv als gültig oder gerechtfertigt betrachtet; und mit dieser Anerkennung normativer Geltungsansprüche setzt er sich einer objektiven Beurteilung aus. Er fordert den Interpreten heraus, nicht nur die tatsächliche Normen*konformität* einer Handlung bzw. die faktische Geltung einer Norm, sondern die Richtigkeit dieser Norm selbst zu prüfen. Dieser kann die Herausforderung annehmen oder wiederum, von einem wertskeptischen Standpunkt aus, als sinnlos zurückweisen. Wenn der Interpret einen solchen skeptischen Standpunkt vertritt, wird er mit Hilfe einer nicht-kognitivistischen Spielart von Ethik erklären, daß sich der Aktor über die Begründungsfähigkeit von Normen täusche und statt Gründen allenfalls empirische Motive für die Anerkennung von Normen ins Feld führen dürfe. Wer so argumentiert, muß den Begriff normenregulierten Handelns für theoretisch unangemessen halten; er wird sich bemühen, eine zunächst in Begriffen normenregulierten Handelns vorgenommene Beschreibung durch eine andere, beispielsweise kausalistisch-verhaltenstheoretische Beschreibung zu ersetzen.[171] Wenn der Interpret hingegen von der theoretischen Fruchtbarkeit des normativen Handlungsmodells überzeugt ist, muß er sich auf die mit dem formalen Begriff der sozialen Welt akzeptierten Gemeinsamkeitsunterstellungen einlassen und die Möglichkeit einräumen, die Anerkennungs*würdigkeit* einer vom Aktor für richtig gehaltenen Norm zu prüfen. Eine solche rationale Deutung normenregulierten Handelns stützt sich auf den Vergleich der sozialen Geltung mit der kontrafaktisch konstruierten Gültigkeit eines gegebenen normativen Kontextes. Auf die methodischen Schwierigkeiten eines vom Interpreten für handelnde Subjekte stellvertretend, d. h. advokatorisch durchgeführten praktischen Diskurses will ich hier nicht eingehen.[172]

Die moralisch-praktische Beurteilung von Handlungsnormen stellt einen Interpreten gewiß vor noch größere Schwierigkeiten als die Erfolgskontrolle von Regeln zweckrationalen Handelns. Aber grundsätzlich können normenregulierte ebenso wie teleologische Handlungen rational gedeutet werden.

---

171 Die Kontroverse zwischen kausalistischer und intentionalistischer Handlungstheorie belegt A. Beckermann (1977).

172 Vgl. die Hinweise in J. Habermas, Legitimationsprobleme im Spätkapitalismus, Ffm. 1973, 150 ff. Zur kritischen Rekonstruktion der faktischen Genese eines Normensystems vgl. P. Lorenzen, Szientismus vs. Dialektik, in: R. Bubner, K. Cramer, R. Wiehl (Hrsg.), Hermeneutik und Dialektik, Tbg. 1970, I, 57 ff.; ders., Normative Logic and Ethics, Mannh. 1969, 73 ff.; P. Lorenzen, O. Schwemmer, Konstruktive Logik, Ethik und Wissenschaftstheorie, Mannh. 1973, 209 ff.

Eine ähnliche Konsequenz ergibt sich aus dem dramaturgischen Handlungsmodell. Hier bezieht sich der Aktor, indem er etwas von sich vor einem Publikum enthüllt, auf etwas in seiner subjektiven Welt. Wiederum bietet das formale Weltkonzept eine Beurteilungsgrundlage, die der Handelnde und sein Interpret teilen. Ein Interpret kann die Handlung in der Weise rational deuten, daß er dabei Elemente der Täuschung oder der Selbsttäuschung erfaßt. Er kann den latent strategischen Charakter einer Selbstdarstellung aufdecken, indem er den manifesten Gehalt der Äußerung, also das, was der Aktor sagt, mit dem vergleicht, was er meint. Der Interpret kann darüber hinaus den systematisch verzerrten Charakter von Verständigungsprozessen aufdecken, indem er zeigt, wie sich die Beteiligten subjektiv wahrhaftig äußern und gleichwohl objektiv etwas anderes sagen als sie (auch, und zwar ihnen selbst nicht bewußt) meinen. Das tiefenhermeneutische Verfahren der Interpretation unbewußter Motive bringt noch einmal andere Schwierigkeiten mit sich als die advokatorische Beurteilung von objektiv zugeschriebenen Interessenlagen und die Überprüfung des empirischen Gehalts von technischen und strategischen Handlungsregeln. Aber am Beispiel der therapeutischen Kritik kann man sich die Möglichkeit, dramaturgische Handlungen rational zu deuten, klarmachen.[173]

Die Verfahren rationaler Deutung genießen in den Sozialwissenschaften ein fragwürdiges Ansehen. Die Kritik am wirtschaftswissenschaftlichen Modellplatonismus zeigt, daß einige den empirischen Gehalt und die explanatorische Fruchtbarkeit rationaler Entscheidungsmodelle bestreiten; Einwände gegen die kognitivistischen Ansätze der philosophischen Ethik und Bedenken gegen die in der hegel-marxistischen Tradition ausgebildete Ideologiekritik zeigen, daß andere die Möglichkeit einer moralisch-praktischen Begründung von Handlungsnormen und der Aufrechnung partikularer gegen verallgemeinerbare Interessen bezweifeln; und die verbreitete Kritik an der Wissenschaftlichkeit der Psychoanalyse

173 J. Habermas, Der Universalitätsanspruch der Hermeneutik, in: ders. (Hrsg.), Hermeneutik und Ideologiekritik, Ffm. 1971, 120 ff.; W. A. Schelling (1978); A. Lorenzer, Sprachzerstörung und Rekonstruktion, Ffm. 1970; Th. Mischel, Psychologische Erklärungen, Ffm. 1981, 180 ff.

zeigt, daß viele bereits die *Konzeption* des Unbewußten, den Begriff der latent-manifesten Doppelbedeutung von Erlebnisäußerungen für problematisch halten. Ich meine, daß diese Einwände ihrerseits auf fragwürdigen empiristischen Grundannahmen beruhen.[174] Ich brauche aber auf diese Kontroverse hier nicht einzugehen, weil ich nicht die *Möglichkeit* und theoretische Fruchtbarkeit rationaler Deutungen nachweisen, sondern die stärkere Behauptung begründen möchte, daß sich mit dem sinnverstehenden Zugang zum Objektbereich sozialen Handelns die Rationalitätsproblematik *unausweichlich* stellt. Kommunikative Handlungen verlangen stets eine im Ansatz rationale Deutung. Grundsätzlich sind die Beziehungen des strategischen, des normenregulierten und des dramaturgisch Handelnden zur objektiven, zur sozialen oder zur subjektiven Welt einer objektiven Beurteilung zugänglich – für den Aktor und für einen Beobachter gleichermaßen. Beim kommunikativen Handeln wird sogar der Ausgang der Interaktion selbst davon abhängig gemacht, ob sich die Beteiligten untereinander auf eine *intersubjektiv gültige* Beurteilung ihrer Weltbezüge einigen können. Diesem Handlungsmodell zufolge kann eine Interaktion nur in der Weise gelingen, daß die Beteiligten miteinander zu einem Konsens gelangen, wobei dieser von Ja/Nein-Stellungnahmen zu Ansprüchen abhängt, die sich potentiell auf Gründe stützen. Ich werde diese *rationale Binnenstruktur des verständigungsorientierten Handelns* noch analysieren. An dieser Stelle geht es um die Frage, ob und gegebenenfalls wie sich die Binnenstruktur der Verständigung der Aktoren untereinander im Verständnis eines unbeteiligten Interpreten abbildet.

Besteht die Aufgabe, Zusammenhänge kommunikativen Handelns zu beschreiben, nicht einfach in der möglichst genauen Explikation des Sinnes der symbolischen Äußerungen, aus denen sich die beobachtete Sequenz zusammensetzt? Und ist diese Bedeutungsexplikation nicht ganz unabhängig von der (grundsätzlich nachprüfbaren) Rationalität jener Stellungnahmen, die die interpersonale Handlungskoordination tragen? Das gälte nur für den Fall, daß das Verständnis kommunikativen Handelns eine strikte Tren-

174 A. McIntyre, Das Unbewußte, Ffm. 1968.

nung von Bedeutungs- und Geltungsfragen zuließe; dies ist gerade das Problem. Wir müssen gewiß zwischen den Interpretationsleistungen eines Beobachters, der den Sinn einer symbolischen Äußerung verstehen möchte, und denen der Interaktionsteilnehmer, die ihre Handlungen über den Mechanismus der Verständigung koordinieren, unterscheiden. Der Interpret bemüht sich nicht wie die unmittelbar Beteiligten um eine konsensfähige Deutung, damit er seine Handlungspläne mit denen der anderen Aktoren abstimmen kann. Aber vielleicht unterscheiden sich die Interpretationsleistungen von Beobachter und Teilnehmer nur in ihrer Funktion, nicht in ihrer Struktur. Schon in die bloße Beschreibung, in die semantische Explikation einer Sprechhandlung muß nämlich ansatzweise jene Ja/Nein-Stellungnahme des Interpreten eingehen, durch die sich, wie wir gesehen haben, die rationalen Deutungen idealtypisch vereinfachter Handlungsabläufe auszeichnen. Kommunikative Handlungen können nicht anders als in einem noch zu erläuternden Sinne »rational« gedeutet werden. Ich möchte diese beunruhigende These am Leitfaden der Problematik des Sinnverstehens in den Sozialwissenschaften entwickeln. Diese behandle ich zunächst aus der Perspektive der Wissenschaftstheorie (1) und dann nacheinander aus der Sicht der phänomenologischen, der ethnomethodologischen und der hermeneutischen Schule der verstehenden Soziologie (2).

(1) In der auf Dilthey und Husserl zurückgehenden Tradition sind von Heidegger, in »Sein und Zeit« (1927), das Verstehen als Grundzug des menschlichen Daseins und von Gadamer, in »Wahrheit und Methode« (1960), die Verständigung als Grundzug des geschichtlichen Lebens *ontologisch* ausgezeichnet worden. Ich möchte mich auf diesen Ansatz keineswegs systematisch stützen, aber feststellen, daß die in den letzten Jahrzehnten geführte *methodologische* Diskussion über die Grundlagen der Sozialwissenschaften zu ähnlichen Ergebnissen geführt hat:

»The generation of descriptions of acts by everyday actors is not incidental to social life as ongoing *Praxis* but is absolutely integral to its production and inseparable from it, since the characterization of what others do, and more narrowly their intentions and reasons for what they do, is what makes possible the intersubjectivity through which the transfer of communicative intent is realized. It is in these terms that *verstehen* must be regarded: not as a special method of entry to the social world peculiar to the social sciences, but as the ontological condition of human society as it is produced and reproduced by its members.«[175]

Die Soziologie muß einen verstehenden Zugang zu ihrem Objektbereich suchen, weil sie in ihm Prozesse der Verständigung vorfindet, durch die und in denen sich gewissermaßen der Objektbereich vorgängig, d. h. vor jedem theoretischen Zugriff schon konstituiert hat. Der Sozialwissenschaftler trifft *symbolisch vorstrukturierte Gegenstände* an; sie verkörpern Strukturen desjenigen vortheoretischen Wissens, mit dessen Hilfe sprach- und handlungsfähige Subjekte diese Gegenstände erzeugt haben. Der Eigensinn einer symbolisch vorstrukturierten Wirklichkeit, auf den der Sozialwissenschaftler bei der Konstituierung seines Objektbereichs stößt, steckt in den Erzeugungsregeln, nach denen die im Objektbereich auftretenden sprach- und handlungsfähigen Subjekte den gesellschaftlichen Lebenszusammenhang direkt oder indirekt hervorbringen. Der Objektbereich der Sozialwissenschaften umfaßt alles, was unter die Beschreibung »Bestandteil einer Lebenswelt« fällt. Was dieser Ausdruck bedeutet, läßt sich intuitiv durch Hinweise auf diejenigen symbolischen Gegenstände klären, die wir, indem wir sprechen und handeln, hervorbringen: angefangen von den unmittelbaren Äußerungen (wie Sprechhandlungen, Zwecktätigkeiten, Kooperationen) über die Sedimente dieser Äußerungen (wie Texte, Überlieferungen, Dokumente, Kunstwerke, Theorien, Gegenstände der materiellen Kultur, Güter, Techniken usw.) bis zu den indirekt hervorgebrachten, organisationsfähigen und sich selbst stabilisierenden Gebilden (Institutionen, gesellschaftlichen Systemen und Persönlichkeitsstrukturen).

Sprechen und Handeln sind die ungeklärten Grundbegriffe, auf die wir rekurrieren, wenn wir die Zugehörigkeit zu, das Bestandteilsein von einer soziokulturellen Lebenswelt auch nur vorläufig klären wollen. Nun hat das Problem des »Verstehens« in den Geistes-

---

175 A. Giddens, New Rules of Sociological Method, London 1976, 151; ders., Habermas' Critique of Hermeneutics, in: A. Giddens, Studies in the Social and Political Theory, London 1977, 135 ff.

und Sozialwissenschaften methodologische Bedeutung vor allem deshalb gewonnen, weil der Wissenschaftler zur symbolisch vorstrukturierten Wirklichkeit über *Beobachtung* allein keinen Zutritt erhält und weil *Sinnverstehen* methodisch nicht in ähnlicher Weise unter Kontrolle zu bringen ist wie die Beobachtung im Experiment. Der Sozialwissenschaftler hat zur Lebenswelt grundsätzlich keinen anderen Zugang als der sozialwissenschaftliche Laie. Er muß der Lebenswelt, deren Bestandteile er beschreiben möchte, in gewisser Weise schon angehören. Um sie zu beschreiben, muß er sie verstehen können; um sie zu verstehen, muß er grundsätzlich an ihrer Erzeugung teilnehmen können; und Teilnahme setzt Zugehörigkeit voraus. Dieser Umstand verbietet dem Interpreten, wie wir sehen werden, diejenige Trennung von Bedeutungs- und Geltungsfragen, die dem Sinnverstehen einen unverdächtig deskriptiven Charakter sichern könnte. Dazu möchte ich vier Überlegungen anstellen.

(a) Die Verstehensproblematik trägt den Keim zu einer dualistischen Wissenschaftsauffassung in sich. Der Historismus (Dilthey, Misch) und der Neukantianismus (Windelband, Rickert) haben für Natur- und Geisteswissenschaften einen Dualismus auf der Ebene des Gegensatzes von Erklären vs. Verstehen konstruiert. Diese »erste Runde« der Erklären-Verstehen-Kontroverse ist heute nicht mehr aktuell.[176] Mit der Rezeption phänomenologischer, sprachanalytischer und hermeneutischer Ansätze in der Soziologie hat sich aber im Anschluß an Husserl-Schütz, Wittgenstein-Winch, Heidegger-Gadamer eine Diskussion ergeben, in der eine Sonderstellung der Sozialwissenschaften gegenüber prototypischen Naturwissenschaften wie der Physik im Hinblick auf die methodologische Rolle kommunikativer Erfahrung begründet wird. Demgegenüber hat die empiristische Wissenschaftstheorie das bereits im Wiener Neopositivismus entwickelte Konzept der Einheitswissenschaften verteidigt. Diese Diskussion kann trotz einiger Nachläufer[177] als abgeschlossen betrachtet werden. Die Kritiker, die sich

176 K. O. Apel et. al. (1978), 3 ff.; ders., Erklären und Verstehen, Ffm. 1979.
177 H. Albert, Hermeneutik und Realwissenschaft, in: ders., Plädoyer für kritischen Rationalismus, Mnch. 1971, 106 ff.

vor allem auf Abel[178] stützten, hatten Verstehen als Empathie, als einen mysteriösen Akt des Hineinversetzens in die mentalen Zustände eines fremden Subjekts mißverstanden; unter empiristischen Voraussetzungen waren sie genötigt, kommunikative Erfahrungen im Sinne einer Einfühlungstheorie des Verstehens umzudeuten.[179]

Eine nächste Phase der Diskussion ist mit der postempiristischen Wendung der analytischen Wissenschaftstheorie[180] eingeleitet worden. Mary Hesse macht geltend, daß der üblichen Gegenüberstellung von Natur- und Sozialwissenschaften ein Konzept der Naturwissenschaften, überhaupt der empirisch-analytischen Wissenschaften zugrunde liegt, das inzwischen überholt sei. Die von Kuhn, Popper, Lakatos und Feyerabend angeregte Debatte über die Geschichte der modernen Physik habe gezeigt, daß (1) Daten, an denen Theorien überprüft werden, nicht unabhängig von der jeweiligen Theoriesprache beschrieben werden können; daß (2) die Theorien normalerweise nicht nach Grundsätzen des Falsifikationismus, sondern in Abhängigkeit von Paradigmen gewählt werden, die sich, wie sich bei dem Versuch, intertheoretische Beziehungen zu präzisieren, herausstellt, ähnlich zueinander verhalten wie partikulare Lebensformen: »I take it that it has been sufficiently demonstrated, that data are not detachable from theory, and that their expression is permeated by theoretical categories; that the language of theoretical science is irreducibly metaphorical and unformalizable, and that the logic of science is circular interpretation, reinterpretation, and self-correction of data in terms of theory, theory in terms of data.«[181] Mary Hesse schließt daraus, daß (3) die Theoriebildung in den Naturwissenschaften nicht weniger als in den Sozialwissenschaften von Interpretationen abhängt, die nach dem hermeneutischen Modell des Verstehens analysiert

---

178 Th. Abel, The Operation called Verstehen, AJS 53, 1948, 211 ff.
179 Habermas (1970), 142 ff.; Apel (1973a), 59 ff. Ein vorzüglicher Überblick über die Diskussion bei F. R. Dallmayr, Th. A. McCarthy (Eds.), Understanding and Social Inquiry, Notre Dame 1977.
180 Kuhn (1971); Lakatos, Musgrave (1970); Diederich (1974).
181 M. Hesse, In Defence of Objectivity, in: Proc. Aristol. Soc. 1972, London 1973, 9.

werden können. Gerade unter dem Aspekt der Verstehensproblematik scheint sich eine Sonderstellung der Sozialwissenschaften nicht begründen zu lassen.[182]

Demgegemüber macht Giddens mit Recht geltend, daß sich in den Sozialwissenschaften eine spezifische, nämlich eine *doppelte* hermeneutische Aufgabe stelle: »The mediation of paradigms or widely discrepant theoretical schemes in science is a hermeneutic matter like that involved in the contacts between other types of meaning-frames. But sociology, unlike natural science, deals with a pre-interpreted world where the creation and reproduction of meaning-frames is a very condition of that which it seeks to analyse, namely human social conduct: this is why there is a double hermentic in the social sciences ...«[183] Giddens spricht von einer »doppelten« Hermeneutik, weil in den Sozialwissenschaften Verstehensprobleme nicht nur über die Theorieabhängigkeit der Datenbeschreibung und über die Paradigmaabhängigkeit der Theoriesprachen ins Spiel kommen; hier ergibt sich eine Verstehensproblematik bereits unterhalb der Schwelle der Theoriebildung, nämlich bei der *Gewinnung* und nicht erst bei der *theoretischen Beschreibung* der Daten. Denn die Alltagserfahrung, die im Lichte von theoretischen Begriffen und mit Hilfe von Meßoperationen in wissenschaftliche Daten *umgeformt* werden kann, ist ihrerseits schon symbolisch strukturiert und bloßer Beobachtung unzugänglich.[184]

Wenn die paradigmaabhängige theoretische Beschreibung von Daten eine Stufe 1 der Interpretation erfordert, die alle Wissenschaften vor strukturell *ähnliche* Aufgaben stellt, dann läßt sich für die Sozialwissenschaften die Unumgänglichkeit einer Stufe 0 der Interpretation nachweisen, auf der sich für das Verhältnis von Beob-

182 Auf die Problematik des von Kuhn für die Naturwissenschaften eingeführten Paradigmabegriffs, der nur mit Vorbehalt auf die Sozialwissenschaften angewendet werden kann, gehe ich hier nicht ein; vgl. D. L. Eckberg, L. Hill, The Paradigm Concept and Sociology: A Critical Review, ASR, 44, 1979, 925 ff.; siehe auch unten, Band 2, S. 7 ff.

183 Giddens (1976), 158.

184 A. V. Cicourel, Methode und Messung in der Soziologie, Ffm. 1975; K. Kreppner, Zur Problematik der Messung in den Sozialwissenschaften, Stuttg. 1975.

achtungs- und Theoriesprache ein *weiteres* Problem ergibt. Nicht nur, daß die Beobachtungssprache von der Theoriesprache abhängig ist; *vor* der Wahl irgendeiner Theorieabhängigkeit muß sich der sozialwissenschaftliche »Beobachter« als Teilnehmer an den Verständigungsprozessen, über die er sich allein Zugang zu seinen Daten verschaffen kann, der im Objektbereich angetroffenen Sprache bedienen. Die *spezifische* Verstehensproblematik besteht darin, daß sich der Sozialwissenschaftler dieser im Objektbereich »vorgefundenen« Sprache nicht wie eines neutralen Instrumentes »bedienen« kann. Er kann in diese Sprache nicht »einsteigen«, ohne auf das vortheoretische Wissen des Angehörigen einer, und zwar seiner eigenen Lebenswelt zurückzugreifen, das er als Laie intuitiv beherrscht und unanalysiert in jeden Verständigungsprozeß einbringt.

Das ist freilich keine neue Einsicht, sondern genau die These, die die Kritiker des einheitswissenschaftlichen Konzepts immer schon vertreten hatten. Sie wird nur in ein neues Licht gerückt, weil die analytische Wissenschaftstheorie mit ihrer neuerlichen postempiristischen Wendung auf *eigenen* Wegen die kritische Einsicht *nachvollzogen* hat, die ihr von den Verstehenstheoretikern vorgehalten worden ist. Diese hatte ohnehin schon auf der Linie der pragmatistischen Wissenschaftslogik von Peirce bis Dewey gelegen.[185]

(b) Worin bestehen nun die besonderen methodologischen Schwierigkeiten des Verstehens in den Wissenschaften, die sich ihren Gegenstandsbereich durch Interpretation erschließen müssen? Diese Frage hat H. Skjervheim bereits 1959 behandelt.[186] Skjervheim gehört zu denen, die den Streit über den sozialwissenschaftlichen Objektivismus wiedereröffnet haben, eine Diskussion, die mit der zusammenfassenden Untersuchung von R. F. Bernstein »The Restructuring of Social and Political Theory« (1976) einen vorläufigen Abschluß gefunden hat. Unter dem spektakulären Eindruck des Buches »The Idea of a Social Science« von P. Winch (1958) ist nicht hinreichend beachtet worden, daß es

185 R. F. Bernstein, Praxis and Action, Philadelphia 1971, 165 ff; K. O. Apel, Der Denkweg von Charles S. Peirce, Ffm. 1975.
186 H. Skjervheim, Objectivism and the Study of Man, Oslo 1959, wieder abgedruckt in Inquiry (1974), 213 ff. und 265 ff.

H. Skjervheim war, der als erster die methodologisch anstößigen Konsequenzen der Verstehensproblematik, also das Problematische am Verstehen herausgearbeitet hat.

Skjervheim beginnt mit der These, daß Sinnverstehen ein Modus der Erfahrung sei. Wenn *Sinn* als theoretischer Grundbegriff zugelassen wird, müssen symbolische Bedeutungen als Daten betrachtet werden: »What is of interest for us ... is, that *meanings* – the meaning of other people's expressions and behaviour, the meanings of written and spoken words – *must be regarded as belonging to that which is given* ... In other words, what we propose is a perceptial theory of meaning, and of our knowledge of other minds.«[187] Die Analyse der »Wahrnehmung« symbolischer Äußerungen macht klar, worin sich das Sinnverstehen von der Wahrnehmung physikalischer Gegenstände unterscheidet: es erfordert die Aufnahme einer *intersubjektiven Beziehung* mit dem Subjekt, das die Äußerung hervorgebracht hat. Die sogenannte Wahrnehmungstheorie der Bedeutung erklärt den Begriff der kommunikativen Erfahrung und stößt dabei auf das in der analytischen Wissenschaftstheorie »vergessene Thema«: auf die Intersubjektivität, die im kommunikativen Handeln zwischen Ego und Alter Ego hergestellt wird. Skjervheim betont die Differenz zwischen zwei Grundeinstellungen. Wer in der Rolle der *dritten Person* etwas in der Welt beobachtet oder eine Aussage über etwas in der Welt macht, nimmt eine objektivierende Einstellung ein. Wer hingegen an einer Kommunikation teilnimmt und in der Rolle der *ersten Person* (Ego) mit einer *zweiten Person* (die sich als Alter Ego ihrerseits zu Ego als einer zweiten Person verhält) eine intersubjektive Beziehung eingeht, nimmt eine nicht objektivierende oder, wie wir heute sagen würden, performative Einstellung ein.

Beobachtungen macht jeder für sich allein, und die Beobachtungsaussagen eines anderen Beobachters überprüft (nötigenfalls am Ergebnis von Messungen) wiederum jeder für sich. Führt dieser Prozeß unter verschiedenen, grundsätzlich beliebigen Beobachtern zu übereinstimmenden Aussagen, darf die Objektivität einer Beobachtung als hinreichend gesichert gelten. Sinnverstehen ist hinge-

187 Skjervheim (1974), 272.

gen eine solipsistisch undurchführbare, weil kommunikative Erfahrung. Das *Verstehen* einer symbolischen Äußerung erfordert grundsätzlich die Teilnahme an einem Prozeß der *Verständigung*. Bedeutungen, ob sie nun in Handlungen, Institutionen, Arbeitsprodukten, Worten, Kooperationszusammenhängen oder Dokumenten verkörpert sind, können nur *von innen* erschlossen werden. Die symbolisch vorstrukturierte Wirklichkeit bildet ein Universum, das gegenüber den Blicken eines kommunikationsunfähigen Beobachters hermetisch verschlossen, eben unverständlich bleiben müßte. Die Lebenswelt öffnet sich nur einem Subjekt, das von seiner Sprach- und Handlungskompetenz Gebrauch macht. Es verschafft sich dadurch Zugang, daß es an den Kommunikationen der Angehörigen mindestens virtuell teilnimmt und so selber zu einem mindestens potentiellen Angehörigen wird.

Der Sozialwissenschaftler muß dabei von einer Kompetenz und einem Wissen Gebrauch machen, über das er als Laie intuitiv verfügt. Solange er aber dieses vortheoretische Wissen nicht identifiziert und durchanalysiert hat, kann er nicht kontrollieren, in welchem Maße und mit welchen Folgen er in den Kommunikationsprozeß, in den er doch nur *eintritt*, um ihn zu verstehen, als Beteiligter auch *eingreift* und ihn dadurch verändert. Der Verstehensprozeß ist auf ungeklärte Weise mit einem Hervorbringungsprozeß rückgekoppelt. Die Verstehensproblematik läßt sich mithin auf die kurze Frage bringen: wie läßt sich die *Objektivität des Verstehens* mit der performativen Einstellung dessen, der an einem Verständigungsprozeß teilnimmt, vereinbaren?

Skjervheim analysiert nun die methodologische Bedeutung des Wechsels zwischen objektivierender und performativer Einstellung. Mit diesem Wechsel, so meint er, hängt eine Zweideutigkeit der Sozialwissenschaften zusammen, »which is the result of the fundamental ambiguity of the human situation; that the other is there both as an object for me and as another subject with me. This dualism crops up in one of the major means of intercourse with the other – the spoken word. We may treat the words that the other utters as sounds merely; or if we understand their meaning we may still treat them as facts, registering the fact that he says what he says; or we may treat what he says as a *knowledge claim*, in which case we are not concerned with what he says as a fact of his biography only, but as something which can be true or false. In both the first cases the other is an object for me, although in different ways, while in the latter he is a fellow-subject who concerns me as one on an equal footing with myself, in that we are both concerned with our common world.«[188]

Skjervheim macht hier auf den interessanten Umstand aufmerksam, daß die performative Einstellung einer ersten gegenüber einer zweiten Person zugleich die Orientierung an Geltungsansprüchen bedeutet. In dieser Einstellung kann Ego einen von Alter erhobenen Wahrheitsanspruch nicht als etwas, das in der objektiven Welt vorkommt, behandeln; Ego begegnet diesem Anspruch *frontal*, er muß diesen Anspruch ernst nehmen, muß mit Ja oder Nein darauf reagieren (bzw. die Frage, ob der Anspruch zu Recht besteht, als noch nicht entschieden dahingestellt sein lassen). Ego muß die Äußerung von Alter als symbolisch verkörpertes Wissen auffassen. Das erklärt sich aus dem Charakter von Verständigungsprozessen. Wer sich verständigen will, muß gemeinsame Standards unterstellen, anhand deren die Beteiligten entscheiden können, ob ein Konsens zustande kommt. Wenn aber Teilnahme an Kommunikationsprozessen bedeutet, daß der eine zu den Geltungsansprüchen des anderen Stellung nehmen muß, hat der Sozialwissenschaftler nicht einmal zu dem Zeitpunkt, da er kommunikative Erfahrungen *sammelt*, die Option, die Äußerung seines Gegenübers als bloßes Faktum aufzufassen. Dabei stellt sich die Frage, ob er die von Skjervheim unterschiedenen Fälle zwei und drei, das Verstehen des semantischen Gehalts einer Äußerung und das Reagieren auf den mit ihr verbundenen Anspruch, gültig zu sein, überhaupt unabhängig voneinander behandeln kann. Skjervheim bietet noch keine befrie-

188 Skjervheim (1974), 265. Skjervheim knüpft explizit an Husserls transzendentale Intersubjektivitätstheorie an; tatsächlich berührt sich seine Analyse aber enger mit Grundgedanken der auf M. Buber und F. Rosenzweig zurückgehenden dialogischen Philosophie; M. Theunissen begreift die Philosophie des Dialogs, der er auch Rosenstock-Huessy und Grisebach zuordnet, als Gegenentwurf zur cartesianisch, d. h. monologisch ansetzenden Transzendentalphänomenologie. Vgl. M. Theunissen, Der Andere, Berlin 1965. Zu Husserl vgl. P. Hutcheson, Husserl's Problem of Intersubjectivity, J. Brit. Soc. Phenomenol., 11, 1980, 144 ff.

digende Analyse, aber seine Überlegung verweist bereits auf die in unserem Zusammenhang wichtigen Konsequenzen.

(c) Wenn Sinnverstehen als ein Modus der Erfahrung begriffen wird, und wenn kommunikative Erfahrung nur in der performativen Einstellung eines Interaktionsteilnehmers möglich ist, muß der beobachtende Sozialwissenschaftler, der sprachabhängige Daten sammelt, einen ähnlichen Status einnehmen wie der sozialwissenschaftliche Laie. Wie weit reicht die strukturelle Ähnlichkeit zwischen den Interpretationsleistungen des einen und des anderen? Bei der Beantwortung dieser Frage ist es nützlich, sich zu erinnern, daß Sprechen und Handeln nicht dasselbe sind. Die unmittelbar Beteiligten verfolgen in der kommunikativen Alltagspraxis *Handlungs*absichten; die Teilnahme am kooperativen Deutungsprozeß dient der Herstellung eines Konsenses, auf dessen Grundlage sie ihre Handlungspläne koordinieren und ihre jeweiligen Absichten realisieren können. Handlungsabsichten *dieser Art* verfolgt der sozialwissenschaftliche Interpret nicht. Er beteiligt sich am Prozeß der Verständigung um des Verstehens und nicht um eines Zweckes willen, für den das zielgerichtete Handeln des Interpreten mit dem zielgerichteten Handeln der unmittelbar Beteiligten koordiniert werden müßte. Das Handlungssystem, in dem sich der Sozialwissenschaftler *als Aktor* bewegt, liegt auf einer anderen Ebene; es ist in der Regel ein Segment des Wissenschaftssystems, deckt sich jedenfalls nicht mit dem beobachteten Handlungssystem. An diesem nimmt der Sozialwissenschaftler gleichsam *unter Abzug seiner Aktoreigenschaften* teil, indem er sich als Sprecher und Hörer ausschließlich auf den Prozeß der Verständigung konzentriert.

Das kann man sich am Modell des Geisteswissenschaftlers klarmachen, der überlieferte Dokumente entziffert, Texte übersetzt, Traditionen auslegt, usw. In diesem Falle können die am originalen Verständigungsvorgang Beteiligten die virtuelle Teilnahme des mit Zeitenabstand hinzutretenden Interpreten nicht einmal bemerken. Von diesem Beispiel fällt auch Licht auf das Kontrastmodell des teilnehmenden Beobachters, dessen aktive Anwesenheit die Originalszene unvermeidlicherweise verändert. Selbst in diesem Fall haben die Handlungen, mit denen sich der Interpret in den gegebenen Kontext mehr oder weniger unauffällig einzugliedern versucht, nur *Hilfsfunktionen* für die als Selbstzweck betriebene Teilnahme an dem Verständigungsprozeß, der der Schlüssel für das Verständnis der Handlungen der *anderen* Aktoren ist. Ich lasse den klärungsbedürftigen Ausdruck ›Hilfsfunktionen‹ auf sich beruhen und spreche von einer bloß ›virtuellen‹ Teilnahme, weil der Interpret, sobald er in seiner Eigenschaft als Aktor betrachtet wird, Ziele verfolgt, die nicht auf den aktuellen Kontext, sondern auf ein *anderes* Handlungssystem bezogen sind. Insofern verfolgt der Interpret innerhalb des Beobachtungskontextes keine *eigenen* Handlungsabsichten.

Was bedeutet nun die *Rolle des virtuellen Teilnehmers* für die Frage der Objektivität des Verstehens eines sozialwissenschaftlichen Interpreten? Betrachten wir die von Skjervheim genannten Alternativen. Wenn sich der Interpret auf Beobachtung im strikten Sinne beschränkt, nimmt er nur die physischen Substrate der Äußerungen wahr, ohne sie zu verstehen. Er muß, um kommunikative Erfahrungen zu machen, eine performative Einstellung einnehmen und am originalen Verständigungsvorgang, wie immer auch nur virtuell, teilnehmen. Kann er sich dabei, wie Skjervheim annimmt, auf eine deskriptive Erfassung des semantischen Gehalts von Äußerungen, so als sei dieser eine Tatsache, beschränken, ohne auf die Geltungsansprüche zu reagieren, welche die Beteiligten mit ihren Äußerungen erheben? Kann der Interpret von einer Beurteilung der Gültigkeit der deskriptiv zu erfassenden Äußerungen völlig absehen?

Um eine Äußerung, im Modellfall eine verständigungsorientierte Sprechhandlung zu verstehen, muß der Interpret die Bedingungen ihrer Gültigkeit kennen; er muß wissen, unter welchen Bedingungen der mit ihr verbundene Geltungsanspruch akzeptabel ist, d. h. von einem Hörer normalerweise anerkannt werden müßte. Wir verstehen einen Sprechakt nur, wenn wir wissen, was ihn akzeptabel macht. Woher könnte jedoch der Interpret dieses Wissen beziehen, wenn nicht aus dem Kontext der jeweils beobachteten Kommunikation oder aus vergleichbaren Kontexten? Die Bedeutung der kommunikativen Akte kann er nur verstehen, weil diese in den Kontext verständigungsorientierten *Handelns* eingebettet sind – das ist Wittgensteins zentrale Einsicht und der Ausgangspunkt für seine

Gebrauchstheorie der Bedeutung.[189] Der Interpret beobachtet, unter welchen Bedingungen symbolische Äußerungen als gültig akzeptiert und wann der mit ihnen verbundene Geltungsanspruch kritisiert und zurückgewiesen wird, indem er zusieht, wann die Handlungspläne der Beteiligten durch Konsensbildung koordiniert werden, und wann die Anschlüsse zwischen den Handlungen verschiedener Aktoren wegen fehlenden Konsenses abreißen. Der Interpret kann sich also den semantischen Gehalt einer Äußerung nicht unabhängig von Handlungskontexten klarmachen, in denen die Beteiligten auf die fragliche Äußerung mit Ja oder Nein oder Enthaltungen reagieren. Und diese Ja/Nein-Stellungnahmen wiederum versteht er nicht, wenn er sich nicht die impliziten Gründe vor Augen führen kann, die die Beteiligten zu ihren Stellungnahmen bewegen. Denn Einverständnis und Dissens stützen sich, soweit sie sich an reziprok erhobenen Geltungsansprüchen bemessen und nicht bloß durch externe Umstände verursacht sind, auf Gründe, über die die Beteiligten vermeintlich oder tatsächlich verfügen. Diese meist impliziten Gründe bilden die Achsen, auf denen Verständigungsprozesse abrollen. Wenn aber der Interpret, um eine Äußerung zu verstehen, *die Gründe vergegenwärtigen* muß, mit denen ein Sprecher erforderlichenfalls und unter geeigneten Umständen die Gültigkeit seiner Äußerung verteidigen würde, wird er *selbst* in den Prozeß der Beurteilung von Geltungsansprüchen hereingezogen.

Gründe sind nämlich aus einem solchen Stoff, daß sie sich in der Einstellung einer dritten Person, d. h. ohne eine entweder zustimmende, ablehnende oder enthaltsame Reaktion, gar nicht beschreiben lassen. Der Interpret hätte nicht verstanden, was ein »Grund« ist, wenn er ihn nicht mit seinem Begründungsanspruch rekonstruieren, und das heißt im Sinne Max Webers: *rational deuten würde*. Die *Beschreibung* von Gründen verlangt eo ipso eine *Bewertung* auch dann, wenn sich der, der die Beschreibung gibt, außerstande sieht, im Augenblick ihre Stichhaltigkeit zu beurteilen. Man kann Gründe nur in dem Maße verstehen, wie man ver-

189 P. Alston, Philosophy of Language, Englewood Cliffs 1964; Savigny (1974), 72 ff.

steht, *warum* sie stichhaltig oder nicht stichhaltig sind, und warum gegebenenfalls eine Entscheidung darüber, ob die Gründe gut oder schlecht sind, (noch) nicht möglich ist. Deshalb kann ein Interpret Äußerungen, die über kritisierbare Geltungsansprüche mit einem Potential an Gründen verknüpft sind und somit Wissen repräsentieren, nicht deuten, ohne zu ihnen Stellung zu nehmen. Und er kann nicht Stellung nehmen, ohne *eigene* Standards der Beurteilung anzulegen, Standards jedenfalls, die er sich zu eigen gemacht hat. Diese verhalten sich kritisch zu anderen, abweichenden Standards der Beurteilung. Mit der Stellungnahme zu einem von Alter erhobenen Geltungsanspruch kommen jedenfalls Standards zur Anwendung, die der Interpret nicht schlicht vorfindet, sondern als richtig akzeptiert haben muß. In dieser Hinsicht entbindet eine bloß virtuelle Teilnahme den Interpreten nicht von den Verpflichtungen eines unmittelbar Beteiligten: in dem Punkt, der für die Frage der Objektivität des Verstehens entscheidend ist, wird von beiden, dem sozialwissenschaftlichen Beobachter wie dem sozialwissenschaftlichen Laien, die gleiche Art von Interpretationsleistung verlangt.

Die bisherige Überlegung sollte klarmachen, daß die Methode des Sinnverstehens die gewohnte Art von Objektivität der Erkenntnis in Frage stellt, weil sich der Interpret, wenn auch ohne eigene Handlungsabsichten, auf eine Teilnahme am kommunikativen Handeln einlassen muß und sich mit dem im Objektbereich selbst auftretenden Geltungsansprüchen konfrontiert sieht. Er muß der rationalen Binnenstruktur des an Geltungsansprüchen orientierten Handelns mit einer im Ansatz rationalen Deutung begegnen. Diese könnte der Interpret nur um den Preis neutralisieren, daß er einen objektivierenden Beobachterstatus einnimmt; von dort aus sind aber interne Sinnzusammenhänge überhaupt unzugänglich. Es besteht also ein *fundamentaler Zusammenhang zwischen dem Verständnis kommunikativer Handlungen und* im Ansatz *rationalen Deutungen.* Fundamental ist dieser Zusammenhang, weil sich kommunikative Handlungen nicht *zweistufig* deuten, zunächst in ihrem faktischen Ablauf verstehen und dann erst mit einem idealtypischen Ablaufmodell vergleichen lassen. Ein virtuell, ohne eigene Handlungsabsichten teilnehmender Interpret kann vielmehr den Sinn eines faktisch ablaufenden Verständigungsprozesses nur unter der Voraussetzung deskriptiv erfassen, daß er das Einverständnis und den Dissens, die Geltungsansprüche und die potentiellen Gründe, denen er konfrontiert ist, auf einer gemeinsamen, von ihm und den unmittelbar Beteiligten prinzipiell *geteilten* Grundlage beurteilt. Zwingend ist diese Voraussetzung jedenfalls für einen sozialwissenschaftlichen Interpreten, der seinen Beschreibungen das kommunikative Handlungsmodell zugrunde legt. Das ergibt sich, wie ich abschließend zeigen möchte, aus den im weiteren Sinne ontologischen Voraussetzungen dieses Modells.

(d) Wenn wir ein Verhalten als teleologische Handlung beschreiben, unterstellen wir, daß der Handelnde bestimmte ontologische Voraussetzungen macht, daß er mit einer objektiven Welt rechnet, in der er etwas erkennen und in die er zielgerichtet eingreifen kann. Wir, die wir den Aktor beobachten, machen gleichzeitig ontologische Voraussetzungen im Hinblick auf die subjektive Welt des Aktors. Wir unterscheiden zwischen »der« Welt und der Welt, wie sie vom Standpunkt des Handelnden aus erscheint. Wir können deskriptiv feststellen, was der Aktor für wahr *hält* im Unterschied zu dem, was (unserer Meinung nach) wahr ist. Die Wahl zwischen einer deskriptiven und einer rationalen Deutung besteht darin, daß wir uns entscheiden, den Wahrheitsanspruch, den der Aktor mit seinen Meinungen, und den wahrheitsbezogenen Erfolgsanspruch, den er mit seinen teleologischen Handlungen verbindet, als Ansprüche, die objektiver Beurteilung zugänglich sind, entweder zu ignorieren, oder ernst zu nehmen. Wenn wir sie als Geltungsansprüche ignorieren, behandeln wir Meinungen und Absichten als etwas Subjektives, d. h. als etwas, das, wenn es vom Aktor als seine Meinung oder seine Absicht vorgebracht, vor einem Publikum enthüllt oder zum Ausdruck gebracht würde, seiner subjektiven Welt zugerechnet werden müßte. In diesem Falle neutralisieren wir die Wahrheits- und Erfolgsansprüche dadurch, daß wir Meinungen und Absichten als expressive Äußerungen behandeln; und diese könnten objektiv nur noch unter Gesichtspunkten der Wahrhaftigkeit und der Authentizität beurteilt werden. Diese Gesichtspunkte finden aber auf das teleologische Handeln eines prinzipiell einsamen, sozusagen publikumslosen Aktors keine Anwendung. Wenn wir hingegen die Ansprüche des Aktors in genau der Art, wie er sie rationaliter meint, ernst nehmen, unterwerfen wir seine (vermeintlichen) Erfolgsaussichten einer Kritik, die sich auf *unser* Wissen und unseren Vergleich des faktischen mit einem idealtypisch entworfenen zweckrationalen Handlungsablaufs stützt. Auf diese Kritik könnte der Handelnde freilich erst *antworten*, wenn wir ihn mit anderen Kompetenzen ausstatten würden als denen, die das teleologische Handlungsmodell zuläßt. Eine *gegenseitige* Kritik wäre erst möglich, wenn der Handelnde seinerseits interpersonale Beziehungen aufnehmen, kommunikativ handeln und sogar an der speziellen und voraussetzungsreichen Kommunikation teilnehmen könnte, die wir Diskurs genannt haben.

Wir können ein analoges Denkexperiment für den Fall anstellen, daß wir ein Verhalten als normenreguliertes Handeln beschreiben. Dabei unterstellen wir, daß der Aktor mit einer zweiten, und zwar der sozialen Welt rechnet, in der er normenkonformes von abweichendem Verhalten unterscheiden kann. Und wiederum machen wir als Beobachter gleichzeitig ontologische Voraussetzungen im Hinblick auf die subjektive Welt des Aktors, so daß wir unterscheiden können zwischen der sozialen Welt, wie sie dem Aktor, der sozialen Welt, wie sie anderen Angehörigen, und *der* sozialen Welt, wie sie *uns* erscheint. Die Wahl zwischen einer rationalen und einer deskriptiven Deutung besteht auch hier in der Entscheidung, ob wir den normativen Geltungsanspruch, den der Aktor mit seinen Handlungen verbindet, mutatis mutandis ernst nehmen oder zu etwas bloß Subjektivem umdeuten. Auch hier beruht die deskriptive Deutung auf einer Uminterpretation dessen, was der Aktor, indem er einer als legitim anerkannten Norm folgt, rationaliter meint. Auch hier bleibt im Falle einer rationalen Deutung eine Asymmetrie zwischen uns und einem Aktor bestehen, der in den Grenzen des normativen Handlungsmodells nicht mit der Fähigkeit ausgestattet ist, als Diskursteilnehmer in hypothetischer Einstellung über die Geltung von Normen zu *streiten*.

Diese Asymmetrie bleibt auch dann bestehen, wenn wir ein Verhalten als dramaturgische Handlung beschreiben und den Aktor mit entsprechenden Weltkonzepten ausrüsten. Wir, die Beobach-

ter, nehmen im Fall einer rationalen Deutung eine Beurteilungskompetenz in Anspruch, gegen die der Aktor selbst keine Berufung einlegen könnte. Wir müssen uns nämlich zutrauen, eine expressive Äußerung, die der Aktor selbst mit dem Anspruch auf
Wahrhaftigkeit ausführt, gegebenenfalls anhand von Indizien als
Selbsttäuschung zu kritisieren, ohne daß der Aktor in den Grenzen des dramaturgischen Handlungsmodells in der Lage wäre, sich
gegenüber unserer rationalen Deutung zur Wehr zu setzen.

Die Grundbegriffe des teleologischen, des normenregulierten und
des dramaturgischen Handelns sichern ein *methodologisch rele-
vantes Gefälle* zwischen der Ebene der Handlungsinterpretation
und der Ebene der interpretierten Handlung. Sobald wir jedoch
ein Verhalten in Begriffen kommunikativen Handelns beschreiben,
sind unsere eigenen ontologischen Voraussetzungen nicht mehr
komplexer als die, die wir den Aktoren selbst zuschreiben. Die
Differenz zwischen den begrifflichen Ebenen der sprachlich koordinierten Handlungen und der Interpretation, die wir als Beobachter davon geben, funktioniert nicht länger als ein schützender
Filter. Denn nach den Voraussetzungen des kommunikativen
Handlungsmodells verfügt der Handelnde über eine ebenso reiche
Interpretationskompetenz wie der Beobachter selbst. Der Aktor
ist jetzt nicht nur mit drei Weltkonzepten ausgestattet, er kann sie
auch reflexiv verwenden. Das Gelingen kommunikativen Handelns hängt, wie wir gesehen haben, von einem Interpretationspro-
zeß ab, in dem die Beteiligten im Bezugssystem der drei Welten zu
einer gemeinsamen Situationsdefinition gelangen. Jeder Konsens
beruht auf einer intersubjektiven Anerkennung kritisierbarer Geltungsansprüche; dabei wird vorausgesetzt, daß die kommunikativ
Handelnden *zu gegenseitiger Kritik fähig* sind.

Sobald wir aber die Aktoren mit *dieser* Fähigkeit ausstatten, verlieren wir als Beobachter unsere *privilegierte Stellung* gegenüber dem
Objektbereich. Wir haben nicht mehr die Wahl, einer beobachteten Interaktionssequenz entweder eine deskriptive oder eine rationale Deutung zu geben. Sobald wir den Aktoren *dieselbe* Beurteilungskompetenz zuschreiben, die wir als die Interpreten ihrer
Äußerungen in Anspruch nehmen, begeben wir uns einer bis dahin
methodologisch gesicherten Immunität. Wir sehen uns gezwun-

gen, in performativer Einstellung (wenn auch ohne eigene Handlungsabsichten) an dem Verständigungsprozeß teilzunehmen, den wir beschreiben möchten. Damit setzen wir unsere Deutung *grundsätzlich* derselben Kritik aus, der kommunikativ Handelnde ihre Interpretationen gegenseitig aussetzen müssen. Das bedeutet aber, daß die Unterscheidung zwischen deskriptiver und rationaler Deutung auf dieser Stufe sinnlos wird. Oder besser: die im Ansatz *rationale* Deutung ist hier der einzige Weg zur Erschließung des *faktischen* Ablaufs des kommunikativen Handelns. Sie kann nicht den Status eines ad hoc gebildeten Idealtypus, also eines nachträglichen Rationalmodells haben, weil es eine von ihr *unabhängige* Beschreibung des faktischen Handlungsablaufs, mit dem sie verglichen werden könnte, *nicht geben* kann.

Von hier aus fällt rückblickend ein Licht auf die rationalen Deutungen der Handlungstypen erster Stufe. Ein Vergleich des faktischen Handlungsablaufs mit einem Modell, das die Handlung jeweils unter einem einzigen Rationalitätsaspekt (der propositionalen Wahrheit, der Wirksamkeit oder des instrumentellen Erfolgs, der normativen Richtigkeit, der Authentizität oder der Wahrhaftigkeit) stilisiert, erfordert eine von der rationalen Deutung *unabhängige* Handlungsbeschreibung. Diese vorgängige hermeneutische Leistung wird in den Handlungsmodellen erster Stufe nicht thematisiert, sondern naiv vorausgesetzt. Die Beschreibung eines faktischen Handlungsablaufs erfordert eine komplexe Deutung, die sich implizit bereits der Begrifflichkeit kommunikativen Handelns bedient und die, wie die Alltagsinterpretationen selbst, die Züge einer im Ansatz rationalen Deutung trägt. Die Wahlmöglichkeit zwischen einer deskriptiven und einer rationalen Deutung ergibt sich erst dann, wenn eines der nicht-kommunikativen Handlungsmodelle den Beobachter zur Abstraktion, d. h. dazu verpflichtet, aus dem Komplex der über Geltungsansprüche laufenden Interaktion jeweils nur einen Aspekt hervorzuheben.

(2) Wenn wir die Handlungsmodelle der ersten Stufe konzeptuell soweit anreichern, daß Interpretation und Sinnverstehen als Grundzüge des sozialen Handelns selbst hervortreten, läßt sich die Frage, wie die Verstehensleistungen des sozialwissenschaftlichen Beobachters an die natürliche Hermeneutik der alltäglichen Kom-

munikationspraxis anschließen, wie kommunikative Erfahrungen in Daten umgeformt werden, nicht länger auf das Format eines forschungstechnischen Teilproblems verkleinern. Mit Ethnomethodologie[190] und philosophischer Hermeneutik[191] wird diese Einsicht wieder aktuell und beunruhigt das konventionelle, vom Wertfreiheitspostulat bestimmte Selbstverständnis der Soziologie.[192] In diesen unübersichtlichen Diskussionen[193] zeichnet sich erst in jüngster Zeit der Vorschlag ab, auf den ich mich konzentrieren will; man kann nämlich denselben Umstand, aus dem sich das Problem des Sinnverstehens ergibt, auch als den Schlüssel für dessen Lösung betrachten.[194]

Wenn der Sozialwissenschaftler an den Interaktionen, deren Bedeutung er verstehen möchte, mindestens virtuell teilnehmen muß; und wenn weiterhin diese Teilnahme bedeutet, daß er zu den Geltungsansprüchen implizit Stellung nehmen muß, die die unmittelbar Beteiligten im kommunikativen Handeln mit ihren Äußerungen verbinden; dann wird der Sozialwissenschaftler seine eigenen Begriffe an die im Kontext vorgefundene Begrifflichkeit auf keine andere Weise anschließen können, als dies die Laien in ihrer kommunikativen Alltagspraxis selbst tun. Er bewegt sich innerhalb derselben Strukturen möglicher Verständigung, in denen die unmittelbar Beteiligten ihre kommunikativen Handlungen ausführen. Die allgemeinsten Kommunikationsstrukturen, die sprach- und handlungsfähige Subjekte zu beherrschen gelernt haben, öff-

190 H. Garfinkel, Studies in Ethnomethodology, Englewood Cliffs 1967.
191 J. Habermas (1970), 251 ff.
192 A. W. Gouldner, The Coming Crisis of Sociology, N. Y. 1970, deutsch Hbg. 1974; A. Albert, E. Topitsch (Hrsg.), Werturteilsstreit, Darmst. 1971; M. Beck, Objektivität und Normativität, Hbg. 1974. In diesem Zusammenhang werde ich nicht auf die methodologische Bedeutung der Quine'schen These der radikalen Unbestimmtheit der Übersetzung eingehen; vgl. dazu D. Wrighton, The Problem of Understanding, Phil. Soc. Sci., 11, 1981, 49 ff.; R. Feleppa, Hermeneutic Interpretation and Scientific Truth, Phil. Soc. Sci., 11, 1981, 53 ff.
193 die in der Bundesrepublik mit dem sog. Positivismusstreit anheben: Th. W. Adorno et al., Der Positivismusstreit in der deutschen Soziologie, Neuwied 1969.
194 D. Böhler, Philosophische Hermeneutik und hermeneutische Methode, in: H. Hartung, W. Heistermann, P. M. Stephan, Fruchtblätter. Veröffentl. d. P. H. Berlin (1977), 15 ff.; W. Kuhlmann, Reflexion und kommunikative Erfahrung, Ffm. 1975.

nen nun aber nicht nur den *Zugang* zu bestimmten Kontexten; sie ermöglichen nicht nur den *Anschluß* an und die Fortbildung von Kontexten, welche die Teilnehmer, wie es zunächst scheinen möchte, in den Bannkreis des bloß Partikularen hineinziehen. Diese selben Strukturen bieten zugleich die kritischen Mittel, um einen gegebenen Kontext zu durchdringen, von innen aufzusprengen und zu transzendieren, um nötigenfalls durch einen faktisch eingespielten Konsensus *hindurchzugreifen*, Irrtümer zu revidieren, Mißverständnisse zu korrigieren usw. *Dieselben Strukturen, die Verständigung ermöglichen, sorgen auch für die Möglichkeiten einer reflexiven Selbstkontrolle des Verständigungsvorgangs.* Es ist dieses im kommunikativen Handeln selbst angelegte Potential der Kritik, das der Sozialwissenschaftler, indem er sich als virtueller Teilnehmer auf die Kontexte des Alltagshandelns einläßt, systematisch nutzen und aus den Kontexten heraus gegen deren Partikularität zur Geltung bringen kann. Ich möchte kurz skizzieren, wie sich diese Einsicht in der Methodendiskussion, die die verstehende Soziologie von Anbeginn begleitet hat, schließlich durchsetzt.

(a) Im Kontext der deutschen Soziologie der zwanziger Jahre hat A. Schütz[195] die Implikationen des sinnverstehenden Zugangs zur symbolisch vorstrukturierten Wirklichkeit am konsequentesten durchdacht. Er sieht, daß wir mit der Wahl handlungstheoretischer Grundbegriffe mindestens drei methodische Vorentscheidungen treffen. *Erstens* die Entscheidung, die gesellschaftliche Realität so zu beschreiben, daß sie als eine aus den Interpretationsleistungen der unmittelbar Beteiligten hervorgehende Konstruktion der Alltagswelt begriffen wird: ». . . die Sozialwelt . . . hat eine besondere Sinn- und Relevanzstruktur für die in ihr lebenden, denkenden und handelnden Menschen. In verschiedenen Konstruktionen der alltäglichen Wirklichkeit haben sie diese Welt im voraus gegliedert und interpretiert, und es sind gedankliche Gegenstände dieser Art, die ihr Verhalten bestimmen, ihre Handlungsziele definieren und die Mittel zur Realisierung solcher Ziele vorschreiben.«[196] Sinnverstehen ist der privilegierte Erfahrungsmodus der Angehörigen einer

195 A. Schütz, Der sinnhafte Aufbau der sozialen Welt, Wien 1932.
196 A. Schütz, Gesammelte Aufsätze I, Den Haag 1971, 6.

Lebenswelt. Freilich muß sich auch der Sozialwissenschaftler dieses Erfahrungsmodus bedienen. Über ihn gewinnt er seine Daten. Das ist die *zweite* Entscheidung, der Schütz (mit M. Weber und W. I. Thomas) die Form eines Postulats gibt: »Um menschliches Handeln erklären zu können, muß der Wissenschaftler fragen, welches Modell eines individuellen Wesens konstruiert werden kann und welche typischen Inhalte ihm zuzuordnen sind, damit die beobachteten Tatsachen als Ergebnis der Tätigkeit eines solchen Individuums in einem verständlichen Zusammenhang erklärt werden. Die Erfüllung dieses Postulats verbürgt die Möglichkeit, jede Art menschlichen Handelns oder dessen Ergebnis auf den subjektiven Sinn zurückzuführen, den dieses Handeln oder sein Ergebnis für den Handelnden gehabt hat.«[197]

Dieses Postulat hat für Schütz aber nicht nur eine forschungstechnische Bedeutung; aus ihm ergibt sich vielmehr *drittens* eine spezifische Beschränkung für die Theoriebildung. Die theoretischen Begriffe, in denen der Sozialwissenschaftler seine Hypothesen bildet, müssen sich in gewisser Weise an die vortheoretischen Begriffe anschließen, in denen die Angehörigen ihre Situation und den Handlungszusammenhang, an dem sie teilnehmen, interpretieren. Schütz begründet nicht im einzelnen, warum sich aus der »doppelhermeneutischen« Aufgabe der Sozialwissenschaften eine solche interne Rückkoppelung der Theorie an das Alltagsverständnis der Beteiligten, deren Äußerungen mit Hilfe der Theorie erklärt werden sollen, zwingend ergibt. Er postuliert einfach: »Jeder Begriff in einem wissenschaftlichen Modell menschlichen Handelns muß so konstruiert sein, daß eine innerhalb der Lebenswelt durch ein Individuum ausgeführte Handlung, die mit der typischen Konstruktion übereinstimmt, für den Handelnden selbst ebenso verständlich wäre wie für seine Mitmenschen, und das im Rahmen des Alltagsdenkens. Die Erfüllung dieses Postulats verbürgt die Konsistenz der Konstruktionen des Sozialwissenschaftlers mit den Konstruktionen, die von der sozialen Wirklichkeit im Alltagsdenken gebildet werden.«[198]

197 Schütz (1971), 49 f.
198 Schütz (1971), 50.

Nun sind die Sprachspiele, die der Sozialwissenschaftler in seinem Objektbereich vorfindet und an denen er mindestens virtuell teilnehmen muß, jeweils partikularer Natur. Wie kann eine sozialwissenschaftliche Theorie gleichzeitig an die Begrifflichkeit einer konkreten Lebenswelt anknüpfen und sich von deren Partikularität doch lösen? Schütz meint, daß der sozialwissenschaftliche Beobachter eine *theoretische Einstellung* einnimmt, die ihm gestattet, sich über die lebensweltliche Perspektive sowohl seiner eigenen wie der untersuchten Alltagspraxis zu erheben. Während wir als Angehörige einer Lebenswelt in eine »Wir-Beziehung« eingelassen sind, einen ich- und gruppenspezifischen Ort im raumzeitlichen Koordinatensystem der Lebenswelt einnehmen, uns als Ego zu Alter oder Alius verhalten, Vorfahren, Zeitgenossen und Nachfahren unterscheiden, kulturelle Selbstverständlichkeiten akzeptieren usw., bricht der sozialwissenschaftliche Beobachter mit seiner *natürlichen* (oder performativen) Einstellung und begibt sich an einen Ort jenseits seiner, überhaupt irgendeiner Lebenswelt, d. h. an einen extramundanen Ort: »Da der Sozialwissenschaftler kein ›Hier‹ in der Sozialwelt hat, ordnet er auch nicht diese Welt in Schichten um sich herum an. Er kann niemals mit einem in der Sozialwelt Handelnden in die mitmenschliche Wirbeziehung eintreten, ohne dabei zumindest vorübergehend seine wissenschaftliche Einstellung aufzugeben. Der teilnehmend einbezogene Beobachter, zum Beispiel der Feldforscher, baut eine Beziehung zur untersuchten Gruppe als Mensch unter Mitmenschen auf; nur das Relevanzsystem, das ihm als Auswahl- und Interpretationsschema dient, ist durch die wissenschaftliche Einstellung bestimmt, und es wird bis auf weiteres außer acht gelassen.«[199]
Die theoretische Einstellung wird als die des »uninteressierten« Beobachters charakterisiert; sie soll generell Abstand von den alltäglichen, biographisch verwurzelten Interessen verschaffen können. Da sich Schütz nicht wie Husserl auf eine spezielle Methode der Urteilsenthaltung (Epoché) berufen kann, muß er die Neutralisierung der lebensweltlichen Perspektive anders erklären. Er erklärt sie mit einem spezifischen Wechsel der Relevanzsysteme. Es

199 Schütz (1971), 45 f.

ist der *Entschluß* des Wissenschaftlers, das Wertsystem der Wissenschaften an die Stelle des Wertsystems seiner Alltagspraxis zu setzen (»by establishing the life-plan for scientific work«), der hinreichen soll, um den *Wechsel von der natürlichen zur theoretischen Einstellung* herbeizuführen. Diese Erklärung kann nicht recht befriedigen. Wenn die theoretische Einstellung allein durch die Werte des Subsystems Wissenschaft bestimmt wäre, müßte Schütz die methodologische Rolle dieser speziellen Wertorientierungen erklären. Er müßte zeigen, warum gerade sie das Problem lösen helfen, das darin besteht: die Theoriebildung an das kommunikativ erschlossene vortheoretische Wissen, das der Sozialwissenschaftler im Objektbereich vorfindet, anzuschließen, ohne zugleich die Geltung seiner Aussagen an den (angetroffenen oder mitgeführten) lebensweltlichen Kontext zu binden.

Nur im Vorbeigehen macht Schütz eine Bemerkung, die den Ansatzpunkt zu einer Lösung erkennen läßt: »Verstehen ist keineswegs eine private Angelegenheit des Beobachters, die nicht durch die Erfahrungen anderer Beobachter überprüft werden könnte. Es ist zumindest in dem Maß überprüfbar, in dem die privaten Sinneswahrnehmungen eines Individuums durch andere Individuen unter bestimmten Bedingungen kontrolliert werden können.«[200] Wenn die möglichen Korrektive gegen irregeleitete kommunikative Erfahrungen sozusagen in das kommunikative Handeln selbst eingebaut sind, kann der Sozialwissenschaftler die Objektivität seiner Erkenntnis nicht dadurch sichern, daß er in die fiktive Rolle eines »uninteressierten Beobachters« schlüpft und damit an einen utopischen Ort außerhalb des kommunikativ zugänglichen Lebenszusammenhangs flüchtet. Er wird vielmehr *in den allgemeinen Strukturen der Verständigungsprozesse,* auf die er sich einläßt, die *Bedingungen der Objektivität des Verstehens* suchen müssen, um festzustellen, ob er sich in Kenntnis dieser Bedingungen der Implikationen seiner Teilnahme reflexiv vergewissern kann.

(b) In der kurzen Geschichte der Ethnomethodologie ist dies die zentrale Fragestellung, an der sich die Geister scheiden.[201] Die

200 Schütz (1971), 64 f.
201 P. Attewell, Ethnomethodology since Garfinkel. Theory and Society 1, 1974, 179 ff.; D. H. Zimmermann, Ethnomethodology, Am. Sociologist. 13, 1978, 6 ff.

Ethnomethodologen betonen einerseits den prozessualen und bloß partikularen Charakter der von den Beteiligten interpretativ erzeugten Alltagspraxis und ziehen andererseits die methodologischen Konsequenzen aus dem Umstand, daß der Sozialwissenschaftler grundsätzlich den Status eines Beteiligten hat. Beide Aspekte heben sie präziser hervor als A. Schütz, an den sie anknüpfen. Daraus ergibt sich ein Dilemma, das solange nicht aufgelöst werden kann, wie kooperative Deutungsprozesse nicht als eine an Geltungsansprüchen orientierte Verständigung begriffen werden.

Mit jeder Interaktionssequenz erneuern die kommunikativ Handelnden den Schein einer normativ strukturierten Gesellschaft; tatsächlich tasten sie sich aber von einem problematischen Augenblickskonsens zum nächsten. Da alle situationsübergreifenden Konzepte und Handlungsorientierungen jedesmal von neuem ausgehandelt werden müssen, herrscht der Okkasionalismus des Besonderen über das Allgemeine, so daß der Schein einer Kontinuität über mehrere Handlungssequenzen nur durch Anknüpfung an den jeweiligen Kontext gesichert werden kann.[202]

Diese Sicht erklärt, warum sich Garfinkel und seine Schüler für die Kontextabhängigkeit der Alltagskommunikation, und in diesem Zusammenhang für die Rolle indexikalischer Ausdrücke interessieren. Die Bedeutung von Sätzen, in denen singuläre Termini wie ›ich‹ und ›du‹, ›hier‹ und ›jetzt‹, ›dieser‹ und ›jener‹ auftreten, vari-

202 »The features of a setting attended to by its participants include, among other things, its historical continuity, its structure of rules and the relationship of activities within it to those rules, and the ascribed (or achieved) statuses of its participants. When viewed as the temporally situated *achievement* of parties to a setting, these features will be termed the occasioned corpus of setting features. By use of the term *occasioned* corpus, we wish to emphasize that the features of socially organized activities are particular, contingent accomplishments of the production and recognition work of parties to the activity. We underscore the occasioned character of the corpus in contrast to a corpus of member's knowledge, skill, and belief standing prior to and independent of any actual occasion in which such knowledge, skill, and belief is displayed or recognized. The latter conception is usually referred to by the term culture.« D. H. Zimmermann, M. Power, The Everyday World as a Phenomenon, in: J. D. Douglas (Ed.), Understanding Everyday Life, London 1971, 94.

iert mit der Sprechsituation. Die mit Hilfe dieser Ausdrücke vorgenommenen Referenzen können nur in Kenntnis der Sprechsituation verstanden werden. Der Interpret muß entweder als Interaktionsteilnehmer den Kontext, auf den sich der Sprecher stützt, bereits kennen, oder vom Sprecher verlangen, daß er seine impliziten Voraussetzungen ausdrücklich formuliert. Um dieser Forderung zu genügen, müßte der Sprecher die situationsbezüglichen indexikalischen Ausdrücke durch situationsunabhängige Ausdrücke, z. B. durch Raumzeitangaben oder andere Kennzeichnungen ersetzen. In der Alltagskommunikation sind solche Bemühungen, ein Kontextwissen teilweise explizit zu machen und Mißverständnisse über Präsuppositionen zu beseitigen, durchaus geläufig. Aber diese Versuche führen zu einem Regreß: jede neue Explikation ist ihrerseits von weiteren Präsuppositionen abhängig. Der Kontext der Rede läßt sich im Rahmen alltäglicher Kommunikationen schrittweise aufhellen, aber grundsätzlich nicht *hintergehen.* Garfinkel betont mit Recht, daß Äußerungen, in denen indexikalische Ausdrücke auftreten, auch gar nicht »in Ordnung gebracht« werden müssen, weil Kontextabhängigkeit kein Makel ist, sondern eine notwendige Bedingung für den normalen Gebrauch unserer Sprache. Diese triviale Beobachtung wird freilich von Garfinkel eigentümlich dramatisiert und dazu benützt, am Interpretationsvorgang neben dem explorativen das schöpferische Moment des *Entwurfs* und der kooperativen *Erzeugung* einer okkasionellen Gemeinsamkeit überscharf hervortreten zu lassen. Das beleuchtet die hermeneutische Bindung des Interpreten an seine Ausgangslage.

In alltäglichen Kommunikationen steht eine Äußerung niemals für sich selber, ihr wächst ein Bedeutungsgehalt aus dem Kontext zu, dessen Verständnis der Sprecher beim Hörer voraussetzt. Auch der Interpret muß in diesen Verweisungszusammenhang als teilnehmender Interaktionspartner eindringen. Das explorative, auf Erkenntnis gerichtete Moment läßt sich vom schöpferischen, konstruktiven, auf die Herbeiführung eines Konsensus gerichteten Moments nicht ablösen. Denn das Vorverständnis des Kontextes, von dem das Verständnis einer in ihm situierten Äußerung abhängt, kann sich der Interpret nicht erwerben, ohne an dem Prozeß der Bildung und Fortbildung dieses Kontextes teilzunehmen. Auch der sozialwissenschaftliche Beobachter hat keinen privilegierten Zugang zum Objektbereich, sondern muß sich der intuitiv beherrschten Interpretationsverfahren bedienen, die er als Angehöriger seiner sozialen Gruppe naturwüchsig erworben hat.

Solange sich der Soziologe dieses Umstandes nicht bewußt ist, teilt er seinen Status mit dem eines sozialwissenschaftlichen Laien auf naive Weise und hypostasiert wie dieser die gesellschaftliche Realität zu einem an sich Bestehenden. So gibt sich der konventionelle Soziologe keine Rechenschaft darüber, daß er einen Handlungszusammenhang, den er zum Gegenstand macht, nur objektivieren kann, indem er sich seiner vorgängig als Informationsquelle bedient. Er sieht nicht, daß er als Interaktionsteilnehmer an der Herstellung des Handlungszusammenhanges, den er als Gegenstand analysiert, bereits Anteil hatte. Die Kritik der Ethnomethodologie erzeugt immer neue Variationen auf dieses Thema der Verwechslung von »resource and topic«. Sie will zeigen, daß die üblichen sozialwissenschaftlichen Konstruktionen grundsätzlich den gleichen Status haben wie die Alltagskonstruktionen der Laienmitglieder.

Auch die Deutungen des Soziologen bleiben dem gesellschaftlichen Kontext, den sie doch erklären sollen, verhaftet, weil sie dem Objektivismus des Alltagsbewußtseins verfallen: »Wenn auf dieser elementaren Ebene die einzige Möglichkeit für den Beobachter, vorgekommene Handlungen zu identifizieren, darin besteht, den Weg der dokumentarischen Interpretation zu gehen, dann sind Beschreibungen von Interaktionen nicht in irgendeinem strengen Sinne intersubjektiv verifizierbar – weil die Interpretationen unterschiedlicher Individuen nur dann übereinstimmen können, wenn diese fähig und in der Lage sind, eine gemeinsame soziale Wirklichkeit miteinander auszuhandeln – und weil solche Beschreibungen nicht unabhängig von ihrem Kontext sind. Wenn der Beobachter Interaktionen auf interpretative Weise beschreibt, kann er nicht umhin, ein zugrunde liegendes Muster zu konstruieren, das als unerläßlicher Kontext dazu dient, zu sehen, was die Situationen und Handlungen ›eigentlich‹ sind, während wiederum diese gleichen Situationen und Handlungen eine unerläßliche Ressource dafür sind zu bestimmen, was der Kontext ›eigentlich‹ ist.«[203] Diese Methodenkritik wird freilich auch für die Ethnomethodologen selber, sobald sie darangehen, sozialwissenschaftliche Theorien zu entwickeln, zum Problem. Im Lager der Ethnomethodologen finden sich vor allem *drei* Reaktionen auf diese Schwierigkeit.

Die *radikale Selbstanwendung* der Methodenkritik führt zu dem Schluß, daß interpretierende Wissenschaften den Anspruch, theoretisches Wissen zu erzeugen, preisgeben müssen. Die Einsicht, daß die Interpretation eines Handlungszusammenhanges die Teilnahme an und die konstruktive Einflußnahme auf diesen Kontext voraussetzt, bringt ein Dilemma lediglich zu Bewußtsein – sie löst es nicht auf. Die Einsicht in den unvermeidlich selbstbezüglichen Charakter der Forschungspraxis bahnt keinen Weg zu einem kontextunabhängigen Wissen. Deshalb sollte die Sozialforschung als eine partikulare Lebensform neben anderen Lebensformen gelten. Theoretische Arbeit ist, wie Religion oder Kunst, eine durch Reflexivität ausgezeichnete Tätigkeit; dadurch, daß sie die Interpretationsvorgänge, aus denen der Forscher schöpft, ausdrücklich zum Thema macht, löst sie jedoch ihre Situationsbindung nicht auf. Die Universalität des Wahrheitsanspruchs ist Schein; was jeweils als wahr akzeptiert wird, ist eine Sache der Konvention: »We must accept that there are no adequate grounds for establishing criteria of truth except the grounds that are employed to grant or concede it – truth is conceivable only as a socially organized upshot of contingent courses of linguistic, conceptual, and social courses of behavior. The truth of a statement is not independent of the conditions of its utterance, and so to study truth is to study the ways truth can be methodically conferred. It is an ascription... Actually, this principle applies to any phenomenon of social order.«[204]

Um der Konsequenz eines selbstzerstörerischen Relativismus zu entgehen, macht man auf der anderen Seite den Versuch, das Dilemma durch *Trivialisierung* zu entschärfen. Die Vertreter der konventionellen Soziologie zögern nicht, eine Forderung aufzu-

---

203 Th. P. Wilson, Theorien der Interaktion und Modelle soziologischer Erklärung, in: Arbeitsgruppe Bielefelder Soziologen (1973), 54 ff., hier 66 f.
204 P. McHugh, On the Failure of Positivism, in: Douglas (1971), 329.

nehmen, die ohnehin auf der Linie ihrer Objektivitätsideale liegt: die Forschungsmethoden müssen so verbessert werden, daß die Alltagstheorien nicht mehr unreflektiert in die Messungen einfließen. Das Argument wird in zwei Versionen vertreten. Entweder gesteht man die Abhängigkeit *aller* sozialwissenschaftlichen Interpretationen vom Vorverständnis der Beteiligten prinzipiell zu – dann muß gezeigt werden, daß die Konsequenzen unschädlich sind; oder man behandelt die Kontextabhängigkeit sozialwissenschaftlicher Interpretationen von vornherein als eine forschungspragmatische Frage, als eine Frage des Grades und nicht des Prinzips.[205] Diese Reaktion machen sich auch einige Ethnomethodologen mit dem Ziel zu eigen, die performative Einstellung des Interpreten, also seine Beteiligung an dem Text, den er verstehen möchte, methodisch zu berücksichtigen und die Sozialforschung so zu *reformieren,* daß sie ihren eigenen Objektivitätsidealen besser entsprechen kann als bisher. In diesem Geiste bemüht sich etwa A. Cicourel um neue, einfallsreiche Designs, die den Objektivismus der Befragungs- und Surveymethoden vermeiden.[206] Damit würde freilich die Ethnomethodologie ihren Anspruch, an die Stelle konventioneller Handlungstheorien ein neues Paradigma zu setzen, aufgeben. Die orthodoxen Garfinkelschüler beharren auf einem *Paradigmenwechsel.*

Garfinkel möchte das phänomenologische Programm einer Erfassung der allgemeinen Strukturen von Lebenswelten überhaupt dadurch einlösen, daß er in den Interpretationstätigkeiten des alltäglichen Routinehandelns die Verfahren aufsucht, nach denen die Einzelnen jeweils den objektiven Schein gesellschaftlicher Ordnung erneuern. Er macht das »common sense knowledge of social structure« zum Gegenstand der Analyse, um zu zeigen, wie die »routine grounds of everyday activities« als Ergebnis konzertierter Leistungen im Alltagshandeln zustande kommen. Eine *Theorie des Aufbaus und der Reproduktion von Handlungssituationen überhaupt* bezieht sich auf die *Invarianzen der Deutungsprozeduren,*

205 J. H. Goldthorpe, A Revolution in Sociology? in: Sociology, 7, 1973, 429.
206 A. V. Cicourel, The Social Organization of Juvenile Justice, N. Y. 1968; ders., Cross-Modal Communication, in: ders., Cognitive Sociology, London 1973, 41 ff; ders., Theory and Method in a Study of Argentine Fertility, N. Y. 1974.

deren sich die Mitglieder im kommunikativen Handeln bedienen. Das Interesse richtet sich dabei vor allem auf universale Merkmale des Referenzsystems für Sprecher-Hörer-Beziehungen, also auf die narrative Organisation zeitlicher Sequenzen, auf die interpersonale Organisation räumlicher Distanzen, auf die Objektivität einer gemeinsamen Welt, auf fundamentale Normalitätserwartungen, das Verständnis für die Kontextabhängigkeit und Interpretationsbedürftigkeit kommunikativer Äußerungen usw.[207]

Soweit die Ethnomethodologie nicht mehr nur als Methodenkritik, sondern als Theorie eigenen Rechts auftritt, wird das Programm einer formalen Pragmatik in Umrissen erkennbar. Hier stellt sich freilich erneut die Frage, wie, wenn sozialwissenschaftliche Interpretationen in derselben Weise kontextabhängig sind wie Alltagsinterpretationen, eine Universalienforschung dieses Typs überhaupt durchgeführt werden kann: »If interpretative practices are to be opened up as a topic for investigation, then ›interpretive‹ methods can scarcely provide the appropriate means for so doing ... On the contrary, ... any explanation of invariant features of interactions will need to be through a language other than that of the everyday actor, and in terms which will be decidedly revelatory to him.«[208]

Zimmermann pariert diesen Einwand im Stile von Alfred Schütz: »The Ethnomethodologists treats the fact that he lives and acts within the same social world that he investigates in quite a different way than do the varieties of traditional sociologists.«[209] Der kritische Soziologe soll also die natürliche Einstellung aufgeben, die den Laien und den konventionellen Soziologen gleichermaßen daran hindern, die normative Realität der Gesellschaft als *Erscheinung*, d. h. als produziertes Bewußtsein zu behandeln. Dabei orientiert er sich vornehmlich an den Naivitäten seiner weniger aufgeklärten Kollegen, weil diese die Alltagsnaivitäten der Laien auch noch in methodischer, d. h. gut greifbarer Form nachvollziehen.

207 F. Schütze, W. Meinfeld, W. Springer, A. Weymann, Grundlagentheoretische Voraussetzungen methodisch kontrollierten Fremdverstehens, in: Arbeitsgruppe Bielefelder Soziologen (1973), Bd. 2, 433 ff.
208 Goldthorpe (1973), 430.
209 D. H. Zimmermann, M. Power (1971), 289.

Wie freilich diese Reflexion auf die allgemeinen Kommunikationsvoraussetzungen methodisch gesichert werden kann, bleibt unklar. Zimmermann müßte entweder einen privilegierten Zugang zum Objektbereich angeben, z. B. ein Äquivalent für Husserls transzendentale Reduktion[210] namhaft machen; oder er müßte zeigen, wie eine sozialwissenschaftliche Analyse an Alltagsinterpretationen zwar anschließen, diese aber reflexiv durchdringen und den jeweiligen Kontext soweit überschreiten kann, daß eine Rekonstruktion *allgemeiner* Kommunikationsvoraussetzungen möglich ist. Wenn ich recht sehe, verharren die meisten Ethnomethodologen unentschieden vor dieser Alternative: den ersten Weg *können* sie nicht wählen, ohne sich in Widerspruch zu ihren methodenkritischen Einsichten zu setzen; den zweiten Weg *wollen* sie nicht wählen, weil sie dann bis zur rationalen Binnenstruktur eines an Geltungsansprüchen orientierten Handelns vordringen müßten.

Garfinkel behandelt die Geltungsansprüche, auf deren intersubjektiver Anerkennung jedes kommunikativ erzielte Einverständnis, und sei die Konsensbildung noch so okkasionell, hinfällig und fragmentarisch, doch beruht, *als bloße Phänomene*. Er unterscheidet nicht zwischen einem gültigen Konsensus, für den die Teilnehmer erforderlichenfalls Gründe angeben könnten, und einer geltungsfrei, d. h. de facto herbeigeführten, sei es auf Sanktionsdrohung, rhetorischer Überrumpelung, Kalkül, Verzweiflung oder Resignation beruhenden Zustimmung. Garfinkel behandelt auch Rationalitätsstandards wie alle übrigen Konventionen als Ergebnisse einer *zufälligen* Interpretationspraxis, die zwar beschrieben, aber nicht systematisch, nämlich anhand der von den Teilnehmern selbst intuitiv angelegten Maßstäbe bewertet werden können. Geltungsansprüche, die über lokale, zeitliche und kulturelle Grenzen hinausweisen, betrachtet der ethnomethodologisch aufgeklärte Soziologe als etwas, das Teilnehmer lediglich für universal *halten*: »Thus, a leading policy is to refuse serious consideration to the prevailing proposal that efficiency, efficacy, effectiveness, intelligibility, consistency, planfulness, typicality, uniformity, reproduci-

---

210 E. Husserl, Formale und transzendentale Logik, in: Jb. f. Philos. u. phänom. Forschg. Bd. X, Halle 1929.

bility of activities – i. e., that *rational properties* of practical activities – be assessed, recognized, categorized, described by using a rule or a standard obtained outside actual settings within which such properties are recognized, used, produced, and talked about by settings' members. All procedures whereby *logical* and *methodological* properties of the practices and results of inquiries are assessed in their general characteristics by rule are of interest as *phenomena* for ethnomethodological study but not otherwise ... All ›logical‹ and ›methodological‹ properties of action, every feature of an activity's sense, facticity, objectivity, accountability, communality is to be treated as a *contingent accomplishment of socially organized common practices.* The policy is recommended that any social setting be viewed as self-organizing with respect to the intelligible character of its own appearances as either representations of or as evidences-of-a-social-order. Any setting organizes its activities to make its properties as an organized environment of practical activities detectable, countable, recordable, reportable, tell-a-story-aboutable, analyzable in short, *accountable.*«[211]

Wenn Garfinkel diese Empfehlung ernst meint, muß er aber für den Ethnomethodologen die privilegierte Stellung eines »uninteressierten« Beobachters reservieren, der den unmittelbar Beteiligten dabei zuschaut, wie diese ihre Äußerungen so formulieren, daß andere sie verstehen können, und wie sie ihrerseits die Äußerungen der anderen als verständlich interpretieren. Der Ethnomethodologe, der sich das zutraut, nimmt für seine eigenen Aussagen Geltungskriterien in Anspruch, die a fortiori *außerhalb* des Bereichs der von den Beteiligten selbst angewandten Geltungskriterien liegen. Wenn er sich eine solche extramundane Stellung nicht zutraut, kann er für seine Aussagen einen theoretischen Status nicht beanspruchen. Er kann für die Sprachspiele der Theoretiker untereinander allenfalls eine weitere Sorte von Geltungskriterien in Anschlag bringen: die Rationalitätsstandards der Wissenschaft wären ebenso partikular wie andere Sorten von Geltungskriterien, die in anderen Lebensbereichen auf ihre Weise funktionieren.[212]

211 Garfinkel (1967), 33.
212 P. McHugh et al., On the Beginning of Social Inquiry, London 1974.

Garfinkel könnte dem Dilemma zwischen einem Husserlschen Absolutismus und dem von Blum und McHugh eingestandenen Relativismus nur entgehen, wenn er den in die Ideen von Wahrheit und Richtigkeit implizit eingebauten Universalitätsanspruch als Hinweis auf die *Geltungsbasis der Rede* ernst nehmen würde. Weil und soweit sich der sozialwissenschaftliche Interpret in der Rolle eines mindestens virtuellen Teilnehmers grundsätzlich an *denselben* Geltungsansprüchen orientieren muß, an denen sich auch die unmittelbar Beteiligten orientieren, kann er, von dieser implizit immer schon geteilten immanenten Vernünftigkeit der Rede ausgehend, die von den Beteiligten für ihre Äußerungen beanspruchte Rationalität zugleich ernst nehmen und kritisch überprüfen. Wer, was die Beteiligten bloß voraussetzen, zum Thema macht und eine reflexive Einstellung zum Interpretandum einnimmt, stellt sich nicht *außerhalb* des untersuchten Kommunikationszusammenhangs, sondern vertieft und radikalisiert diesen auf einem Wege, der prinzipiell *allen* Beteiligten offensteht. Dieser *Weg vom kommunikativen Handeln zum Diskurs* ist in natürlichen Kontexten vielfach blockiert, aber in der Struktur des verständigungsorientierten Handelns immer schon angelegt.

(c) Die Ethnomethodologie nimmt an der Interpretationskompetenz erwachsener Sprecher ein Interesse, weil sie untersuchen will, wie auf dem Wege kooperativer Deutungsprozesse Handlungen koordiniert werden. Sie befaßt sich mit der Interpretation als einer *Dauerleistung* von Interaktionsteilnehmern, also mit den Mikrovorgängen der Situationsdeutung und Konsenssicherung, die selbst dann hochkomplex sind, wenn die Beteiligten an ein eingewöhntes Situationsverständnis in stabilen Handlungskontexten mühelos anknüpfen können. Unter dem Mikroskop erweist sich *jede* Verständigung als okkasionell und zerbrechlich. Die philosophische Hermeneutik hingegen untersucht die Interpretationskompetenz erwachsener Sprecher unter dem Gesichtspunkt, wie sich ein sprach- und handlungsfähiges Subjekt in einer fremden Umgebung unverständliche Äußerungen verständlich macht. Die Hermeneutik befaßt sich mit Interpretation als einer *Ausnahmeleistung*, die erst dann erforderlich wird, wenn relevante Ausschnitte der Lebenswelt problematisch werden, wenn Gewißheiten des kulturell eingespielten Hintergrundes zerbrechen und die normalen Mittel der Verständigung versagen. Unter dem Makroskop erscheint die Verständigung nur in den extremen Fällen des Eindringens in eine fremde Sprache, in eine unbekannte Kultur oder in eine entfernte Epoche, erst recht in pathologisch deformierte Lebensbereiche als gefährdet. In unserem Zusammenhang hat diese hermeneutische Fragestellung einen Vorzug. Am Testfall der gestörten Kommunikation läßt sich nämlich das Problem, das die verstehende Soziologie in den beiden bisher behandelten Varianten beiseiteläßt, nicht länger beiseiteschieben: können Fragen der Bedeutungsexplikation in letzter Instanz von Fragen der Geltungsreflexion getrennt werden oder nicht?

Eine Kommunikation soll gestört heißen, wenn (einige) sprachliche Bedingungen für eine direkte Verständigung zwischen (mindestens) zwei Interaktionsteilnehmern nicht erfüllt sind. Ich will von dem übersichtlichen Fall ausgehen, daß die Beteiligten grammatische Sätze einer gemeinsam beherrschten (oder ohne Schwierigkeiten übersetzbaren) Sprache verwenden. Der hermeneutische Beispielsfall ist die Auslegung eines überlieferten Textes. Der Interpret scheint die Sätze des Autors zunächst zu verstehen, macht aber im weiteren Verlauf die beunruhigende Erfahrung, den Text doch nicht so gut zu verstehen, daß er dem Autor gegebenenfalls auf Fragen *antworten* könnte.[213] Der Interpret nimmt dies als ein Anzeichen dafür, daß er den Text irrtümlich in einen *anderen* Kontext eingebettet hatte und von anderen Fragen ausgegangen ist als der Autor selbst.

Die Aufgabe der Interpretation läßt sich nun so bestimmen, daß der Interpret sein eigenes Kontextverständnis, das er zunächst mit dem des Autors zu teilen glaubte, diesem aber tatsächlich nur unterschoben hatte, vom Kontextverständnis des Autors unterscheiden lernt. Die Aufgabe besteht darin, die Situationsdefinitionen, die der überlieferte Text voraussetzt, aus der Lebenswelt des Autors und seiner Adressaten zu erschließen.

Eine Lebenswelt bildet, wie wir gesehen haben, den Horizont von Verständigungsprozessen, mit denen sich die Beteiligten über et-

213 Zur methodologischen Bedeutung von Frage und Antwort im Anschluß an Collingwood vgl. W. Kuhlmann (1975), 94 ff.

was in der einen objektiven, in ihrer gemeinsamen sozialen oder in einer jeweils subjektiven Welt einig werden oder auseinandersetzen. Der Interpret kann stillschweigend voraussetzen, daß er diese formalen Weltbezüge mit dem Autor und dessen Zeitgenossen teilt. Er sucht zu verstehen, *warum* der Autor, in der Meinung, daß bestimmte Sachverhalte existieren, bestimmte Werte und Normen Geltung haben, bestimmte Erlebnisse bestimmten Subjekten zugerechnet werden dürfen, in seinem Text bestimmte Behauptungen aufgestellt, bestimmte Konventionen beachtet oder verletzt, bestimmte Absichten, Dispositionen, Gefühle usw. geäußert hat. Nur in dem Maße wie der Interpret die *Gründe* einsieht, die die Äußerungen des Autors als *vernünftig* erscheinen lassen, versteht er, was der Autor *gemeint* haben könnte. Vor diesem Hintergrund lassen sich gegebenenfalls einzelne Idiosynkrasien, also diejenigen Stellen identifizieren, die nicht einmal aus den Voraussetzungen der Lebenswelt, die der Autor mit seinen Zeitgenossen geteilt hat, verständlich werden.

Der Interpret versteht also die Bedeutung eines Textes in dem Maße, wie er einsieht, warum sich der Autor berechtigt fühlt, bestimmte Behauptungen (als wahr) aufzustellen, bestimmte Werte und Normen (als richtig) anzuerkennen, bestimmte Erlebnisse (als wahrhaftig) zu äußern. Der Interpret muß sich den Kontext klarmachen, der von dem Autor und dem zeitgenössischen Publikum als gemeinsames Wissen vorausgesetzt worden sein muß, damit seinerzeit diejenigen Schwierigkeiten nicht aufzutreten brauchten, die der Text heute uns bereitet, und damit *andere* Schwierigkeiten unter den Zeitgenossen auftreten konnten, die uns wiederum trivial erscheinen. Allein auf dem Hintergrund der kognitiven, moralischen und expressiven Bestandteile des kulturellen Wissensvorrats, aus dem der Autor und seine Zeitgenossen ihre Interpretationen aufgebaut haben, kann sich der Sinn des Textes erschließen. Aber diese Voraussetzungen wiederum kann der nachgeborene Interpret nicht identifizieren, wenn er nicht zu dem mit dem Text verbundenen Geltungsansprüchen wenigstens implizit Stellung nimmt.

Das erklärt sich aus der immanenten Vernünftigkeit, die der Interpret allen, wie auch immer zunächst opaken Äußerungen unterstellen muß, sofern er sie überhaupt einem Subjekt zuschreibt, an dessen *Zurechnungsfähigkeit* zu zweifeln er keinen Grund sieht. Der Interpret kann den Bedeutungsgehalt eines Textes nicht verstehen, solange er nicht in der Lage ist, sich die Gründe, die der Autor unter geeigneten Umständen hätte anführen können, zu vergegenwärtigen. Und weil die Triftigkeit von Gründen (sei es für die Behauptung von Tatsachen, für die Empfehlung von Normen und Werten oder die Expression von Erlebnissen) nicht mit dem Für-triftig-Halten von Gründen identisch ist, kann sich der Interpret Gründe gar *nicht vergegenwärtigen, ohne sie zu beurteilen,* ohne affirmativ oder negativ zu ihnen Stellung zu nehmen. Es mag sein, daß der Interpret bestimmte Geltungsansprüche dahingestellt sein läßt, daß er sich entschließt, bestimmte Fragen nicht, wie der Autor, als entschieden zu betrachten, sondern als Probleme zu behandeln. Wenn er aber in eine *ansatzweise systematische* Bewertung gar nicht erst eintreten, also eine wie immer implizite Stellungnahme zu den Gründen, die der Autor für seinen Text geltend machen könnte, nicht nur suspendieren, sondern als etwas mit dem deskriptiven Charakter seines Unterfangens Unvereinbares ansehen würde, könnte er Gründe nicht so behandeln, wie sie gemeint sind. In diesem Falle würde der Interpret sein Gegenüber nicht als ein zurechnungsfähiges Subjekt *ernst nehmen.*

Ein Interpret kann die Bedeutung einer opaken Äußerung nur aufklären, indem er erklärt, wie diese Opakheit zustande kommt, d. h. warum die Gründe, die der Autor in seinem Kontext hätte geben können, für uns nicht länger akzeptabel sind. Wenn der Interpret Geltungsfragen gar nicht erst stellen würde, dürfte man ihn mit Recht fragen, ob er überhaupt interpretiere, d. h. eine Anstrengung unternehme, die gestörte Kommunikation zwischen dem Autor, dessen Zeitgenossen und uns wieder in Gang zu bringen. Mit anderen Worten: der Interpret ist gehalten, die performative Einstellung, die er als kommunikativ Handelnder einnimmt, auch und gerade dann beizubehalten, wenn er nach den Präsuppositionen fragt, unter denen ein unverständlicher Text steht.[214]

214 W. Kuhlmann hat den performativen Charakter der Auslegungspraxis sehr energisch herausgearbeitet und gezeigt, daß Sinnverstehen nur auf dem Wege einer

Gadamer spricht in diesem Zusammenhang von einem ›Vorgriff auf Vollkommenheit‹. Der Interpret muß unterstellen, daß der überlieferte Text, trotz seiner anfänglichen Unzugänglichkeit für den Interpreten, eine vernünftige, d. h. unter bestimmten Präsuppositionen begründbare Äußerung darstellt. Dabei »wird nicht nur eine immanente Sinneinheit vorausgesetzt, die dem Lesenden die Führung gibt, sondern das Verständnis des Lesers wird auch ständig von transzendenten Sinnerwartungen geleitet, die aus dem Verhältnis zur Wahrheit des Gemeinten entspringen. So wie der Empfänger eines Briefes die Nachrichten versteht, die er enthält, und zunächst die Dinge mit den Augen des Briefschreibers sieht, d. h. für wahr hält, was dieser schreibt – und nicht etwa die sonderbaren Meinungen des Briefschreibers als solche zu verstehen sucht, so verstehen wir auch überlieferte Texte aufgrund von Sinnerwartungen, die aus unserem eigenen vorgängigen Sachverständnis geschöpft sind ... Erst das Scheitern des Versuchs, das Gesagte als wahr gelten zu lassen, führt zu dem Bestreben, den Text als die Meinung eines anderen – psychologisch oder historisch – ›zu verstehen‹. Das Vorurteil der Vollkommenheit enthält also nicht nur dies Formale, daß ein Text seine Meinung vollkommen aussprechen soll, sondern auch, daß das, was er sagt, die Wahrheit ist. Auch hier bewährt sich, daß Verstehen primär heißt: sich in der Sache verstehen, und erst sekundär: die Meinung des anderen als solche abheben und verstehen. Die erste aller hermeneutischen

mindestens virtuellen Verständigung über die Sache selbst möglich ist: das Verstehen eines Textes verlangt die Verständigung mit dem Autor, der, solange er als zurechnungsfähiges Subjekt gilt, keineswegs ganz objektiviert werden kann. Denn Zurechnungsfähigkeit als die Fähigkeit, sich an Geltungsansprüchen, die auf intersubjektive Anerkennung zielen, zu orientieren, bedeutet, daß der Aktor gegenüber dem Interpreten ebenso müßte *recht behalten*, wie er seinerseits aus einer vom Interpreten geübten Kritik an seinen Präsuppositionen grundsätzlich müßte *lernen* können: »Nur wenn der andere – auch und gerade in den Augen desjenigen, der etwas über ihn erfahren will – (1) prinzipiell in der Lage bleibt, etwas wirklich *Neues und Überraschendes* zu sagen, nur wenn er (2) prinzipiell etwas den Ansichten des ihn erkennen Wollenden *Überlegenes* äußern könnte, wenn dieser von jenem grundsätzlich etwas lernen könnte, und (3) ... nur wenn der andere prinzipiell die Möglichkeit behält, etwas *Wahres* zu sagen, nur dann wird er als Subjekt zugleich erkannt und anerkannt.« Kuhlmann (1975), 84.

Bedingungen bleibt somit das Vorverständnis, das dem Zu-tun-haben mit der gleichen Sache entspringt.«[215]

Gadamer verwendet hier ›Wahrheit‹ in dem traditionell philosophischen Sinne einer propositionale Wahrheit, normative Richtigkeit, Authentizität und Wahrhaftigkeit umfassenden Vernünftigkeit. Vernünftigkeit trauen wir allen Subjekten zu, die sich an Verständigung, und damit an universalen Geltungsansprüchen orientieren, wobei sie ihren Interpretationsleistungen ein intersubjektiv gültiges Bezugssystem von Welten, sagen wir: ein dezentriertes Weltverständnis zugrunde legen. Dieses zugrundeliegende Einverständnis, das uns vorgängig verbindet und an dem jedes faktisch erzielte Einverständnis kritisiert werden kann, begründet die hermeneutische Utopie des allgemeinen und unbegrenzten Gesprächs in einer gemeinsam bewohnten Lebenswelt.[216] Jede gelungene Interpretation ist von der Erwartung begleitet, daß sich der Autor und dessen Adressaten, wenn sie nur »den Zeitenabstand« durch einen, zu unserem Interpretationsvorgang komplementären Lernprozeß überbrücken würden, unser Verständnis ihres Textes teilen könnten. In einem solchen kontrafaktisch zeitenüberwindenden Verständigungsvorgang müßte sich der Autor aus seinem zeitgenössischen Horizont in ähnlicher Weise lösen, wie wir als Interpreten, indem wir uns auf seinen Text einlassen, unseren eigenen Horizont erweitern. Gadamer verwendet dafür das Bild der Horizonte, die miteinander verschmelzen.

Allerdings gibt Gadamer dem Auslegungsmodell des Verstehens eine merkwürdig *einseitige Wendung*. Wenn wir in der performativen Einstellung virtueller Gesprächsteilnehmer davon ausgehen, daß die Äußerung eines Autors die Vermutung der Vernünftigkeit für sich hat, räumen wir ja nicht nur die Möglichkeit ein, daß das Interpretandaum *für uns* vorbildlich ist, daß wir aus ihm etwas lernen können; vielmehr rechnen wir *auch* mit der Möglichkeit, daß der Autor *von uns* lernen könnte. Gadamer bleibt der Erfahrung des Philologen verhaftet, der mit klassischen Texten umgeht – und »klassisch ist, was der historischen Kritik gegenüber stand-

215 Gadamer (1960), 278.
216 Zum Postulat der »unbegrenzten Verständigung« vgl. K. O. Apel, Szientismus oder transzendentale Hermeneutik, in: Apel (1973 b), hier 213 ff.

hält«.[217] Das im Text verkörperte Wissen ist dem des Interpreten, so meint er, grundsätzlich überlegen. Damit kontrastiert die Erfahrung des Anthropologen, der lernt, daß der Interpret gegenüber einer Überlieferung keineswegs immer die Position eines Unterlegenen einnimmt. Um den Hexenglauben der Zande befriedigend zu verstehen, müßte ein moderner Interpret sogar die Lernprozesse nachkonstruieren, die uns von ihnen trennen, und die erklären könnten, worin sich mythisches von modernem Denken in wesentlichen Hinsichten unterscheidet. Hier weitet sich die Aufgabe der Interpretation zu der eigentlich theoretischen Aufgabe aus, der Dezentrierung des Weltverständnisses zu folgen und zu begreifen, wie sich auf diesem Wege die Prozesse des Lernens und des Verlernens verschränkt haben. Nur eine systematische Geschichte der Rationalität, von der wir weit entfernt sind, könnte uns davor bewahren, entweder in schieren Relativismus zu verfallen oder unsere eigenen Rationalitätsstandards auf naive Weise absolut zu setzen.

Der methodologische Ertrag der philosophischen Hermeneutik läßt sich dahingehend zusammenfassen:

– daß der Interpret die Bedeutung einer symbolischen Äußerung nur als virtueller Teilnehmer an dem Verständigungsprozeß der unmittelbar Beteiligten aufklären kann;

– daß ihn die performative Einstellung zwar an das Vorverständnis der hermeneutischen Ausgangssituation bindet;

– daß aber diese Bindung die Gültigkeit seiner Interpretation nicht beeinträchtigen muß,

– weil er sich die rationale Binnenstruktur verständigungsorientierten Handelns zunutze machen und die Beurteilungskompetenz eines zurechnungsfähigen Kommunikationsteilnehmers reflexiv in Anspruch nehmen kann, um

– die Lebenswelt des Autors und seiner Zeitgenossen systematisch mit der eigenen Lebenswelt in Beziehung zu setzen

– und die Bedeutung des Interpretandums als den mindestens implizit beurteilten Sachgehalt einer kritisierbaren Äußerung zu rekonstruieren.

217 Gadamer (1960), 271.

Gadamer gefährdet diese hermeneutische Grundeinsicht, weil sich hinter dem von ihm bevorzugten Modell der geisteswissenschaftlichen Beschäftigung mit kanonisierten Texten der eigentlich problematische Fall der *dogmatischen Auslegung sakraler Schriften* verbirgt. Nur auf dieser Folie kann er Interpretation ausschließlich am Leitfaden der *Applikation*, und das heißt unter dem Gesichtspunkt analysieren, »daß alles Textverstehen eine aktualisierende Aneignung des Textsinnes durch den Interpreten hinsichtlich möglicher Situationen in seiner Welt darstellt«.[218] Die philosophische Hermeneutik behauptet zu Recht einen internen Zusammenhang von Bedeutungs- und Geltungsfragen. Eine symbolische Äußerung zu verstehen, heißt zu wissen, unter welchen Bedingungen ihr Geltungsanspruch akzeptiert werden könnte. Eine symbolische Äußerung verstehen, heißt aber *nicht*, ihrem Geltungsanspruch ohne Ansehung des Kontextes zuzustimmen. Dieser Identifizierung von Verständnis und Einverständnis hat Gadamers traditionalistisch gewendete Hermeneutik mindestens Vorschub geleistet: »Das Einverstandensein ist keinesfalls die notwendige Bedingung einer dialogischen Einstellung zu dem, was verstanden sein will. Dialogisch kann man sich auch zu ausgedrücktem Sinn verhalten, den man in seinem Anspruch versteht, ohne diesen am Ende gelten zu lassen ... Sich selbst als Adressaten eines Anspruchs zu verstehen, heißt nicht, den Anspruch akzeptieren zu müssen, wohl aber, ihn ernst zu nehmen. Ernst nimmt einen Anspruch auch, wer seine Berechtigung prüft – wer also argumentiert und nicht unverzüglich appliziert. Wer eine argu-

218 D. Böhler (1977), 15 ff. Böhler beschreibt den speziellen Fall der dogmatischen Hermeneutik: »Der Auslegung institutioneller Texte, deren Geltung in der Gemeinschaft vorausgesetzt ist, stellt sich die Aufgabe, die Differenzen zwischen Text und je vorausgesetzt ist, stellt sich die Aufgabe, die Differenzen zwischen Text und je gegebener Situation so zu überbrücken, daß sie aktuell zu handlungsorientierender Wirkung gebracht, nämlich auf die gegenwärtige Situation des Interpreten angewendet werden. Diese Aufgabenstellung der situativen Aktualisierung, Aneignung und Anwendung eines verbindlichen praktischen Sinns wird reflektiert und methodologisch bewältigt von der *dogmatischen Hermeneutik*, die von der jüdischen und christlichen Theologie ebenso wie von der Jurisprudenz entwickelt worden ist, und als deren sozialphilosophischer Vorläufer die Aristotelische Phronesislehre betrachtet werden darf« (37).

mentative Prüfung, einen Diskurs zum Zwecke der begründenden Beurteilung, vornimmt, verhält sich auch auf der Ebene der Geltung dialogisch ... Eine *bloße* Applikation bleibt die dialogische Entsprechung schuldig, weil ein Anspruch *als* Geltungsanspruch nur in einem Diskurs anerkannt werden kann. Denn ein Geltungsanspruch enthält die Behauptung, daß etwas *anerkennungswürdig* sei.«[219]

Die Erörterung der handlungstheoretischen Grundbegriffe und der Methodologie des Sinnverstehens hat gezeigt, daß die Rationalitätsproblematik nicht von außen auf die Soziologie zukommt, sondern von innen aufbricht. Sie ist zentriert in einem gleichermaßen metatheoretisch wie methodologisch grundlegenden Begriff von Verständigung. Dieser hat uns unter den beiden Aspekten der Handlungskoordinierung und des sinnverstehenden Zugangs zum Objektbereich interessiert. Verständigungsprozesse zielen auf einen Konsens, der auf der intersubjektiven Anerkennung von Geltungsansprüchen beruht. Diese wiederum können von den Kommunikationsteilnehmern reziprok erhoben und grundsätzlich kritisiert werden. In der Orientierung an Geltungsansprüchen aktualisieren sich Weltbezüge der Aktoren. Indem sich die Subjekte mit ihren Äußerungen jeweils auf etwas in einer Welt beziehen, präsupponieren sie formale Gemeinsamkeiten, die für Verständigung überhaupt konstitutiv sind. Wenn sich diese Rationalitätsproblematik in den Grundbegriffen des sozialen Handelns und der Methode des Sinnverstehens nicht umgehen läßt – wie verhält es sich mit der substantiellen Frage, ob und gegebenenfalls wie sich Modernisierungsprozesse unter Gesichtspunkte der Rationalisierung bringen lassen?

Die als Gesellschaftstheorie auftretende Soziologie hat sich seit ihren Anfängen mit diesem Thema beschäftigt. Darin spiegeln sich Präferenzen, die, wie erwähnt, mit den Entstehungsbedingungen

219 Böhler (1977), 40 f. Böhlers Kritik an Gadamer folgt K. O. Apel (1973 a), Bd. 1, 22 ff.; J. Habermas (1970), 282 ff.; ders. (1976 b), 174 ff.; E. Tugendhat, Der Wahrheitsbegriff bei Husserl und Heidegger, Bln. 1970, 321 ff.; vgl. auch D. Böhler, Philosophische Hermeneutik und hermeneutische Methode, in: M. Fuhrmann, H. R. Jauss, W. Pannenberg (Hrsg.), Text und Applikation, Mü. 1981, 483 ff.

dieser Disziplin zu tun haben; sie lassen sich historisch erklären. Darüber hinaus besteht aber auch ein *interner* Bezug zwischen der Soziologie und einer Theorie der Rationalisierung. Im folgenden werde ich die Theorie des kommunikativen Handelns anhand *dieser* Thematik einführen.

Wenn in die handlungstheoretischen Grundlagen der Soziologie unvermeidlich *irgendein* Begriff von Rationalität eingebaut ist, läuft die Theoriebildung Gefahr, von vornherein auf eine bestimmte kulturell oder historisch gebundene Perspektive eingeschränkt zu werden; es sei denn, man könnte die Grundbegriffe so ansetzen, daß der implizit *mitgesetzte* Begriff der Rationalität *umfassend* und *allgemein* ist, d. h. universalistischen Ansprüchen genügt. Die Forderung nach einem solchen Begriff der Rationalität ergibt sich auch aus methodologischen Erwägungen. Wenn Sinnverstehen als kommunikative Erfahrung verstanden werden muß und diese allein in der performativen Einstellung eines kommunikativ Handelnden möglich ist, ist die Erfahrungsbasis einer sinnverstehenden Soziologie nur dann mit ihrem Anspruch auf Objektivität vereinbar, wenn sich hermeneutische Verfahren mindestens intuitiv auf umfassende und allgemeine Rationalitätsstrukturen stützen können. Unter beiden, metatheoretischen wie methodologischen Gesichtspunkten dürfen wir Objektivität der gesellschaftstheoretischen Erkenntnis nicht erwarten, wenn die einander korrespondierenden Begriffe des kommunikativen Handelns und der Interpretation eine bloß partikulare, mit einer bestimmten kulturellen Überlieferung verwobene Rationalitätsperspektive zum Ausdruck bringen würden.[220]

220 Diese These vertritt mit besonderer Klarheit A. MacIntyre: »... if I am correct in supposing rationality to be an inescapable sociological category, then once again the positivist account of sociology in terms of a logical dichotomy between facts and values must break down. For to characterize actions and institutionalized practices as rational or irrational is to evaluate them. Nor is it the case that this evaluation is an element superadded to an original merely descriptive element. To call an argument fallacious is always at once to describe and to evaluate it. It is highly paradoxical that the impossibility of deducing evaluative conclusions from factual premises should have been advanced as a truth of logic, when logic is itself the science in which the coincidence of description and evaluation is most obvious. The social scientist is, if I am right, committed to the values of rationality in virtue

Die rationale Binnenstruktur von Verständigungsprozessen, die wir (a) mit den drei Weltbezügen von Aktoren und den entsprechenden Begriffen der objektiven, der sozialen und der subjektiven Welt, (b) mit den Geltungsansprüchen propositionale Wahrheit, normative Richtigkeit und Wahrhaftigkeit bzw. Authentizität, (c) mit dem Begriff eines rational motivierten, nämlich auf die intersubjektive Anerkennung kritisierbarer Geltungsansprüche gestützten Einverständnisses und (d) mit dem Konzept der Verständigung als des kooperativen Aushandelns gemeinsamer Situationsdefinitionen vorgreifend charakterisiert haben, müßte, wenn der Objektivitätsforderung genügt werden soll, in einem bestimmten Sinne als *allgemeingültig* nachgewiesen werden. Das ist eine sehr starke Forderung für jemanden, der ohne metaphysische Rückendeckung operiert und auch nicht mehr auf die Durchführbarkeit eines strengen, Letztbegründungsansprüche stellenden transzendentalpragmatischen Programms vertraut.

Es liegt ja auf der Hand, daß der Typus verständigungsorientierten Handelns, dessen rationale Binnenstruktur wir ganz vorläufig skizziert haben, keineswegs immer und überall als der Normalfall kommunikativer Alltagspraxis anzutreffen ist.[221] Ich selbst habe auf Gegensätze zwischen mythischem und modernem Weltverständnis, auf Kontraste zwischen Handlungsorientierungen hingewiesen, die typischerweise in archaischen und modernen Gesellschaften auftreten. Wenn wir für *unseren* Begriff der Rationalität, mit wievielen Vorbehalten auch immer, Allgemeingültigkeit beanspruchen, ohne dabei einem völlig unhaltbaren Fortschrittsglauben anzuhängen, übernehmen wir eine erhebliche Beweislast. Deren Gewicht wird vollends deutlich, wenn wir von scharfen und übervereinfachenden Kontrasten, die eine Überlegenheit des modernen Denkens suggerieren, zu den weniger schroffen Gegensätzen übergehen, die der interkulturelle Vergleich zwischen den Denkweisen der verschiedenen Weltreligionen und Weltzivilisatio-

of his explanatory projects in a stronger sense than the natural scientist is. For it is not only the case that his own procedures must be rational; but he cannot escape the use of the concept of rationality in his inquiries.« MacIntyre (1971 c), 258.

221 Vgl. Th. A. McCarthy, Einwände, in: W. Oelmüller (Hrsg.), Transzendentalphilosophische Normenbegründungen, Paderborn 1978, 134 ff.

nen erschließt. Selbst wenn sich diese Mannigfaltigkeit systematisierter und hoch differenzierter Weltbilder noch in ein hierarchisches Verhältnis zum modernen Weltverständnis setzen ließe, würden wir spätestens innerhalb der Moderne einem Pluralismus von Glaubensmächten begegnen, aus dem sich ein universeller Kern nicht so ohne weiteres herausschälen läßt.

Wenn man heute überhaupt noch den Versuch wagen will, die Allgemeinheit des Begriffs kommunikativer Rationalität darzutun, ohne auf Garantien der großen philosophischen Überlieferung zurückzugreifen, bieten sich grundsätzlich drei Wege an. Der *erste* Weg ist die formalpragmatische Ausarbeitung des propädeutisch eingeführten Begriffs kommunikativen Handelns. Damit meine ich den Versuch einer rationalen Nachkonstruktion von allgemeinen Regeln und notwendigen Voraussetzungen verständigungsorientierter Sprechhandlungen im Anschluß an formale Semantik, Sprechhandlungstheorie und andere Ansätze der Sprachpragmatik. Ein solches Programm zielt auf hypothetische Rekonstruktionen desjenigen vortheoretischen Wissens, das kompetente Sprecher einsetzen, wenn sie Sätze in verständigungsorientierten Handlungen verwenden. Das Programm stellt kein Äquivalent für eine transzendentale Deduktion der beschriebenen kommunikativen Universalien in Aussicht. Die hypothetischen Rekonstruktionen müßten aber an Sprecherintuitionen geprüft werden können, die über ein möglichst breites soziokulturelles Spektrum streuen. Der universalistische Anspruch der formalen Pragmatik läßt sich auf diesem Wege der rationalen Nachkonstruktion natürlicher Intuitionen nicht im transzendentalphilosophischen Sinne *zwingend* einlösen, aber plausibel machen.[222]

Wir können *zweitens* versuchen, die empirische Brauchbarkeit formalpragmatischer Einsichten abzuschätzen. Dazu bieten sich vor allem drei Forschungsbereiche an: die Erklärung pathologischer Kommunikationsmuster, die Evolution der Grundlagen soziokultureller Lebensformen und die Ontogenese von Handlungsfähig-

---

222 Zur Leistungsfähigkeit schwacher transzendentaler Argumente im Sinne Strawsons vgl. G. Schönrich, Kategorien und transzendentale Argumentation, Ffm. 1981, 182 ff.

keiten. (a) Wenn die formale Pragmatik allgemeine und notwendige Bedingungen kommunikativen Handelns rekonstruiert, müssen sich daraus nicht-naturalistische Maßstäbe für normale, d. h. ungestörte Kommunikationsformen gewinnen lassen. Kommunikationsstörungen können dann auf die Verletzung der formalpragmatisch ausgezeichneten Normalitätsbedingungen zurückgeführt werden. Hypothesen dieser Art könnten an dem Material über Muster systematisch verzerrter Kommunikation geprüft werden, das bisher unter klinischen Gesichtspunkten vor allem in pathogenen Familien gesammelt und sozialisationstheoretisch ausgewertet worden ist. (b) Auch die Anthropogenese müßte Aufschluß darüber geben können, ob der universalistische Anspruch der formalen Pragmatik ernstgenommen werden kann. Die formalpragmatisch beschriebenen Strukturen erfolgs- und verständigungsorientierten Handelns müßten sich an den emergenten Merkmalen ablesen lassen, die im Verlaufe der Hominisation auftreten und die Lebensform soziokulturell vergesellschafteter Individuen kennzeichnen. (c) Schließlich kann der universalistische Anspruch der Formalpragmatik anhand des Materials geprüft werden, das die Entwicklungspsychologie für den Erwerb kommunikativer und interaktiver Fähigkeiten präsentiert. Die Rekonstruktion verständigungsorientierten Handelns müßte sich zur Beschreibung der Kompetenzen eignen, deren Ontogenese in der Piagettradition bereits unter universalistischen Gesichtspunkten erforscht wird.

Es bedarf ersichtlich einer großen Anstrengung, um diese drei Forschungsperspektiven, sei es auch nur durch sekundäre Auswertung der empirischen Forschungen auf diesen Gebieten, auszufüllen. Etwas weniger anspruchsvoll ist *drittens* die Aufarbeitung der soziologischen Ansätze zu einer Theorie der gesellschaftlichen Rationalisierung. Hier können wir an eine gut ausgebildete Tradition der Gesellschaftstheorie anschließen. *Diesen* Weg wähle ich, freilich nicht in der Absicht, historische Untersuchungen durchzuführen. Vielmehr nehme ich Begriffsstrategien, Annahmen und Argumentationen von Weber bis Parsons in der systematischen Absicht auf, die Probleme zu entfalten, die mit Hilfe einer in Grundbegriffen des kommunikativen Handelns entwickelten Theorie der Rationalisierung gelöst werden können. Nicht Ideengeschichte, sondern Theoriegeschichte in systematischer Absicht kann zu diesem Ziel führen. Das flexible Abtasten und gezielte Ausschöpfen von bedeutenden, zu explanativen Zwecken errichteten Theoriekonstruktionen erlaubt ein, wie ich hoffe, ertragreiches problemorientiertes Vorgehen. Ich möchte mich des systematischen Ertrages unter den in der Einleitung entwickelten theoretischen Gesichtspunkten in Exkursen und in Zwischenbetrachtungen vergewissern.

Dieser Weg der Theoriegeschichte in systematischer Absicht empfiehlt sich keineswegs aus Gründen einer *falschen* Bequemlichkeit, die sich immer dann einschleicht, wenn wir ein Problem noch nicht frontal bearbeiten können. Ich glaube, daß dieser Alternative – Ausweichen in die Theoriegeschichte vs. systematische Bearbeitung – eine falsche Einschätzung des Status der Gesellschaftstheorie zugrunde liegt, und zwar in zweifacher Hinsicht. Zum einen hat in den Sozialwissenschaften der Wettstreit der Paradigmen einen anderen Stellenwert als in der modernen Physik. Die Originalität der großen Gesellschaftstheoretiker wie Marx, Weber, Durkheim und Mead besteht, wie in den Fällen Freud und Piaget, darin, daß sie Paradigmen eingeführt haben, die in gewisser Weise heute noch *gleichberechtigt* konkurrieren. Diese Theoretiker sind Zeitgenossen geblieben, jedenfalls nicht in demselben Sinne ›historisch‹ geworden wie Newton, Maxwell, Einstein oder Planck, welche in der theoretischen Ausschöpfung eines einzigen fundamentalen Paradigmas Fortschritte erzielt haben.[223] Zum anderen sind die sozialwissenschaftlichen Paradigmen mit dem gesellschaftlichen Kontext, in dem sie entstehen und wirksam werden, *intern* verknüpft. In ihnen reflektiert sich das Welt- und Selbstverständnis von Kollektiven: sie dienen mittelbar der Interpretation von gesellschaftlichen Interessenlagen, Aspirations- und Erwartungshorizonten.[224] Für jede Gesellschaftstheorie ist deshalb das *Anschließen an die Theoriegeschichte* auch eine Art Test: je zwangloser sie

223 A. Ryan, Normal Science or Political Ideology? in: P. Laslett, W. G. Runciman, Q. Skinner (Eds.), Philosophy, Politics and Society, Vol. 4, Cambridge 1972.
224 Sh. S. Wolin, Paradigms and Political Theories, in: P. King, B. C. Parekh (Eds.), Politics and Experience, Cambridge 1968; R. F. Bernstein, Restrukturierung der Gesellschaftstheorie, Ffm. 1979, 103 ff.

die Intentionen früherer Theorietraditionen in sich aufnehmen, erklären, kritisieren und fortführen kann, um so eher ist sie gegen die Gefahr gefeit, daß sich in ihrer eigenen theoretischen Perspektive unbemerkt partikulare Interessen zur Geltung bringen.

Im übrigen haben theoriegeschichtliche Rekonstruktionen den Vorzug, daß wir zwischen handlungstheoretischen Grundbegriffen, theoretischen Annahmen und den illustrativ herangezogenen empirischen Evidenzen hin- und hergehen und gleichzeitig das Grundproblem, nämlich die Frage: ob und gegebenenfalls wie die kapitalistische Modernisierung als ein Vorgang vereinseitigter Rationalisierung begriffen werden kann, als Bezugspunkt festhalten können. Dabei werde ich den folgenden Weg einschlagen. Max Webers Theorie der Rationalisierung erstreckt sich einerseits auf den Strukturwandel religiöser Weltbilder und das kognitive Potential der ausdifferenzierten Wertsphären Wissenschaft, Moral und Kunst, andererseits auf das selektive Muster der kapitalistischen Modernisierung (Kap. II). An dem aporetischen Gang der marxistischen Rezeption der Weberschen Rationalisierungsthese von Lukács bis Horkheimer und Adorno zeigen sich die Grenzen des bewußtseinstheoretischen Ansatzes und die Gründe für einen Paradigmenwechsel von der Zweckmäßigkeit zum kommunikativen Handeln (Kap. IV). In diesem Lichte fügen sich G. H. Meads kommunikationstheoretische Grundlegung der Sozialwissenschaften und E. Durkheims Religionssoziologie so zusammen, daß das Konzept der sprachlich vermittelten normengeleiteten Interaktion im Sinne einer begrifflichen Genese erklärt werden kann. Die Idee der Versprachlichung des Sakralen bietet sich als der Gesichtspunkt an, unter dem Meads und Durkheims Annahmen zur Rationalisierung der Lebenswelt konvergieren (Kap. V).

Anhand der Theorieentwicklung von T. Parsons läßt sich das Problem der Verknüpfung von system- und handlungstheoretischen Grundbegrifflichkeiten analysieren. Dabei werden die Ergebnisse der systematischen Fragen gewidmeten Zwischenbetrachtungen aufgenommen (Kap. VII). Die erste Zwischenbetrachtung nimmt Max Webers Handlungstheorie zum Ausgangspunkt, um den formalpragmatischen Ansatz einer Theorie des kommunikativen Handelns darzustellen (Kap. III). Die zweite Zwischenbetrachtung entwickelt zunächst das Konzept der Lebenswelt und verfolgt dann den evolutionären Trend zur Entkoppelung von System und Lebenswelt so weit, daß Max Webers Rationalisierungsthese umformuliert und auf gegenwärtige Verhältnisse angewendet werden kann (Kap. VI). Die Schlußbetrachtung führt die theoriegeschichtlichen und die systematischen Untersuchungen zusammen; sie soll einerseits die vorgeschlagene Interpretation der Moderne an Verrechtlichungstendenzen einer Überprüfung zugänglich machen und andererseits die Aufgaben präzisieren, die sich heute einer kritischen Gesellschaftstheorie stellen (Kap. VIII).

II. Max Webers Theorie der Rationalisierung

Max Weber ist unter den soziologischen Klassikern der einzige, der mit den Prämissen des geschichtsphilosophischen Denkens wie mit den Grundannahmen des Evolutionismus gebrochen hatte und gleichwohl die Modernisierung der alteuropäischen Gesellschaft als Ergebnis eines universalgeschichtlichen Rationalisierungsprozesses begreifen wollte. Max Weber hat Rationalisierungsvorgänge einer umfassenden empirischen Untersuchung zugänglich gemacht, ohne sie empiristisch so umzudeuten, daß gerade die Rationalitätsaspekte an den gesellschaftlichen Lernprozessen verschwinden. Max Weber hat sein Werk in fragmentarischem Zustand hinterlassen; am Leitfaden seiner Theorie der Rationalisierung läßt sich jedoch der Entwurf des Ganzen rekonstruieren; diese Deutungsperspektive, die in den überwiegend philosophischen Diskussionen der 20er Jahre schon einmal dominiert hatte[1], dann aber zugunsten einer strenger soziologischen, an »Wirtschaft und Gesellschaft« orientierten Interpretation zurückgedrängt worden ist, hat sich in der jüngsten Weberforschung wieder durchgesetzt.[2] Gerade aus einer Perspektive, die das Werk als Ganzes in den Blick rückt, treten Inkonsistenzen deutlicher hervor, von denen besonders die folgende instruktiv ist. Weber analysiert jenen *religionsgeschichtlichen Entzauberungsprozeß*, der die notwendigen internen Bedingungen für das Auftreten des okzidentalen Rationalismus erfüllen soll, mit Hilfe eines komplexen, wenn auch weithin unge-

1 K. Löwith, Max Weber und Karl Marx, in: ders., Ges. Abhandlungen, Stuttg. 1960, 1 ff.; S. Landshut, Kritik der Soziologie, Leipzig, Neuwied 1969, 12 ff.; H. Freyer, Soziologie als Wirklichkeitswissenschaft, Darmst. 1964, 145 ff. Dazu mein Hinweis in: O. Stammer (Hrsg.), Max Weber und die Soziologie heute, Tbg. 1965, 74 ff., wieder abgedruckt in: Habermas (1970), 313 ff. In dieser Tradition auch noch die Textsammlung D. Käsler (Hrsg.), Max Weber, Mü. 1972; N. Birnbaum, Konkurrierende Interpretationen der Genese des Kapitalismus: Marx und Weber, in: C. Seyfarth, M. Sprondel (Hrsg.), Religion und gesellschaftliche Entwicklung, Ffm. 1973, 38 ff.
2 St. Kalberg, The Discussion of Max Weber in Recent German Sociological Literature, in: Sociology, 13, 1979, 127 ff.

klärten Rationalitätsbegriffs; hingegen läßt er sich bei der Analyse der *gesellschaftlichen Rationalisierung*, wie sie sich in der Moderne durchsetzt, von der eingeschränkten Idee der Zweckrationalität leiten. Diesen Begriff teilt Weber mit Marx auf der einen, mit Horkheimer und Adorno auf der anderen Seite. Ich will vorweg die Perspektive meiner Fragestellung durch einen groben Vergleich dieser drei Positionen deutlich machen.[3]

Nach Marx setzt sich die gesellschaftliche Rationalisierung unmittelbar in der Entfaltung der Produktivkräfte durch, d. h. in der Erweiterung des empirischen Wissens, der Verbesserung der Produktionstechniken und der immer wirksameren Mobilisierung, Qualifizierung und Organisation von gesellschaftlich nutzbarer Arbeitskraft. Hingegen werden die Produktionsverhältnisse, also die Institutionen, die die Verteilung sozialer Macht zum Ausdruck bringen und den differentiellen Zugang zu den Produktionsmitteln regulieren, allein unter dem Rationalisierungsdruck der Produktivkräfte revolutioniert. Max Weber beurteilt den institutionellen Rahmen der kapitalistischen Wirtschaft und des modernen Staates anders: nicht als Produktionsverhältnisse, die das Rationalisierungspotential fesseln, sondern als die Subsysteme zweckrationalen Handelns, in denen sich der okzidentale Rationalismus gesellschaftlich entfaltet. Freilich befürchtet er, als Folge der Bürokratisierung, eine Verdinglichung sozialer Verhältnisse, die die motivationalen Antriebe rationaler Lebensführung erstickt. Horkheimer und Adorno, später auch Marcuse, deuten Marx aus dieser Weberschen Perspektive. Im Zeichen einer verselbständigten instrumentellen Vernunft verschmilzt die Rationalität der Naturbeherrschung mit der Irrationalität der Klassenherrschaft, stabilisieren die entfesselten Produktivkräfte die entfremdenden Produktionsverhältnisse. Die »Dialektik der Aufklärung« tilgt die Ambivalenz, die Max Weber gegenüber Rationalisierungsprozessen noch hegte, und sie kehrt Marxens positive Einschätzung kurzerhand um. Wissenschaft und Technik, für Marx ein unzweideutig emanzipatorisches Potential, werden selbst zum Medium gesellschaftlicher Repression.

3 Vgl. zum Folgenden Wellmer, MS (1977).

Mich interessiert im Augenblick nicht, welche der drei Positionen im Recht sein könnte; mich interessiert vielmehr die theoretische Schwäche, die sie teilen. Auf der einen Seite identifizieren Marx, Weber, Horkheimer und Adorno gesellschaftliche Rationalisierung mit dem Wachstum der instrumentellen und strategischen Rationalität von Handlungszusammenhängen; auf der anderen Seite schwebt ihnen, ob nun im Begriff der Assoziation freier Produzenten, in den historischen Vorbildern ethisch rationaler Lebensführung oder in der Idee eines geschwisterlichen Umgangs mit der wiederaufgerichteten Natur, eine *umfassende gesellschaftliche Rationalität* vor, an der sich der relative Stellenwert der empirisch beschriebenen Rationalisierungsprozesse bemißt. Dieser umfassendere Begriff von Rationalität müßte aber auf derselben Ebene ausgewiesen werden wie die Produktivkräfte, die Subsysteme zweckrationalen Handelns, die totalitären Träger der instrumentellen Vernunft. Das geschieht nicht. Den Grund dafür sehe ich einerseits in handlungstheoretischen Engpässen: die von Marx, Max Weber, Horkheimer und Adorno zugrunde gelegten Handlungsbegriffe sind nicht komplex genug, um an sozialen Handlungen *alle* die Aspekte zu erfassen, an denen gesellschaftliche Rationalisierung ansetzen kann.[4] Und andererseits in der Vermengung handlungs- und systemtheoretischer Grundbegriffe: die Rationalisierung von Handlungsorientierungen und lebensweltlichen Strukturen ist nicht dasselbe wie der Komplexitätszuwachs von Handlungssystemen.[5]

Auf der anderen Seite möchte ich zu Beginn klarstellen, daß Max Weber die Rationalitätsthematik in einem wissenschaftlichen Kontext aufnimmt, der die Hypotheken der Geschichtsphilosophie und des geschichtsphilosophisch belasteten Evolutionismus des 19. Jahrhunderts bereits abgelöst hat. Die Theorie der Rationalisierung gehört *nicht* zu jenem spekulativen Erbe, dessen sich die Soziologie als Wissenschaft entledigen müßte. Als sich die Soziologie in den Spuren der schottischen Moralphilosophie und des

---

4 J. Habermas, Some Aspects of the Rationality of Action, in: F. Geraets (Ed.), Rationality Today, Ottawa 1979, 185 ff.
5 N. Luhmann, Zweckbegriff und Systemrationalität, Tbg. 1968.

Frühsozialismus mit eigener Fragestellung und eigenen theoretischen Ansätzen als Disziplin für die Entstehung und Entwicklung der modernen Gesellschaft herausbildete,[6] fand sie das Thema der gesellschaftlichen Rationalisierung bereits vor: es war im 18. Jahrhundert von der Geschichtsphilosophie bearbeitet und im 19. Jahrhundert von den evolutionistischen Gesellschaftstheorien aufgenommen und transformiert worden. Ich möchte an diese Vorgeschichte kurz erinnern, um die Problemlage zu kennzeichnen, mit der Max Weber konfrontiert war.

Die wichtigsten Motive des geschichtsphilosophischen Denkens sind in Condorcets »Esquisse d'un Tableau Historique des Progrès de L'Esprit Humain« von 1794 enthalten.[7] Das Rationalitätsmodell bieten die mathematischen Naturwissenschaften. Deren Kern ist die Newtonsche Physik. Sie hat die »wahre Methode des Studiums der Natur« entdeckt; »Beobachtung, Experiment und Berechnung« sind die drei Werkzeuge, mit denen die Physik die Geheimnisse der Natur entschlüsselt. Wie Kant ist auch Condorcet vom »sicheren Gang« dieser Wissenschaft beeindruckt. Sie wird zum Paradigma von Erkenntnis überhaupt, weil sie einer Methode folgt, die Naturerkenntnis über den Schulstreit der Philosophen erhebt und die bisherige Philosophie zu bloßer Meinung herabsetzt: »Mathematik und Naturwissenschaft bilden eine große Abteilung für sich. Da sie auf Berechnung und Beobachtung beruhen, und ihre Lehren unabhängig sind von den Meinungen, welche die Schulen entzweien, spalteten sie sich von der Philosophie ab.«[8] Concorcet versucht nun nicht, wie Kant, die Grundlagen der methodischen Erkenntnis, und damit die Bedingungen der Rationalität der Wissenschaft, aufzuklären; er interessiert sich für das, was Max Weber die »Kulturbedeutung« der Wissenschaft nennen wird, für die Frage, wie sich das methodisch gesicherte Wachstum theoretischen Wissens auf den Fortgang des menschlichen Geistes und des kulturellen Lebenszusammenhanges im ganzen auswirkt.

6 H. Strasser, The Normative Structure of Sociology, London 1976, 44 ff.
7 Ich zitiere nach der von W. Alff besorgten deutsch-französischen Ausgabe des Textes: Condorcet, Entwurf einer historischen Darstellung der Fortschritte des menschlichen Geistes, Ffm. 1963.
8 Condorcet (1963), 125.

Concorcet will die Geschichte der Menschheit nach dem Modell der Geschichte der modernen Wissenschaft, d. h. als Vorgang der Rationalisierung begreifen. Er stellt im wesentlichen vier Überlegungen an.

(a) Condorcet deutet zunächst den Begriff der Perfektion nach dem Muster wissenschaftlichen Fortschritts um. Perfektion bedeutet nicht länger, wie in der aristotelischen Tradition, die Verwirklichung eines in der Natur der Sache angelegten Telos, sondern einen zwar gerichteten, aber nicht im voraus teleologisch begrenzten Vorgang der Vervollkommnung. Die Perfektion wird als Fortschritt interpretiert. Condorcet möchte in seinem Werk darlegen, »daß die Natur der Vervollkommnung der menschlichen Fähigkeiten (perfectionnement des facultés humaines) keine Grenzen gesetzt hat; daß die Fähigkeit des Menschen zur Vervollkommnung tatsächlich unabsehbar ist; daß die Fortschritte dieser Fähigkeit zur Vervollkommnung ... ihre Grenze allein im zeitlichen Bestand des Planeten haben, auf den die Natur uns hat angewiesen sein lassen«.[9] Die Fortschritte des menschlichen Geistes sind nicht durch ein ihnen innewohnendes Telos begrenzt, und sie vollziehen sich unter kontingenten Bedingungen. Der Begriff des *Fortschritts* ist mit der Idee des *Lernens* verknüpft. Nicht der Annäherung an ein Telos verdankt der menschliche Geist seine Fortschritte, sondern der ungehinderten Betätigung seiner Intelligenz, also einem Lernmechanismus. Lernen bedeutet die intelligente Überwindung von Hindernissen; Condorcet charakterisiert die »Verfassung unserer Intelligenz« durch das »Verhältnis zwischen unseren Mitteln, die Wahrheit zu entdecken, und dem Widerstand, den die Natur unseren Anstrengungen entgegensetzt«.[10]

(b) Zu diesen Widerständen der Natur gehört das Vorurteil, der Aberglaube. Das am Modell der Naturwissenschaften entwickelte Konzept der Erkenntnis entwertet die überlieferten religiösen, philosophischen, moralischen und politischen Vorstellungen gleichsam mit einem Schlage. Gegenüber der Macht dieser Tradition wächst den Wissenschaften die *Funktion der Aufklärung* zu.

9 Condorcet (1963), 29.
10 Condorcet (1963), 253.

Am Ende des 18. Jahrhunderts ist die Institutionalisierung der Wissenschaften als eines von Theologie und humanistischer Rhetorik unabhängigen Subsystems so weit fortgeschritten, daß die Organisation der Wahrheitsfindung zum Vorbild für die Organisation von Staat und Gesellschaft werden kann. Aufklärung wird zum politischen Begriff für die Emanzipation von Vorurteilen durch die praktisch folgenreiche Diffusion von wissenschaftlichen Erkenntnissen, in Condorcets Worten: für die Auswirkung der Philosophie auf die *öffentliche Meinung*. Der wissenschaftliche Fortschritt kann sich in eine Rationalisierung des gesellschaftlichen Lebens nur umsetzen, wenn die Wissenschaftler die Aufgabe der öffentlichen Erziehung mit dem Ziel übernehmen, die Prinzipien ihrer eigenen Arbeit zu Prinzipien des gesellschaftlichen Verkehrs überhaupt zu machen. Der Wissenschaftler in seiner Funktion als Aufklärer versucht, das Recht, das er genießt, »laut zu verkünden«, nämlich das Recht, »jedwede Meinung der Prüfung durch unsere eigene Vernunft zu unterwerfen ... Sehr bald entstand in Europa eine Klasse von Menschen, die weniger damit beschäftigt waren, die Wahrheit zu entdecken oder zu ergründen, als sie zu verbreiten. Sie widmeten sich der Aufgabe, alle die Vorurteile bis in die Schlupfwinkel hinein zu verfolgen, in denen Klerus und Schulen, Regierungen und althergebrachte Korporationen ihnen Zuflucht gewährt und sie gehegt hatten; sie suchten ihren Ruhm mehr darin, die im Volk verbreiteten Irrtümer auszurotten, als darin, die Grenzen des menschlichen Wissens zu erweitern.« Und Condorcet, selber im Gefängnis, fügt hinzu: »Sie dienten dem Fortschritt der Erkenntnis mittelbar, was weder ungefährlicher noch nutzloser war.«[11]

(c) Der Begriff der Aufklärung dient als Brücke zwischen der Idee des wissenschaftlichen Fortschritts und der Überzeugung, daß die Wissenschaften auch der moralischen Vervollkommnung der Menschen dienen. Aufklärung erfordert im Kampf mit den Traditionsgewalten der Kirche und des Staates den Mut, sich des eigenen Verstandes zu bedienen, also Autonomie oder Mündigkeit. Außerdem kann sich das Pathos der Aufklärung auf die Erfahrung stüt-

11 Condorcet (1963), 275.

zen, daß die moralisch-praktischen Vorurteile durch die kritische Gewalt der Wissenschaften tatsächlich erschüttert wurden. »Alle politischen und moralischen Irrtümer nehmen ihren Ausgang von philosophischen Irrtümern, die ihrerseits wieder an physikalische Irrtümer anknüpfen. Es gibt kein religiöses System, keine über die Natur hinausstrebende Schwärmerei, die nicht in der Unkenntnis der Naturgesetze begründet wäre.«[12] So lag es für Condorcet nahe, den Wissenschaften nicht nur in kritischer Hinsicht zu vertrauen, sondern von ihnen auch Hilfe in der Beantwortung normativer Fragen zu erwarten: »Die mathematischen und physikalischen Wissenschaften dienen der Vervollkommnung der Techniken, welche unsere einfachsten Bedürfnisse erheischen: liegt es nicht ebenso in der notwendigen Ordnung der Natur, daß der Fortschritt der moralischen und politischen Wissenschaften die gleiche Wirkung auf die Beweggründe ausübt, die unsere Empfindungen und Handlungen bestimmen?«[13] Condorcet rechnet in moralisch-praktischen Fragen ebenso wie in kognitiven mit der Möglichkeit des Lernens und der wissenschaftlichen Organisation von Lernprozessen. Wie der Mensch fähig ist, »moralische Begriffe zu erwerben«, so wird es ihm auch gelingen, die moralischen Wissenschaften auf das bereits erreichte Niveau der Naturwissenschaft zu bringen: »Die einzige Grundlage für die Glaubwürdigkeit der Naturwissenschaften ist die Idee, daß die allgemeinen Gesetze, welche die Erscheinungen im Universum bestimmen, ob man sie kennt oder nicht, notwendig und beständig sind; und aus welchem Grunde sollte dies Prinzip für die Entwicklung der intellektuellen und moralischen Fähigkeiten des Menschen weniger Gültigkeit haben als für die anderen Vorgänge der Natur?«[14]

(d) Wenn sich aber die Aufklärung auf Humanwissenschaften stützen kann, deren Erkenntnisfortschritt methodisch in gleicher Weise gesichert ist wie der der Naturwissenschaften, dürfen wir Fortschritte nicht nur in der Moralität der einzelnen Menschen, sondern in den Formen des zivilisierten Zusammenlebens erwarten.

12 Condorcet (1963), 325.
13 Condorcet (1963), 381.
14 Condorcet (1963), 345.

Den Fortschritt der Zivilisation sieht Condorcet wie Kant auf der Linie einer Republik, die die bürgerlichen Freiheiten garantiert, einer internationalen Ordnung, die einen dauerhaften Frieden herbeiführt, einer Gesellschaft, die wirtschaftliches Wachstum und technischen Fortschritt beschleunigt und soziale Ungleichheiten abschafft oder doch kompensiert. Er erwartet u. a. die Beseitigung der Vorurteile, »die zwischen den beiden Geschlechtern eine Ungleichheit der Rechte gestiftet haben«;[15] er erwartet die Beseitigung von Kriminalität und Verwahrlosung, die hygienische und medizinische Überwindung von Elend und Krankheit; er glaubt, »daß eine Zeit kommen muß, da der Tod nurmehr die Wirkung außergewöhnlicher Umstände sein wird«.[16]

Mit anderen Worten: Condorcet glaubt an das ewige Leben vor dem Tode. Diese Konzeption ist für das geschichtsphilosophische Denken des 18. Jahrhunderts repräsentativ, auch wenn sie erst von einem Zeitgenossen der Französischen Revolution eine so pointierte Fassung erhalten konnte. Gerade die Radikalität läßt freilich die Bruchstellen des geschichtsphilosophischen Denkens hervortreten. Es sind vor allem vier Präsuppositionen, die in der Folgezeit problematisch geworden sind und den Anstoß zu einer Transformation der geschichtsphilosophischen Deutung der Moderne gegeben haben.

Zunächst meine ich die Voraussetzungen, die Condorcet machen muß, wenn er eine lineare Fortschrittskonzeption auf den durch die moderne Naturwissenschaften repräsentierten wissenschaftlichen Fortschritt stützt. Er setzt (a) voraus, daß sich die Geschichte der Physik und die an ihrem Vorbild orientierten Wissenschaften als ein kontinuierlicher Entwicklungspfad rekonstruieren läßt. Demgegenüber betont heute die postempiristische Wissenschaftstheorie die Abhängigkeit der Theoriebildung von Paradigmen; sie bringt zu Bewußtsein, daß sich das Kontinuum wissenschaftlicher Rationalität nicht unmittelbar auf der Ebene der Theoriebildung, sondern auf der Ebene der intertheoretischen Relationen, d. h. der unübersichtlichen Beziehung zwischen verschiedenen Paradigmen

15 Condorcet (1963), 383.
16 Condorcet (1963), 395.

herstellt. Riskanter ist aber (b) die weitere Voraussetzung, daß alle Probleme, auf die bisher religiöse und philosophische Lehren eine Antwort gegeben haben, entweder in wissenschaftlich bearbeitbare Probleme umgesetzt und in diesem Sinne rational gelöst oder als Scheinprobleme durchschaut und objektiv zum Verschwinden gebracht werden können. Condorcets Erwartung, daß der Tod abgeschafft werden könne, ist nicht einfach ein Kuriosum. Dahinter verbirgt sich die Auffassung, daß Kontingenzerfahrungen und Sinnprobleme, die bisher religiös gedeutet und kultisch abgearbeitet worden sind, radikal *entschärft* werden können. Sonst würde ein rational unauflösbarer Problemrest übrigbleiben, der immerhin eine empfindliche Relativierung des Werts einer auf Wissenschaft allein gestützten Problemlösungsfähigkeit bedeuten mußte. Dies ist ein Ausgangspunkt für Max Webers Versuch, die Prozesse der gesellschaftlichen Rationalisierung nicht am Leitfaden der Wissenschaftsentwicklung, sondern der Entwicklung religiöser Weltbilder zu verfolgen.

Zweitens ist sich Condorcet, ein Sohn des 18. Jahrhunderts, nicht über die Tragweite des universalistischen Anspruchs im klaren, den er stellt, wenn er die Einheit der Menschheitsgeschichte unter dem Bezugspunkt einer Rationalität begreift, die durch die moderne Wissenschaft repräsentiert ist. Condorcet zweifelt nicht daran, daß sich eines Tages *alle* Nationen »dem Zustand der Zivilisation nähern, den die aufgeklärtesten, freiesten und vorurteilslosesten Völker, wie die Franzosen und die Anglo-Amerikaner erreicht haben«.[17]

Diese Überzeugung rechtfertigt er letztlich damit, daß die Rationalität, die mit den Naturwissenschaften zum Durchbruch gekommen ist, nicht bloß partikulare Standards der abendländischen Zivilisation widerspiegelt, sondern dem menschlichen Geist überhaupt inhärent ist. Diese Voraussetzung einer universellen Vernunft wird zunächst von der Historischen Schule und später von der Kulturanthropologie in Frage gestellt; sie ist bis heute ein kontroverses Thema, wie die in der Einleitung behandelte Rationalitätsdebatte zeigt. Für den Fortgang der Geschichtsphilosophie im

17 Condorcet (1963), 345.

19. Jahrhundert waren aber vor allem zwei weitere Voraussetzungen von großer Bedeutung.

Drittens verknüpft Condorcet, wie wir gesehen haben, die kognitiven Aspekte des wissenschaftlichen Fortschritts mit den moralisch-praktischen Aspekten eines Mündigwerdens im Sinne der Befreiung von Dogmatismus und von naturwüchsiger Autorität. Condorcet operiert dabei mit einem vorkritischen Begriff von ›Natur‹, der in Kants geschichtsphilosophischen Schriften reflektiert wiederkehrt; mit ihm setzt er die Einheit von theoretischer und praktischer Vernunft voraus. Diese wird bei Condorcet nicht zum Problem, obgleich seit Hume klar ist, daß sich normative Sätze der Moral- und Staatstheorie nicht aus Sätzen der empirischen Wissenschaften ableiten lassen. Dieses Thema ist zunächst innerhalb der Philosophie, von Kant bis Hegel, bearbeitet worden. Die dialektische Vermittlung von theoretischer und praktischer Vernunft, die Hegel in seiner Rechtsphilosophie durchgeführt hatte, hat dann über Marx in die Gesellschaftstheorie Eingang gefunden, und zwar in doppelter Weise. *Zum einen* kritisierte Marx die Selbstgenügsamkeit einer retrospektiv gerichteten philosophischen Reflexion. Aus der zeitgeschichtlichen Temporalisierung der Hegelschen Dialektik entsprang das Dauerthema der Vermittlung von Theorie und Praxis. Die Fragen, die in die Zuständigkeit der praktischen Vernunft fielen, sollten nun nicht mehr mit philosophischen Mitteln allein gelöst werden können; sie reichen über den Horizont bloßer Argumentation hinaus: die Waffen der Kritik bedürfen der Kritik der Waffen. Über die Fortführung der Theorie mit anderen, nämlich praktischen Mitteln, läßt sich nicht viel Allgemeines sagen; was sich darüber sagen läßt, ist Sache der Revolutionstheorie.[18]

Zum anderen ist Hegel auch auf dem Wege einer unkritischen Aneignung des dialektischen Begriffsapparates wirksam geworden; in die Grundbegriffe der Kritik der Politischen Ökonomie ist die Einheit von theoretischer und praktischer Vernunft so eingelassen, daß die normativen Grundlagen der Marxschen Theorie bis

18 M. Theunissen, Die Verwirklichung der Vernunft, Beiheft 6 der Philos. Rundschau, Tbg. 1970.

heute verdunkelt worden sind. Diese Unklarheit ist im Marxismus teils umgangen, teils verdeckt, aber nicht eigentlich ausgeräumt worden: umgangen durch die Aufspaltung der Marxschen Gesellschaftstheorie in Sozialforschung und ethischen Sozialismus (M. Adler); und verdeckt sowohl durch eine orthodoxe Bindung an Hegel (Lukács, Korsch) wie durch eine Assimilation an die stärker naturalistischen Entwicklungstheorien des 19. Jahrhunderts (Engels, Kautsky). Diese Theorien bilden die Brücke, über die zunächst die geschichtsphilosophisch behandelte Rationalisierungsthematik auf die Soziologie übergegangen ist.[19]

Für diese Theorien ist vor allem die *vierte* Voraussetzung relevant geworden, unter der Condorcet seine Geschichtskonzeption entwickelt. Condorcet kann die Fortschritte der Zivilisation nur dann auf die Fortschritte des menschlichen Geistes zurückführen, wenn er mit der empirischen Wirksamkeit eines immer weiter verbesserten theoretischen Wissens rechnet. Jeder Interpretationsansatz, der geschichtliche Phänomene unter Gesichtspunkte der Rationalisierung bringt, muß davon ausgehen, daß das argumentative Potential von Erkenntnissen und Einsichten *empirisch wirksam* wird. Aber Condorcet untersucht weder die Lernmechanismen und die Bedingungen, unter denen Lernvorgänge stattfinden; noch erklärt er, wie sich Erkenntnisse in technischen Fortschritt, in ökonomisches Wachstum, in eine vernünftige Organisation der Gesellschaft umsetzen; noch zieht er die Möglichkeit in Betracht, daß Erkenntnisse auf dem Wege *nicht-intendierter Nebenwirkungen* effektiv werden. Er verläßt sich auf eine automatische Wirksamkeit des Geistes, also darauf, daß die menschliche Intelligenz auf Wissensakkumulation angelegt ist und über eine Diffusion des Wissens per se Fortschritte der Zivilisation bewirkt. Diese Automatik erscheint freilich unter zwei Aspekten, die in einem umgekehrten Verhältnis zueinander stehen. *Aus der praktischen Perspektive* der Beteiligten erscheinen die zivilisatorischen Fortschritte als Ergebnisse einer Praxis der Verbreitung des Wissens, der Einflußnahme der Philosophen auf die öffentliche Meinung, der Reform des Schulunterrichts, der Volksbildung usw. Diese Praxis der Aufklä-

19 Habermas (1976a), Einleitung.

rer, die weitere Fortschritte des menschlichen Geistes intendieren, ist aber ihrerseits ein Kind der Geschichtsphilosophie, denn diese bringt den Menschheitsprozeß denen, die ihn dann praktisch fördern können, erst einmal theoretisch zu Bewußtsein. *Aus der theoretischen Perspektive* des Wissenschaftlers stellen sich deshalb die zivilisatorischen Fortschritte als Phänomene dar, die nach Gesetzen der Natur erklärt werden können. Wie dort die Rationalisierung als eine mit Willen und Bewußtsein betriebene kommunikative Praxis erscheint, so hier als ein gesetzmäßig ablaufender kognitiver Prozeß. Beide Aspekte stehen unvermittelt nebeneinander; sie fügen sich nur dann unproblematisch zusammen, wenn man den menschlichen Geist idealistisch als eine Macht konzipiert, die sich gemäß einer eigenen Logik *und zugleich* aus eigenem Antrieb entfaltet.

An dieser Stelle nehmen nun die in Spencer kulminierenden Entwicklungstheorien des 19. Jahrhunderts eine entscheidende Revision an der geschichtsphilosophischen Fassung der Rationalisierungsthematik vor: sie deuten die Fortschritte der Zivilisation darwinistisch als Entwicklung organischer Systeme.[20] Nicht mehr der theoretische Fortschritt der Wissenschaften, sondern die *natürliche Evolution der Arten* ist das Paradigma für die Deutung kumulativer Veränderungen. Damit wird die Thematik der Rationalisierung in die der sozialen Evolution überführt. Mit diesem Perspektivenwechsel ließ sich auch den zentralen geschichtlichen Erfahrungen des 19. Jahrhunderts besser Rechnung tragen:

– Mit der industriellen Revolution war die Entwicklung der Produktionstechniken als eine wichtige Dimension der gesellschaftlichen Evolution zu Bewußtsein gekommen. Die Produktivkraftentwicklung, die ja zunächst nicht durch die Implementierung wissenschaftlicher Kenntnisse zustande kam, bot sich als ein Modell an, mit dem sich der gesellschaftliche Fortschritt empirisch besser begreifen ließ als mit dem Modell der Entfaltung der modernen Naturwissenschaften.

– Ähnliches galt für die politischen Umwälzungen, die mit der Französischen Revolution eingesetzt und zur Schaffung bürgerli-

20 L. Sklair, The Sociology of Progress, London 1970, 56 ff.

cher Konstitutionen geführt hatten. An den Vorgängen der Institutionalisierung bürgerlicher Freiheiten war wiederum der Fortschritt handgreiflicher abzulesen als an einer ohnehin fragwürdigen Entfaltung der Humanwissenschaften.

– Mit dem kapitalistischen Wachstum schließlich war die Wirtschaft als ein funktional autonomes Teilsystem hervorgetreten und in der zeitgenössischen Politischen Ökonomie mit Hilfe von Kreislaufmodellen abgebildet worden. Damit kamen sowohl holistische Gesichtspunkte zum Zuge, unter denen die Phänomene gesellschaftlicher Arbeitsteilung nicht länger auf Individuenaggregate zurückgeführt werden mußten, wie auch funktionalistische Gesichtspunkte, unter denen Gesellschaften in Analogie zu Organismen als selbsterhaltende Systeme betrachtet werden konnten.

Die ersten beiden Motive haben die empiristische Umdeutung von Rationalisierungs- in Wachstumsprozesse begünstigt, während das dritte Motiv die Assimilation der Gesellschaftsgeschichte an jenes Evolutionsmodell erleichtert hat, das von Darwin für die Geschichte der Natur etabliert worden war. So konnte Spencer eine Theorie der sozialen Evolution aufstellen, welche mit dem unklaren Idealismus der Geschichtsphilosophie aufräumte, die Fortschritte der Zivilisation als Fortsetzung der natürlichen Evolution betrachtete und damit ohne alle Zweideutigkeiten unter Naturgesetze subsumierte.

Trends wie die wissenschaftliche Entwicklung, das kapitalistische Wachstum, die Etablierung von Verfassungsstaaten, die Entstehung moderner Verwaltungen usw. konnten so unmittelbar als empirische Phänomene behandelt und als Folgen der strukturellen Differenzierung von Gesellschaftssystemen begriffen werden. Sie brauchten nicht mehr nur als empirische Indikatoren für eine interne, auf Lernprozesse und Wissensakkumulation zurückgeführte Geschichte des Geistes, nicht mehr als Anzeichen für eine Rationalisierung im Sinne der Geschichtsphilosophie gedeutet zu werden.

Mit einem Blick auf die *vier*, an Condorcet illustrierten *Grundvoraussetzungen* der Geschichtsphilosophie lassen sich die viktorianischen Entwicklungstheorien vereinfacht so charakterisieren: sie stellten weder den Rationalismus noch den Universalismus der

Aufklärung in Frage, waren also noch nicht gegenüber Gefahren des Eurozentrismus sensibel; sie wiederholten auch die naturalistischen Fehlschlüsse der Geschichtsphilosophie, obgleich weniger auffällig, denn sie legten es mindestens nahe, theoretische Aussagen über evolutionäre Steigerungen im Sinne von Werturteilen über praktisch-moralische Fortschritte zu deuten; andererseits orientierten sie sich stärker sozialwissenschaftlich, und füllten die Leerstelle, die die Geschichtsphilosophie mit ihrer eher idealistisch gemeinten Rede von historischen Gesetzmäßigkeiten unbesetzt gelassen hatte, durch ein der Biologie nachempfundenes, wie es schien erfahrungswissenschaftliches Evolutionskonzept aus.

Die wissenschaftshistorische Ausgangslage, in der Max Weber die Rationalisierungsthematik wieder aufnimmt und zu einem soziologisch bearbeitbaren Problem macht, ist durch die Kritik an diesen Evolutionstheorien des 19. Jahrhunderts bestimmt. Die Hauptangriffspunkte der Kritik lassen sich anhand der soeben gegebenen Stichworte schematisch angeben. Dabei gehe ich die erwähnten, implizit immer noch geschichtsphilosophischen Grundvoraussetzungen in umgekehrter Reihenfolge durch: Angriffspunkte sind der evolutionäre Determinismus, der ethische Naturalismus sowie der Universalismus und Rationalismus der Entwicklungstheorien.

Evolutionärer Determinismus. Der Aufstieg der Geisteswissenschaften, der sich seit den Tagen Rankes und Savignys im Rahmen der Historischen Schule vollzogen hatte, ist von methodologischen Reflexionen begleitet worden.[21] Diese haben spätestens seit Dilthey eine systematische Form angenommen – als *Historismus.* Die historistische Kritik richtet sich gleichermaßen gegen dialektische wie gegen evolutionistische Geschichts- und Gesellschaftstheorien. In unserem Zusammenhang interessiert vor allem *ein* Ergebnis dieser Debatte, nämlich die Diskreditierung des Versuchs, Entwicklungsgesetze für eine naturalistisch gedeutete Kultur aufzufinden. Der Historismus hat die Eigenart von Kultur als eines durch Sinnzusammenhänge konstituierten Gegenstandsbereiches herausgearbeitet, der strukturalistische Gesetzmäßigkeiten, aber

21 E. Rothacker, Logik und Systematik der Geisteswissenschaften, Bonn 1948.

keine nomologischen aufweist, erst recht keine evolutionären. Ironischerweise hat gerade diese historistische Ablösung der Kulturwissenschaften von biologischen, überhaupt von naturwissenschaftlichen Vorbildern Max Weber veranlaßt, das Problem der Entstehung und Entwicklung moderner Gesellschaften wieder unter den gänzlich unhistoristischen Gesichtspunkt der Rationalisierung zu stellen. Gerichtete, kumulativ wirksame Veränderungen mußten, wenn man die historistische Kritik ernst nahm, auf die innere Logik von Sinnzusammenhängen oder Ideen und nicht auf evolutionäre Mechanismen von Gesellschaftssystemen zurückgeführt, sie mußten strukturalistisch und nicht aufgrund von Gesetzen der sozialen Evolution erklärt werden. Andererseits hat dieses historistische Erbe Weber überhaupt daran gehindert, dem Systemfunktionalismus in seinen methodologisch weniger bedenklichen Hinsichten gerecht zu werden.

Ethischer Naturalismus. Weber selbst steht in der Tradition des südwestdeutschen *Neukantianismus.*[22] In der Theorie der Geistes- und Kulturwissenschaften vertreten Windelband und Rickert ähnliche Positionen wie Dilthey und andere Philosophen der Historischen Schule. Für die Auseinandersetzung mit evolutionistischen Ansätzen in den Sozialwissenschaften hat aber der Neukantianismus über seine dualistische Wissenschaftsphilosophie hinaus eine spezielle Bedeutung gewonnen, und zwar wegen seiner Werttheorie. Er bringt auf methodologischer Ebene die Unterscheidung zwischen Sein und Sollen, zwischen Tatsachenfeststellungen und Werturteilen zur Geltung und wendet sich in der praktischen Philosophie entschieden gegen alle Spielarten eines ethischen Naturalismus. Dies ist der Hintergrund für Max Webers Position im Werturteilsstreit. Weber kritisiert Fortschritts- und Evolutionsbegriffe genau dann, wenn sie in empirischen Wissenschaften eine implizit normative Rolle spielen. Die an Kant und der neukantianischen Wertphilosophie geschärfte Empfindlichkeit gegen naturalistische Fehlschlüsse auf ethischem Gebiet, überhaupt gegen die

---

22 Th. Burger, Max Weber's Theory of Concept Formation, Durham 1976; R. H. Howe, Max Weber's Elective Affinities, AJS, 84, 1978, 366 ff.; M. Barker, Kant as a Problem for Weber, Brit. J. Soc., 31, 1980, 224 ff.

Vermengung deskriptiver und evaluativer Aussagen hat freilich eine Kehrseite. Sie verbindet sich bei Weber mit einem gänzlich unkantischen, geradezu historistischen Mißtrauen gegen die argumentative Leistungsfähigkeit praktischer Vernunft. Weber lehnt auf methodologischer Ebene den ethischen Kognitivismus ebenso entschieden ab wie den ethischen Naturalismus.

Universalismus. Die geistes- und kulturwissenschaftlichen Forschungen des 19. Jahrhunderts hatten den Blick für die Variationsbreite von sozialen Lebensformen, Traditionen, Werten und Normen geschärft. Der Historismus hatte diese Grunderfahrung der Relativität der eigenen Überlieferungen und Denkweisen auf das Problem zugespitzt, ob nicht selbst die in den empirischen Wissenschaften vorausgesetzten Rationalitätsstandards Bestandteile einer regional und zeitlich beschränkten Kultur, eben der neuzeitlich europäischen, sind und somit ihren naiv erhobenen Anspruch auf universale Geltung einbüßen. Aber der Historismus hatte es sich mit der Frage, ob aus dem Pluralismus der Kulturen auch ein epistemologischer Relativismus folge, zu leicht gemacht. Während in den Geisteswissenschaften, die sich im wesentlichen mit den Traditionen der Schriftkulturen befassen, der intuitive Eindruck einer prinzipiellen Gleichrangigkeit der verschiedenen Zivilisationen naheelag, konnte die mit vorhochkulturellen Gesellschaften befaßte Kulturanthropologie das Entwicklungsgefälle zwischen archaischen und modernen Gesellschaften nicht so leicht übersehen. Außerdem bestand in der funktionalistisch ausgerichteten Kulturanthropologie niemals die Gefahr, zugleich mit dem evolutionären Determinismus jede Form der nomologischen, auf Gesetzmäßigkeiten abzielenden Analyse zu verwerfen und bereits daraus relativistische Schlüsse zu ziehen. Max Weber hat, wie wir sehen werden, in dieser Kontroverse eine vorsichtig universalistische Position eingenommen; er hat Rationalisierungsprozesse nicht für ein spezielles Phänomen des Abendlandes gehalten, obgleich die in allen Weltreligionen nachweisbare Rationalisierung zunächst nur in Europa zu einer Form des Rationalismus geführt hat, der gleichzeitig besondere, nämlich okzidentale, und allgemeine, nämlich die Modernität überhaupt auszeichnende Züge aufweist.

Rationalismus. In Geschichtsphilosophien und Entwicklungstheorien haben Wissenschaft und Technik als Muster der Rationalisierung gedient. Für ihren paradigmatischen Charakter gibt es gute Gründe, die auch Max Weber nicht leugnet. Um aber als Modelle für Fortschritts- und Evolutionsbegriffe zu dienen, müssen Wissenschaft und Technik im Sinne sei es der Aufklärung oder des Positivismus bewertet, d. h. als gattungsgeschichtlich bedeutsame Problemlösungsmechanismen ausgezeichnet werden. Gegen diese ersatzmetaphysische Aufwertung richtete sich die *bürgerliche Kulturkritik des späten 19. Jahrhunderts*, die in Nietzsche und den zeitgenössischen Lebensphilosophen ihre einflußreichsten Repräsentanten hatte. Auch Max Weber ist von einer pessimistischen Einschätzung einer verwissenschaftlichten Zivilisation nicht frei.[23] Er mißtraut den losgelassenen, von ethischen Wertorientierungen abgelösten Rationalisierungsprozessen, die er in modernen Gesellschaften beobachtet, so sehr, daß in seiner Theorie der Rationalisierung Wissenschaft und Technik den paradigmatischen Stellenwert einbüßen. Webers Forschungen konzentrieren sich auf die moralisch-praktischen Grundlagen der Institutionalisierung zweckrationalen Handelns.

Unter diesen vier erwähnten Aspekten begünstigt die wissenschaftliche Ausgangslage eine erfahrungswissenschaftlich ansetzende, aber keineswegs empiristisch verkürzende Wiederaufnahme der Frage, wie Entstehung und Entfaltung moderner Gesellschaften als Rationalisierungsvorgang begriffen werden können. Ich werde zunächst auf die Phänomene eingehen, die Weber als Anzeichen der gesellschaftlichen Rationalisierung deutet, um dann die verschiedenen Rationalitätsbegriffe zu klären, die Weber seiner Untersuchung, oft implizit, zugrunde legt (1). Webers Theorie erstreckt sich auf religiöse und gesellschaftliche Rationalisierung, also einerseits auf die universalgeschichtliche Entstehung moderner Bewußtseinsstrukturen, andererseits auf die Verkörperung dieser Rationalitätsstrukturen in gesellschaftlichen Institutionen. Diese komplexen Zusammenhänge werde ich unter systematischen Gesichtspunkten in der Weise rekonstruieren, daß ich anhand der

---

23 Zum Einfluß Nietzsches auf Max Weber vgl. E. Fleischmann, De Weber à Nietzsche, in: Arch. Europ. Soc., 5, 1964, 190 ff.

religionssoziologischen Arbeiten die Logik der Weltbildrationalisierung herausarbeite (2), daraus ein Strukturmodell für gesellschaftliche Rationalisierung ableite, um zunächst die Rolle der protestantischen Ethik (3) und dann die Rationalisierung des Rechts zu behandeln (4).

1. Okzidentaler Rationalismus

In der berühmten »Vorbemerkung« zur Sammlung seiner religionssoziologischen Aufsätze[24] nennt Max Weber rückblickend
das »universalgeschichtliche Problem«, um dessen Aufklärung er
sich ein Leben lang bemüht hat: die Frage nämlich, warum außerhalb Europas »weder die wissenschaftliche noch die künstlerische
noch die staatliche noch die wirtschaftliche Entwicklung in diejenigen Bahnen der Rationalisierung ein(lenken), welche dem Okzident eigen sind«. In diesem Zusammenhang zählt Weber eine Fülle
von Phänomenen auf, die den »spezifisch gearteten Rationalismus
der odzidentalen Kultur« anzeigen. Die Liste der Originalleistungen des okzidentalen Rationalismus ist lang. Weber nennt an erster
Stelle die moderne Naturwissenschaft, die das theoretische Wissen
in mathematische Form bringt und mit Hilfe kontrollierter Experimente prüft; er fügt den systematischen Fachbetrieb der universitär organisierten Wissenschaften hinzu; erwähnt die für den
Markt produzierten Druckerzeugnisse der Literatur und den mit
Theater, Museen, Zeitschriften usw. institutionalisierten Kunstbetrieb; die harmonische Musik mit den Werkformen der Sonate,
Symphonie, Oper und den Orchesterinstrumenten Orgel, Klavier,
Violine; die Verwendung der Linear- und Luftperspektive in der
Malerei und die konstruktiven Prinzipien der großen Monumentalbauten; er zählt weiterhin auf: die wissenschaftlich systematisierte Rechtslehre, die Institutionen des formalen Rechts und eine
Rechtsprechung durch juristisch geschulte Fachbeamte; die moderne Staatsverwaltung mit einer rationalen Beamtenorganisation,
die auf der Grundlage gesatzten Rechts operiert; ferner den berechenbaren Privatrechtsverkehr und das gewinnorientiert arbeitende kapitalistische Unternehmen, das die Trennung von Haushalt
und Betrieb, d. h. die rechtliche Sonderung von persönlichem und
betrieblichem Vermögen voraussetzt, das über eine rationale

24 Zur Bibliographie: C. Seyfarth, G. Schmidt, Max Weber Bibliographie, Stuttgart 1977; G. Roth, Max Weber, A Bibliographical Essay, in: ZfS, 1977, 91 ff.;
D. Käsler (Hrsg.) Klassiker des Soziologischen Denkens, Bd. II, München 1978,
424 ff.

Buchführung verfügt, formell freie Arbeit unter Effizienzgesichtspunkten organisiert und wissenschaftliche Erkenntnisse für die Verbesserung von Produktionsanlage und Betriebsorganisation nutzt; schließlich verweist er auf die kapitalistische Wirtschaftsethik, die Teil einer rationalen Lebensführung ist – »denn wie von rationaler Technik und von rationalem Recht, so ist der ökonomische Rationalismus in seiner Entstehung auch von der Fähigkeit und der Disposition der Menschen zu bestimmten Arten *praktisch* rationaler *Lebensführung* überhaupt abhängig«.[25]

Diese Aufzählung von Erscheinungsformen des okzidentalen Rationalismus ist verwirrend. Um einen ersten Überblick zu gewinnen, wähle ich zwei verschiedene Wege: den der inhaltlichen Einordnung (1) und den der begrifflichen Klärung (2) dieser Erscheinungen, um abschließend zu prüfen, ob Weber den okzidentalen Rationalismus als eine kulturelle Eigenart oder als eine Erscheinung von universeller Bedeutung begreift (3).

(1) *Die Erscheinungen des okzidentalen Rationalismus.* Für die folgende Klassifikation bediene ich mich der seit Parsons üblichen Einteilung in Gesellschaft (a), Kultur (b) und Persönlichkeit (c).

(a) Max Weber begreift die *Modernisierung der Gesellschaft* ähnlich wie Marx als *Ausdifferenzierung* der kapitalistischen Wirtschaft und des modernen Staates. Beide ergänzen sich in ihren Funktionen so, daß sie sich wechselseitig stabilisieren. Den organisatorischen Kern der kapitalistischen Wirtschaft bildet der kapitalistische Betrieb, der

– vom Haushalt getrennt ist und
– mit Hilfe der Kapitalrechnung (rationaler Buchführung)
– Investitionsentscheidungen an den Chancen des Güter-, Kapital- und Arbeitsmarktes orientiert,
– formell freie Arbeitskräfte effizient einsetzt und
– wissenschaftliche Erkenntnisse technisch nutzt.

Den organisatorischen Kern des Staates bildet die rationale Staatsanstalt, die

– auf der Grundlage eines zentralisierten und verstetigten Steuersystems

---

25 M. Weber, Die protestantische Ethik, Bd. 1, Hambg. 1973, 20.

- über eine zentral geführte stehende Militärmacht verfügt,
- Rechtsetzung und legitime Gewaltanwendung monopolisiert und
- die Verwaltung bürokratisch, d. h. in Form einer Herrschaft von Fachbeamten organisiert.[26]

Als Organisationsmittel für die kapitalistische Wirtschaft und den modernen Staat, wie auch für den Verkehr zwischen ihnen, dient das auf dem Satzungsprinzip beruhende formale Recht. Es sind diese drei, vor allem in »Wirtschaft und Gesellschaft« untersuchten Elemente, die für die Rationalisierung der Gesellschaft konstitutiv sind. Diese betrachtet Weber als Ausdruck des okzidentalen Rationalismus und zugleich als das zentrale erklärungsbedürftige Phänomen. Davon unterscheidet er Rationalisierungsphänomene, die auf den Ebenen von Kultur und Persönlichkeit liegen. Auch in ihnen kommt der okzidentale Rationalismus zur Erscheinung; im

---

26 Diese kennzeichnet Bendix folgendermaßen: »Ein kontinuierlicher, regelgebundener Betrieb von Amtsgeschäften, innerhalb:
- einer Kompetenz (Zuständigkeit), welche bedeutet: a) einen kraft Leistungsverteilung sachlich abgegrenzten Bereich von Leistungspflichten, b) mit Zuordnung der *etwa* dafür erforderlichen Befehlsgewalt und c) mit fester Abgrenzung der eventuell zulässigen Zwangsmittel und der Voraussetzungen ihrer Anwendung. Dazu tritt
- das Prinzip der Amtshierarchie, d. h. die Ordnung fester Kontroll- und Aufsichtsfunktionen für jede Behörde mit dem Recht der Berufung oder Beschwerde von den nachgeordneten an die vorgesetzten Stellen. Verschieden ist dabei die Frage geregelt, ob und wann die Beschwerdeinstanz die abzuändernde Anordnung selbst durch eine ›richtige‹ ersetzt oder dies dem ihr untergeordneten Amt, über welches Beschwerde geführt wird, aufträgt.
- Es gilt . . . das Prinzip der vollen Trennung des Verwaltungsstabs von den Verwaltungs- und Beschaffungsmitteln. Die Beamten, Angestellte, Arbeiter des Verwaltungsstabs sind nicht im Eigenbesitz der sachlichen Verwaltungs- und Beschaffungsmittel, sondern erhalten diese in Natural- oder Geldform geliefert und sind rechnungspflichtig.
- Es fehlt im vollen Rationalitätsfall jede Appropriation der Amtsstelle an den Inhaber. Wo ein ›Recht‹ am ›Amt‹ konstituiert ist . . . dient sie normalerweise nicht dem Zweck einer Appropriation an den Beamten, sondern der Sicherung der rein sachlichen (›unabhängigen‹), nur normgebundenen, Arbeit in seinem Amt.
- Es gilt das Prinzip der Aktenmäßigkeit der Verwaltung, auch da, wo mündliche Erörterung tatsächlich Regel oder geradezu Vorschrift ist.« R. Bendix, Max Weber, Das Werk, Mü. 1964, 321 f.

Aufbau seiner Theorie nehmen sie aber nicht, wie die gesellschaftliche Rationalisierung, die Stelle des Explanandum ein.

(b) *Die kulturelle Rationalisierung* liest Weber ab an moderner Wissenschaft und Technik, an autonomer Kunst und religiös verankerter prinzipiengeleiteter Ethik.

Rationalisierung nennt Weber jede Erweiterung des empirischen Wissens, der Prognosefähigkeit, der instrumentellen und organisatorischen Beherrschung empirischer Vorgänge. Mit der *modernen Wissenschaft* werden Lernvorgänge dieser Art reflexiv und können im Wissenschaftsbetrieb institutionalisiert werden. Nun entwickkelt Weber in seinen methodologischen und wissenschaftstheoretischen Arbeiten zwar einen klaren, normativ gehaltvollen Begriff von Wissenschaft. Doch dem Phänomen der Entstehung der modernen Wissenschaften, die durch eine methodische Objektivierung der Natur gekennzeichnet sind, und die durch das unwahrscheinliche Zusammentreffen scholastisch geschulten diskursiven Denkens, mathematischer Theoriebildung, instrumenteller Einstellung gegenüber, und experimentellen Umgangs mit der Natur zustande kommen, trägt Weber eher beiläufig Rechnung. Später werden auch die technischen Innovationen an die Wissenschaftsentwicklung angekoppelt. Allein, »die methodische Einbeziehung der Naturwissenschaften in den Dienst der Wirtschaft ist (erst) einer der Schlußsteine jener Entwicklung der ›Lebensmethodik‹ *überhaupt*, zu welcher bestimmte Einflüsse der Renaissance wie der Reformation... beigetragen haben«.[27] Weber hält »die Geschichte der modernen *Wissenschaft* und ihrer erst in der Neuzeit entwickelten praktischen Beziehungen zur Wirtschaft einerseits, die Geschichte der modernen *Lebensführung* in ihrer praktischen Bedeutung für dieselbe andererseits... für etwas ›Grundverschiedenes‹«.[28] Und nur für letztere hat er sich in seinen materialen Arbeiten interessiert. Die Wissenschafts- und Technikgeschichte ist ein wichtiger Aspekt der westlichen Kultur; aber Weber behandelt sie bei seinem *soziologischen Versuch,* die Entstehung der modernen Gesellschaft zu *erklären,* als Randbedingungen.

27 M. Weber, Die protestantische Ethik, Bd. 2, Hambg. 1972, 325.
28 Weber (1972), 324.

Diese kausalgenetische Nebenrolle der Wissenschaftsentwicklung kontrastiert eigentümlich mit der Hauptrolle, die die *Struktur* des wissenschaftlichen Denkens bei der *analytischen Erfassung von Rationalitätsformen* spielt. Das durch die Wissenschaften geprägte szientifische Weltverständnis ist der Bezugspunkt jenes universalgeschichtlichen Entzauberungsprozesses, an dessen Ende eine »unbrüderliche Aristokratie des rationalen Kulturbesitzes«[29] steht: »Wo immer aber rational empirisches Erkennen die Entzauberung der Welt und deren Verwandlung in einen kausalen Mechanismus konsequent vollzogen hat, tritt die Spannung gegen die Ansprüche des ethischen Postulats: daß die Welt ein gottgeordneter, also irgendwie ethisch *sinnvoll* orientierter Kosmos sei, endgültig hervor. Denn die empirische und vollends die mathematisch orientierte Weltbetrachtung entwickelt prinzipiell die Ablehnung jeder Betrachtungsweise, welche überhaupt nach einem ›Sinn‹ des innerweltlichen Geschehens fragt.«[30] In dieser Hinsicht versteht Max Weber die moderne Wissenschaft als die Schicksalsmacht der rationalisierten Gesellschaft.

Aber nicht nur die Wissenschaft, auch die *autonome Kunst* rechnet Weber zu den Erscheinungsformen der kulturellen Rationalisierung. Die künstlerisch stilisierten Ausdrucksmuster, die zunächst dem religiösen Kult als Kirchen- und Tempelschmuck, als ritueller Tanz und Gesang, als Inszenierung bedeutsamer Episoden, heiliger Texte usw. integriert waren, verselbständigen sich mit den Bedingungen der zunächst höfisch-mäzenatischen, später bürgerlich-kapitalistischen Kunstproduktion: »Die Kunst konstituiert sich nun als ein Kosmos immer bewußter erfaßter selbständiger Eigenwerte.«[31]

Verselbständigung bedeutet zunächst, daß sich die »Eigengesetzlichkeit der Kunst« entfalten kann. Diese betrachtet Weber freilich nicht in erster Linie unter dem Aspekt der Einrichtung eines Kunstbetriebs (mit der Institutionalisierung eines kunstgenießenden Publikums und der Kunstkritik als des Vermittlers zwischen

---

29 M. Weber, Gesammelte Aufsätze zur Religionssoziologie, Bd. 1, 1963, 569.
30 Weber (1963), 564.
31 Weber (1963), 555.

Kunstproduzenten und -rezipienten). Er konzentriert sich vielmehr auf diejenigen Effekte, die eine bewußte Erfassung ästhetischer Eigenwerte für die Materialbeherrschung, d. h. für die Techniken der Kunstproduktion hat. In der posthum erschienenen Schrift über die »Rationalen und soziologischen Grundlagen der Musik« untersucht Weber die Herausbildung der Akkordharmonik, die Entstehung der modernen Notenschrift und die Entwicklung des Instrumentenbaus (besonders des Klaviers als des spezifisch modernen Tasteninstruments). Adorno hat auf dieser Linie die avantgardistische Kunstentwicklung analysiert und gezeigt, wie die Prozesse und Mittel der Kunstherstellung reflexiv werden, wie die moderne Kunst die Verfahren der Materialbeherrschung selbst zum Thema der Darstellung macht. Er bleibt freilich gegenüber dieser »Verselbständigung der Methode gegenüber der Sache« skeptisch: »Fraglos schreiten die geschichtlichen Materialien und ihre Beherrschung: Technik fort; Erfindungen wie die der Perspektive in der Malerei, der Mehrstimmigkeit in der Musik sind dafür die gröbsten Exempel. Darüber hinaus ist Fortschritt auch innerhalb einmal gesetzter Verfahrungsweisen unleugbar, deren folgerichtige Durchbildung; so die Differenzierung des harmonischen Bewußtseins vom Generalbaßzeitalter bis zur Schwelle der neuen Musik, oder der Übergang vom Impressionismus zum Pointillismus. Solcher unverkennbare Fortschritt jedoch ist nicht ohne weiteres einer der Qualität. Was in der Malerei von Giotto und Cimabue bis zu Piero de la Francesca an Mitteln gewonnen ward, kann nur Blindheit abstreiten; daraus zu folgern, die Bilder Pieros wären besser als die Fresken von Assisi, wäre schulmeisterlich.«[32] Die Rationalisierung, so hätte Max Weber gesagt, erstreckt sich auf die Techniken der Wertverwirklichung, nicht auf die Werte selber.

Gleichwohl bedeutet die Autonomisierung der Kunst eine Freisetzung der Eigengesetzlichkeit der ästhetischen Wertsphäre, die erst eine Rationalisierung der Kunst und damit eine Kultivierung der Erfahrungen im Umgang mit der inneren Natur, d. h. die methodisch-expressive Auslegung der von den Alltagskonventionen des

32 Th. W. Adorno, Ästhetische Theorie, Ges. Schr. Bd. 17, Ffm. 1970, 313.

Erkennens und Handelns freigesetzten Subjektivität möglich macht. Diese Tendenz verfolgt Weber auch an der Bohème, an Lebensstilen, die mit der modernen Kunstentwicklung korrespondieren. Weber spricht von der konsequenten Verselbständigung und Stilisierung einer »bewußt gepflegten und dabei außeralltäglichen Sphäre« der geschlechtlichen Liebe, einer Erotik, die bis zum »orgiastischen Rausch« oder zur »pathologischen Besessenheit« gesteigert werden könne.

Bei Weber spielt die Kunstentwicklung für die *soziologische* Erklärung der gesellschaftlichen Rationalisierung so wenig eine Rolle wie die Wissenschaftsgeschichte. Die Kunst kann diese Prozesse nicht einmal, wie eine zur Produktivkraft gewordene Wissenschaft, beschleunigen. Autonome Kunst und expressive Selbstdarstellung der Subjektivität stehen vielmehr in einem komplementären Verhältnis zur Rationalisierung des Alltags. Sie übernehmen die kompensatorische Rolle einer »innerweltlichen *Erlösung* vom Alltag und vor allem auch von dem zunehmenden Druck des theoretischen und praktischen Rationalismus«.[33] Die Ausgestaltung der ästhetischen Wertsphäre und des von der Bohème exemplarisch vorgelebten Subjektivismus bilden eine Gegenwelt zum »versachlichten Kosmos« der Berufsarbeit.

Freilich gehört auch die ästhetisch geprägte Gegenkultur, zusammen mit Wissenschaft und Technik auf der einen, mit den *modernen Rechts- und Moralvorstellungen* auf der anderen Seite, zum Ganzen der rationalisierten Kultur. Aber es ist dieser ethische und juristische Rationalismus, der als der für die Entstehung der modernen Gesellschaft zentrale Komplex gilt.

Rationalisierung nennt Weber nämlich auch die kognitive Verselbständigung von *Recht* und *Moral*, d. h. die Ablösung moralischpraktischer Einsichten, ethischer und rechtlicher Doktrinen, Grundsätze, Maximen und Entscheidungsregeln von Weltbildern, in die sie zunächst eingebettet waren. Jedenfalls sind kosmologische, religiöse und metaphysische Weltbilder so strukturiert, daß die internen Unterschiede zwischen theoretischer und praktischer Vernunft noch nicht zur Geltung kommen können. Die Linie der

33 Weber (1963), 555.

Autonomisierung von Recht und Moral führt zum formalen Recht und zu profanen Gesinnungs- und Verantwortungsethiken. Beide werden, etwa gleichzeitig mit der modernen Erfahrungswissenschaft, im Rahmen der praktischen Philosophie der Neuzeit systematisiert – als rationales Naturrecht und als formale Ethik. Freilich bahnt sich diese Autonomisierung selbst noch innerhalb religiöser Deutungssysteme an. Die radikalisierten Erlösungsprophetien führen zur scharfen Dichotomisierung zwischen einer Heilssuche, die an inneren, spirituell sublimierten Heilsgütern und Erlösungsmitteln orientiert ist, und der Erkenntnis einer äußeren, objektivierten Welt. Weber zeigt, wie sich aus dieser Gesinnungsreligiosität gesinnungsethische Ansätze entwickeln: »Dies folgte aus dem Sinn der Erlösung und dem Wesen der prophetischen Heilslehre, sobald diese sich ... zu einer rationalen und dabei an *innerlichen* religiösen Heilsgütern als Erlösungsmitteln orientierten Ethik entwickelte.«[34]

Unter formalen Gesichtspunkten zeichnet sich diese Ethik dadurch aus, daß sie *prinzipiengeleitet und universalistisch* ist. Die soteriologische Gemeindereligiosität begründet eine abstrakte Brüderlichkeitsethik, die mit dem Bezugspunkt des »Nächsten« die (für die Sippen- und Nachbarschaftsethik wie für die Staatsethik kennzeichnende) Trennung zwischen Binnen- und Außenmoral aufhebt: »Stets lag ihre ethische Anforderung irgendwie in Richtung einer universalistischen Brüderlichkeit über alle Schranken der sozialen Verbände, oft einschließlich des eigenen Glaubensverbandes hinweg.«[35] Dem entspricht ein radikaler Bruch mit dem Traditionalismus rechtlicher Überlieferung.

Aus der Perspektive einer formalen, auf allgemeinen Prinzipien beruhenden Ethik werden Rechtsnormen (wie auch Rechtsschöpfung und Rechtsanwendung), die sich auf Magie, geheiligte Traditionen, Offenbarung usw. berufen, entwertet: Normen gelten nun als bloße Konventionen, die einer hypothetischen Betrachtung zugänglich sind und positiv gesetzt werden können. Je stärker die Rechtsvorstellungen komplementär zu einer Gesinnungsethik ent-

34 Weber (1963), 541.
35 Weber (1963), 543 f.

wickelt werden, um so mehr werden rechtliche Normen, Verfahren und Materien zum Gegenstand rationaler Erörterung und profaner Entscheidung. Ich betone *beides*: das Prinzip der Begründungsbedürftigkeit von Normen und das Satzungsprinzip. Weber hat freilich, in Übereinstimmung mit dem Rechtspositivismus seiner Zeit, das zweite Moment besonders hervorgehoben, nämlich die Grundvorstellung, daß beliebiges Recht durch formal gewillkürte Satzung geschaffen und abgeändert werden könne. Daraus folgen die wichtigsten Merkmale legaler Herrschaft, die ich in der Zusammenfassung von Bendix wiedergebe:

– »Jedes beliebige Recht kann gesatzt werden mit dem Anspruch und in der Erwartung, daß es von allen, die der Herrschaft der politischen Gemeinschaft unterworfen sind, befolgt werde.

– Das Recht als Ganzes besteht aus einem System abstrakter absichtsvoll gesatzter Regeln, und die Rechtspflege besteht in der Anwendung dieser Regeln auf Einzelfälle. Die Staatsverwaltung ist ebenfalls durch Rechtsregeln gebunden und wird nach allgemeinen, angebbaren Prinzipien, die gebilligt oder auf jeden Fall nicht mißbilligt werden, ausgeübt.

– Die Inhaber der höchsten Beamtenstellungen sind keine persönlichen Herrscher, sondern »Vorgesetzte«, die zeitweilig ein Amt innehaben und dadurch eine beschränkte Gewalt besitzen.

– Die Menschen, die der rechtmäßig konstituierten Herrschaft gehorchen, sind Bürger und keine Untertanen und gehorchen dem ›Recht‹ statt dem Beamten, der es durchsetzt.«[36]

Ebenso wichtig wie das Satzungsprinzip ist die Grundvorstellung, daß jede rechtliche Entscheidung der Begründung bedarf. Daraus ergibt sich u. a., daß

– »dem Staat nicht erlaubt ist, in das Leben, die Freiheit oder das Eigentum einzugreifen, ohne die Zustimmung des Volkes oder seiner gewählten Vertretung. Jedes Recht in dem materialen Sinne muß ... deshalb einen Akt der Gesetzgebung zur Grundlage haben.«[37]

Die kulturelle Rationalisierung, aus der die für moderne Gesell-

36 Bendix (1964), 320.
37 Bendix (1964), 320.

schaften typischen Bewußtseinsstrukturen hervorgehen, erstreckt sich, so können wir zusammenfassen, auf die kognitiven, die ästhetisch-expressiven und die moralisch-evaluativen Bestandteile der religiösen Überlieferung. Mit Wissenschaft und Technik, mit autonomer Kunst und den Werten expressiver Selbstdarstellung, mit universalistischen Rechts- und Moralvorstellungen kommt es zu einer Ausdifferenzierung von *drei Wertsphären, die jeweils einer eigenen Logik folgen.* Dabei gelangen nicht nur die »inneren Eigengesetzlichkeiten« der kognitiven, expressiven und moralischen Bestandteile der Kultur zu Bewußtsein, sondern mit ihrer Ausdifferenzierung wächst auch die Spannung zwischen diesen Sphären. Während der ethische Rationalismus zunächst eine gewisse Affinität zu dem religiösen Kontext, aus dem er hervorgeht, bewahrt, treten beide, Ethik und Religion, in Gegensatz zu den anderen Wertsphären. Darin sieht Max Weber »eine ganz allgemeine, für die Religionsgeschichte sehr wichtige Folge der Entwicklung des (inner- und außerweltlichen) Güterbesitzes zum Rationalen und bewußt Erstrebten, durch *Wissen* Sublimierten«.[38] Und dies wiederum ist der Ansatzpunkt für eine Dialektik der Rationalisierung, die Weber, wie wir sehen werden, zeitdiagnostisch entfalten wird.

(c) Der kulturellen Rationalisierung entspricht auf der Ebene des Persönlichkeitssystems jene *methodische Lebensführung,* deren motivationalen Grundlagen Webers vornehmstes Interesse gilt, weil er hier einen, wenn nicht *den* wichtigsten Faktor für die Entstehung des Kapitalismus zu fassen meint. In den Wertorientierungen und Handlungsdispositionen jenes Lebensstils entdeckt er die Persönlichkeitskorrelate einer religiös verankerten prinzipiengeleiteten, universalistischen Gesinnungsethik, die die Trägerschichten des Kapitalismus erfaßt hat. In erster Linie schlägt also der ethische Rationalismus von der Ebene der Kultur auf die Ebene des Persönlichkeitssystems durch. Tatsächlich bedeutet die konkrete, um den Berufsgedanken zentrierte Gestalt der protestantischen Ethik, daß der ethische Rationalismus die Grundlage für eine kognitiv-instrumentelle Einstellung zu innerweltlichen

38 Weber (1963), 542.

Vorgängen, insbesondere zu sozialen Interaktionen im Bereich der gesellschaftlichen Arbeit bietet. Auch die kognitive und rechtliche Rationalisierung geht in die Wertorientierungen dieses Lebensstils insoweit ein, wie sie sich auf die Berufssphäre bezieht. Hingegen finden die ästhetisch-expressiven Bestandteile einer rationalisierten Kultur ihre persönlichkeitsspezifischen Entsprechungen in Handlungsdispositionen und Wertorientierungen, welche sich zur methodischen Lebensführung konträr verhalten.

Die religiösen Grundlagen der rationalen Lebensführung untersucht Weber am Alltagsbewußtsein ihrer exemplarischen Träger, an den Vorstellungen der Calvinisten, Pietisten, Methodisten und der aus den täuferischen Bewegungen hervorgegangenen Sekten. Er arbeitet energisch als Hauptzüge heraus:

– die radikale Verwerfung magischer Mittel, auch aller Sakramente, als Mittel der Heilssuche, und das bedeutet: die endgültige Entzauberung der Religion;

– die unerbittliche Vereinsamung des einzelnen Gläubigen innerhalb einer Welt, aus der Gefahren der Kreaturvergötzung drohen, und inmitten einer soteriologischen Gemeinde, die eine sichtbare Identifizierung der Erwählten versagt;

– die zunächst lutherisch bestimmte Berufsidee, derzufolge sich der Gläubige durch die weltliche Erfüllung seiner beruflichen Pflichten als gehorsames Werkzeug Gottes in der Welt bewährt;

– die Umformung jüdisch-christlicher Weltablehnung in eine innerweltliche Askese rastloser Berufsarbeit, wobei der äußere Erfolg zwar nicht den Real-, aber doch einen Erkenntnisgrund des individuellen Heilsschicksals darstellt;

– schließlich die methodische Strenge einer prinzipiengeleiteten, selbstkontrollierten, ichautonomen Lebensführung, die systematisch alle Lebensbereiche durchdringt, weil sie unter der Idee der Heilsvergewisserung steht.

Bisher habe ich die von Weber im Vorwort zu seinen religionssoziologischen Aufsätzen aufgezählten Rationalisierungsphänomene nach den Ebenen Gesellschaft, Kultur und persönlicher Lebensstil geordnet und kommentiert. Bevor ich prüfe, in welchem Sinne dabei von »rational« und »Rationalität« die Rede sein kann, möchte ich in schematischer Weise den empirischen Zusammenhang darstellen, den Weber zwischen den verschiedenen Erscheinungen des okzidentalen Rationalismus vermutet. Zu diesem Zweck unterscheide ich erstens die *kulturellen Wertsphären* (Wissenschaft und Technik, Kunst und Literatur, Recht und Moral), als die Bestandteile der Kultur, die mit dem Übergang zur Moderne aus dem Traditionsbestand religiös-metaphysischer Weltbilder auf der Linie der griechischen und vor allem der jüdisch-christlichen Überlieferung ausdifferenziert werden – ein Vorgang, der im 16. Jahrhundert einsetzt und im 18. Jahrhundert zum Abschluß gelangt; ferner *die kulturellen Handlungssysteme,* in denen Überlieferungen systematisch unter einzelnen Geltungsaspekten bearbeitet werden: den Wissenschaftsbetrieb (Universitäten und Akademien), den Kunstbetrieb (mit den Institutionen der Kunstproduktion, -verteilung und -rezeption, und den Vermittlungsinstanzen der Kunstkritik), das Rechtssystem (mit fachjuristischer Ausbildung, wissenschaftlicher Jurisprudenz, Rechtsöffentlichkeit), schließlich die religiöse Gemeinde (in der eine prinzipiengeleitete Ethik mit ihren universalistischen Forderungen gelehrt und gelebt, d. h. institutionell verkörpert wird); weiterhin die *zentralen Handlungssysteme, die die Struktur der Gesellschaft festlegen*: kapitalistische Wirtschaft, moderner Staat und Kleinfamilie; schließlich auf der Ebene des *Persönlichkeitssystems* die Handlungsdispositionen und Wertorientierungen, die für die methodische Lebensführung und ihr subjektivistisches Gegenstück typisch sind.

Fig. 3 zeichnet kapitalistische Wirtschaft und moderne Staatsanstalt als *die Phänomene* aus, die Weber mit Hilfe einer Theorie gesellschaftlicher Rationalisierung *erklären* möchte. Die Ausdifferenzierung dieser beiden komplementär aufeinander bezogenen Teilsysteme führt nur in den Gesellschaften des Westens so weit, daß sich die Modernisierung von ihren Ausgangskonstellationen lösen und selbstregulativ weiterlaufen kann. Max Weber kann diese Modernisierung als gesellschaftliche Rationalisierung *beschreiben*, weil der kapitalistische Betrieb auf rationales Wirtschaftshandeln, die moderne Staatsanstalt auf rationales Verwaltungshandeln, also beide auf den Typus zweckrationalen Handelns zugeschnitten sind. Dies ist aber nur ein Aspekt, über dem der zweite und, methodologisch gesehen, wichtigere Aspekt nicht vernachlässigt

Fig. 3 *Erscheinungsformen des okzidentalen Rationalismus in der Entstehungszeit der Moderne*

	kognitive Bestandteile:	evaluative Bestandteile:		expressive Bestandteile:
	moderne Naturwissenschaft	rationales Naturrecht	Protestantische Ethik	autonomisierte Kunst
Kultur	Wissenschaftsbetrieb (Universitäten, Akademien, Laboratorien)	universitäre Rechtslehre, fachjuristische Ausbildung	religiöse Assoziationen	Kunstbetrieb (Produktion, Handel, Rezeption, Kunstkritik)
Gesellschaft	kapitalistische Wirtschaft	Moderne Staatsanstalt	bürgerliche Kleinfamilie	
Persönlichkeit	Handlungsdispositionen und Wertorientierungen der methodischen Lebensführung			des gegenkulturellen Lebensstils

werden darf. Weber will nämlich vor allem *die Institutionalisierung zweckrationalen Handelns* in Begriffen eines Rationalisierungsprozesses *erklären*. Aus diesem Rationalisierungsvorgang, der im Erklärungsschema die Rolle des Explanans übernimmt, ergibt sich erst die Diffusion zweckrationalen Handelns. Für den *Ausgangszustand* der Modernisierung sind vor allem zwei Momente wichtig: die berufsethisch ausgerichtete methodische Lebensführung von Unternehmern und Staatsbeamten sowie das Organisationsmittel des formalen Rechts. Beiden liegen, formal betrachtet, die gleichen Bewußtseinsstrukturen zugrunde: posttraditionale Rechts- und Moralvorstellungen. Während die modernen Rechtsvorstellungen, die in Gestalt des rationalen Naturrechts systematisiert werden, über die universitäre Rechtswissenschaft, die Juristenausbildung, die fachlich inspirierte Rechtsöffentlichkeit usw. in das Rechtssystem und die rechtliche Organisation von Wirtschaftsverkehr und Staatsverwaltung eingehen, wird die Protestantische Ethik über die Sozialisationsagenturen der Gemeinde und der religiös inspirierten Familie in berufsasketische Handlungsorientierungen umgesetzt und motivational in den Trägerschichten des Kapitalismus verankert. Auf beiden Pfaden werden moralisch-praktische Bewußtseinsstrukturen verkörpert, und zwar verkörpert in Institutionen auf der einen, in Persönlichkeitssystemen auf der anderen Seite. Dieser Prozeß führt zur Verbreitung zweckrationaler Handlungsorientierungen, vor allem in ökonomischen und administrativen Handlungssystemen; er hat insofern *einen Bezug* zur Zweckrationalität. Für Weber ist aber entscheidend, daß dieser Prozeß aufgrund der Art von Bewußtseinsstrukturen, denen er institutionelle und motivationale Wirksamkeit verleiht, *selber* einen Rationalisierungsvorgang darstellt. Der ethische und juristische Rationalismus verdankt sich nämlich, wie moderne Wissenschaft und autonome Kunst, einer Ausdifferenzierung von Wertsphären, die ihrerseits das Resultat eines auf der Ebene von Weltbildern gespiegelten Entzauberungsprozesses sind. Dem okzidentalen Rationalismus geht eine religiöse Rationalisierung voraus. Auch diesen Prozeß der Entzauberung mythischer Deutungssysteme bringt Max Weber mit Bedacht unter den Begriff der Rationalisierung.

Wir können zwei große Rationalisierungsschübe unterscheiden, die Weber einerseits in den Studien zur Wirtschaftsethik der Weltreligionen, andererseits in seinen Studien zur Entstehung und Entwicklung der kapitalistischen Wirtschaft und des modernen Staates (einschließlich der Studien zur Protestantischen Ethik) untersucht. Er interessiert sich einerseits für die *Rationalisierung von Weltbildern*; dabei muß er die strukturellen Aspekte der Entzauberung und die Bedingungen klären, unter denen kognitive, normative und expressive Fragestellungen systematisch entkoppelt und nach ihrer inneren Logik entfaltet werden können. Andererseits interessiert sich Weber für die institutionelle Verkörperung der modernen Bewußtseinsstrukturen, die sich auf dem Wege religiöser Rationalisierung herausgebildet haben, d. h. für die *Umsetzung der kulturellen in eine gesellschaftliche Rationalisierung*. Dabei muß er die strukturellen Aspekte von Recht und Moral klären, soweit diese (a) die Organisation legaler Herrschaft und den Privatrechtsverkehr strategisch handelnder Subjekte ermöglichen bzw. (b) die intrinsische Motivation für eine planmäßige, an disziplinierter und stetiger Berufsarbeit orientierte Lebensführung schaffen.

(2) *Rationalitätsbegriffe.* Weber erinnert immer wieder daran, daß ›Rationalismus‹ sehr Verschiedenes bedeuten kann: »So schon: je nachdem dabei entweder an jene Art von Rationalisierung gedacht wird, wie sie etwa der denkende Systematiker mit dem Weltbild vornimmt: zunehmende theoretische Beherrschung der Realität durch zunehmend präzise abstrakte Begriffe – oder vielmehr an die Rationalisierung im Sinne der methodischen Erreichung eines bestimmten gegebenen praktischen Ziels durch immer präzisere Berechnung der adäquaten Mittel. Beides sind verschiedene Dinge trotz der letztlich untrennbaren Zusammengehörigkeit.«[39] Weber trifft also zunächst die Unterscheidung zwischen theoretischer und praktischer Beherrschung der Realität. Natürlich interessiert er sich in erster Linie für *praktische Rationalität* im Sinne der Maßstäbe, nach denen handelnde Subjekte ihre Umwelt kontrollieren lernen: »Zweckrational handelt, wer sein Handeln nach Zwecken, Mitteln und Nebenfolgen orientiert und dabei sowohl

39 Weber (1963), 265 f.

die Mittel gegen die Zwecke, wie die Zwecke gegen die Nebenfolgen, wie endlich auch die verschiedenen möglichen Zwecke gegeneinander rational *abwägt*, also jedenfalls *weder* affektuell ... *noch*
traditional handelt.«[40] Der Begriff des zweckrationalen Handelns
ist der Schlüssel zum komplexen Begriff der (zunächst unter praktischen Aspekten) betrachteten Rationalität. Aber diese umfassendere Rationalität, die der »seit dem 16. und 17. Jahrhundert im
Okzident heimisch gewordene Art der bürgerlichen Lebensratio-
nalisierung« zugrunde liegt, ist keineswegs gleichbedeutend mit
Zweckrationalität. Ich will in fünf Schritten rekonstruieren, wie
Weber den komplexen Begriff ›praktische Rationalität‹ zusammensetzt.[41]

(a) Weber geht von einem weiten Begriff der ›Technik‹ aus, um
deutlich zu machen, daß der Aspekt *der geregelten Verwendung
von Mitteln* in einem sehr abstrakten Sinne für die Rationalität des
Verhaltens relevant ist. Eine »rationale Technik« nennt er die Verwendung von Mitteln, »welche bewußt und planvoll orientiert (ist)
an Erfahrungen und Nachdenken...«.[42] Solange die Techniken,
ihr Anwendungsbereich und die Erfahrungsbasis, an der ihre
Wirksamkeit gegebenenfalls überprüft werden könnte, nicht spezifiziert werden, bleibt der Begriff der ›Technik‹ sehr allgemein. Jede
Regel oder jedes System von Regeln, das ein verläßlich reprodu-
zierbares, ob nun planmäßiges oder eingewöhntes, von den Interaktionsteilnehmern voraussagbares, aus Beobachterperspektive
berechenbares Handeln gestattet, ist in diesem Sinne eine Technik:
»Technik gibt es daher für alles und jedes Handeln: Gebetstech-
nik,... Technik der Askese, Denk- und Forschungstechnik,

40 M. Weber, Wirtschaft und Gesellschaft, Köln 1964, 18.
41 Die bisherigen Versuche einer Begriffserklärung finde ich unbefriedigend:
D. Claessens, Rationalität revidiert, in: KZSS 17, 1965, 465 ff.; U. Vogel, Einige
Überlegungen zum Begriff der Rationalität bei Max Weber, in: KZSS 25, 1973,
533 ff.; A. Swidler, The Concept of Rationality in the Work of Max Weber, in: Soc.
Inquiry 43, 1973, 35 ff.; A. Eisen, The Meanings and Confusions of Weberian
rationality, Brit. J. of Sociol. 29, 1978, 57 ff.; W. M. Sprondel, C. Seyfarth (Hrsg.),
Max Weber und das Problem der gesellschaftlichen Rationalisierung, Stuttg. 1979;
hilfreich: St. Kalberg, Weber's Types of Rationality: Cornerstones for the Analysis
of Rationalisation Process in History, AJS 85, 1980, 1145 ff.
42 Weber (1964), 14.

Mnemotechnik, Erziehungstechnik, Kriegstechnik, musikalische Technik (eines Virtuosen z. B.), Technik eines Bildhauers oder Malers . . ., und sie alle sind eines höchst verschiedenen Rationalitätsgrades fähig. Immer bedeutet das Vorliegen einer ›technischen‹ *Frage*: daß über die rationalsten *Mittel* Zweifel bestehen.«[43] In diesem Sinne sind denn auch die objektiv nicht prüfbare mystische Erleuchtungskonzentration oder die asketische Beherrschung von Trieben und Affekten »rationalisiert« worden. Das einzige Kriterium, an dem sich die im weitesten Sinne ›technische‹ Rationalisierung bemißt, ist die Regelhaftigkeit eines reproduzierbaren Verhaltens, auf das sich *andere* berechnend einstellen können.[44]

(b) Diese weite Bedeutung von ›Technik‹ und ›Mittelrationalisierung‹ schränkt Weber ein, indem er die Mittel spezifiziert. Wenn nämlich nur Mittel in Betracht gezogen werden, mit denen ein handlungsfähiges Subjekt gesetzte Zwecke *durch Eingriff in die objektive Welt* verwirklichen kann, kommt das Beurteilungskriterium der Wirksamkeit ins Spiel. Die Rationalität der Mittelverwendung bemißt sich an der objektiv nachprüfbaren Wirksamkeit eines Eingriffs (bzw. einer gezielten Unterlassung). Das erlaubt die Unterscheidung zwischen »subjektiv zweckrationalen« und »objektiv richtigen« Handlungen; auch kann von einer »fortschreitenden Rationalität der Mittel« in einem objektiven Sinne gesprochen werden: »Wird menschliches Verhalten (welcher Art immer) in irgendeinem Einzelpunkt in diesem Sinne technisch ›richtiger‹ als bisher orientiert, so liegt ein ›technischer Fortschritt‹ vor.«[45] Auch dieser Begriff von Technik ist noch weit gefaßt; er erstreckt sich nicht nur auf instrumentelle Regeln der Naturbeherrschung, sondern ebenso auf Regeln der künstlerischen Materialbeherrschung

---

43 Weber (1964), 44 f.
44 Im Anschluß an diesen Begriff können wir den Begriff der Technisierung einführen, den wir später im Zusammenhang der Theorie der Kommunikationsmedien verwenden werden. Technisiert sind Handlungen und Kommunikationsabläufe, die nach einer Regel oder einem Algorithmus beliebig wiederholt und automatisiert, d. h. von der expliziten Aufnahme und Formulierung des erforderlichen intuitiven Wissens entlastet werden können. Vgl. N. Luhmann, Macht, Stuttg. 1975, 71, der diesen Begriff der Technisierung im Anschluß an Husserl einführt.
45 Weber (1968 a), 264.

oder beispielsweise auf Techniken »der politischen, sozialen, erzieherischen, propagandistischen Menschenbehandlung«.[46] Wir können in diesem Sinne von Techniken immer dann sprechen, wenn die Zwecke, die mit ihrer Hilfe realisiert werden können, als Bestandteil der objektiven Welt konzipiert sind; auch Sozialtechniken können an sozialen Beziehungen, Interaktionen, Einrichtungen, Symbolen nur ansetzen, wenn diese in objektivierender Einstellung als Gegenstand möglicher Manipulation vorausgesetzt werden: »Man kann ... auf dem speziellen, gewöhnlich ›Technik‹ genannten Gebiet, ebenso aber auf dem der Handelstechnik, auch der Rechtstechnik von einem ›Fortschritt‹ (im Sinne der fortschreitenden technischen Rationalität der Mittel) reden, *wenn* dabei ein eindeutig bestimmter Status eines konkreten Gebildes als Ausgangspunkt genommen wird.«[47]

(c) Zunächst betrachtet Weber also Rationalität allein unter dem Aspekt der Mittelverwendung. Diesen Begriff differenziert er dann, indem er an zielgerichteten Handlungen zwei rationalisierungsfähige Aspekte unterscheidet: nicht nur die Mittel, und die Art ihrer Verwendung, können mehr oder weniger rational, d. h. im Hinblick auf gegebene Zwecke effektiv sein; auch die Zwecke selbst können mehr oder weniger rational, d. h. bei gegebenen Werten, Mitteln und Randbedingungen objektiv richtig gewählt werden. Zu den Bedingungen zweckrationalen Handelns gehört nicht nur eine subjektiv vermeinte oder empirisch feststellbare *instrumentelle Rationalität* der Mittel, sondern die *Wahlrationalität* einer nach Werten selegierten Zwecksetzung. Unter diesem Aspekt kann eine Handlung nur in dem Maße rational sein, wie sie nicht blindlings durch Affekte gesteuert oder durch Traditionen gelenkt wird: »*Eine* wesentliche Komponente der ›Rationalisierung‹ des Handelns ist der Ersatz der inneren Einfügung in eingelebte Sitte durch die planmäßige Anpassung an Interessenlagen.«[48] Eine solche Rationalisierung kann ebenso sehr auf Kosten affektuellen wie auf Kosten traditionalen Handelns stattfinden.

46 Weber (1968 a), 265.
47 Weber (1968 a), 265.
48 Weber (1964), 22.

In diesen Zusammenhang gehört die wichtige Unterscheidung zwischen *formaler und materialer Rationalität.* Webers eigene Formulierungen sind nicht sehr klar. Die formale Rationalität bezieht sich auf die Entscheidungen wahlrational handelnder Subjekte, die nach klaren Präferenzen und gegebenen Entscheidungsmaximen versuchen, ihre Interessen zu verfolgen, exemplarisch etwa im Wirtschaftsverkehr: »Als *formale* Rationalität eines Wirtschaftens soll hier das Maß der ihm technisch möglichen und von ihm wirklich angewendeten *Rechnung* bezeichnet werden ... Dagegen (besagt) der Begriff der *materialen* Rationalität ... lediglich dies ...: daß man ... ethische, politische, utilitarische, hedonische, ständische, egalitäre oder irgendwelche anderen *Forderungen* stellt und daran die Ergebnisse des – sei es auch formal noch so ›rationalen‹, d. h. rechenhaften – Wirtschaftens *wertrational* oder *material* zweckrational bemißt.«[49]

Sobald ein Aktor von Traditionsbindungen oder affektiven Steuerungen soweit freigesetzt ist, daß er sich seiner Präferenzen bewußt werden und aufgrund geklärter Präferenzen (und Entscheidungsmaximen) seine Ziele wählen kann, läßt sich eine Handlung unter *beiden* Aspekten beurteilen: unter dem instrumentellen Aspekt der Wirksamkeit der Mittel und unter dem Aspekt der Richtigkeit der Ableitung von Zielen bei gegebenen Präferenzen, Mitteln und Randbedingungen. Diese beiden Aspekte der *instrumentellen und der Wahlrationalität* zusammengenommen nennt Weber *formale* Rationalität im Unterschied zur *materiellen* Beurteilung des den Präferenzen zugrunde liegenden Wertsystems selbst.

(d) Unter Gesichtspunkten formaler Rationalität kann lediglich die Forderung gestellt werden, daß sich der Handelnde seiner Präferenzen bewußt ist, daß er die zugrunde liegenden Werte präzisiert und auf ihre Konsistenz prüft, sie nach Möglichkeit in eine transitive Ordnung bringt usw. Weber ist in normativen Fragen Skeptiker; er ist überzeugt, daß die Entscheidung zwischen verschiedenen (wie immer analytisch geklärten) Wertsystemen nicht begründet, nicht rational motiviert werden kann; genaugenommen gibt es

49 Weber (1964), 60.

eine *Rationalität von Wertpostulaten* oder Glaubensmächten in Ansehung ihrer Inhalte nicht. Gleichwohl ist die Art und Weise, *wie* der Handelnde seine Präferenzen begründet, *wie* er sich an Werten orientiert, für Max Weber ein Aspekt, unter dem eine Handlung als rationalisierungsfähig angesehen werden kann: »*Rein* wertrational handelt, wer ohne Rücksicht auf die vorauszusehenden Folgen handelt im Dienst seiner Überzeugung von dem, was Pflicht, Würde, Schönheit, religiöse Weisung, Pietät, oder die Wichtigkeit einer ›Sache‹, gleich welcher Art, ihm zu gebieten scheinen. Stets ist ... wertrationales Handeln ein Handeln nach ›Geboten‹ oder gemäß ›Forderungen‹, die der Handelnde an sich gestellt glaubt.«[50] Die Rationalität der Werte, die Handlungspräferenzen zugrunde liegen, bemißt sich nicht an ihrem materiellen Gehalt, sondern an formalen Eigenschaften, nämlich daran, ob sie so fundamental sind, daß sie eine *prinzipiengeleitete Lebensweise* begründen können. Nur Werte, die abstrahiert und zu Grundsätzen *generalisiert*, die als weitgehend *formale* Prinzipien verinnerlicht und *prozedural* angewendet werden können, haben eine derart intensive handlungsorientierende Kraft, daß sie einzelne Situationen übergreifen, im Extremfall alle Lebensbereiche systematisch durchdringen, eine ganze Biographie, gar die Geschichte sozialer Gruppen unter eine einheitsstiftende Idee bringen können.

In diesem Zusammenhang ist die Unterscheidung zwischen *Interessen* und *Werten* relevant. Interessenlagen wechseln, während generalisierte Werte stets für mehr als nur einen Situationstyp gelten. Der Utilitarismus trägt diesem im Neukantianismus herausgearbeiteten kategorischen Unterschied nicht Rechnung. Er macht den vergeblichen Versuch, Interessenorientierungen in ethische Grundsätze *umzudeuten*, Zweckrationalität selber zu einem Wert zu hypostasieren. Daher kann die utilitaristische Doktrin, wie Weber meint, niemals den Status und die Leistungsfähigkeit einer prinzipiengeleiteten Ethik erlangen.

(e) Weber hat den Begriff praktischer Rationalität unter den drei Aspekten der *Mittelverwendung*, der *Zwecksetzung* und der *Orientierung an Werten* differenziert. Die instrumentelle Rationalität

50 Weber (1964), 18.

einer Handlung bemißt sich an der effektiven Planung der Mittelverwendung bei gegebenen Zwecken; die Wahlrationalität einer Handlung bemißt sich an der Richtigkeit der Kalkulation der Zwecke bei präzise erfaßten Werten, gegebenen Mitteln und Randbedingungen; und die normative Rationalität einer Handlung bemißt sich an der einheitsstiftenden, systematisierenden Kraft und Penetranz der Wertmaßstäbe und Prinzipien, die den Handlungspräferenzen zugrunde liegen. Handlungen, die Bedingungen der Mittel- und Wahlrationalität genügen, nennt Weber ›zweckrational‹, Handlungen, die Bedingungen normativer Rationalität genügen, ›wertrational‹. Diese beiden Aspekte können unabhängig voneinander variieren. Fortschritte in der Dimension der Zweckrationalität können »zugunsten eines wertungläubigen, rein zweckrationalen, auf Kosten wertrational gebundenen Handelns verlaufen«.[51] In diese Richtung scheint sich die rationalisierte westliche Kultur überhaupt zu entwickeln. Es gibt aber auch Belege für den reziproken Fall einer Rationalisierung der Wertorientierung bei gleichzeitiger Behinderung zweckrationalen Handelns. Das gilt etwa für den frühen Buddhismus, den Weber »im Sinne einer stetigen, wachen Beherrschung aller natürlichen Triebhaftigkeit« für eine rationale Ethik hält[52], der aber gleichzeitig von jeder disziplinierten Bemächtigung der Welt abführt.

Die Verknüpfung zweckrationalen und wertrationalen Handelns ergibt nun den Handlungstyp, der Bedingungen *praktischer Rationalität im ganzen* erfüllt. Wenn Personen und Gruppen Handlungen dieses Typs über Zeit und soziale Bereiche generalisieren, spricht Weber von einer *methodisch-rationalen Lebensführung.* Und er sieht in der protestantischen Berufsaskese des Calvinismus und der frühen puritanischen Sekten die erste historische Annäherung an diesen Idealtypus: »Eine prinzipielle und systematische, ungebrochene Einheit von innerweltlicher Berufsethik und religiöser Heilsgewißheit hat in der ganzen Welt nur die Berufsethik des asketischen Protestantismus gebracht. Die Welt ist eben nur hier in ihrer kreatürlichen Verworfenheit ausschließlich und allein religiös

51 Weber (1964), 22.
52 Weber (1964), 483.

bedeutsam als Gegenstand der Pflichterfüllung durch rationales Handeln, nach dem Willen eines schlechthin überweltlichen Gottes. Der rationale, nüchterne, nicht an die Welt hingegebene Zweckcharakter des Handelns und sein Erfolg ist das Merkmal dafür, daß Gottes Segen darauf ruht. Nicht Keuschheit, wie beim Mönch, aber Ausschaltung aller erotischen ›Lust‹, nicht Armut, aber Ausschaltung alles rentenziehenden Genießens und der feudalen lebensfrohen Ostentation des Reichtums, nicht die asketische Abtötung des Klosters, aber wache, rational beherrschte Lebensführung und Vermeidung aller Hingabe an die Schönheit der Welt oder die Kunst oder an die eigenen Stimmungen und Gefühle sind die Anforderungen, Disziplinierung und Methodik der Lebensführung das eindeutige Ziel, der ›Berufsmensch‹ der typische Repräsentant, die rationale Versachlichung und Vergesellschaftung der sozialen Beziehungen die spezifische Folge der okzidentalen innerweltlichen Askese im Gegensatz zu aller anderen Religiosität der Welt.«[53]

Die methodisch rationale Lebensführung ist dadurch ausgezeichnet, daß sie den komplexen Handlungstypus verstetigt, der *unter allen drei Aspekten* auf Rationalität, und auf eine Steigerung der Rationalität angelegt ist, und der diese Rationalitätsstrukturen so miteinander verbindet, daß sie sich wechselseitig stabilisieren, indem Erfolge in der einen Dimension Erfolge in den anderen Dimensionen teils voraussetzen, teil stimulieren. Die methodisch rationale Lebensführung ermöglicht und prämiert Handlungserfolge gleichzeitig

– unter dem Aspekt instrumenteller Rationalität bei der Lösung technischer Aufgaben und bei der Konstruktion wirksamer Mittel;
– unter dem Aspekt der Wahlrationalität bei der konsistenten Wahl zwischen Handlungsalternativen (von strategischer Rationalität sprechen wir, wenn dabei die Entscheidungen rationaler Gegenspieler berücksichtigt werden müssen); und schließlich
– unter dem Aspekt normativer Rationalität bei der Lösung moralisch-praktischer Aufgaben im Rahmen einer prinzipiengeleiteten Ethik.

53 Weber (1964), 433.

Den drei Aspekten der Handlungsrationalität lassen sich verschiedene Kategorien des *Wissens* zuordnen. Über Techniken und Strategien geht sowohl *empirisches wie analytisches Wissen* in die Orientierungen zweckrationalen Handelns ein – dieses Wissen kann grundsätzlich die Präzisionsform wissenschaftlich bewährten Wissens annehmen. Andererseits geht über Kompetenzen und Motive *moralisch-praktisches* (wie auch ästhetisch-expressives) Wissen in die Orientierungen wertrationalen Handelns ein. Dieses Wissen wird auf zwei Entwicklungsstufen präzisiert und verbessert, nämlich zunächst innerhalb religiöser Weltbilder, später im Rahmen der autonom gewordenen Wertsphären von Recht, Moral (und Kunst). An dieser Stelle zeigt sich »die letztlich untrennbare Zusammengehörigkeit« der Rationalisierung von Handlungen und Lebensformen mit der Rationalisierung von Weltbildern.

Der komplexe Begriff praktischer Rationalität, den Max Weber idealtypisch am Beispiel der methodischen Lebensführung protestantischer Sekten vorführt, ist immer noch partiell. Er verweist auf einen Begriff der Rationalität, der beides, theoretische und praktische Rationalität umfaßt. Jedenfalls liest Weber diesen Begriff an Bewußtseinsstrukturen ab, die nicht unmittelbar in Handlungen und Lebensformen, sondern zunächst in kulturellen Überlieferungen, in Symbolsystemen zum Ausdruck kommen. Die beiden Stichworte, unter denen Weber eine entsprechende *kulturelle Rationalisierung* untersucht, sind: Systematisierung der Weltbilder und Eigenlogik der Wertsphären. Sie beziehen sich auf weitere Rationalitätsbegriffe, die nicht, wie die bisher behandelten, handlungstheoretisch angesetzt sind, sondern auf eine Kulturtheorie angewiesen sind.

(f) Rational nennt Weber die formale Durchgestaltung von Symbolsystemen, insbesondere von religiösen Deutungssystemen, sowie von Rechts- und Moralvorstellungen. Weber hat den Intellektuellenschichten sowohl für die Ausbildung der dogmatisch durchrationalisierten Erlösungsreligionen[54] wie auch für die Entwicklung des formalen Rechts eine hohe Bedeutung beigemessen. Denn die Intellektuellen sind darauf spezialisiert, überlieferte

54 Weber (1964), 393 ff.

Symbolsysteme, sobald sie schriftlich fixiert sind, unter formalen Gesichtspunkten zu bearbeiten und zu verbessern. Dabei geht es um die Präzisierung von Bedeutungen, die Explikation von Begriffen, die Systematisierung von Gedankenmotiven, die Konsistenz von Sätzen, um den methodischen Aufbau, um die gleichzeitige Steigerung der Komplexität und Spezifizität von lehrbarem Wissen. Diese *Rationalisierung der Weltbilder* setzt an den *internen Beziehungen* von Symbolsystemen an.

Die Verbesserung der formalen Qualitäten, die Max Weber als Ergebnis der analytischen Arbeit der Intellektuellen hervorhebt, hat freilich *zwei* verschiedene *Aspekte*. Einerseits genügen rationalisierte Weltbilder in höherem Maße den *Forderungen formal-operationalen Denkens*. Dieser Aspekt der Rationalisierung läßt sich z. B. gut an der Formalisierung, wissenschaftlichen Systematisierung und beruflichen Spezialisierung des zunächst berufspraktisch eingeübten juristischen Fachwissens studieren.[55] Andererseits genügen aber rationalisierte Weltbilder auch in höherem Maße den *Forderungen eines modernen Weltverständnisses*, das kategorial die *Entzauberung der Welt* voraussetzt. Diesen Rationalisierungsaspekt untersucht Weber vor allem an der »ethischen Rationalisierung« der Erlösungsreligionen; an allen »Arten von praktischer Ethik, die systematisch und eindeutig an festen Heilszielen orientiert wurden«, nennt Weber »rational« (im Sinne einer kategorial entzauberten Welt) »die Unterscheidung von normativ ›Geltendem‹ und empirisch Gegebenem«.[56] Die wesentliche Rationalisierungsleistung der großen Weltreligionen sieht Weber in der Überwindung des magischen Glaubens; dieser kategoriale *Durchbruch zu einer modernen, entzauberten Konzeption von Welt* drückt sich auch in einer formal-operationalen Durchgestaltung der Traditionsbestände aus, aber er ist damit nicht identisch.

Max Weber selbst verwischt diese Unterscheidung, z. B. zu Beginn seiner Studie über das antike Judentum, wo er im Hinblick auf den Grad der Rationalisierung dieses Weltbildes die folgenden Fragen notiert: »ob bestimmte israelitische Konzeptionen ... 2. mehr

---

55 dazu Eisen (1978), 61 f.
56 Weber (1973), 266.

oder weniger intellektualisiert und (im Sinne des Abstreifens magischer Vorstellungen) rationalisiert; oder 3. mehr oder weniger einheitlich systematisiert; oder 4. mehr oder weniger gesinnungsethisch gewendet (sublimiert) erscheinen.«[57]

Während sich die dritte Frage auf die formale Durchgestaltung des religiösen Symbolsystems bezieht, betreffen die zweite und die vierte Frage Kategorien des Weltverständnisses. Diese beiden Aspekte werden auch in der Weberinterpretation oft nicht klar auseinandergehalten.

J. Weiss charakterisiert die Weltbildrationalisierung als »konsequentes und systematisches Zuendedenken gegebener Sinn- oder Wertgehalte. Dabei heißt Zu-Ende-Denken sowohl: auf die letzten zugrunde liegenden Prinzipien zurückgehen, wie: die äußersten Konsequenzen bzw. das systematische Ganze der Folgerungen entwickeln.«[58] Weiß trennt diese Rationalisierungsleistung von dem, was er ethischen Rationalismus nennt. Demgegenüber identifiziert W. Schluchter beides miteinander: »Rationalismus bedeutet ... Systematisierung von Sinnzusammenhängen, intellektuelle Durcharbeitung und wissentliche Sublimierung von ›Sinnzielen‹. Er ist Folge einer ›inneren Nötigung‹ des Kulturmenschen, die Welt als einen sinnvollen Kosmos nicht nur zu erfassen, sondern auch zu ihr Stellung zu nehmen, ist also metaphysisch-*ethischer* Rationalismus im weitesten Sinne.«[59] Diese Unklarheiten entfallen, wenn man (a) die Aspekte einer formalen Durchgestaltung von Weltbildern und einer kategorialen Ausdifferenzierung von Weltbegriffen analytisch trennt und (b) mit Hilfe der genetischen Psychologie Piagets erklärt, warum die konsequente Anwendung formaler Operationen auf Weltbilder vielleicht eine notwendige, aber keine hinreichende Bedingung für den Durchbruch zum modernen Weltverständnis darstellt. Offenbar bedeutet das »Auf-Prinzipien-Bringen« etwas anderes als »die Systematisierung von Glaubensinhalten« – nicht bloß eine Erweiterung und Entspezialisierung

57 M. Weber, Gesammelte Aufsätze zur Religionssoziologie, Bd. 3, Tbg. 1966 a, 2, Anm.
58 J. Weiss, Max Webers Grundlegung der Soziologie, Mü. 1975, 137 f.
59 W. Schluchter, Die Paradoxie der Rationalisierung, in: ders., Rationalismus der Weltbeherrschung, Ffm. 1980, 10 mit Bezugnahme auf Weber (1964), 304.

des Anwendungsbereichs formaler Denkoperationen, sondern eine Dezentrierung von Weltperspektiven, die ohne eine gleichzeitige Veränderung tiefsitzender moralisch-praktischer Bewußtseinsstrukturen unmöglich ist.[60]

(g) In dem Maße wie die Rationalisierung der Weltbilder zur Ausdifferenzierung der kognitiven, normativen und expressiven Bestandteile der Kultur, in diesem Sinne zu einem modernen Weltverständnis führt, erfüllt sie die Ausgangsbedingungen einer im engeren Sinne *kulturellen Rationalisierung*. Eine solche setzt ein, wenn »die innere Eigengesetzlichkeit« der Wertsphären, d. h. »der Sphären äußeren und inneren, religiösen und weltlichen Güterbesitzes ... in ihren Konsequenzen *bewußt* werden ...«.[61] In dem Maße wie die einzelnen Wertsphären »in ihrer rationalen Geschlossenheit herauspräpariert« werden, kommen jene universalen Geltungsansprüche zu Bewußtsein, an denen sich kulturelle Fortschritte oder »Wertsteigerungen« bemessen. Weber unterscheidet den Fortschritt in der technischen Rationalität der Mittel von der »*Wertsteigerung*«. Sobald sich Wissenschaft, Moral und Kunst jeweils unter *einem* abstrakten Wertmaßstab, *einem* universalen Geltungsanspruch, sei es der Wahrheit, der normativen Richtigkeit oder der Authentizität bzw. Schönheit zu einer autonomen Wertsphäre ausdifferenziert haben, werden objektive Fortschritte, Perfektionen, Steigerungen in einem jeweils spezifischen Sinne möglich. Die »wertsteigernde« Rationalisierung erfaßt nicht nur die (im engeren Sinne) kognitiven, sondern auch die sozialintegrativen Bestandteile der kulturellen Überlieferung – sie erstreckt sich auf das empirisch-theoretische Wissen von der äußeren Natur, auf das moralisch-praktische Wissen der Angehörigen von ihrer Gesellschaft und auf das ästhetisch-expressive Wissen des Einzelnen von der eigenen Subjektivität oder inneren Natur.

---

60 In seinem Buch »Die Entwicklung des okzidentalen Rationalismus«, Tbg. 1979, trägt Schluchter diesem Umstand Rechnung, indem er L. Kohlbergs Moraltheorie für seine Weber-Interpretation fruchtbar macht. Dabei ergeben sich viele Berührungspunkte mit der vorliegenden Interpretation. Vgl. W. M. Mayrl, Genetic Structuralism and the Analysis of Social Consciousness, Theory and Society, 5, 1978, 19 ff.
61 Weber (1963), 541.

Was »Wertsteigerung« im Bereich der modernen Erfahrungswissenschaften bedeutet, ist zunächst unproblematisch: Erkenntnisfortschritt im Sinne einer Erweiterung des theoretischen Wissens. Problematischer ist die Wertsteigerung in der Sphäre von Rechts- und Moralvorstellungen; hier rechnet Weber mit einer Veränderung von Strukturen, einer immer präziseren Herausarbeitung der universalistischen Grundsätze der Rechts- und Moraltheorie; sonst könnte er zwischen den traditionsgebundenen Gesetzesethiken, den Gesinnungs- und den Verantwortungsethiken keine Hierarchie herstellen. Die ›Perfektion‹ des Wissens hängt hier übrigens eng mit seiner Implementierung zusammen. Was schließlich die Wertsteigerung im ästhetischen Bereich anbelangt, so verblaßt die Idee des Fortschritts zu der einer Erneuerung und Wiedererweckung, einer innovatorischen Verlebendigung authentischer Erfahrungen.

Im ästhetisch-expressiven Bereich müssen Fortschritte, die sich unter Gesichtspunkten instrumenteller Rationalität ergeben, von Steigerungen der Wertrationalität ebenso sorgfältig unterschieden werden wie im moralisch-praktischen Bereich. Weber betont, »daß die Verwendung einer bestimmten, noch so ›fortgeschrittenen‹ *Technik* über den *ästhetischen* Wert des Kunstwerks nicht das geringste besagt. Kunstwerke mit noch so ›primitiver‹ Technik – Bilder z. B. ohne alle Kenntnis der Perspektive – vermögen ästhetisch den vollendetsten, auf dem Boden rationaler Technik geschaffenen absolut ebenbürtig zu sein, unter der Voraussetzung, daß das künstlerische Wollen sich auf diejenigen Formungen beschränkt hat, welche jener ›primitiven‹ Technik adäquat sind. Die Schaffung neuer technischer Mittel bedeutet zunächst nur zunehmende Differenzierung und gibt nur die *Möglichkeit* zunehmenden ›Reichtums‹ der Kunst im Sinn der Wertsteigerung. Tatsächlich hat sie nicht selten den umgekehrten Effekt der ›Verarmung‹ des Formgefühls gehabt.«[62] »Fortschritte« im Bereich der autonomen Kunst zielen auf die immer radikalere und reinere, d. h. von theoretischen und moralischen Beimischungen gereinigte, Herausarbeitung ästhetischer Grunderfahrungen. Die avantgardistische

---

62 Weber (1968 a), 261.

Kunst hat diese Wertsteigerung allerdings auch auf dem Wege eines Reflexivwerdens der künstlerischen Techniken erreicht: die gesteigerte instrumentelle Rationalität einer Kunst, die ihre eigenen Produktionsvorgänge transparent macht, tritt hier in den Dienst der ästhetischen Wertsteigerung.

Unser Durchgang durch die verschiedenen Rationalitätsbegriffe (a-g) zeigt, daß Max Weber die Rationalisierungsproblematik auf der Ebene von Bewußtseinsstrukturen ansetzt; mit Parsons können wir sagen: auf den Ebenen von Persönlichkeit und Kultur. Einerseits gewinnt Weber den Begriff *praktischer Rationalität* an einem in der historischen Gestalt protestantisch-ethischer *Lebensführung* repräsentierten Handlungstypus, der Mittel-, Zweck- und Wertrationalität vereinigt. Andererseits stellt er der Rationalität von Handlungsorientierungen die der *Weltperspektiven* und der *Wertsphären* gegenüber. Die Bezugspunkte kultureller Rationalisierung sieht er in der modernen Wissenschaft, im posttraditionalen Rechts- und Moralbewußtsein und in der autonomen Kunst. Hingegen liegen die Rationalisierungsphänomene, die Weber *erklären* möchte, auf der Ebene der Gesellschaft: »Unser europäisch-amerikanisches Gesellschafts- und Wirtschaftsleben ist in einer spezifischen Art und in einem spezifischen Sinne ›rationalisiert‹. Diese Rationalisierung zu erklären . . . ist eine der Hauptaufgaben unserer Disziplinen.«[63] Wir werden sehen, wie Weber diese Phänomene der *gesellschaftlichen* Rationalisierung, vor allem die Einrichtungen der kapitalistischen Wirtschaft und des modernen Staates, unter Begriffe bringt, die er zunächst an anderen Phänomenen, eben an Erscheinungen der *motivationalen* und der *kulturellen* Rationalisierung geklärt hat.

Abschließend möchte ich noch einen begrifflichen Aspekt klären: in welcher Hinsicht ist, was Weber den okzidentalen Rationalismus nennt, eine Eigenart der neueren europäisch-amerikanischen Kultur, und in welcher Hinsicht drückt sich darin ein universaler Zug des »Kulturmenschentums« aus?

(3) Bekanntlich beginnt Max Weber sein berühmtes »Vorwort« mit einer zweideutigen Frage: »Universalgeschichtliche Probleme

---

63 Weber (1968 a), 263.

wird der Sohn der modernen europäischen Kulturwelt unvermeidlicher- und berechtigterweise unter der Fragestellung behandeln: welche Verkettung von Umständen hat dazu geführt, daß gerade auf dem Boden des Okzidents, und nur hier, Kulturerscheinungen auftraten, welche doch – wie wenigstens wir uns gern vorstellen – in einer Entwicklungsrichtung von *universeller* Bedeutung und Gültigkeit lagen?«[64] Zweideutig ist die Formulierung, weil sie die Frage offenläßt, ob der Rationalisierungsprozeß, aus dessen Perspektive *wir*, die Kinder der Moderne, die Entwicklung der Hochkulturen betrachten, eine universelle Gültigkeit hat – oder nur *für uns* zu haben *scheint*. Ich werde die These vertreten, daß sich aus Webers konzeptuellen Ansätzen, soweit wir sie bisher verfolgt haben, eine *universalistische Position* ergibt. Gleichwohl hat Weber universalistische Konsequenzen nicht ohne Vorbehalt gezogen. Wie seine Zeitdiagnose zeigt, hat Weber gegenüber dem okzidentalen Rationalismus vorwissenschaftlich, im Kontext seiner Alltagserfahrungen, eine höchst ambivalente Stellung eingenommen. Deshalb suchte er nach einem Bezugspunkt, unter dem sich die zwiespältige Rationalisierung der Gesellschaft als kulturelle *Sonderentwicklung* relativieren ließ. Weber betrachtet den Rationalismus nicht nur in dem Sinne als »okzidental«, daß sich im Westen diejenigen geschichtlichen Konstellationen ergeben haben, unter denen ein seiner Natur nach allgemeines Phänomen zum ersten Mal auftreten konnte; als eine besondere Art von Rationalismus drückt er auch Züge dieser partikularen westlichen Kultur aus. Andererseits vertritt Weber nicht umstandslos eine kulturalistische Position. Er nimmt »die universelle Bedeutung *und Geltung*« des okzidentalen Rationalismus allenfalls auf der Ebene der methodologischen Reflexion zurück: »Der Rationalismus der Weltbeherrschung ist *unser* Gesichtspunkt, mit dem wir, gleich einem Scheinwerfer, einen Ausschnitt der Weltgeschichte beleuchten, und er hat für *uns* einen Richtigkeitsanspruch, sofern *uns* an Kontinuität gelegen ist. Er gehört zu *unserer* hermeneutischen Ausgangslage, die nicht nur kontingent entstanden ist, sondern die auch eine besondere bleibt. Die moderne okzidentale Kultur ist aber zugleich von

---

64 Weber (1973), 9.

der Art, daß sich *alle* Kulturmenschen für sie interessieren können. Denn sie hat eine historisch zuvor unbekannte, eine neue Auslegung des Kulturmenschentums gebracht. Dies macht sie nicht nur zu einer Sondererscheinung, dies gibt ihr auch eine Sonderstellung. Und weil dies so ist, stellt sie ein universalhistorisches Problem dar und ist von universeller Bedeutung und Gültigkeit. Auch der Kulturmensch, der diese Alternative für sich nicht wählt, ist gezwungen, in ihr eine mögliche Auslegung des Kulturmenschentums zu erkennen, eine Auslegung, an der er seine eigene Wahl zwar nicht relativieren, wohl aber, *sofern er bewußt leben will,* relationieren muß. Der von Weber ausgezeichnete Gesichtspunkt, das von ihm herausgestellte Richtungskriterium konstituiert also in der Tat eine Folge. Doch soweit diese nicht nur mit heuristischen, sondern auch mit Richtigkeitsansprüchen belastet ist, bleibt sie eine Folge *für uns.*«[65]

Mit dieser Charakterisierung trifft Schluchter wahrscheinlich das Selbstverständnis Max Webers, aber ein Verständnis, das die beiden entgegengesetzten Stellungnahmen zum Universalitätsanspruch des modernen Weltverständnisses nur scheinbar vermittelt. Wenn wir den okzidentalen Rationalismus nicht aus der begrifflichen Perspektive von Zweckrationalität und Weltbeherrschung entwerfen, wenn wir vielmehr die Rationalisierung der Weltbilder zum Ausgangspunkt nehmen, die in einem *dezentrierten Weltverständnis* resultiert, dann stellt sich die Frage: ob sich nicht in den kulturellen Wertsphären, die sich unter den abstrakten Wertmaßstäben der Wahrheit, der normativen Richtigkeit und Authentizität eigensinnig entfalten, ein formaler Bestand an universalen Bewußtseinsstrukturen ausdrückt. Sind die Strukturen wissenschaftlichen Denkens, posttraditionaler Rechts- und Moralvorstellungen, autonomer Kunst, wie sie sich im Rahmen der westlichen Kultur herausgebildet haben, der Besitz der als regulative Idee gegenwärtigen »Gemeinschaft der Kulturmenschen« – oder nicht? Die universalistische Position muß nicht den Pluralismus und die Unvereinbarkeit der historischen Ausprägungen des ›Kulturmenschentums‹ leugnen, aber sie sieht diese Mannigfaltigkeit der

65 Schluchter (1979), 36 f.

Lebensformen *auf die kulturellen Inhalte beschränkt* und behauptet, daß jede Kultur, wenn sie überhaupt einen bestimmten Grad der »Bewußtmachung« oder »Sublimierung« erreichen würde, bestimmte *formale Eigenschaften des modernen Weltverständnisses* teilen müßte. Die universalistische Annahme bezieht sich also auf einige notwendige strukturelle Merkmale moderner Lebenswelten überhaupt. Wenn wir diese universalistische Auffassung aber wiederum nur *für uns* als zwingend betrachten, kehrt der Relativismus, der auf theoretischer Ebene zurückgewiesen wird, auf metatheoretischer Ebene wieder. Ich glaube nicht, daß ein Relativismus, ob nun erster oder zweiter Stufe, mit der Begrifflichkeit, in der Weber sich die Rationalisierungsproblematik zurechtlegt, vereinbar ist. Allerdings hat Weber relativistische Vorbehalte. Diese verdanken sich einem Motiv, das erst entfallen wäre, wenn er das Besondere des okzidentalen Rationalismus nicht auf eine *kulturelle Eigenart*, sondern auf das *selektive Muster* zurückgeführt hätte, den die Rationalisierungsprozesse *unter Bedingungen des modernen Kapitalismus* angenommen haben.

Mit dem Blick auf die im »Vorwort« aufgezählten Erscheinungen des okzidentalen Rationalismus bemerkt Weber: ». . . es handelt sich ja in allen den angeführten Fällen von Eigenart offenbar um einen spezifisch gearteten ›Rationalismus‹ der okzidentalen Kultur. Nun kann unter diesem Wort höchst Verschiedenes verstanden werden – wie die späteren Darlegungen wiederholt verdeutlichen werden. Es gibt z. B. ›Rationalisierungen‹ der mystischen Kontemplation, also: von einem Verhalten, welches, von anderen Lebensgebieten her gesehen, spezifisch ›irrational‹ ist, ganz ebenso gut wie Rationalisierungen der Wirtschaft, der Technik, des wissenschaftlichen Arbeitens, der Erziehung, des Krieges, der Rechtspflege und Verwaltung. Man kann ferner jedes dieser Gebiete unter höchst verschiedenen letzten Gesichtspunkten und Zielrichtungen ›rationalisieren‹, und was von einem (Blickpunkt) aus ›rational‹ ist, kann, vom andern aus betrachtet, ›irrational‹ sein. Rationalisierungen hat es daher auf den verschiedenen Lebensgebieten in höchst verschiedener Art in allen Kulturkreisen gegeben. Charakteristisch für deren kulturgeschichtlichen Unterschied ist erst: *welche* Sphären und in welcher Richtung sie rationalisiert wurden. Es kommt also zunächst wieder darauf an: die besondere *Eigenart* des okzidentalen und, innerhalb dieses, des modernen okzidentalen Rationalismus zu erkennen und in ihrer Entstehung zu erklären.«[66] Dieser Kernsatz, der eine kulturalistische Position auszudrücken scheint, kehrt fast wörtlich im Aufsatz zur Protestantischen Ethik wieder: »Man kann eben ... das Leben unter höchst verschiedenen letzten Gesichtspunkten und nach sehr verschiedenen Richtungen hin ›rationalisieren‹.«[67] Ob und gegebenenfalls wie der *Relativismus der Wertinhalte* den *universalen* Charakter der *Richtung des Rationalisierungsprozesses* berührt, hängt dann aber davon ab, auf welcher Ebene der Pluralismus »letzter Gesichtspunkte« angesiedelt wird. Eine kulturalistische Position muß fordern, daß sich zu jeder *Form* der Rationalität (und zu entsprechenden Steigerungsformen der Rationalität) *auf der gleichen Ebene* mindestens ein abstrakter Gesichtspunkt angeben läßt, unter dem diese Form zugleich als »irrational« beschrieben werden könnte. Genau das scheint Weber für die Rationalitätsbegriffe, die wir durchgegangen sind, behaupten zu wollen. Diese Behauptung kann er aber nicht aufrechterhalten. Ich beziehe mich im folgenden auf die im vorigen Abschnitt eingeführte Numerierung.

ad a): Rationalität im Sinne der *Technisierung* von Handlungen, die durch methodische Anleitung reproduzierbar gemacht werden und dadurch einen regelhaften, gegebenenfalls planmäßigen Charakter annehmen. Als Beispiele für die Irrationalität von Handlungen, die in diesem Sinne rationalisiert worden sind, erwähnt Max Weber »die Methode der Abtötungs- oder der magischen Askese oder Kontemplation in deren konsequentesten Formen, etwa im Yoga oder in den spätbuddhistischen Manipulationen mit Gebetsmaschinen«.[68] Welches sind die abstrakten Gesichtspunkte, unter denen eine solche technische Disziplinierung als ›irrational‹ beurteilt werden dürften? Man kann gewiß die religiösen Weltbilder, die den asketischen Übungen, mystischen Versenkungen, dem

66 Weber (1973), 20.
67 Weber (1963), 62.
68 Weber (1963), 266.

Yoga usw. einen bestimmten Sinn geben, aus der Sicht eines modernen Weltverständnisses als irrational kritisieren. Aber diese Kritik bezieht sich erstens nicht auf die technische Rationalisierung der Handlungen selbst, sondern auf die religiöse Deutung ritueller Handlungen, und zweitens würde sie relativistische Grundannahmen nur dann stützen, wenn sich zeigen ließe, daß das moderne Weltverständnis mit Weltbildern, die magischen Denkweisen noch verhaftet sind, auch unter formalen Gesichtspunkten auf eine Stufe gestellt werden dürfte.

ad b) und c): Formale Rationalität. Weber verweist auf Rationalisierungen der Wirtschaft, der Technik, des wissenschaftlichen Arbeitens, der Erziehung, des Krieges, der Rechtspflege und der Verwaltung, die »von anderen Lebensgebieten her gesehen (als) spezifisch irrational« erscheinen können.[69] Diese Kritik bezieht sich jedoch nicht auf die Technologien und Strategien, mit deren Hilfe solche Handlungsbereiche rationalisiert werden, sondern auf die relative Bedeutung, die diesen Handlungsbereichen *im Ganzen einer Kultur* zukommt. Wenn und soweit ein Handlungsbereich überhaupt rationalisiert werden soll, bemessen sich Fortschritte an den kulturinvarianten Kriterien einer erfolgreichen Verfügung über Prozesse der Natur und der Gesellschaft, die als etwas in der objektiven Welt anzutreffen sind.

ad d): Wertrationalität. Innerhalb einzelner Lebenssphären wie Wirtschaft, Religion, Erziehung usw. können die Wertmuster, unter denen zweck- und mittelrational gehandelt wird, variieren. Diese Werte haben jeweils eine geschichtlich konkrete Gestalt, sie sind partikularer Natur und bieten die Bezugspunkte für das, was Weber mißverständlich »materiale Rationalität« genannt hat. Die Erlösungsideen der Weltreligionen sind das vielleicht eindrucksvollste Beispiel eines Pluralismus »letzter« Wertpostulate: »Wenn ... die Art der erstrebten Heilsgüter stark beeinflußt war durch die Art der äußeren Interessenlage und der ihr adäquaten Lebensführung der herrschenden Schichten und also durch die soziale Schichtung selbst, so war umgekehrt auch die Richtung der ganzen Lebensführung, wo immer sie planmäßig rationalisiert

69 Weber (1973), 20.

wurde, auf das tiefgreifendste bestimmt durch die letzten Werte, an denen sich diese Rationalisierung orientierte.«[70] Auf einer anderen Ebene als diese Wert*inhalte* liegen indessen die abstrakten *Wertmaßstäbe*, d. h. die formalen Geltungsaspekte, unter denen Weber die Rationalität der Erlösungsreligionen untersucht. So verdanken Gesinnungsethiken ihre durchdringende, systematisierende Kraft posttraditionalen Bewußtseinsstrukturen, die erlauben, Gerechtigkeitsfragen von Wahrheits- und Geschmacksfragen zu isolieren. Damit wird erst die Dimension festgelegt, in der Weltbilder ethisch mehr oder weniger rationalisiert werden können.

ad f) und g): Modernes Weltverständnis und Eigenlogik der Wertsphären. Wenn Weber von »letzten Gesichtspunkten« spricht, unter denen das Leben rationalisiert werden könne, so versteht er darunter nicht immer die kulturellen Werte, die Inhalte also, die sich *innerhalb* einer Lebenssphäre in geschichtlichen Konfigurationen herausbilden, sondern manchmal auch jene abstrakten Ideen, die für die Eigengesetzlichkeit einer Wertsphäre *als solcher* maßgebend sind: solche Ideen sind Wahrheit und Erfolg für die kognitive Wertsphäre; Gerechtigkeit, überhaupt normative Richtigkeit für die moralisch-praktische Wertsphäre; Schönheit, Authentizität, Wahrhaftigkeit für die expressive Wertsphäre. Diese Ideen (oder Geltungsaspekte) dürfen nicht mit Wertmaterien, den besonderen *Inhalten* einzelner Wertsphären verwechselt werden. Nach Webers Auffassung sind die kulturellen Wertsphären für die Entwicklung moderner Gesellschaften wichtig, weil sie die Ausdifferenzierung gesellschaftlicher Teilsysteme oder Lebenssphären steuern. Aus der Perspektive jeder einzelnen Lebenssphäre kann natürlich die Rationalisierung aller anderen in einem bestimmten Sinne als ›irrational‹ erscheinen: das ist die These, die Weber in der »Zwischenbetrachtung« entwickelt. Er ist überzeugt, daß »die Herauspräparierung der spezifischen Eigenart jeder in der Welt vorkommenden Sondersphäre« immer schroffer Unvereinbarkeiten und Konflikte hervortreten läßt, die in der Eigengesetzlichkeit der Wertsphären begründet sind. Aber diese Kritik bezieht sich nicht auf die rationale Entfaltung der Eigenlogik einzelner Wert-

70 Weber (1963), 259.

sphären, sondern auf eine *Verselbständigung einiger Lebenssphären auf Kosten aller anderen.*

Zumindest müssen wir es als eine empirische Frage ansehen, ob die
Spannungen zwischen den immer weiter rationalisierten Lebenssphären tatsächlich auf eine Unverträglichkeit abstrakter Wertmaßstäbe und Geltungsaspekte oder nur auf eine partielle und
daher *ungleichgewichtige* Rationalisierung zurückgehen, beispielsweise darauf, daß kapitalistische Wirtschaft und moderne Verwaltung auf Kosten anderer Lebensbereiche expandieren und diese,
die ihrer Struktur nach auf moralisch-praktische und expressive
Formen der Rationalität angelegt sind, in Formen ökonomischer
oder administrativer Rationalität hineinpressen. Wie immer die
Antwort ausfallen mag, jedenfalls dürfen wir die Geltungsaspekte,
unter denen die in der Moderne eigensinnig entwickelten Wertsphären und die ihnen korrespondierenden gesellschaftlichen Teil-
bereiche formal rationalisiert werden, nicht mit beliebigen Wert*inhalten*, mit historisch wechselnden partikularen Wertmustern auf
eine Stufe stellen. Jene Geltungsansprüche bilden vielmehr ein wie
auch immer intern spannungsreiches System, das zwar in der Gestalt des okzidentalen Rationalismus zuerst aufgetreten ist, aber
über die Eigenart dieser bestimmten Kultur hinaus eine allgemeine, für *alle* »Kulturmenschen« verbindliche Geltung beansprucht.

ad e): Rationalität der methodischen Lebensführung. Max Weber
hat öfter auf den irrationalen Kern der protestantischen Berufsethik hingewiesen; und diesen Hinweisen kann man intuitiv ein
gewisses Recht nicht absprechen. Weber hat untersucht, »wes Geistes Kind diejenige konkrete Form ›rationalen‹ Denkens und Lebens war, aus welcher jener Berufsgedanke und jenes ... vom
Standpunkt der Eigeninteressen aus so irrationale Sichhingeben an
die Berufs*arbeit* erwachsen ist, welches einer der charakteristischen Bestandteile unserer kapitalistischen Kultur war und noch
immer ist. *Uns* interessiert hier gerade die Herkunft jenes *irrationalen* Elements, welches in diesem wie in jedem ›Berufs‹begriff
liegt.«[71] Die Repression, die eine unerbittliche innerweltliche Askese

71 Weber (1963), 62.

den Einzelnen im Umgang sowohl mit der eigenen subjektiven Natur wie mit den Interaktionspartnern, sogar den Glaubensbrüdern auferlegt hat, entspricht der Blindheit des Gehorsams gegenüber dem schlechthin irrationalen Ratschluß Gottes über das Heil der eigenen Seele. Zwar ist diese seelische Unterdrückung für die motivationale Grundlage zweckrationalen Handelns in der Sphäre der beruflichen Arbeit mindestens teilweise funktional; aber sie läßt auch den Preis erkennen, der für die Erfüllung der formalen Bedingungen dieser berufspraktisch folgenreichen Gesinnungsethik gezahlt werden mußte – ein Preis, der in Begriffen moralischer und expressiver Rationalität ausgedrückt werden könnte. Mit Recht hat beispielsweise L. Brentano bemerkt, daß diese Disziplinierung eher als »Rationalisierung zu einer irrationalen Lebensführung« denn als Einübung in eine methodisch-rationale Lebensführung begriffen werden müsse. Weber beantwortet diesen Einwand nicht sehr überzeugend: »In der Tat ist dem so. ›Irrational‹ ist etwas stets nicht an sich, sondern von einem bestimmten ›rationalen‹ *Gesichtspunkte* aus. Für den Irreligiösen ist jede religiöse, für den Hedoniker jede asketische Lebensführung ›irrational‹, mag sie auch, an *ihrem* letzten Wert gemessen, eine ›Rationalisierung‹ sein. Wenn zu irgendetwas, so möchte dieser Aufsatz (über den »Geist des Kapitalismus«) dazu beitragen, den nur scheinbar eindeutigen Begriff des ›Rationalen‹ in seiner Vielseitigkeit aufzudecken.«[72] Allein, Brentanos Einwand richtet sich gar nicht gegen die protestantische Berufsethik *als* eine ethische Lebensform, die mit anderen, utilitaristisch oder ästhetisch bestimmten Lebensformen konkurriert. Brentano fragt nach der *inneren* Konsistenz einer Lebensform, die Weber als diejenige exemplarische Gestalt betrachtet, in der historisch zum ersten (und einzigen) Mal der komplexe Handlungstypus verstetigt wird, der systematisch Mittel-, Zweck- und Wertrationalität vereinigt. Die methodische Lebensführung repräsentiert nach Webers Auffassung eine Lebensform, die gleichzeitig drei allgemeine Aspekte der praktischen Rationalität verkörpert und insofern nicht nur eine kulturelle Eigenart zum Ausdruck bringt. Wenn diese Lebensform

72 Weber (1963), 35, Anm. 1.

gleichwohl irrationale Züge trägt, dann liegen diese tatsächlich auf *derselben* Ebene wie die Rationalität, um derentwillen sie in Webers Analyse ausgezeichnet wird. Dieser *Widerspruch* ist, wie wir sehen werden, nur dann aufzulösen, wenn man den bloß partiellen, d. h. unvollständigen Charakter dieser geschichtlichen Gestalt ethischer Rationalisierung nachweisen kann.

2. Die Entzauberung religiös-metaphysischer Weltbilder und die Entstehung moderner Bewußtseinsstrukturen

Wir haben uns über den okzidentalen Rationalismus und über die begrifflichen Mittel, die Weber zur Analyse dieses Phänomens verwendet, einen ersten Überblick verschafft. Daraus geht hervor, daß Weber die Ausdifferenzierung kultureller Wertsphären als einen Schlüssel zur Erklärung des okzidentalen Rationalismus betrachtet, und daß er diese wiederum als Ergebnis einer internen Geschichte, und zwar der Rationalisierung von Weltbildern begreift. Dieser theoretische Ansatz ist nur auf dem Hintergrund der neukantianischen Wertphilosophie zu verstehen, auch wenn Weber selbst keinen Versuch macht, die Wertsphären, die er induktiv aufliest und in deskriptiver Einstellung behandelt, systematisch zu ordnen und unter formalen Gesichtspunkten zu analysieren. Man würde Webers Theorie der Rationalisierung von vornherein verfehlen, wenn man nicht das soziologische Konzept der *Lebensordnung* mit Hilfe des philosophischen Konzepts der *Wertverwirklichung* erklärte. Aus der theoretischen Perspektive des Wissenschaftlers ergibt sich eine strikte Unterscheidung zwischen den Sphären des Seins und der Geltung und entsprechend zwischen deskriptiven und evaluativen Aussagen, wobei freilich auch die Erkenntnis, und nicht nur die Wertung, über den mit deskriptiven Aussagen verbundenen Wahrheitsanspruch auf eine Geltungssphäre bezogen bleibt. Der Soziologe unterscheidet zwischen diesen Sphären wie jeder andere Wissenschaftler; aber der Wirklichkeitsausschnitt, mit dem er es zu tun hat, zeichnet sich dadurch aus, daß sich die Sphären des Seins und des Sollens eigentümlich durchdringen: Kultur bildet sich, nach Rickerts Vorstellungen, durch die Beziehung von Tatsachen auf ein System von Werten.[73] In ihrem sozialen Handeln orientieren sich einzelne Aktoren und Gruppen an Werten; in kulturellen Gegenständen und institutionellen Ordnungen sind Werte verwirklicht. Deshalb muß der Soziologe be-

73 Vgl. Habermas (1970), 74 ff.

rücksichtigen, daß die Realität, die er in deskriptiver Einstellung analysiert, *auch* unter Geltungsaspekten betrachtet werden *kann*, und daß die in seinem Objektbereich auftretenden Individuen ihre Welt normalerweise unter Geltungsaspekten betrachten – nämlich immer dann, wenn sie sich an konkreten Werten oder an abstrakten Geltungsansprüchen orientieren. Diese *Wertbezogenheit* der Gegenstände kann sich der Soziologe zunutze machen, indem er die deskriptive Erfassung sozialer Lebensordnungen mit einer Rekonstruktion der in ihnen verkörperten Ideen oder Werte verbindet.

Eine Theorie der Rationalisierung könnte Weber gar nicht aufstellen, wenn er nicht als Neukantianer überzeugt wäre, daß er Prozesse der Wertverwirklichung gleichzeitig von außen und von innen betrachten, zugleich als empirische Vorgänge und als Objektivationen von Wissen untersuchen, Wirklichkeits- und Geltungsaspekte verbinden kann. Es ist dieser Typus von Untersuchung, den die Entzauberung religiös-metaphysischer Weltbilder verlangt. Deshalb hebt Schluchter mit Recht hervor: »Weber tendiert dazu, die Wertsphären und Lebensordnungen deskriptiv aufzunehmen, und er betrachtet Geltung in historisch-empirischer Einstellung in erster Linie unter dem Wirksamkeitsaspekt. Doch im Hintergrund dieser Analyse steht eine Werttheorie, in der die historisch-empirischen Untersuchungen verankert werden müssen. Und dies gilt in meinen Augen in besonderem Maße für die historisch-empirische Rationalisierungstheorie.«[74] Weber macht den werttheoretischen Hintergrund nicht explizit; er ist aber von diesem abhängig, wenn er Ideen und Interessen miteinander in Beziehung setzt (1) und bei der Analyse von Weltbildern die externe mit einer internen Betrachtung verknüpft (2). Darauf will ich kurz eingehen, um dann die Rationalisierung von Weltbildern selbst zu charakterisieren, und zwar sowohl unter inhaltlichen Aspekten (3) wie unter dem Gesichtspunkt struktureller Veränderungen (4). Schließlich nenne ich einige der Bedingungen, die erfüllt sein müssen, bevor die Strukturen des entzauberten religiösen Weltverständnisses auf der Ebene gesellschaftlicher Institutionen wirksam werden können (5).

74 W. Schluchter (1979), 30.

(1) *Ideen und Interessen.* Die Rationalisierung der Kultur wird erst dann empirisch wirksam, wenn sie in eine Rationalisierung von Handlungsorientierungen und von Lebensordnungen umgesetzt wird. Diese Umsetzung von kulturell gespeichertem Wissen in die Lebensführung von Individuen und Gruppen einerseits, in soziale Lebensformen (oder Lebenssphären, Lebensordnungen, wie Weber statt gesellschaftlicher Subsysteme sagt) andererseits, stellt sich Weber als einen Transfer zwischen Ideen und Interessen vor. Er geht davon aus, daß »Kulturmenschen« oder vergesellschaftete Individuen auf der einen Seite Bedürfnisse haben, die auf Befriedigung angewiesen sind, und auf der anderen Seite in Sinnzusammenhängen stehen, die Interpretation und Sinnstiftung verlangen. Dem entsprechen *materielle* und *ideelle Interessen*; die einen zielen auf irdische Güter wie Wohlstand, Sicherheit, Gesundheit, langes Leben usw., die anderen auf Heilsgüter wie Gnade, Erlösung, ewiges Leben oder, innerweltlich, auf die Überwindung von Einsamkeit, Krankheit, Angst vor dem Tode usw. Im Falle materieller Entbehrungen entstehen *Probleme äußerer Not*, im Falle ideeller Entbehrungen *Probleme innerer Not*. In diesen empirisch-anthropologischen Bestimmungen spiegelt sich die dichotomische Begriffsbildung der kantisch-neukantischen Erkenntnistheorie. Nun bestehen zwischen Ideen und Interessen einerseits konzeptuelle, andererseits empirische Beziehungen. Konzeptuelle, weil die ideellen Bedürfnisse unmittelbar auf Ideen und Werte gerichtet sind, während materielle Bedürfnisse mit Hilfe von Ideen gedeutet werden müssen. Auf der anderen Seite treten Ideen und Interessen sowohl in den Lebensordnungen der Gesellschaft wie in den Persönlichkeitsstrukturen ihrer Mitglieder in empirische Beziehung zueinander.

Lebensordnungen können von zwei Seiten betrachtet werden. Einerseits regeln sie die Appropriation von Gütern, d. h. die Befriedigung von materiellen und ideellen Interessen; andererseits verwirklichen sie Ideen oder Werte. Dabei sind beide aufeinander angewiesen. Interessen können über Normen des gesellschaftlichen Verkehrs auf Dauer nur befriedigt werden, wenn sie sich mit Ideen, die zu ihrer *Begründung* dienen, verbinden; und Ideen wiederum können sich empirisch nicht durchsetzen, wenn sie sich nicht mit Interessen, die ihnen *Gewalt* verleihen, verbünden.

Diese *allgemeine* Perspektive, die Marx bereits in den Deutsch-Französischen Jahrbüchern formuliert hatte, gewinnt bei Max Weber eine leicht idealistische Wendung; diese belegt R. Bendix mit einer charakteristischen Äußerung von O. Hintze: »Wo Interessen kräftig verfolgt werden, da bildet sich auch eine Ideologie zu ihrer Beseelung, Verstärkung und Rechtfertigung, und diese ist, als ein unentbehrliches Stück des Lebensprozesses selbst, in dem das Handeln besteht, ebenso wirklich wie die ›realen‹ Interessen selbst. Und andererseits: wo Ideen die Welt erobern wollen, brauchen sie den Vorspann der realen Interessen, die sie dann allerdings häufig mehr oder weniger von ihrem ursprünglichen Ziel ablenken oder sie auch sogar verändern und verfälschen können.«[75] Max Weber geht schon von einem Modell aus, das Parsons später (in einer von Durkheim beeinflußten Version) ausgeführt hat: soziale Handlungssysteme oder »Lebensordnungen« integrieren beides, Ideen und Interessen, in der Weise, daß sie legitime Chancen der Befriedigung materieller und ideeller Interessen ordnen. Die Durchdringung von Ideen und Interessen und deren wechselseitige Stabilisierung dient dazu, die Aneignung materieller und ideeller Güter zu regeln und diese Regelung in den Motiven und den Wertorientierungen der Betroffenen so zu verankern, daß eine hinreichende Chance für die durchschnittliche Befolgung der betreffenden Normen besteht. Interessen müssen an Ideen gebunden werden, wenn die Institutionen, in denen die Interessen zum Ausdruck gebracht werden, Bestand haben sollen; denn nur über Ideen kann eine Lebensordnung legitime Geltung erwerben.

Das kann man sich anhand einer »geltungsfreien«, bloß faktisch aufrechterhaltenen Ordnung vor Augen führen. Abgesehen vom ohnehin instabilen Fall einer offen repressiven, auf Einschüchterung und Furcht beruhenden Zwangsordnung[76] ist die »durch Sitte oder Interessenlage bedingte Regelmäßigkeit eines Ablaufs sozialen Handelns«[77] ein solcher Fall. *Sitte* nennt Max Weber eine »Gewöhnung in das eingelebte Handeln«, die so »dumpf« ist, daß

75 Bendix (1964), 44.
76 Weber (1968 a), 210.
77 Weber (1964), 22.

die normative Binnenstruktur der Gewohnheit weggeschrumpft ist und schiere Habitualisierung, unbewußt funktionierende Regelbefolgung übrigbleibt. Eine auf *Interessenlage* beruhende instrumentelle Ordnung stützt sich hingegen allein auf die »zweckrationalen Erwägungen von Vorteilen und Nachteilen« strategisch handelnder Subjekte, wobei sich deren komplementäre Erwartungen gegenseitig stabilisieren. Aber eine Ordnung, die »*nur* auf solchen Grundlagen« – wie Repression, Sitte oder Interessenlage – »ruhte, wäre relativ labil«.[78] Der Normalfall ist deshalb eine Ordnung, die Interessenlagen zum Ausdruck bringt und zugleich als legitim gilt.

Von normativer Geltung und Legitimität spricht Weber, wenn eine Ordnung subjektiv als verbindlich anerkannt wird. Diese Anerkennung stützt sich *unmittelbar* auf Ideen, die ein Begründungs- und Rechtfertigungspotential mit sich führen, und nicht auf Interessenlagen: »Einen Sinngehalt einer sozialen Beziehung wollen wir a) nur dann eine ›Ordnung‹ nennen, wenn das Handeln an angebbaren ›Maximen‹ (durchschnittlich und annähernd) orientiert wird. Wir wollen b) nur dann von einem ›Gelten‹ dieser Ordnung sprechen, wenn diese tatsächliche Orientierung an jenen Maximen mindestens *auch* (also in einem praktisch ins Gewicht fallenden Maß) deshalb erfolgt, weil sie als irgendwie *für* das Handeln geltend: verbindlich oder vorbildlich, angesehen werden. Tatsächlich findet die Orientierung des Handelns an einer Ordnung naturgemäß bei den Beteiligten aus sehr verschiedenen Motiven statt.

Aber der Umstand, daß *neben* den anderen Motiven die Ordnung mindestens einem Teil der Handelnden auch als vorbildlich oder verbindlich und also gelten *sollend* vorschwebt, steigert naturgemäß die Chance, daß das Handeln an ihr orientiert wird, und zwar oft in sehr bedeutendem Maße. Eine *nur* aus zweckrationalen Motiven innegehaltene Ordnung ist im allgemeinen weit labiler als die lediglich kraft Sitte, infolge der Eingelebtheit eines Verhaltens, erfolgende Orientierung an dieser: die von allen häufigste Art der inneren Haltung. Aber sie ist noch ungleich labiler als eine mit

78 Weber (1968 a), 215.

dem Prestige der Vorbildlichkeit oder Verbindlichkeit, wir wollen sagen: der ›Legitimität‹ auftretende.«[79]

Soweit der Bestand eines Handlungssystems oder einer Lebensordnung von ihrer Legitimität abhängt, beruht sie auch faktisch auf »Einverständnisgeltung«. Der Einverständnischarakter des Gemeinschaftshandelns besteht darin, daß die Angehörigen einer Gruppe die Verbindlichkeit ihrer Handlungsnormen anerkennen und voneinander wissen, daß sie sich gegenseitig verpflichtet fühlen, die Normen zu befolgen. An diesem Begriff der ›legitimen Ordnung‹ ist für die Rationalisierungsproblematik zunächst wichtig, daß die Ideen zwar auf eine höchst unvollkommene Weise mit Interessen zusammengefügt sind, daß sie aber über diese Integration *Gründen* und *Geltungsansprüchen faktische Wirksamkeit* verschaffen.

Eine Wertsphäre, der sozial folgenreiche Ideen angehören, kann im allgemeinen nur unvollständig in einer legitimen Ordnung verkörpert werden. Das zeigt sich an der Gewalt, die in die Struktur von Handlungsnormen trotz ihres »Einverständnischarakters« eingebaut ist. Normen bedürfen der Sanktion: entweder äußerer Sanktionen (der Mißbilligung von Angehörigen im Falle von *Konventionen,* des Zwangsapparates eines Verbandes im Falle von *Rechtsnormen*[80]) oder innerer Sanktionen (wie Scham und Schuld im Falle *ethischer Normen*). Am Beispiel der rechtlich organisierten Wirtschaftsordnung klärt Weber das Verhältnis zwischen dem normativen Geltungsanspruch und der sozialen Geltung von Handlungsnormen, die auf faktischem Einverständnis beruhen: »Es liegt auf der Hand, ... daß die ideelle Rechtsordnung der ›Rechtstheorie‹ direkt mit dem Kosmos des faktischen wirtschaftlichen Handelns nichts zu schaffen hat, da beide in verschiedenen Ebenen liegen: die eine in der des ideellen Geltensollens, die andere in der des realen Geschehens. Wenn nun trotzdem Wirtschafts- und Rechtsordnung in höchst intimen Beziehungen zueinander stehen, so ist eben diese letztere dabei nicht in juristischem, sondern in soziologischem Sinne verstanden: als *empirische* Geltung.

79 Weber (1964), 22 f.
80 Weber (1964), 240 ff.

Der Sinn des Wortes ›Rechtsordnung‹ ändert sich dann völlig. Sie bedeutet dann nicht einen Kosmos logisch als ›richtig‹ erschließbarer Normen, sondern einen Komplex von faktischen Bestimmungsgründen realen menschlichen Handelns.«[81]

Aus dieser Unterscheidung zwischen idealer und sozialer Geltung ergeben sich zwei Konsequenzen, und zwar zunächst eine methodische Konsequenz, die seit dem Werturteilsstreit alle Aufmerksamkeit auf sich gezogen hat. In seiner Auseinandersetzung mit Stammler hebt Weber zwei Differenzierungen hervor: einmal den Unterschied zwischen faktischen Regelmäßigkeiten des Verhaltens und normativen Regelungen des Handelns, und zum anderen den Unterschied zwischen dem Sinn eines normativen Geltungsanspruches und der Tatsache seiner faktischen Anerkennung. Weber kritisiert sodann die Verwechslung von deskriptiven Aussagen über akzeptierte Bewertungsstandards und bestehende Normen mit Aussagen, die Normen empfehlen, ausdrücken oder rechtfertigen: »Vor allem geht bei Stammler die *ideelle*, vom Rechtsdogmatiker oder Ethiker wissenschaftlich deduzierbare ›Geltung‹ einer ›Norm‹ mit der zum Objekt einer empirischen Betrachtung zu machenden realen Beeinflussung des empirischen Handelns durch Vorstellungen vom Gelten der Normen durcheinander.«[82] Fragen der idealen Geltung von Normen können sich, ob für den Theoretiker oder für die Betroffenen selbst, nur in der performativen Einstellung eines Handelnden (oder eines Diskursteilnehmers) stellen, während Fragen der sozialen Geltung von Normen, Fragen der Art, ob Werte und Normen in einer Gruppe faktisch anerkannt sind oder nicht, in der objektivierenden Einstellung einer dritten Person behandelt werden müssen. Dem entspricht auf der semantischen Ebene die Unterscheidung zwischen Wert- und Tatsachenurteilen. Weber beharrt mit Recht darauf, daß Aussagen des einen Typs aus Aussagen des anderen Typs nicht abgeleitet werden können. Dieses Interesse des Methodologen Weber hat aber bis heute das *andere* Interesse, das der Soziologe Weber im selben Zusammenhang *auch* anmeldet, weitgehend verdeckt.

81 Weber (1964), 234.
82 Weber (1964), 246.

Die Problematik der gesellschaftlichen Rationalisierung ergibt sich nämlich daraus, daß die »Vorstellungen vom Gelten der Normen« durch Gründe gestützt sind und deshalb durch eine intellektuelle Bearbeitung interner Sinnzusammenhänge, durch das, was Max Weber »Intellektualisierung« nennt, auch beeinflußt werden können. Der Bestand legitimer Ordnungen hängt unter anderem vom Faktum der Anerkennung normativer Geltungsansprüche ab. Und da diese soziale Geltung in einer internen Beziehung zu Gründen, überhaupt zum Begründungspotential von Deutungssystemen, Weltbildern, kulturellen Überlieferungen steht, hat die von Intellektuellen betriebene Systematisierung und Durcharbeitung von Weltbildern *empirische* Folgen. Die intellektuelle Beschäftigung mit kulturellen Deutungssystemen führt in der Regel zu Lernprozessen, die der Sozialwissenschaftler, wenn er die gleiche performative Einstellung wie die im Objektbereich wirksamen Intellektuellen selbst einnimmt, *nachvollziehen und beurteilen* kann. Bei dieser rationalen Nachkonstruktion von Vorgängen der kulturellen (und gesellschaftlichen) Rationalisierung kann sich der Wissenschaftler gerade *nicht* auf die Beschreibung faktischer Vorstellungen beschränken; er kann die empirische Überzeugungskraft neuer Ideen und die Entwertung, die schwindende Überzeugungskraft alter Ideen nur in dem Maße verstehen, wie er sich, in dem gegebenen Überlieferungskontext, *die Gründe vergegenwärtigt*, mit denen sich neue Ideen durchgesetzt haben. Von diesen Gründen muß sich der Sozialwissenschaftler nicht selbst überzeugen lassen, um sie zu verstehen; aber er versteht sie nicht, wenn er nicht mindestens implizit *zu ihnen Stellung nimmt* (d. h. weiß, ob er sie teilt und, gegebenenfalls, warum er sie nicht teilen kann, oder dahingestellt sein läßt). Die methodologische Seite rationaler Nachkonstruktionen braucht uns hier nicht zu beschäftigen; ich möchte aber deutlich machen, daß die Unterscheidung zwischen der idealen und der sozialen Geltung von (Werten und) Normen eine Konsequenz hat, die in unserem Zusammenhang wichtiger ist als das Postulat der Werturteilsfreiheit. Rationalisierungsprozesse können an gesellschaftlichen Lebensordnungen nur darum ansetzen, weil der Bestand legitimer Ordnungen von der faktischen Anerkennung solcher Geltungssprüche abhängt, die intern angegriffen, also durch Kritik, neue Einsichten, Lernprozesse usw. *erschüttert* werden können.

Nun entstehen in traditionalen Gesellschaften (und nicht nur hier) neue Ideen, neue Gründe und Begründungsniveaus nicht in den Formen geregelter Argumentation: »Wie entstehen in dieser Welt der Eingestelltheit auf das ›Regelmäßige‹ als das ›Geltende‹ irgendwelche ›Neuerungen‹? Von außen her: durch Änderung der äußeren Lebensbedingungen, das ist kein Zweifel. Aber diese geben nicht die geringste Gewähr, daß nicht der Untergang des Lebens statt einer Neuordnung ihnen antwortet; und vor allem sind sie keineswegs die unentbehrliche, gerade bei vielen höchst weittragenden Fällen von Neuordnungen nicht einmal eine mitwirkende Bedingung.«[83] Weber erklärt Innovationen vielmehr mit »Eingebungen« charismatisch wirksamer Figuren, die in besonderem Maße über die Kapazität der Sinnstiftung verfügen. Die großen Weltreligionen gehen ausnahmslos auf Stifterfiguren zurück, die des prophetischen Wortes mächtig waren und durch exemplarische Lebensführung ihren Ideen Nachdruck verliehen haben. Später bedurfte es freilich der intellektuellen Arbeit von Priestern, Mönchen, Weisheitslehrern, um diese neuen Ideen und Lebensweisen dogmatisch auszugestalten und zu einer traditionsfähigen Lehre zu »rationalisieren«. Auf dieser Ebene vollzieht sich die intellektuelle Auseinandersetzung mit den Motiven, den Deutungsmustern, den Begründungsstrukturen des vorangehenden, des mythischen Weltverständnisses: »Gerade die der Absicht nach rationalen, von Intellektuellen geschaffenen, religiösen Weltdeutungen und Ethiken waren dem Gebot der Konsequenz stark ausgesetzt. So wenig sie sich auch im Einzelfalle der Forderung der ›Widerspruchslosigkeit‹ fügten und so sehr sie rational *nicht* ableitbare Stellungnahmen in ihre ethischen Postulate einfügen mochten, so ist doch die Wirkung der ratio, speziell: der teleologischen Ableitung der praktischen Postulate, bei ihnen allen irgendwie und oft sehr stark bemerkbar.«[84]

Mit Hilfe dieser Überlegungen können wir das Verhältnis von

83 Weber (1964), 242.
84 Weber (1963), 537.

Interessen und Ideen etwas genauer fassen. In der Einleitung zur Wirtschaftsethik der Weltreligionen steht die berühmte Passage, die sich implizit auf Marxens Vorwort zur Kritik der Politischen Ökonomie bezieht: »Interessen ... nicht Ideen beherrschen unmittelbar das Handeln der Menschen. Aber: die ›Weltbilder‹, welche durch ›Ideen‹ geschaffen wurden, haben sehr oft als Weichensteller die Bahnen bestimmt, in denen die Dynamik der Interessen das Handeln fortbewegte.«[85] Soweit wir soziales Handeln mit Bezugnahme auf legitime Ordnungen (Konventionen und Rechtsnormen) erklären, gehen wir davon aus

– daß »die Dynamik der Interessen« das Handeln bewegt;
– daß diese Interessendynamik aber nur in den Grenzen faktisch geltender normativer Regelungen zum Zuge kommt;
– daß sich die Geltung normativer Regelungen auf die Überzeugungskraft der Ideen stützt, die zu ihrer Begründung herangezogen werden können; und
– daß die faktische Überzeugungskraft der Ideen *auch* von dem (objektiver Beurteilung zugänglichen) Begründungs- und Rechtfertigungspotential abhängt, welche diese Ideen in einem gegebenen Kontext darstellen.

Die Bestandsfähigkeit legitimer Ordnungen unterliegt auch strukturellen Beschränkungen, welche sich aus dem Legitimationspotential verfügbarer Ideen und Weltbilder ergeben. Dieses Potential verändert sich sowohl mit faktischen (externen) Bedingungen der Glaubwürdigkeit wie auch mit rationalen (internen) Bedingungen der Gültigkeit. *Soweit* wie die Faktizität anerkannter Geltungsansprüche von internen Bedingungen der Anerkennungswürdigkeit (oder Geltung) abhängt, soweit reicht auch die empirische Wirksamkeit der eigensinnig, nach Kriterien der Gültigkeit vollzogenen Rationalisierung von Weltbildern. Diese ist empirisch wirksam im Sinne einer »Weichenstellung für Bahnen«, innerhalb deren sich Interessen mit Ideen zu einer legitimen Ordnung verbinden können.

Mit dieser theoretischen Annahme stützt Weber auch seine Methode, »durch zweckmäßig konstruierte rationale Typen, also:

85 Weber (1963), 252.

durch Herauspräparierung der innerlich ›konsequentesten‹ Formen eines aus fest gegebenen Voraussetzungen ableitbaren praktischen Verhaltens die Darstellung der sonst unübersehbaren Mannigfaltigkeit zu erleichtern. Und schließlich und vor allem muß und will ein religionssoziologischer Versuch dieser Art nun einmal zugleich ein Beitrag zur Typologie und Soziologie des Rationalismus selbst sein. Er geht daher von den rationalsten Formen aus, welche die Realität annehmen *kann*, und sucht zu ermitteln, inwieweit gewisse theoretisch aufstellbare rationale Konsequenzen in der Realität gezogen wurden. Und eventuell: weshalb nicht.«[86] Das bedeutet nicht, daß Weber die rational nachkonstruierten Weltbilder mit dem im Alltag unmittelbar wirksamen Orientierungssystem gleichsetzt; er bedient sich ihrer als Erkenntnismittel, um zu den Strukturen des Alltagsbewußtseins, insbesondere zur Wirtschaftsethik vorzudringen: »Nicht die ethische Theorie theologischer Kompendien, die nur als ein (unter Umständen allerdings wichtiges) Erkenntnismittel dient, sondern die in den psychologischen und pragmatischen Zusammenhängen der Religionen gegründeten *praktischen Antriebe zum Handeln* sind das, was in Betracht kommt.«[87]

(2) *Interne und externe Faktoren der Weltbildentwicklung.* Ideen und Interessen verbinden sich nicht nur auf der Ebene der Gesellschaft zu legitimen Ordnungen und institutionell geordneten Lebensbereichen; auch auf der Ebene der Kultur beobachten wir ein Zusammenspiel von Ideen und Interessen. Für die Analyse der Entwicklung religiöser und metaphysischer Weltbilder ist es von besonderer Wichtigkeit, Geltungs- und Wirkungszusammenhänge so zu trennen, daß die *Logik* der durch Weltbildstrukturen um-

---

86 Weber (1963), 537 f. R. Prewo versucht, zwischen Methodologie und Herrschaftssoziologie einen Zusammenhang herzustellen: die Bildung von Idealtypen soll nur in dem Maße möglich sein, wie sich faktisch (im Sinne einer Institutionalisierung zweckrationalen Handelns) rationalisierte Handlungssysteme herausbilden (R. Prewo, Max Webers Wissenschaftsprogramm, Ffm. 1979). Diese Interpretation kann nicht erklären, warum Max Weber z. B. in der Religionssoziologie Idealtypen bildet, die die Ethisierung von Weltbildern und nicht die Zweckrationalität von Handlungen zum Bezugspunkt haben.
87 Weber (1963), 238.

schriebenen *Entwicklungsmöglichkeiten* auf die *Dynamik* der *Weltbildentwicklung*, d. h. auf die selektiv von außen auf die Weltbilder einwirkenden Faktoren bezogen werden kann, ohne beide zu vermischen.

F. H. Tenbruck hat mit Recht betont, daß Weber mit seinen Studien zur »Wirtschaftsethik der Weltreligionen« nicht etwa nur eine komparative Absicherung seiner Protestantismusthese beabsichtigt habe. Tenbruck arbeitet den universalgeschichtlichen Prozeß der Entzauberung als das eigentliche Thema heraus: »Offenbar ging es nicht nur um die Frage, ob sich in anderen Kulturen mangels innerweltlicher Askese keine rationale Wirtschaftsgesinnung bilden konnte; zur Debatte stand vielmehr die viel allgemeinere Frage, wie sich Rationalität im Zusammenspiel von Ideen und Interessen auswirkt und produziert.«[88] Tenbruck macht in diesem Zusammenhang drei Beobachtungen, die in der bisherigen Weberforschung nicht hinreichend hervorgehoben worden waren.

Er sieht zunächst, daß Weber mit seiner These von der gleichgerichteten Rationalisierung *aller* Weltreligionen trotz seiner Skepsis gegenüber Fortschrittsgesetzen »plötzlich in Sachen der Religion im Lager des zeitgenössischen Evolutionismus«[89] steht. Er weist ferner darauf hin, daß Weber den internen Geltungsansprüchen religiöser Weltbilder und ihrer eigenlogischen Entwicklung empirische Wirksamkeit zugesteht: »Deren Entwicklung soll« (nach Webers Auffassung) »überwiegend rationalen Zwängen folgen, die Genese der Religion also einen Fortschritt an Rationalität beinhalten... Den Beweis für ihre quasi-reale Geltung entnahm er den empirischen Befunden der Wirtschaftsethik der Weltreligionen.«[90] Und schließlich bezeichnet Tenbruck das inhaltliche Problem, auf das Weber jenen »Lernvorgang«, der sich durch alle Weltreligionen erstreckt, bezieht: »Die rationalen Zwänge, denen die Religionen folgen sollen, ergeben sich aus dem Bedürfnis, eine rationale Antwort auf das Theodizeeproblem zu erhalten, und die Stufen religiöser Entwicklung sind die immer expliziteren Fassungen dieses

88 F. H. Tenbruck, Das Werk Max Webers, KZSS, 27, 1975, 677.
89 Tenbruck (1975), 682.
90 Tenbruck (1975), 682.

Problems und seiner Lösungen.«[91] Die Linie, auf der das mythische Denken der archaischen Stammesreligionen schrittweise
durchrationalisiert und schließlich zu einer universalistischen Gesinnungsethik umgeformt, d. h. »ethisiert« wird, charakterisiert
Tenbruck folgendermaßen: »Wenn irgendwann Menschen die
Mächte, welche ihnen geheimnisvoll in der unbeherrschten Umwelt entgegentraten, nicht mehr als immanente Kräfte in den Dingen selbst betrachten, vielmehr sich als hinter den Dingen stehende
Wesen vorstellen, dann ist für Weber eine neue Idee in die Welt
gekommen, und wenn sie daraus personale Wesenheiten machen,
so ist das wiederum eine neue Idee. Ebenso war für Weber der
monotheistische Begriff eines überweltlichen Gottes eine Idee, die
erst einmal geboren werden mußte, aber, wenn einmal angenommen, weitreichende Folgen hatte. Vollends eine neue Idee bildete
dann die Vorstellung, daß es sich um eine lohnende und strafende
Gottheit handele, und zwar besonders dann, wenn daraus die weitere Vorstellung wurde, daß die Geschicke der Menschen sich im
Diesseits und im Jenseits wesentlich nach der Einhaltung von solchen ethischen Geboten richteten. Nochmals eine neue Idee kam
mit der Sendungsprophetie, also eben im Judentum, in die Welt,
weil sich nun der Mensch als das in der Welt handelnde Werkzeug
Gottes verstehen mußte. Und wiederum eine neue Idee war es, als
der Protestantismus dem die Prädestination hinzufügte.«[92]
Systematisch ist diese religiöse Rationalisierung von N. Bellah und
von R. Döbert[93] in Angriff genommen worden. Die Untersuchungen von Döbert machen indessen deutlich, daß Weber (und ihm
folgend Tenbruck) nicht hinreichend zwischen der *inhaltlichen*

91 Tenbruck (1975), 683.
92 Tenbruck (1975), 685.
93 R. N. Bellah, Beyond Belief, N. Y. 1970; R. Döbert, Systemtheorie und die
Entwicklung religiöser Deutungssysteme, Ffm. 1973; ders., Die evolutionäre Bedeutung der Reformation, in: C. Seyfarth, W. M. Sprondel (Hrsg.), Religion und
gesellschaftliche Entwicklung, Ffm. 1973, 303 ff.; ders., Zur Logik des Übergangs
von archaischen zu hochkulturellen Religionssystemen, in: K. Eder (Hrsg.), Die
Entstehung von Klassengesellschaften, Ffm. 1973, 330 ff.; ders., Methodologische
und forschungsstrategische Implikationen von evolutionstheoretischen Studienmo-
dellen, in: U. Jaeggi, A. Honneth (Hrsg.), Theorien des Historischen Materialismus, Ffm. 1977, 524 ff.

Problematik, an deren Leitfaden sich die Rationalisierung vollzieht, und den Bewußtseins*strukturen* unterscheidet, die aus der Ethisierung der Weltbilder hervorgehen. Während die Weltbildinhalte die verschiedenen Lösungen des Theodizeeproblems spiegeln, zeigen sich die strukturellen Aspekte, wie wir sehen werden, an jenen »Stellungnahmen zur Welt«, die durch formale Weltkonzepte bestimmt sind. Wenn man in dieser Weise strukturelle von inhaltlichen Aspekten trennt, läßt sich das Zusammenspiel von Ideen und Interessen anhand des von Weber ausgebreiteten Materials gut analysieren.

Man kann mit Webers Untersuchungen zunächst belegen, daß die hochkulturell verzweigten Pfade religiöser Rationalisierung von den Anfängen im Mythos bis zur Schwelle des modernen Weltverständnisses *erstens* von demselben Problem, nämlich dem der Theodizee ausgehen, und *zweitens* in dieselbe Richtung eines entzauberten, von magischen Vorstellungen gereinigten Weltverständnisses weisen (wobei nur der abendländische Entwicklungspfad zu einem vollständig dezentrierten Weltverständnis hinführt). Wenn man dann annimmt, daß die *Richtung* der Religionsentwicklung mit dem Eigensinn des Kernproblems und der Weltbildstrukturen erklärt werden kann, während die *inhaltliche Ausprägung* der strukturell umschriebenen Möglichkeiten auf externe Faktoren zurückgeführt werden muß, ergibt sich eine klare methodische Abgrenzung: die Arbeit rationaler Nachkonstruktion erstreckt sich auf die internen Sinn- und Geltungszusammenhänge mit dem Ziel, die Weltbildstrukturen entwicklungslogisch und die Inhalte typologisch anzuordnen; die empirische, d. h. im engeren Sinne soziologische Analyse richtet sich hingegen auf die externen Determinanten der Weltbildinhalte und auf Fragen der Entwicklungsdynamik, z. B. auf die folgenden Fragen:
– wie Konflikte, welche die strukturell begrenzte Deutungskapazität eines bestehenden Weltbildes überfordern, aussehen und identifiziert werden können;
– in welchen sozialstrukturell verursachten Konfliktlagen typischerweise eine Theodizeeproblematik entsteht;
– wer die sozialen Träger der charismatischen Durchsetzung bzw. der Rationalisierung eines neuen Weltbildes sind;

– in welchen sozialen Schichten ein neues Weltbild rezipiert wird und in welchen Sektoren es wie weit auf das Alltagshandeln orientierend einwirkt;

– wie weit neue Weltbilder institutionalisiert werden müssen, um legitime Ordnungen zu ermöglichen – nur innerhalb von Eliten oder in einer Gesamtpopulation;

– schließlich: wie die Interessen der Trägerschichten die Selektion der Weltbildinhalte steuern.

Bevor ich auf Webers Analyse der Weltbilder eingehe, möchte ich die beiden Gesichtspunkte nennen, unter denen diese Analyse steht. Auffällig ist *zunächst*, daß Weber die Rationalisierung der Weltbilder auf den Gesichtspunkt der *Ethisierung* einschränkt: er verfolgt die Ausbildung einer religiös begründeten Gesinnungsethik, überhaupt die Ausbildung posttraditionaler Rechts- und Moralvorstellungen. Da ihn die rationalen Bestandvoraussetzungen legitimer Ordnungen interessieren, insbesondere die rationalen Bedingungen sozialer Integration beim Übergang zu modernen Gesellschaften, liegt diese Beschränkung nahe. Aber ebensogut hätte sich die Rationalisierung der Weltbilder in zwei weiteren Dimensionen verfolgen lassen: Weber hätte auch die Umformung der kognitiven und der expressiven Bestandteile aus dem Blickwinkel der modernen Wissenschaft und der autonomen Kunst untersuchen können. Das hat er unterlassen, obwohl er für die gesellschaftliche Rationalisierung, die mit der Moderne einsetzt, die Ausdifferenzierung *aller drei* Wertsphären voraussetzt.

Zweitens untersucht Weber den Prozeß der Entzauberung religiöser Weltbilder unter einem konkreten geschichtlichen Bezugspunkt. Er rekonstruiert die Geschichte der Rechts- und Moralvorstellungen nicht mit dem Blick auf die Strukturen von Gesinnungsethiken *überhaupt*, sondern mit dem Blick auf die Entstehung der kapitalistischen Wirtschaftsethik, weil er genau die kulturellen Bedingungen klären möchte, unter denen der Übergang zum Kapitalismus vollzogen und damit das evolutionäre Hauptproblem gelöst werden konnte, nämlich ein ausdifferenziertes Teilsystem zweckrationalen Handelns sozial zu integrieren. Ihn interessieren daher nur die Ideen, die es möglich machen, den *Typus zweckrationalen Handelns* im System gesellschaftlicher Arbeit *wertrational* zu verankern.

Es ist nützlich, sich diese beiden Einschränkungen vor Augen zu halten. Sie mögen erklären, warum Weber, wie wir sehen werden, den systematischen Spielraum seines theoretischen Ansatzes nicht ausgeschöpft hat. Diesem Ansatz zufolge wird die Institutionalisierung neuer Handlungsorientierungen und die Entstehung legitimer Ordnungen auf das Zusammenwirken von Ideen und Interessen zurückgeführt. Dabei sollen die Interessenlagen *beides* erklären: den *Anstoß* zur eigensinnigen Entfaltung von *Weltbildstrukturen* wie auch die selektive *Ausprägung* der mit neuen kognitiven Strukturen eröffneten Möglichkeiten, d. h. die Art der *Weltbildinhalte.* Diese theoretische Perspektive ist im Gesamtwerk Max Webers angelegt. Wenn wir uns von ihr bei der *Auslegung* von Webers religionssoziologischen Studien leiten lassen, ergibt sich ein schärferer Kontrast zwischen den Orientierungs*möglichkeiten* moderner Bewußtseinsstrukturen, die aus dem Entzauberungsprozeß hervorgehen und dem Profil der aus diesem Spektrum *verwirklichten,* institutionell tatsächlich umgesetzten Möglichkeiten, das für die kapitalistische Gesellschaft charakteristisch ist. Weber versteht die Rationalisierung von Weltbildern als einen Prozeß,

– der sich in allen Weltreligionen *gleichgerichtet* vollzieht,

– aber aus externen Gründen nur auf *einer* Traditionslinie radikal zu Ende geführt wird,

– so daß er im Abendland die Bewußtseinsstrukturen freisetzt, die ein modernes Weltverständnis ermöglichen.

Von diesen Strukturen des Weltverständnisses sind die kognitiven und expressiven Bestandteile der Tradition nicht weniger betroffen als die normativen; aber Weber konzentriert sich auf die Herausbildung einer universalistischen Gesinnungsethik. Die Tatsache, daß die posttraditionale Stufe des moralischen Bewußtseins in *einer,* und zwar der europäischen Kultur *zugänglich* wird, bedeutet noch nicht deren soziale *Durchsetzung* in Gestalt der Protestantischen Ethik. Dazu kommt es erst, wenn die Strukturen einer Gesinnungsethik, die wertrationales Handeln zum Prinzip der *innerweltlichen* Lebensführung erhebt, den Lebensstil breiterer sozialer Schichten in der Weise bestimmt, daß sie zur motivationalen Verankerung zweckrationalen Wirtschaftshandelns dienen kann.

Einen parallelen, wenn auch nicht gleichzeitigen Vorgang muß Weber für das moderne Recht postulieren. Die Ethisierung von Weltbildern bedeutet auch eine Rationalisierung des Rechtsbewußtseins; aber wiederum ist die Verfügbarkeit posttraditionaler Rechtsvorstellungen noch nicht identisch mit der Durchsetzung eines modernen Rechtssystems. Erst auf der Grundlage des rationalen Naturrechts gelingt es, Rechtsmaterien in Grundbegriffen des formalen Rechts so zu rekonstruieren, daß Rechtsinstitutionen geschaffen werden können, die universalistischen Grundsätzen formal genügen können, und zwar *solchen*, die den privaten Geschäftsverkehr der Warenbesitzer untereinander und die komplementäre Tätigkeit der öffentlichen Verwaltung regeln.

In Webers Darstellung tritt die Parallelität dieser beiden Vorgänge (der motivationalen Verankerung und der institutionellen Verkörperung posttraditionaler Moral- und Rechtsvorstellungen) nicht deutlich hervor; er trennt Rechts- und Religionssoziologie und bezieht die religiöse Rationalisierung stärker auf die Wirtschaftsethik als auf die Rechtsentwicklung. Das mag auch damit zu tun haben, daß die Entstehung des rationalen Naturrechts nicht allein mit der ethischen Rationalisierung von Weltbildern erklärt werden kann, sondern in hohem Maße von der Wissenschaftsentwicklung abhängt und daher eine Analyse des Verhältnisses kognitiver und moralisch-praktischer Weltbildkomponenten erfordert hätte.

Wenn wir in dieser Weise das Ergebnis religiöser Rationalisierung, also die *Herausbildung moderner Bewußtseinsstrukturen* in den Dimensionen Recht und Moral, von dem Vorgang der *Wertverwirklichung*, durch die eine für die moderne Gesellschaft spezifische Form der sozialen Integration zustande kommt, trennen, wird auch die Verteilung der Beweislasten auf interne und externe Faktoren klar. Abstrakt läßt sich die Art von Problemen bezeichnen, die die *Dynamik* der Entwicklung betreffen und daher mit einer Eigen*logik* der Weltbildentwicklung und der Ausdifferenzierung von Wertsphären nicht erklärt werden können. Nur eine soziologische Untersuchung der Interessenlagen von Trägerschichten, von sozialen Bewegungen, Konflikten usw. kann erklären,

– warum nur auf der jüdisch-christlichen Traditionslinie die in allen Weltbildern intern angelegte Rationalisierung zu Ende geführt worden ist;

– warum nur im Okzident die Bedingungen für eine Institutionalisierung von universalistischen Rechts- und Moralstrukturen erfüllt worden sind; und

– warum nur hier typisch auftretende Systemprobleme so gelöst worden sind, daß die für kapitalistische Gesellschaften charakteristische Form der sozialen Integration (mit methodischer Lebensführung und modernem Rechtsverkehr) entstanden ist.

Der Beitrag Max Webers zu diesen im engeren Sinne soziologischen Analysen des Übergangs von der feudalen zur modernen Gesellschaft ist bekannt. Weber hat viele der externen Faktoren hervorgehoben, die heute in der Modernisierungsforschung eine wichtige Rolle spielen: die Tatsache einer relativ einheitlichen Kultur; die Dezentralisierung der politischen Gewalten; der balancierte Konflikt zwischen Staat und Kirche; und deren interne Differenzierung in Amtskirche, Orden, Laien; die besondere Struktur der mittelalterlichen Gewerbestädte mit Patriziat und Zünften; die Tendenzen zur Kommerzialisierung des Verkehrs, zur Bürokratisierung der Verwaltung usw.[94] Ich will auf diese Faktoren nicht eingehen und mich auf die *internen Faktoren* der Weltbildrationalisierung sowie auf die *strukturellen Aspekte* der Verkörperung moderner Bewußtseinsstrukturen in der protestantischen Berufsethik und im modernen Rechtssystem beschränken.

(3) *Inhaltliche Aspekte.* Weber hat drei der großen Weltreligionen untersucht: die chinesische (Konfuzianismus, Taoismus), die indische (Buddhismus, Hinduismus) und das antike Judentum. Die geplanten Untersuchungen über Christentum und Islam hat er nicht mehr ausführen können. Weber verfährt durchweg komparativ; aber nur an einigen Stellen verdichtet er die komparative Darstellung zu systematischen Vergleichen (vor allem in der Einleitung, der Zwischenbetrachtung und dem Schlußkapitel über China).[95]

94 Zum Stand der gegenwärtigen Diskussion vgl. R. van Dülmen, Formierung der europäischen Gesellschaft in der frühen Neuzeit, in: Geschichte und Gesellschaft, 7, 1981, 5 ff.
95 Weber (1963), 237-275; 536-573; 512-534. W. Schluchter (Hrsg.), Max Webers Studie über das antike Judentum, Ffm. 1981.

Wenn man nur die allgemeinsten Gesichtspunkte in Betracht zieht, differenziert Weber die Weltbilder, die von einem gemeinsamen Thema ausgehen, vor allem in den Dimensionen der Gottesvorstellung (persönlicher Schöpfergott vs. unpersönliche kosmische Ordnung) und der Heilsorientierung (Weltbejahung vs. Weltablehnung).[96]

(a) *Das Thema.* Die Rationalisierung setzt an einem Thema an, das allen Weltreligionen gemeinsam ist: der Frage nach der Rechtfertigung der ungleichen Verteilung der Glücksgüter unter den Menschen. *Diese ethische Grundproblematik*, die die Grenzen des Mythos sprengt, ergibt sich aus dem Bedürfnis nach einer religiösen Erklärung des als ungerecht wahrgenommenen Leidens. Damit das persönliche Unglück als ungerecht perzipiert werden kann, bedarf es zunächst einer Umwertung des Leidens; denn in den Stammesgesellschaften galt Leiden als Symptom geheimer Schuld: »Der dauernd Leidende, Trauernde, Kranke oder sonst Unglückliche war, je nach der Art seines Leidens, entweder von einem Dämon besessen oder mit dem Zorn eines Gottes belastet, den er beleidigt hatte.«[97]

Im übrigen waren die Stammeskulte auf die Bewältigung kollektiver Notlagen zugeschnitten, nicht auf individuelle Schicksalsbewältigung. Neu ist die Vorstellung, daß individuelles Unglück unverschuldet sein kann und daß der Einzelne die religiöse Hoffnung hegen darf, von allen Übeln, von Krankheit, Not, Armut, sogar Tod erlöst zu werden. Neu ist auch die von den ethnischen Verbänden unabhängige Gemeindebildung, die religiöse Gemeinschaftsveranstaltung für das Heilsschicksal von Individuen: »Die Verkündigung und Verheißung wendet sich nun naturgemäß an die Masse derjenigen, welche der Erlösung *bedurften*. Sie und ihre Interessen traten in den Mittelpunkt des berufsmäßigen Betriebes der ›Seelsorge‹, welche erst damit recht eigentlich entstand. Feststellung, wodurch das Leiden verschuldet sei: Beichten von ›Sünden‹, d. h. zunächst: Verstößen gegen rituelle Gebote, und Beratung: durch welches Verhalten es beseitigt werden könne, wurde

---

96 Vgl. die ausführliche Darstellung bei Schluchter (1979), 230 ff.
97 Weber (1963), 241 f.

jetzt die typische Leistung von Magiern und Priestern. Ihre materiellen und ideellen Interessen konnten damit in der Tat zunehmend in den Dienst *plebejischer* Motive treten.«[98]

Hier klingt eine soziologische Erklärung an, der Weber nicht sehr weit nachgeht: die Neubewertung des individuellen Leidens und das Auftreten individueller Heilsbedürfnisse, welche die Frage nach dem ethischen Sinn des Sinnlosen zum Ausgangspunkt eines über lokale Mythen hinausdrängenden religiösen Denkens machen, fallen nicht vom Himmel; sie sind das Ergebnis von Lernprozessen, die in Gang kommen, als die in den Stammesgesellschaften etablierten Gerechtigkeitsvorstellungen mit der neuen Realität von Klassengesellschaften zusammenprallen. Weltreligionen entwickeln sich ausnahmslos in Hochkulturen, also im Rahmen von staatlich organisierten Gesellschaften, wo neue, vom Verwandtschaftssystem unabhängige Produktionsweisen und entsprechende Formen ökonomischer Ausbeutung entstehen.[99] Freilich mußte das Konfliktpotential erst von Propheten entbunden werden, um die Massen, die »überall in der massiven Urwüchsigkeit der Magie befangen« waren, »in eine religiöse Bewegung ethischen Charakters hineinzureißen«.[100]

(b) *Theozentrische vs. kosmozentrische Weltbilder.* Die Weltreligionen gehen also von demselben Grundproblem aus: sie versuchen, »das rationale Interesse an materiellem und ideellem Ausgleich« im Anblick der evidenten Ungleichverteilung der Glücksgüter unter den Menschen durch Erklärungen zu befriedigen, die zunehmend systematischen Ansprüchen genügen: »Stets steckte dahinter eine *Stellungnahme zu etwas,* was an der realen Welt als spezifisch ›sinnlos‹ empfunden wurde und also die Forderung: daß das Weltgefüge in seiner Gesamtheit ein irgendwie sinnvoller ›Kosmos‹ sei oder: werden könne und solle.«[101]

Die Frage nach der Rechtfertigung manifester Ungerechtigkeiten wird allerdings nicht als eine rein ethische Frage behandelt; sie ist

98 Weber (1963), 243 f.
99 K. Eder (1973); ders., Die Entstehung staatlich organisierter Gesellschaften, Ffm. 1976.
100 Weber (1963), 248.
101 Weber (1963), 253.

Teil der theologischen, kosmologischen, metaphysischen Frage nach einer Verfassung der Welt im ganzen. Diese *Weltordnung* wird so gedacht, daß ontische und normative Aspekte ineinander geblendet sind. In diesem Rahmen religiös-metaphysischen Ordnungsdenkens sind dann für dasselbe Problem recht verschiedene Lösungen gefunden worden. Weber kontrastiert vor allem zwei grundbegriffliche Strategien: die eine, okzidentale, bedient sich der Konzeption eines jenseitigen, persönlichen Schöpfergottes, die andere im Orient verbreitete Strategie geht von der Vorstellung eines unpersönlichen, nicht erschaffenen Kosmos aus. Weber spricht auch von einer überweltlichen und einer immanentistischen Gotteskonzeption: der »Gott des Handelns« ist exemplarisch in Jahwe ausgebildet[102], der »Gott der Ordnung« in Brahman.[103] Gegenüber dem transzendenten Schöpfergott muß der Gläubige ein anderes Verhältnis einnehmen als gegenüber dem ruhenden Grunde der kosmischen Ordnung; er versteht sich als *Werkzeug Gottes* und nicht als *Gefäß des Göttlichen*.[104] Im einen Fall sucht der Gläubige Gottes Wohlgefallen zu erringen, im anderen Fall, am Göttlichen teilzunehmen.

Auch das religiöse Fundament der Ethik unterscheidet sich in den beiden Traditionen: der Hoffnung auf göttliche Gnade steht in der asiatischen Religiosität die Vorstellung der Selbsterlösung durch Wissen gegenüber. Deshalb wird dort die Heilsgeschichte, hier der Kosmos oder das Sein zum Kern spekulativer Weltdeutung. Und die asiatischen Religionen haben, obwohl der Gegensatz von Virtuosen- und Massenreligiosität überall besteht, eine größere Affinität zu Weltsicht und Lebenserfahrung intellektueller Schichten.

Weber begreift also die Weltreligionen als verschiedene Lösungen desselben Grundproblems, wobei sich die Lösungen innerhalb des grundbegrifflichen Spielraums religiös-metaphysischer Ordnungskonzeptionen, welche Aspekte des Ontischen, des Normativen und des Expressiven ineinanderblenden, bewegen. Die differentiellen Inhalte erklärt er mit Hilfe externer Faktoren. Vor allem

---

102 Weber (1966a), 326 ff.
103 Weber (1966a), 173 ff.
104 Weber (1963), 257.

untersucht er »die äußere, sozial, und die innere, psychologisch bedingte *Interessenlage* derjenigen Schichten, welche Träger der betreffenden Lebensmethodik in der entscheidenden Zeit ihrer Prägung waren«[105], handele es sich nun um eine literarisch gebildete Beamtenschicht (Konfuzianismus), um wandernde Bettelmönche (Buddhismus), um eine naturgebundene Bauernschaft (die magischem Denken verhaftet ist), um eine nomadisierende Kriegerschicht (Islam) oder um bürgerliche Stadtbewohner, Handwerker, Händler, hausindustrielle Unternehmer usw. (Protestantismus). Diese im engeren Sinne religions*soziologischen* Gesichtspunkte entscheiden sowohl über die Dynamik und das Ausmaß des Rationalisierungsprozesses wie auch darüber, welche Auswahl aus den strukturell möglichen Inhalten getroffen wird.

(c) *Weltbejahung vs. Weltverneinung.* Weber unterscheidet freilich die Weltreligionen nicht nur nach ihrer theozentrischen bzw. kosmozentrischen Ausprägung, sondern auch danach, ob sie eher zur Weltbejahung oder zur Ablehnung der Welt im ganzen motivieren. Dabei handelt es sich, unabhängig von aktiven oder passiven Lebenshaltungen, darum, ob der Gläubige »die Welt«, und das heißt: seine Gesellschaft und die umgebende Natur grundsätzlich positiv oder negativ bewertet, ob sie für ihn einen intrinsischen Wert hat oder nicht. Eine negative Einstellung gegenüber der Welt wird freilich erst durch jenen Dualismus möglich, der die radikalen Erlösungsreligionen kennzeichnet; erforderlich ist eine Struktur des Weltbildes, die die »Welt« sei es als ein historisch vergängliches Diesseits gegenüber dem jenseitigen Schöpfergott oder als bloß phänomenalen Vordergrund gegenüber dem Wesensgrund aller Dinge abwertet und als Bezugspunkt der individuellen Heilssuche eine Realität *hinter* der zum Schein herabgesunkenen Welt aufrichtet. Weber neigt zwar zu der Annahme, daß sich eine weltbejahende Einstellung nur dort erhalten kann, wo das magische Denken nicht radikal überwunden und die Stufe einer im strengen Sinne dualistischen Weltdeutung nicht erreicht wird. Aber erst im Vergleich des Konfuzianismus und des Taoismus mit der griechischen Philosophie hätte er prüfen können, ob diese Auffassung zutrifft

105 Weber (1963), 253.

oder ob nicht vielmehr auch radikale Entzauberung, dualistische Weltbildstruktur und Bejahung der Welt zusammengehen können. Die Weltablehnung würde dann eher von einer Radikalisierung des Erlösungsgedankens abhängen, die zu einer gesinnungsreligiösen Betonung und Kontrastverstärkung des in *allen* Weltreligionen angelegten Dualismus führt. Für diese bietet Weber wiederum eine soziologische Erklärung an: er weist auf die gesellschaftlichen Konflikte hin, die das Auftreten von Propheten auf den Plan rufen, wobei Sendungsprophetien, wie in der jüdisch-christlichen Überlieferung, eine besonders radikale Diesseits-Jenseitsspaltung und entsprechend konsequente Formen der Weltablehnung begünstigen.

Das folgende Schema enthält die abstrakten Gesichtspunkte, unter denen Max Weber die religiösen Weltbilder im Rahmen einer gemeinsamen religiös-metaphysischen Grundbegrifflichkeit *inhaltlich* differenziert, wobei er davon ausgeht, daß diese inhaltlich differenziellen Ausprägungen grundsätzlich soziologisch, d. h. mit Hilfe externer Faktoren erklärt werden können:

Fig. 4 *Religiös-metaphysische Weltbilder nach typischen Inhalten*

Bewertung der Welt im ganzen \ Begriffl. Strategien	theozentrisch	kosmozentrisch
Weltbejahung	–	Konfuzianismus Taoismus
Weltverneinung	Judentum Christentum	Buddhismus Hinduismus

(4) *Strukturelle Aspekte.* Weber mißt die Rationalisierung eines Weltbildes anhand der Ablösung von magischem Denken (Entzauberung) einerseits, an der systematischen Durchgestaltung (oder

Dogmatisierung – im Sinne von Rothacker)[106] andererseits: »Für die Stufe der Rationalisierung, welche eine Religion repräsentiert, gibt es vor allem zwei, übrigens miteinander in vielfacher innerer Beziehung stehende Maßstäbe. Einmal der Grad, in welchem sie die *Magie* abgestreift hat. Dann der Grad systematischer Einheitlichkeit, in welche das Verhältnis von Gott und Welt und demgemäß die eigene ethische Beziehung zur Welt von ihr gebracht worden ist.«[107] Daß Weber die Überwindung magischer Praktiken stärker betont als die der mythischen Denkweise, in der die Magie sich auslegt, erklärt sich aus dem Interesse des Soziologen an dem Einfluß der Weltbilder auf die praktische Lebensführung. Die Umformung der kognitiven Bestandteile, die die religiösen Weltbilder vom Mythos erben, ist für die Rationalität der Lebensführung weniger relevant als die Umformung der technisch-praktischen und vor allem der moralisch-praktischen Bestandteile. Dabei hemmt die magische Vorstellungswelt eine sachliche Einstellung gegenüber technischen Neuerungen, ökonomischem Wachstum usw.;[108] vor allem verhindert sie in den kultischen Kernbereichen die Ausbildung einer persönlichen Kommunikation zwischen dem Gläubigen und Gott oder dem göttlichen Wesen. Die manipulativen Techniken des Gotteszwangs, die noch in der sublimen Form des Sakraments fortleben, dominieren anstelle von Verehrung und Gebet.[109] Weber beschreibt die Welt des »Zaubergartens« u. a. anhand des Gegensatzes von Wunder- und Aberglauben.[110] Was diese Entzauberung unter strukturellen Aspekten bedeutet, will ich an den *Welteinstellungen* demonstrieren, die Weber unterscheidet. Dabei werde ich aus systematischen Gründen nicht nur die *Ethisierung* der Weltbilder, sondern auch die *Umformung ihrer kognitiven Komponenten* wenigstens andeutungsweise berücksichtigen, und dann die strukturellen Aspekte des Übergangs von ausgereif-

---

106 E. Rothacker, Die dogmatische Denkform in den Geisteswissenschaften und das Problem des Historismus, Abh. der Mainzer Akad. der Wissensch. u. Lit., Wiesbaden 1954.
107 Weber (1963), 512.
108 Für China vgl. Weber (1963), 483 ff.
109 Weber (1963), 512 ff.
110 Weber (1966a), 371 ff.

ten religiös-metaphysischen Weltbildern zur modernen Denkweise behandeln.

(a) *Mystische Weltflucht vs. asketische Weltbeherrschung.* Religiös-metaphysische Weltbilder begründen fundamentale Einstellungen zur Welt. Jede Welteinstellung bringt in dem Maße, wie sie sich *einheitlich* und vereinheitlichend auf Natur und Gesellschaft *im ganzen* richtet und somit einen systematischen Begriff von Welt voraussetzt, eine Rationalisierung zum Ausdruck; freilich kann es sich dabei noch nicht um ein formales Weltkonzept handeln,[111] sondern erst um den Begriff einer konkreten Weltordnung, die die Mannigfaltigkeit der Erscheinungen monotheistisch oder kosmologisch auf einen Einheitspunkt bezieht. Dieses Prinzip wird als Schöpfergott oder Seinsgrund vorgestellt, welche die universalen Aspekte von Sein und Sollen, Wesen und Erscheinung in sich vereinigen. Und zwar gelten die Weltbilder als um so »rationaler«, je eindeutiger sie gestatten, die Welt, sei es als diesseitige Welt oder als Welt der Erscheinungen, unter *einem* dieser im Überweltlichen noch ungeschiedenen Aspekte zu erfassen bzw. zu behandeln. Weber konzentriert sich auf den normativen Aspekt des Seinsollens oder des Gebotenseins, und entsprechend auf die moralisch-praktischen Bewußtseinsstrukturen, die eine gesinnungsethisch durchsystematisierte Einstellung des handelnden Subjekts zur Welt im ganzen erlauben.

Unter diesem *Aspekt der Ethisierung* kann ein Weltbild in dem Maße als rationalisiert gelten, wie es »die Welt« (des Diesseits bzw. der Erscheinungen) als Sphäre sittlicher Bewährung unter praktischen Prinzipien herauspräpariert *und von allen übrigen Aspekten trennt.* Ein ethisch rationalisiertes Weltbild präsentiert die Welt a) als Feld praktischer Betätigung überhaupt, b) als Bühne, auf der der Handelnde ethisch versagen kann, c) als Gesamtheit der Situationen, die nach »letzten« moralischen Grundsätzen beurteilt und nach Maßgabe moralischer Urteile bewältigt werden sollen und daher d) als einen Bereich der Objekte und Anlässe sittlichen Handelns: die versachlichte Welt steht den moralischen Grundnormen

---

111 Wie wir es oben im Zusammenhang mit den ontologischen Voraussetzungen von Handlungsmodellen behandelt haben, vgl. S. 126 ff.

und dem moralischen Gewissen der fehlbaren Subjekte als etwas Äußeres und Äußerliches gegenüber.

Weber selegiert die Welteinstellung, die einem derart ethisch-rationalen Weltbild entspricht, in zwei Schritten. *Zunächst* zeigt er, daß Erlösungsreligionen, die den Dualismus zwischen Gott und Welt kontrastreich ausgestalten, die Bedingungen für eine ethische Rationalisierung besser erfüllen als Weltbilder mit schwächer ausgeprägter Heilsorientierung und einem entschärften Dualismus.[112] Ein intensives Spannungsverhältnis zwischen Gott (bzw. dem Göttlichen) einerseits, den profanen Lebensordnungen andererseits, rückt für den Gläubigen die Heilssuche in eine Perspektive, aus der die Welt abgewertet und unter dem einzigen abstrakten Gesichtspunkt religiöser Bewährung objektiviert werden kann: »Prophetische und Heilandsreligionen lebten . . . in einem . . . dauernden Spannungsverhältnis zur Welt und ihren Ordnungen. Und zwar, je mehr sie eigentliche Erlösungsreligionen waren, desto mehr. Dies folgte aus dem Sinn der Erlösung und dem Wesen der prophetischen Heilslehre, sobald diese sich, und um so mehr, je prinzipieller sie sich zu einer rationalen und dabei an *innerlichen* religiösen Heilsgütern als Erlösungsmitteln orientierten Ethik entwickelte. Je mehr sie, heißt das im üblichen Sprachgebrauch, vom Ritualismus hinweg zur ›Gesinnungsreligiosität‹ sublimiert wurde. Und zwar wurde die Spannung von ihrer Seite her um so stärker, je weiter auf der anderen Seite die Rationalisierung und Sublimierung des äußerlichen und innerlichen Besitzes der (im weitesten Sinne) ›weltlichen‹ Güter auch ihrerseits fortschritt.«[113]

Nun ist aber eine negative Einstellung zur Welt, die sich aus der Orientierung an einem der Welt transzendenten oder in ihrem Innersten verborgenen Heilsgut ergibt, für die ethische Rationalisierung der Lebensführung nicht per se förderlich. Zu einer Objektivierung der Welt unter ethischen Aspekten führt die Weltverneinung nur dann, wenn sie sich mit einer *aktiven weltzugewandten Lebenshaltung* verbindet und nicht zur *passiven Abwendung von der Welt* führt. In einem *zweiten* Schritt selegiert Weber des-

112 W. Schluchter, (1980b), 19 f.
113 Weber (1963), 541.

halb aus den weltverneinenden Welteinstellungen diejenige, die aktiv auf eine Beherrschung der entwerteten und objektivierten Welt abzielt.

Zwischen diesen Einstellungen differenziert innerhalb der gesinnungsethisch ausgerichteten Erlösungsreligionen die Art der Verheißung und die jeweils privilegierten *Heilswege*. Wo sich der Gläubige als das Werkzeug eines transzendenten Gottes verstehen kann, bieten sich die asketischen Formen einer aktiven Heilssuche eher an als dort, wo er sich als Gefäß eines der Welt zutiefst immanenten göttlichen Wesengrunder sieht und wo kontemplative Formen der mystischen Heilssuche näherliegen: »Als Gegensätze auf dem Gebiet der Weltablehnung wurden schon in den einleitenden Bemerkungen hingestellt: die aktive Askese, ein gottgewolltes *Handeln* als Werkzeug Gottes einerseits, andererseits: der kontemplative Heils*besitz* der Mystik, der ein ›Haben‹, nicht ein Handeln bedeuten will und bei welchem der Einzelne nicht Werkzeug, sondern ›Gefäß‹ des Göttlichen ist, das Handeln in der Welt mithin als Gefährdung der durchaus irrationalen und außerweltlichen Heilszuständigkeit erscheinen muß.«[114] Die kontemplativ gerichteten »Gedankenreligionen« des Orients lenken auch dann, wenn sie, wie der Hinduismus, das Erlösungsmotiv betonen, die Weltablehnung nicht in die Richtung einer ethischen Rationalisierung der Welt; die passive Heilssuche der Mystik führt vielmehr zur *Flucht aus der Welt*. Nur die asketisch gerichteten »Gesinnungsreligionen« des Okzidents binden die religiöse Bewährung an ein sittliches Handeln, für das eine entwertete und objektivierte Welt immer neue Situationen und Anlässe bietet. Der Mystiker bewährt sich, indem er sich aus der Welt zurückzieht, der Asket, indem er in ihr handelt.[115] Freilich bedeutet die Einstellung der asketischen

114 Weber (1963), 538 f.
115 Die Zuordnung von theozentrisch/kosmozentrischen Heilsgrundlagen zu asketisch/mystischen Heilswegen darf nur im Sinne von spezifischen Affinitäten verstanden werden. Mystische Strömungen sind im Rahmen okzidentaler Überlieferungen ebenso bekannt wie asketische Strömungen im Rahmen orientalischer Überlieferungen. Diese strukturell weniger wahrscheinlichen Kombinationen sind zwar auf der Ebene der Virtuosenreligiosität ausprobiert worden, aber kulturell breitenwirksame Religionen haben sich daraus nicht entwickelt. Vgl. dazu Schluch-

Weltbeherrschung, die der christliche Mönch mit dem Puritaner teilt, noch nicht die Ausdehnung der ethisch rationalisierten Lebensführung auf außerreligiöse Lebensbereiche. Die *Weltzuwendung* einer aktiven Lebenshaltung, die ich mit Weltflucht kontrastiert und dem Heilsweg der Askese zugeordnet habe, ist noch keineswegs gleichbedeutend mit *Innerweltlichkeit*. Damit sich die asketische Heilssuche, die sich auf der Grundlage einer negativen Einstellung zur Welt dieser gleichwohl zuwendet, zur innerweltlichen Askese ausdehnen kann, bedarf es eines weiteren Schrittes, von dem ich noch einen Augenblick absehe.

Fig. 5 *Welteinstellungen auf der Basis erlösungsreligiöser Weltverneinung*

Heilswege Bewertung der Welt im ganzen	asketische Weltzuwendung	mystische Weltabwendung
Weltverneinung	Weltbeherrschung: Judentum/ Christentum	Weltflucht: Hinduismus

(b) *Theoretische Welt-Anschauung vs. praktische Weltanpassung.*
Max Weber analysiert die Einstellung der Weltbejahung nur in der einzigen Form einer praktisch orientierten *Weltanpassung*; diese demonstriert er am Beispiel Chinas: »Es fehlte genau wie bei den

ter (1979), 238 f.: »Das macht die Diskussion von zwei Fällen deutlich, die zunächst durchaus eine Ähnlichkeit mit dem asketischen Protestantismus aufweisen: der innerweltliche Konfuzianismus einerseits, der asketische Jainismus andererseits. Beide zeigen ja durchaus eine Wirkung, die auf der Linie des asketischen Protestantismus liegen könnte: die religiöse Ethik des Konfuzianismus motiviert zu rationaler Weltbearbeitung, die des Jainismus gar zu Kapitalismus, wenn auch nicht in der gewerbekapitalistischen, so doch in der handelskapitalistischen Form. Aber die Innerweltlichkeit des Konfuzianismus ist nicht mit Askese verbunden, und der aktiv gefärbte Asketismus des Jainismus führt letztlich von den Ordnungen dieser Welt ab. Nicht zufällig ist es so weder im einen noch im anderen Fall zu einer religiös motivierten Welt*beherrschung* gekommen. Das Weltverhältnis des Konfuzianismus ist die Weltanpassung, das des Jainismus – wie das aller radikalen asiatischen Erlösungsreligionen – letztlich die Weltindifferenz, ja die Weltflucht.«

genuinen Hellenen jede transzendente Verankerung der Ethik, jede Spannung zwischen Geboten eines überweltlichen Gottes und einer kreatürlichen Welt, jede Ausgerichtetheit auf ein jenseitiges Ziel und jede Konzeption eines radikal Bösen.«[116]

Da Weber Konfuzianismus und Taoismus, wie es sich aus der Anlage seiner Studie über die Wirtschaftsethik der Weltreligionen folgerichtig ergibt, nur unter dem Gesichtspunkt der ethischen Rationalisierung bewertet, gelangt er zu seiner bekannten (und kontroversen) Einschätzung des geringen Rationalisierungspotentials dieser Weltbilder: »Die innere Voraussetzung dieser Ethik der unbedingten Weltbejahung und Weltanpassung war der ungebrochene Fortbestand rein magischer Religiosität, von der Stellung des Kaisers angefangen, der mit seiner persönlichen Qualifikation für das Wohlverhalten der Geister, den Eintritt von Regen und guter Erntewitterung verantwortlich war, bis zu dem für die offizielle wie für die Volksreligiosität schlechthin grundlegenden Kult der Ahnengeister, zu der inoffiziellen (taoistischen) magischen Therapie und den sonstigen bestehen gebliebenen Formen animistischen Geisterzwangs, anthropo- und herolatrischen Funktionsgötterglaubens.«[117]

Dank der bahnbrechenden Untersuchungen von J. Needham[118] ist aber inzwischen bekannt, daß die Chinesen zwischen dem 1. Jh. v. Chr. und dem 15. Jh. n. Chr. in der Entwicklung des theoretischen Wissens und in der Nutzung dieses Wissens für praktische Bedürfnisse offenbar erfolgreicher gewesen sind als der Okzident. Erst seit der Renaissance übernimmt Europa auf diesem Gebiet eindeutig die Führung. Es hätte also nahegelegen, das Rationalitätspotential dieser Überlieferungen zunächst unter dem Aspekt der *kognitiven* und nicht der ethischen Rationalisierung zu untersuchen. Dies um so mehr, als auch die griechische Philosophie, die ja mit der kosmologischen Ethik der Chinesen die weltbejahende Einstellung teilt, die Rationalisierung des Weltbildes eher in Rich-

116 Weber (1963), 515.
117 Weber (1963), 515.
118 J. Needham, Wissenschaftlicher Universalismus, Ffm. 1977. Dazu: B. Nelson, Wissenschaften und Zivilisationen, ›Osten‹ und ›Westen‹ – J. Needham und Max Weber, in: ders., Der Ursprung der Moderne, Ffm. 1977, 7 ff.

tung einer Theoretisierung vorangetrieben hat. Zudem scheint die erfolgreiche chinesische Wissenschaft prima facie an dieselbe Grenze gestoßen zu sein, an der auch die metaphysische Weltbetrachtung der griechischen Philosophen gescheitert ist: die ethisch verwurzelte, nicht-interventionistische Einstellung gegenüber Natur und Gesellschaft verhinderte hier wie dort »den evolutionären Übergang von der Stufe, die da Vinci erreicht hatte, zu der des Galilei. Im mittelalterlichen China hatte man systematischer experimentiert, als es die Griechen – sogar die Europäer des Mittelalters – je versuchten, doch solange im ›bürokratischen Feudalismus‹ kein Wandel eintrat, konnten sich Mathematik, empirische Naturbetrachtung und Experiment nicht auf eine Weise verbinden, die eine völlig neue Einstellung hervorgebracht hätte«.[119]

In Konfuzianismus und Taoismus fehlen so wenig wie in der griechischen Philosophie die Grundzüge eines rationalisierungsfähigen Weltbilds. Mit dem Begriff einer konkreten Weltordnung wird die Mannigfaltigkeit der Erscheinungen systematisch erfaßt und auf Prinzipien bezogen. Gewiß fehlen die dominierenden Erlösungsmotive, die den Dualismus zwischen Erscheinungswelt und weltüberschreitenden Prinzipien verschärfen; die dualistische Weltbildstruktur reicht aber aus, um die Welt der Erscheinungen soweit zu distanzieren, daß diese unter *einem* der (auf der Ebene der Prinzipien noch ungeschiedenen) Aspekte, und zwar hier unter dem kognitiven Aspekt des Seins und Werdens objektiviert werden kann. Unter diesem Aspekt können Weltbilder als um so rationaler gelten, je mehr die Welt der Erscheinungen als eine Sphäre *des Seienden* oder *des Nützlichen* unter abstrakten Gesichtspunkten herauspräpariert und von anderen, normativen und expressiven Aspekten gereinigt wird. Ein kognitiv rationalisiertes Weltbild präsentiert die Welt als Gesamtheit aller Formen und Vorgänge, die kontemplativer Vergegenwärtigung zugänglich sind. Soweit dabei praktische Bedürfnisse die Führung übernehmen (wie Weber für die chinesische Geisteshaltung hervorhebt), prägt sich die fundamentale Einstellung der Weltbejahung zur *Weltan-*

119 T. Spengler, Die Entwicklung der chinesischen Wissenschafts- und Technikgeschichte. Einleitung zu Needham (1977), 7 ff.

passung aus. Zu einer Objektivierung der Welt unter rein theoretischen Aspekten scheint hingegen die Weltbejahung nur dann zu
führen, wenn sie sich mit einer von praktischen Bedürfnissen abge-
setzten theoretischen Lebensform verbindet und der Intention der
Welt-Anschauung dient. Die chinesische Bildungsschicht konnte
sich nicht in gleicher Weise wie die griechischen Philosophen auf
ein von der Praxis abgehobenes, der Kontemplation gewidmetes,
»akademisches« Leben, auf einen bios theoretikos stützen.

Diese Hypothese bedürfte einer detaillierten Prüfung; ich kann an
dieser Stelle nur die Vermutung äußern, daß die chinesischen Traditionen in ein anderes Licht rücken, wenn man sie nicht primär
unter Gesichtspunkten der Ethik, sondern der Theorie betrachtet
und mit den klassischen griechischen Traditionen vergleicht. Die
Ausdifferenzierung einer Welteinstellung, die der systematischen
Vereinheitlichung der Welt unter ontischen Aspekten förderlich
ist, könnte wiederum von Methoden der Gewinnung des höchsten
Gutes abhängig sein. Freilich handelt es sich hier nicht, wie im
Falle gesinnungsethischer Erlösungsreligionen, um *Heilswege*,
sondern um *Wege der Weltvergewisserung*. Der aktiven und passiven Heilssuche der Asketik und der Mystik ließen sich Lebensformen gegenüberstellen, die der aktiven bzw. passiven Vergewisserung der Welt dienen: Vita activa und Vita contemplativa.[120] Wenn
dieser theoretische Ansatz trägt, darf man hoffen, zu vier Welteinstellungen zu gelangen, die nach Heilswegen bzw. Lebensformen
differenzieren (Fig. 6).

Wenn die Stellungnahmen zur Welt, die sich auf der Grundlage
einer kosmologisch-metaphysischen Weltbejahung nach Weltanpassung und Welt-Anschauung differenzieren, eine ähnliche Bedeutung für die kognitive Rationalisierung von Weltbildern hätten
wie, Weber zufolge, Weltbeherrschung und Weltflucht für die ethische Rationalisierung von Weltbildern, dürften wir annehmen, daß
kosmozentrische Weltbilder genau dann, wenn sie sich mit einer
Einstellung der Welt-Anschauung verbinden, einer Objektivierung der Welt unter Aspekten des Seins und Werdens den weitesten Spielraum bieten. Nach dieser Hypothese erlaubt die *passive*

120 Vgl. dazu H. Arendt, The Life of Mind, Vol. I u. II, N. Y. 1978.

Fig. 6 *Welteinstellungen*

Wege der Heilssuche bzw. der Weltvergewisserung Bewertung der Welt im ganzen	aktiv: Askese bzw. Vita activa	passiv: Mystik bzw. Vita contemplativa
Weltverneinung	Weltbeherrschung: Judentum/ Christentum	Weltflucht: Hinduismus
Weltbejahung	Weltanpassung: Konfuzianismus	Welt-Anschauung: griech. Metaphysik

Form der Weltvergewisserung eine weitergehende Dezentrierung derjenigen Weltbilder, die ihrer inhaltlichen Ausprägung wegen auf eine kognitive Rationalisierung angelegt sind, während die *aktive Form der Heilssuche* eine weitergehende Dezentrierung der Weltbilder erlaubt, die auf ethische Rationalisierung angelegt sind. Entsprechend ergäbe sich dann, in Abhängigkeit von Rationalisierungsdimension und Welteinstellung, die Einschätzung des Rationalisierungspotentials der verschiedenen Weltbilder, die Fig. 7 (auf der nächsten Seite) zum Ausdruck bringt.

Im Okzident treffen also die beiden Weltbilder aufeinander, die so strukturiert sind, daß die Welt jeweils unter dem Aspekt des Normativen und des Ontischen am weitestgehenden objektiviert, d. h. *versachlicht* werden kann.

(5) *Entzauberung und modernes Weltverständnis*. Weber mißt die Rationalisierung von Weltbildern am Grad der Überwindung magischen Denkens. In der Dimension der ethischen Rationalisierung beobachtet er die Entzauberung vor allem an der Interaktion zwischen Gläubigen und Gott (bzw. dem göttlichen Wesen). Je mehr dieses Verhältnis zu einer rein kommunikativen Beziehung zwischen Personen, zwischen dem erlösungsbedürftigen Individuum und einer überweltlichen, moralisch gebieterischen Heilsinstanz

Fig. 7 *Rationalisierungspotential der Weltbilder*

Rationalisierungs-potential / Rationali-sierungs-dimension	hoch	niedrig	
ethisch	*Weltbeherrschung:* Judentum/ Christentum	*Weltflucht:* Hinduismus	Erlösungs-religionen
kognitiv	*Welt-Anschauung:* griechische Philosophie	*Weltanpassung:* Konfuzianismus	kosmologisch-metaphysische Weltbilder
	Okzident	Orient	

ausgestaltet wird, um so strikter kann der Einzelne seine inner-weltlichen Beziehungen unter den abstrakten Gesichtspunkten ei-ner Moral, der entweder nur die Auserwählten, die religiösen Vir-tuosen oder aber alle Gläubigen in gleicher Weise unterworfen sind, systematisieren. Das bedeutet a) das Herauspräparieren eines unter einem einzigen Aspekt abstrahierten Weltbegriffs für die Gesamtheit normativ geregelter interpersonaler Beziehungen, b) die Ausdifferenzierung einer rein ethischen Einstellung, in der der Handelnde Normen befolgen und kritisieren kann, und c) die Aus-bildung eines zugleich universalistischen und individualistischen Personbegriffs mit den Korrelaten des Gewissens, der moralischen Zurechnungsfähigkeit, der Autonomie, der Schuld usw. Damit kann die *pietätvolle Bindung* an traditionell verbürgte *konkrete Lebensordnungen* zugunsten einer freien *Orientierung an allge-meinen Prinzipien* überwunden werden.[121]

121 B. Nelson hat für die Form interpersonaler Beziehungen, die durch eine ethi-

In der kognitiven Dimension geht die Entzauberung der Manipulation von Dingen und Ereignissen mit einer Entmythologisierung der Erkenntnis des Seienden einher. Je mehr der instrumentelle Eingriff in, und die theoretische Deutung von empirischen Vorgängen voneinander getrennt werden, um so strikter kann der Einzelne wiederum seine lebensweltlichen Beziehungen systematisieren, diesmal unter den abstrakten Gesichtspunkten einer kosmologisch-metaphysischen Ordnung, deren Gesetzen alle Phänomene ausnahmslos unterliegen. Das bedeutet a) das Herauspräparieren eines formalen Weltbegriffs für das Seiende im ganzen mit Universalien für den gesetzmäßigen, raumzeitlichen Zusammenhang von Entitäten überhaupt,[122] b) die Ausdifferenzierung einer (von Praxis abgehobenen) rein theoretischen Einstellung, in der der Erkennende sich der Wahrheit kontemplativ vergewissern, Aussagen machen und bestreiten kann,[123] und c) die Ausbildung eines epistemischen Ich überhaupt, das sich, frei von Affekten, lebensweltlichen Interessen, Vorurteilen usw., der Anschauung des Seienden hinzugeben vermag.[124] Damit kann die im Mythos verankerte *Fixierung an die Oberfläche der konkreten Erscheinungen* zugunsten einer unbefangenen *Orientierung an allgemeinen Gesetzen*, die den Phänomenen zugrunde liegen, überwunden werden.

Wir haben oben die ethische Dimension der Rationalisierung den Erlösungsreligionen, die kognitive hingegen den kosmologisch-metaphysischen Weltbildern zugeordnet. Diese Zuordnung darf nur so verstanden werden, daß bestimmte Weltbildstrukturen und entsprechende Welteinstellungen die Rationalisierung in jeweils einer dieser beiden Dimensionen stärker *begünstigen*. Natürlich läßt sich die christliche Religion ebensowenig auf Ethik wie die griechische Philosophie auf Kosmologie reduzieren. Bemerkenswerter-

sche Versachlichung der Welt möglich werden, den Begriff der »universellen Andersheit« geprägt; siehe Einleitung und Epilog zu Nelson (1977); ders., Über den Wucher, in: R. König, J. Winckelmann (Hrsg.), Max Weber, Sonderheft der KZSS, 1963, 407 ff.

122 A. Koyré, Von der geschlossenen Welt zum unendlichen Universum, Ffm. 1969.

123 H. Blumenberg, Der Prozeß der theoretischen Neugierde, Ffm. 1973.

124 H. Blumenberg, Säkularisierung und Selbstbehauptung, Ffm. 1974.

weise treffen nun diese beiden Weltbilder (mit dem strukturell größten Rationalisierungspotential) innerhalb *derselben* europäischen Tradition aufeinander. Dadurch entsteht ein produktives Spannungsverhältnis, das die Geistesgeschichte des europäischen Mittelalters charakterisiert. Der Zusammenstoß führt zu einer Polarisierung, d. h. zu einer radikalen Herausarbeitung der jeweils spezifischen Grundbegriffe einer religiösen Gesinnungsethik einerseits, einer theoretisch begründeten Kosmologie andererseits. Gleichzeitig erzwingt es auch Synthesen der beiden unter ethischen und ontologischen Aspekten ausgebildeten *formalen* Weltbegriffe. Max Weber hat seinen Plan, Christentum und Islam in seine vergleichenden Studien einzubeziehen, nicht mehr ausführen können. Dabei hätte er die Entstehung moderner Bewußtseinsstrukturen an der spätmittelalterlichen Philosophie und Theologie, in der arabische, patristische und aristotelische Begriffsstrategien zusammenstoßen, studieren können. Weber hat die kognitiven Strukturen, die sich auf den eigensinnigen Rationalisierungspfaden der religiösen und metaphysischen Weltbilder herauskristallisieren, an keiner Stelle ausführlicher analysiert. Deshalb wird auch nicht hinreichend klar, daß zwischen den Resultaten der Weltbildrationalisierung und jenem Weltverständnis, das in einem spezifischen Sinne »modern« ist, noch ein *weiterer* Schritt liegt.

Die Einheit rationalisierter Weltbilder, die sich theologisch auf die Schöpfung oder metaphysisch auf das Seiende im ganzen beziehen, ist in Konzepten wie Gott, Sein oder Natur, d. h. in obersten Prinzipien oder »Anfängen« verankert, auf die alle Argumente zurückgeführt werden, ohne daß diese ihrerseits dem argumentativen Zweifel ausgesetzt wären. In den Grundbegriffen sind die deskriptiven, normativen und expressiven Aspekte, die *innerhalb* der Weltbilder jeweils aufgelöst werden, noch fusioniert; gerade in den Anfängen lebt ein Stück mythischen Denkens fort[125] und schützt die rationalisierten Weltbilder *als* Weltbilder vor Konsequenzen, die den traditionssichernden Modus des frommen Glaubens oder der ehrfürchtigen Anschauung gefährden müßten. Die moderne

---

125 Vgl. Th. W. Adornos Kritik des logischen Absolutismus am Beispiel der »Logischen Untersuchungen« Husserls: Zur Metakritik der Erkenntnistheorie, in: Th. W. Adorno, Ges. Schriften Bd. 5, Ffm. 1971, 48 ff.

Denkweise hingegen kennt weder in der Ethik noch in der Wissenschaft Reservate, die von der kritischen Kraft hypothetischen Denkens ausgenommen wären. Um diese Barriere zu nehmen, bedarf es aber zunächst einer *Generalisierung* des Lernniveaus, das mit der Begrifflichkeit der religiös-metaphysischen Weltbilder erreicht worden ist, also eine *konsequente Anwendung der durch ethische und kognitive Rationalisierung errungenen Denkweise auf profane Lebens- und Erfahrungsbereiche.* Das ist wiederum nur möglich, wenn gerade diejenigen *Entkoppelungen* rückgängig gemacht werden, denen die Hochformen der religiösen Gesinnungsethik und der theoretisch begründeten Kosmologie ihre Entstehung verdanken: ich meine den Bruch der asketischen Heilssuche mit, und die Abtrennung der kontemplativen Hingabe von den profanen Ordnungen dieser Welt.

Wenn man Webers theoretischen Ansatz konsequent durchführt, stößt man an der Schwelle der Moderne auf *zwei Probleme,* die gelöst werden mußten, bevor das Rationalisierungspotential der abendländischen Tradition entbunden und die kulturelle in gesellschaftliche Rationalisierung umgesetzt werden konnte. Die religiöse Askese, die in den mittelalterlichen Mönchsorden zur Blüte gebracht worden ist, muß erst die *außerreligiösen Lebensbereiche* durchdringen, um auch die profanen Handlungen den Maximen der (zunächst religiös verankerten) Gesinnungsethik zu unterwerfen. Diesen Vorgang identifiziert Weber in der Entstehung der protestantischen Berufsethik. Der parallelen Entwicklung, der Entstehung der modernen Wissenschaft (ohne die auch die Rechtsentwicklung nicht denkbar ist) schenkt er hingegen weniger Interesse. Hier muß die Entkoppelung der Theorie von *Erfahrungsbereichen der Praxis,* insbesondere denen der gesellschaftlichen Arbeit überwunden werden. Die theoretische Argumentation muß vor allem mit solchen Erfahrungsbereichen, die in der technischen Einstellung des Handwerkers zugänglich sind, rückgekoppelt werden. Dieses zweite Problem ist in Gestalt der experimentellen Naturwissenschaften gelöst worden.[126] Die sozialen Träger der Tradi-

126 W. Krohn, Die neue Wissenschaft der Renaissance, in: G. Böhme, W. v. d. Daele, W. Krohn, Experimentelle Philosophie, Ffm. 1977, 13 ff.

tionsstränge, die sich in der neuzeitlichen Wissenschaft auf überraschende Weise verbinden: scholastische Gelehrte, Humanisten und vor allem die Ingenieure und Künstler der Renaissance spielen für die forschungspraktische Entbindung des in kognitiv rationalisierten Weltbildern gespeicherten Potentials eine ähnliche Rolle wie die protestantischen Sekten für die Umsetzung ethisch-rationalisierter Weltbilder in die Alltagspraxis.[127]

127 W. Krohn, Zur soziologischen Interpretation der neuzeitlichen Wissenschaft, in: ders. (Hrsg.), E. Zilsel, Die sozialen Ursprünge der neuzeitlichen Wissenschaft, Ffm. 1976, 7 ff.

3. Modernisierung als gesellschaftliche Rationalisierung: Die Rolle der Protestantischen Ethik

Das kognitive Potential, das mit den konsequent durchrationalisierten Weltbildern entsteht, kann in den traditionalen Gesellschaften, innerhalb deren sich der Entzauberungsprozeß vollzieht, noch nicht wirksam werden. Es wird erst in modernen Gesellschaften entbunden. Dieser Vorgang der Implementierung bedeutet die Modernisierung der Gesellschaft.[128] Dabei verbinden sich die externen Faktoren, die die Ausdifferenzierung eines marktgesteuerten Wirtschaftssystems und eines komplementären Staatsapparates begünstigen[129], mit jenen Bewußtseinsstrukturen, die aus den spannungsreichen Synthesen der jüdisch-christlichen, der arabischen und der griechischen Überlieferungen hervorgegangen sind und auf kultureller Ebene sozusagen bereitstehen. Da Weber Ideen und Interessen als gleichursprünglich betrachtet, läßt sich der Vorgang der Modernisierung gleichermaßen von »oben« wie von »unten« lesen: als motivationale Verankerung und institutionelle Verkörperung von Bewußtseinsstrukturen wie auch als innovative Bewältigung von Interessenkonflikten, die sich aus Problemen der wirtschaftlichen Reproduktion und des politischen Machtkampfes ergeben. Der Übergang zur modernen Gesellschaft erfordert freilich eine komplexe Erklärung, die das Zusammenwirken von Ideen und Interessen berücksichtigt, ohne sich auf a-priori-Annahmen über einseitige kausale Abhängigkeiten (im Sinne eines naiv verstandenen Idealismus oder Materialismus) zu verlassen. Indem Weber Modernisierungsprozesse, also die Entstehung

---

128 Für eine Theorie der gesellschaftlichen Rationalisierung ist die Vorstellung der institutionellen Verkörperung und der motivationalen Verankerung kulturell entwickelter Bewußtseinsstrukturen wichtig. Dieses Modell, das Max Weber auf die Reformation anwendet, läßt sich auch an der Renaissance und vor allem der Aufklärung erproben. Vgl. jetzt die interessante Aufsatzsammlung: H. V. Gumbrecht, R. Reichardt, Th. Schleich (Hrsg.), Sozialgeschichte der Französischen Aufklärung, 2 Bde., Mü. 1981.
129 Bendix (1964), 60 ff. u. 219 ff.

der kapitalistischen Gesellschaft und des europäischen Staatensystems und deren Entfaltung seit dem 18. Jahrhundert als Vorgang der Rationalisierung beschreibt, nimmt er die Perspektive »von oben« ein, die seine Studien zur Religionssoziologie nahelegen. Er untersucht, wie das durch Weltbildrationalisierung entstandene kognitive Potential gesellschaftlich wirksam wird.

Das dezentrierte Weltverständnis eröffnet auf der einen Seite die Möglichkeit eines *kognitiv versachlichten* Umgangs mit der Welt der Tatsachen und eines *rechtlich* und *moralisch versachlichten* Umgangs mit der Welt der interpersonalen Beziehungen; auf der anderen Seite bietet es die Möglichkeit eines von Imperativen der Versachlichung freigesetzten Subjektivismus im Umgang mit einer individualisierten Bedürfnisnatur. Der Transfer dieses Weltverständnisses von der Ebene kultureller Überlieferung auf die Ebene des sozialen Handelns läßt sich auf drei Pfaden verfolgen. Der erste Pfad, den Weber selbst weitgehend vernachlässigt, wird durch *soziale Bewegungen* gebahnt, die durch traditionalistische Abwehrhaltungen und moderne Gerechtigkeitsvorstellungen, auch durch philosophische Wissenschafts- und Kunstideale, durch Ideen bürgerlicher, später sozialistischer Prägung inspiriert sind. Der zweite Pfad führt zu *kulturellen Handlungssystemen,* die sich auf die Bearbeitung differenzierter Bestandteile der kulturellen Überlieferung spezialisieren. Bis zum 18. Jahrhundert entstehen ein nach Fächern organisierter Wissenschaftsbetrieb, die universitäre Rechtslehre und eine informelle Rechtsöffentlichkeit sowie der über den Markt organisierte Kunstbetrieb. Demgegenüber büßt die Kirche ihre Globalzuständigkeit für das kulturelle Deutungssystem ein; neben ihren diakonischen Funktionen behauptet sie, in Konkurrenz mit weltlichen Instanzen, eine Teilzuständigkeit für moralisch-praktische Fragen. Auch die Kultursoziologie der Moderne beschäftigt Weber nur nebenher; sein Hauptaugenmerk gilt dem dritten Pfad, dem Königsweg der Rationalisierung: zwischen dem 16. und dem 18. Jahrhundert kommt es in Europa zu einer breitenwirksamen, für die Gesamtgesellschaft strukturbildenden *Institutionalisierung zweckrationalen Handelns.*

Die beiden institutionellen Komplexe, in denen Weber die modernen Bewußtseinsstrukturen vor allem verkörpert sieht und an denen er auf exemplarische Weise die Prozesse der gesellschaftlichen Rationalisierung abliest, sind die kapitalistische Wirtschaft und der moderne Staat. Was ist daran »rational«? Aus der Wirtschafts- und Herrschaftssoziologie gewinnt man den Eindruck, daß Weber das im kapitalistischen Betrieb und in der modernen Staatsanstalt verwirklichte *Organisationsmodell* vor Augen steht, wenn er von gesellschaftlicher Rationalisierung spricht. Die Rationalität dieser Betriebs- und Anstaltsformen besteht nach Weber darin, daß in erster Linie Unternehmer und Beamte, dann aber auch Arbeiter und Angestellte zu zweckrationalem Handeln verpflichtet sind. Was den kapitalistischen Betrieb und die moderne Staatsverwaltung organisatorisch in gleicher Weise auszeichnet, ist »die Konzentration der sachlichen Betriebsmittel« in der Hand rational kalkulierender Unternehmer oder Führer: »Wie die relative Selbständigkeit des Handwerkers oder Hausindustriellen, des grundherrlichen Bauern, des Kommendatars, des Ritters und Vasallen darauf beruhte, daß er selbst Eigentümer der Werkzeuge, der Vorräte, der Geldmittel, der Waffen war, mit deren Hilfe er seiner ökonomischen, politischen, militärischen Funktion nachging und von denen er während deren Ableistung lebte, so beruht die hierarchische Abhängigkeit des Arbeiters, Kommis, technischen Angestellten, akademischen Institutsassistenten *und* des staatlichen Beamten und Soldaten ganz gleichmäßig darauf, daß jene für den Betrieb und die ökonomische Existenz unentbehrlichen Werkzeuge, Vorräte und Geldmittel in der Verfügungsgewalt, im einen Fall: des Unternehmers, im anderen: des politischen Herrn konzentriert sind ... Diese entscheidende ökonomische Grundlage, die ›Trennung‹ des Arbeiters von den sachlichen Betriebsmitteln: den Produktionsmitteln in der Wirtschaft, den Kriegsmitteln im Heer, den sachlichen Verwaltungsmitteln in der öffentlichen Verwaltung, den Forschungsmitteln im Universitätsinstitut und Laboratorium, den Geldmitteln bei ihnen allen, ist dem modernen macht- und kulturpolitischen und militärischen Staatsbetrieb und der kapitalistischen Privatwirtschaft als entscheidende Grundlage gemeinsam.«[130] Diese Konzentration der sachlichen Mittel ist eine notwendige Bedin-

130 Weber (1964), 1047.

gung für die *Institutionalisierung zweckrationalen Handelns*. Dabei ist eine zweckrational arbeitende und deshalb berechenbare Verwaltung notwendig für die zweckrationalen Entscheidungen des kapitalistischen Unternehmers: »Auch geschichtlich steht aber der ›Fortschritt‹ zum bürokratischen, nach rational gesatztem Recht und rational erdachten Reglements judizierenden und verwaltenden Staat in engstem Zusammenhang mit der modernen kapitalistischen Entwicklung. Der moderne kapitalistische Betrieb ruht innerlich vor allem auf der Kalkulation. Er braucht für seine Existenz eine Justiz und Verwaltung, deren Funktionieren wenigstens im Prinzip ebenso an festen generellen Normen rational kalkuliert werden kann, wie man die voraussichtliche Leistung einer Maschine kalkuliert.«[131]

Der Bezugspunkt, unter dem Weber *gesellschaftliche* Rationalisierung untersucht, ist also die im kapitalistischen Betrieb institutionalisierte *Zweckrationalität des Unternehmerhandelns*; daraus leitet er weitere funktionale Erfordernisse ab: a) zweckrationale Handlungsorientierungen auf seiten der Arbeitskräfte, die in einen planmäßig organisierten Produktionsprozeß eingegliedert sind; b) eine für das kapitalistische Unternehmen berechenbare ökonomische Umwelt, d. h. Güter-, Kapital-, Arbeitsmärkte; c) ein Rechtssystem und eine staatliche Administration, die diese Berechenbarkeit garantieren können; und darum d) ein Staatsapparat, der das Recht sanktioniert und seinerseits zweckrationale Handlungsorientierungen in der öffentlichen Verwaltung institutionalisiert. Von jenem Bezugspunkt her wird die zentrale Fragestellung klar, die es erlaubt, Modernisierung als gesellschaftliche Rationalisierung zu behandeln. Wie ist die *Institutionalisierung* zweckrationaler Handlungsorientierungen im Bereich der gesellschaftlichen Arbeit möglich?

Die gesellschaftliche Rationalisierung besteht in der Durchsetzung von Subsystemen zweckrationalen Handelns, und zwar in der Gestalt von kapitalistischem Betrieb und moderner Staatsanstalt; dabei ist der erklärungsbedürftige Tatbestand nicht die Zweckrationalität des wirtschaftlichen und administrativen Handelns, son-

131 Weber (1964), 1048.

dern deren Institutionalisierung. Diese läßt sich nicht wiederum mit Bezugnahme auf zweckrationale Regelungen erklären, denn die *Normierung zweckrationalen Handelns* bedeutet eine Form der sozialen Integration, die die Strukturen der Zweckrationalität im Persönlichkeits- und im Institutionensystem *verankert.* Diese spezifische Form der sozialen Integration erfordert, wie erwähnt

– eine alle Bereiche systematisierende Gesinnungsethik, die die zweckrationalen Handlungsorientierungen im Persönlichkeitssystem wertrational festmacht (Protestantische Ethik), ferner

– ein gesellschaftliches Subsystem, das die kulturelle Reproduktion der entsprechenden Wertorientierungen sichert (religiöse Gemeinde und Familie) und schließlich

– ein System zwingender Normen, das seiner formalen Struktur nach geeignet ist, den Handelnden die zweckrationale, ausschließlich am Erfolg orientierte Verfolgung eigener Interessen in einem sittlich neutralisierten Bereich als legitimes Verhalten anzusinnen (bürgerliches Recht).

Weber glaubt nun, daß diese Innovationen durch eine *institutionelle Verkörperung derjenigen Bewußtseinsstrukturen,* die ihrerseits aus der ethischen Rationalisierung von Weltbildern hervorgegangen sind, zustande kommen. Mit dieser Interpretation unterscheidet er sich von den funktionalistischen Modernisierungstheoretikern.[132]

Andererseits muß man sehen, daß Weber an die Modernisierungsproblematik unter einem bestimmten, charakteristisch eingeschränkten Gesichtspunkt herangeht: sein Modernisierungsansatz stellt eine Variante dar, die forschungsstrategisch Vorteile bietet, die aber das Erklärungspotential seiner eigenen, *zweistufig* angelegten Theorie *nicht ausschöpft.* Wenn wir uns die nicht explizit gemachte Systematik der Weberschen Rationalisierungstheorie vergegenwärtigen, wird die Fragestellung deutlich, die im Anschluß an die Analyse der Weltreligionen nahegelegen hätte. Wir haben den Ertrag dieser Analyse dahingehend zusammengefaßt,

132 W. Zapf (Hrsg.), Theorien des sozialen Wandels, Köln 1969; ders., Die soziologische Theorie der Modernisierung, Soz. Welt, 26, 1975, 212 ff.; einen Überblick gibt H. U. Wehler, Modernisierungstheorie und Geschichte, Göttingen 1975.

daß aus dem universalgeschichtlichen Prozeß der Weltbildrationalisierung, also der Entzauberung religiös-metaphysischer Weltbilder moderne Bewußtseinsstrukturen hervorgehen. Diese sind auf
der Ebene kultureller Überlieferung in gewisser Weise präsent; in
der feudalen Gesellschaft des europäischen Hochmittelalters sind
sie aber erst in eine relativ schmale Trägerschicht von religiösen
Virtuosen, teils innerhalb der Kirche, vor allem aber in den
Mönchsorden und später auch in den Universitäten eingedrungen.
Die in Klöstern eingesperrten Bewußtseinsstrukturen bedürfen einer Implementierung in breiteren Schichten, damit die neuen
Ideen die gesellschaftlichen Interessen binden, umorientieren,
durchdringen und die profanen Lebensordnungen rationalisieren
können. Aus dieser Perspektive stellt sich die Frage: Wie mußten
sich die aus traditionalen Gesellschaften bekannten Strukturen der
Lebenswelt ändern, bevor das aus der religiösen Rationalisierung
hervorgegangene kognitive Potential gesellschaftlich ausgeschöpft
und in den strukturell differenzierten Lebensordnungen einer auf
diesem Wege modernisierten Gesellschaft verkörpert werden
konnte?

Diese *kontrafaktische Fragestellung* ist für den empirisch arbeiten-
den Soziologen ungewöhnlich, entspricht aber dem von Weber
gewählten Ansatz einer Theorie, die zwischen internen und externen Faktoren trennt, die die interne Geschichte der Weltbilder
rekonstruiert und auf den Eigensinn kulturell ausdifferenzierter
Wertsphären stößt. Denn damit öffnet diese Theorie den Blick auf
ein entwicklungslogisch begründetes Niveau von Lernmöglichkei-
ten, das nicht in der Einstellung einer dritten Person beschrieben,
sondern nur in der performativen Einstellung eines Argumenta-
tionsteilnehmers rekonstruiert werden kann. Die Theorie der Rationalisierung ermöglicht kontrafaktische Fragestellungen, die allerdings, und das ist das nicht zu eliminierende Hegelsche Element
noch in Weber, *für uns,* die wir einer solchen Theoriestrategie
folgen, nicht zugänglich wären, wenn wir uns nicht heuristisch auf
die *tatsächliche* Entwicklung der kulturellen Handlungssysteme
Wissenschaft, Recht, Moral und Kunst stützen könnten und exemplarisch *wüßten,* wie die durch das moderne Weltverständnis in
abstracto, d. h. entwicklungslogisch begründeten *Möglichkeiten*

einer Erweiterung kognitiv-instrumentellen, moralisch-praktischen und ästhetisch-expressiven Wissens in concreto aussehen können.[133]

Vor diesem Hintergrund müßte eine rationalisierungstheoretisch angelegte Analyse der Entstehung und Entfaltung der kapitalistischen Gesellschaft, moderner Gesellschaftssysteme überhaupt, von der Frage ausgehen, ob der in Europa eingeschlagene Rationalisierungspfad einer unter mehreren, systematisch möglichen Pfaden ist. Es fragt sich, ob diejenige Modernisierung, die sich mit dem Kapitalismus durchsetzt, als eine nur partielle Verwirklichung moderner Bewußtseinsstrukturen beschrieben werden muß und wie, gegebenenfalls, das selektive Muster der kapitalistischen Rationalisierung erklärt werden kann. Interessanterweise ist Max Weber der Systematik seines zweistufigen, von der kulturellen zur gesellschaftlichen Rationalisierung fortschreitenden Ansatzes *nicht* gefolgt. Er ist vielmehr von dem Faktum ausgegangen, daß im kapitalistischen Betrieb die Zweckrationalität des Unternehmerhandelns institutionalisiert worden ist, und daß die Erklärung dieses Faktums den Schlüssel zur Erklärung der kapitalistischen Modernisierung bietet. Anders als Marx, der an dieser Stelle mit arbeitswerttheoretischen Überlegungen ansetzt, erklärt Weber die Institutionalisierung zweckrationalen Wirtschaftshandelns zunächst mit Hilfe der protestantischen Berufskultur und nachfolgend mit Hilfe des modernen Rechtssystems. Diese beiden ermöglichen eine gesellschaftliche Rationalisierung im Sinne der Ausdehnung legitimer Ordnungen zweckrationalen Handelns, indem diese posttraditionale Rechts- und Moralvorstellungen verkörpern. Mit ihnen entsteht eine neue Form der sozialen Integration, die die

---

133 E. Tugendhat hat das Verhältnis, in das Analysen aus dem Blickwinkel der ersten und der dritten Person zueinander treten, im Zusammenhang mit einer Theorie des moralischen Lernens untersucht: Der Absolutheitsanspruch der Moral und die historische Erfahrung, MS (1979). Auf dieses Konzept stützen sich G. Frankenberg, U. Rödel, Von der Volkssouveränität zum Minderheitenschutz – Die Freiheit politischer Kommunikation im Verfassungsstaat, untersucht am Beispiel der Vereinigten Staaten von Amerika. Ffm. 1981. Vgl. auch J. W. Patterson, Moral Development and Political Thinking: The Case of Freedom of Speech, West. Pol. Quart., March 1979, 7 ff.

funktionalen Imperative der kapitalistischen Ökonomie erfüllen kann. Weber hat nicht gezögert, *diese* historische Form der Rationalisierung mit gesellschaftlicher Rationalisierung *überhaupt* gleichzusetzen.

Er berücksichtigt nämlich den mit dem modernen Weltverständnis eröffneten *Möglichkeitshorizont* nur insoweit, wie dieser zur Erklärung jenes im voraus identifizierten Kernphänomens dient; in ihm sieht er eine exemplarische, unzweideutige Erscheinungsform gesellschaftlich wirksamer Rationalität. Diese Bewertung des kapitalistischen Betriebs wird zum einen dadurch nahegelegt, daß die Institutionalisierung zweckrationalen Unternehmerhandelns unter *funktionalen Gesichtspunkten* tatsächlich für moderne Gesellschaften von zentraler Bedeutung ist; zum anderen wird sie aber durch den besonderen Stellenwert suggeriert, den bei Max Weber das Element der Zweckrationalität auf der Ebene der Handlungsorientierungen erhält. Beim Übergang von der kulturellen zur gesellschaftlichen Rationalisierung macht sich eine *folgenreiche Verengung* des Rationalitätsbegriffs bemerkbar, die Weber, wie wir sehen werden, in seiner auf den Typus zweckrationalen Handelns zugeschnittenen Handlungstheorie vornimmt. Weber setzt also *unmittelbar* an den faktisch vorgefundenen Gestalten des okzidentalen Rationalismus an, ohne sie an den kontrafaktisch entworfenen Möglichkeiten einer rationalisierten Lebenswelt zu spiegeln. Damit bringt er allerdings den Problemüberhang seines weitergreifenden theoretischen Ansatzes nicht spurlos zum Verschwinden. Vielmehr tauchen in seinen zeitdiagnostischen Überlegungen die verdrängten Probleme wieder auf; implizit braucht er hier Maßstäbe, an denen er eine zur totalisierten Zweckrationalität geschrumpfte Rationalisierung messen und kritisieren kann. So kommt die Systematik der zweistufig angelegten Theorie gesellschaftlicher Rationalisierung, die in den deskriptiven Elementen von »Wirtschaft und Gesellschaft« nicht aufgeht, in der Gegenwartsdiagnose des zeitgenössischen Kapitalismus wieder zum Vorschein.

Ich will zunächst auf die Rolle eingehen, die Max Weber der protestantischen Ethik für die Entstehung des Kapitalismus zuschreibt (1), um dann Anhaltspunkte für ein Modell gesellschaftlicher Rationalisierung zu gewinnen, an dem der okzidentale Entwicklungspfad gemessen werden könnte (2).

(1) Nach Max Webers eigenem Verständnis beziehen sich die Studien zur protestantischen Ethik auf eine Schlüsselvariable der gesamten Kulturentwicklung des Okzidents. Er betrachtet nämlich die moderne Berufskultur nicht nur überhaupt als einen Abkömmling moderner Bewußtseinsstrukturen, sondern als genau diejenige Implementierung der Gesinnungsethik, mit der die Zweckrationalität des Unternehmerhandelns in einer für den kapitalistischen Betrieb folgenreichen Weise motivational gesichert wird. Theoriestrategisch gesehen, nehmen die Protestantismusstudien einen zentralen Stellenwert ein. Gleichwohl ist ihr Stellenwert methodisch in mehreren Hinsichten begrenzt: a) Sie dienen einer Analyse »von oben«, befassen sich mit der motivationalen Verankerung und institutionellen Verkörperung von Ideen, mit der Ausschöpfung eines entwicklungslogisch hervorgetretenen Problemlösungspotentials, und bedürfen deshalb der Ergänzung durch eine Analyse »von unten«, durch eine Untersuchung der externen Faktoren und der Entwicklungsdynamik. Ferner (b) sind diese Studien, wie wir heute sagen würden, strukturalistisch angelegt und behandeln keine kausalen Beziehungen, sondern ein »Wahlverwandtschaftsverhältnis« zwischen Protestantischer Ethik und dem in der modernen Berufskultur geronnenen Geist des Kapitalismus. Deshalb erfüllen sie auch nicht Webers eigene Forderung nach einer Analyse »der Art, wie die protestantische Askese ihrerseits durch die Gesamtheit der gesellschaftlichen Kulturbedingungen, insbesondere auch der *ökonomischen*, in ihrem Werden und in ihrer Eigenart beeinflußt worden ist...«.[134] Diese Studien erlauben (c) keinen Vergleich zwischen den verschiedenen Komponenten einer in den Sog der Rationalisierung hineingezogenen schichtenspezifischen Lebenswelten, erst recht keine Gewichtung zwischen den eher kognitiv-utilitarisch, den eher ästhetisch-expressiv oder den moralisch-praktisch bestimmten Stilen der Lebensführung. In unserem Zusammenhang ist aber (d) vor allem wichtig, daß diese Studien *nicht* die Frage aufnehmen, wie selektiv jenes Weltverständnis, das

134 Weber (1973), 190.

sich in ethisierten Weltbildern ausdrückt, in die protestantische Berufskultur Eingang findet. Erst im Kontext dieser *weiteren* Fragen, für die Max Weber an anderer Stelle Hinweise gibt, die heute noch aktuell sind[135], könnte der Stellenwert der protestantischen Ethik für die Erklärung des okzidentalen Rationalismus bestimmt werden. Ich werde diese Fragen mit Ausnahme der letzten vernachlässigen.

Wie erwähnt, gilt der calvinistischen Lehre zufolge der Erfolg der Berufstätigkeit nicht unmittelbar als Mittel zur *Erlangung* der Seligkeit, sondern als äußeres Zeichen der *Vergewisserung* eines grundsätzlich ungewissen Gnadenstandes. Mit Hilfe dieses ideologischen Zwischengliedes erklärt Weber die funktionale Bedeutung, die der Calvinismus nicht nur für die Ausbreitung innerweltlich-asketischer Einstellungen, sondern speziell für eine versachlichte, systematisierte *und um zweckrationale Berufstätigkeit konzentrierte* Lebensführung erlangt hat. Weber will ja nicht erklären, warum die katholischen Hemmungen gegen das kaufmännische Gewinnstreben gefallen sind; er will vielmehr erklären, wodurch die Umstellung »vom ökonomischen Gelegenheitsprofit zu einem ökonomischen System«, die Entwicklung »von der Romantik des ökonomischen Abenteuers zur rationalen ökonomischen Lebensmethodik«[136] möglich geworden ist. Im Calvinismus und im Umkreis der protestantischen Sekten entdeckt Weber zum einen die *Lehren*, die die methodische Lebensführung als Heilsweg auszeichneten; im religiösen Gemeindeleben, das auch die Familienerziehung inspiriert, findet er zum anderen die *Institution*, die für die sozialisatorische Wirksamkeit der Lehren in den Trägerschichten des frühen Kapitalismus sorgte: »Der Gott des Calvinismus verlangte von den Seinigen nicht einzelne ›gute Werke‹, sondern eine zum *System* gesteigerte Werkheiligkeit. Von dem katholischen, echt menschlichen Auf und Ab zwischen Sünde, Reue, Buße, Entlastung, neuer Sünde oder von einem durch zeitliche Strafen abzubüßenden, durch kirchliche Gnadenmittel zu begleichenden Saldo des Gesamtlebens war keine Rede. Die ethische Praxis des Alltags-

---

135 Schluchter (1979), 210 ff.
136 Weber (1972), 232.

menschen wurde so ihrer Plan- und Systemlosigkeit entkleidet und zu einer konsequenten *Methode* der ganzen Lebensführung ausgestaltet. Es ist ja kein Zufall, daß der Name der ›Methodisten‹ ebenso an den Trägern der letzten großen Wiederbelebung puritanischer Gedanken im 18. Jahrhundert haften geblieben ist, wie die dem Sinne nach durchaus gleichwertige Bezeichnung ›Präzisisten‹ auf ihre geistigen Vorfahren im 17. Jahrhundert angewendet worden war. Denn nur in einer fundamentalen Umwandlung des Sinnes des ganzen Lebens in jeder Stunde und jeder Handlung konnte sich das Wirken der Gnade als einer Enthebung des Menschen aus dem status naturae in den status gratiae bewähren. Das Leben des ›Heiligen‹ war ausschließlich auf ein transzendentes Ziel: die Seligkeit, ausgerichtet, aber *ebendeshalb* in seinem diesseitigen Verlauf durchweg *rationalisiert* und beherrscht von dem ausschließlichen Gesichtspunkt, Gottes Ruhm auf Erden zu mehren.«[137]

An dieser Stelle hebt Weber in erster Linie den Zug am Calvinismus hervor, der den Gläubigen anhält, die Alltagspraxis ihrer Systemlosigkeit zu entkleiden, d. h. die individuelle Heilssuche so zu praktizieren, daß die ethische Gesinnung, die prinzipiengeleitete Moral, *alle* Lebenssphären und *alle* Lebensstadien gleichermaßen *durchdringt*. Die Bemerkung über das Leben des »Heiligen« freilich spielt auf einen weiteren Zug der Sektenfrömmigkeit an; und erst dieser erklärt, warum die protestantische Ethik nicht nur innerweltliche Askese überhaupt, sondern speziell die Handlungsorientierungen ermöglicht hat, durch die die methodische Lebensführung der frühkapitalistischen Unternehmer gekennzeichnet ist: die Systematik der Lebensführung, die dadurch zustande kommt, daß der Laie, ohne sich auf die priesterliche Sakramentsgnade, auf die Hilfestellung einer amtscharismatischen Gnadenanstalt wie der katholischen Kirche verlassen zu können, und das heißt: ohne seine Lebenswelt in heilsrelevante und andere Lebenssphären *aufteilen* zu dürfen, sein Leben autonom, nach Grundsätzen einer postkonventionellen Moral regelt.

Die Lebensführung, die Max Weber »methodisch« nennt, ist speziell dadurch ausgezeichnet, daß die berufliche Sphäre »ver-

137 Weber (1973), 133 f.

sachlicht«, und das bedeutet moralisch *zugleich segmentiert und überhöht* wird. Die Interaktionen *innerhalb* der Sphäre der Berufsarbeit werden moralisch soweit neutralisiert, daß soziales Handeln von Normen und Werten abgelöst und auf die erfolgsorientierte, zweckrationale Verfolgung jeweils eigener Interessen umgestellt werden kann; gleichzeitig ist der berufliche Erfolg mit dem individuellen Heilsschicksal so verknüpft, daß die Berufsarbeit *als ganze* ethisch aufgeladen und dramatisiert wird. Diese moralische Verankerung einer von traditionaler Sittlichkeit freigesetzten Sphäre zweckrationaler beruflicher Bewährung hängt mit jenem Zug der protestantischen Ethik zusammen, der im Zitat nur anklingt: mit der gnadenpartikularistischen Einschränkung einer erlösungsreligiösen Gesinnungsethik, die das katholische Nebeneinander von Mönchs-, Priester- und Laienethik zugunsten einer elitären Trennung zwischen Virtuosen- und Massenreligiosität beseitigt.

W. Schluchter hat die ethischen Folgen dieses im Sektenprotestantismus scharf ausgeprägten *Gnadenpartikularismus* im Anschluß an Troeltschs Kontrastierung von Sekte und Kirche energisch herausgearbeitet. Die innere Vereinsamung des Individuums und das Verständnis des *Nächsten* als eines in strategischen Handlungszusammenhängen neutralisierten Anderen sind die beiden auffälligsten Konsequenzen: »Der asketische Protestantismus formuliert also eine religiöse Virtuosenethik für den Laien, die aus der Sicht des normalen Katholiken unmenschlich anmutet ... Sein absoluter Individualismus führt nicht zurück zur urchristlichen göttlichen Liebesgemeinschaft. Er läßt zwar ... die Idee der Gottes*kindschaft*, nicht aber die der Gottes*gemeinschaft* zu ... Die religiöse Ethik des asketischen Protestantismus ist also eine *monologische* Gesinnungsethik mit *unbrüderlichen* Konsequenzen. Genau darin sehe ich ihr Entwicklungspotential.«[138] Das Entwicklungspotential sieht Schluchter nicht in einer ethischen Rationalisierung der Lebensführung überhaupt, sondern speziell in derjenigen Versachlichung interpersonaler Beziehungen, die nötig ist, damit der kapitalistische Unternehmer in einem sittlich neutralisierten Bereich

138 Schluchter (1979), 250 f.

kontinuierlich zweckrational, d. h. nämlich: *in objektivierender Einstellung* handeln kann.

Freilich unterstellt Weber, daß »Versachlichung« im Sinne der strategischen Vergegenständlichung interpersonaler Beziehungen der einzig mögliche Weg zu einer rationalen Ablösung traditional eingelebter, konventionell geregelter Lebensverhältnisse ist. So sieht es auch Schluchter, der an der erwähnten Stelle fortfährt: Die Ethik des asketischen Protestantismus »stellt nicht nur, wie letztlich alle konsequenten christlichen erlösungsreligiösen Strömungen, die Beziehung des Einzelnen zu Gott *über* seine Beziehungen zu den Menschen; sie gibt diesen Beziehungen auch eine neue Bedeutung, die darin besteht, daß sie sie nicht mehr in Pietätsbegriffen interpretiert. Sie schafft damit eine Motivation zur Versachlichung zunächst der religiösen, dann der außerreligiösen zwischenmenschlichen Beziehungen.«[139] Demgegenüber muß man sich vergegenwärtigen, daß posttraditionale Rechts- und Moralvorstellungen, sobald sie auf die Ebene legitimer Ordnungen durchschlagen, mit den traditionalen Grundlagen pietätgesteuerter substantieller Lebensverhältnisse *per se* unvereinbar sind. Grundsätzlich hätte der Bann des Traditionalismus auch *ohne die Ausgliederung eines sittlich neutralisierten Handlungssystems* gebrochen werden können. Der ethische Rationalismus führt, wie wir gesehen haben, ein formales Konzept der Welt als der Gesamtheit legitim geregelter interpersonaler Beziehungen mit sich, worin sich der autonom handelnde Einzelne moralisch bewähren kann. *Diese* Versachlichung, die alle überlieferten Normen zu bloßen Konventionen entwertet, zerstört bereits die Legitimationsgrundlage der Pietät. Dazu bedarf es nicht jener *speziellen,* für den kapitalistischen Wirtschaftsverkehr allerdings funktional erforderlichen Versachlichung, die die Segmentierung eines rechtlich organisierten Bereichs strategischen Handelns ermöglicht.

Nun hat Max Weber eine solche Entwicklungsmöglichkeit explizit verneint. Er begründet das aber interessanterweise nicht, wie es doch nahegelegen hätte, mit dem empirischen Hinweis auf die Entwicklungsdynamik eines Wirtschaftssystems, dessen funktio-

---

139 Schluchter (1979), 251.

nale Imperative nur von einer Ethik erfüllt werden können, welche die Freisetzung strategischen Handelns in der Sphäre gesellschaftlicher Arbeit wertrational verankert. Statt dessen beruft er sich auf eine entwicklungslogische Tatsache, nämlich auf die *strukturelle* Unvereinbarkeit jeder konsequent durchethisierten Erlösungsreligion mit den unpersönlichen Ordnungen einer rationalisierten Wirtschaft und einer versachlichten Politik. Wegen der systematischen Bedeutung dieser These möchte ich das Argument im einzelnen vorführen.

Zunächst betrachtet Weber die christliche Brüderlichkeitsethik als exemplarische Gestalt einer rational durchgearbeiteten Gesinnungsethik: »Je rationaler und gesinnungsethisch sublimierter die Idee der Erlösung gefaßt wurde, desto mehr steigerten sich daher jene aus der Reziprozitätsethik des Nachbarschaftsverbandes erwachsenen Gebote äußerlich und innerlich. Äußerlich bis zum brüderlichen Liebeskommunismus, innerlich aber zur Gesinnung der Caritas, der Liebe zum Leidenden als solchen, der Nächstenliebe, Menschenliebe und schließlich: der Feindesliebe.«[140] Die streng universalistische Fassung der moralischen Grundsätze, die Form ich-autonomer Selbstkontrolle auf der Grundlage internalisierter, hoch-abstrakter Handlungsorientierungen, und das Modell einer vollständigen Reziprozität der Beziehungen zwischen den Angehörigen einer unbegrenzten Kommunikationsgemeinschaft – dies sind die Züge einer religiösen *Brüderlichkeits*ethik, die aus der »neuen sozialen Gemeinschaft« einer durch Prophetien geschaffenen »soteriologischen Gemeindereligiosität« dort hervorgegangen ist, wo die Ethisierung der Erlösungsreligion mit größter Konsequenz vorangetrieben worden ist.[141]

Nun läßt sich die »Zwischenbetrachtung« als ein einziges Argument dafür lesen, daß diese im Kern kommunikative Ethik mit den »brüderlichkeitsfeindlichen« *innerweltlichen* Lebensordnungen um so schärfer in Widerspruch gerät, je durchgreifender diese rationalisiert werden: »Der Kosmos der modernen rationalen kapitalistischen Wirtschaft wurde daher, je mehr er seinen immanenten

140 Weber (1963), 543.
141 Weber (1963), 542 f.

Eigengesetzlichkeiten folgte, desto unzugänglicher jeglicher denkbaren Beziehung zu einer religiösen Brüderlichkeitsethik«.[142] Denn hier wie in der Politik müßte diese sich als »Hemmung der formalen Rationalität« auswirken. Die universalistische Brüderlichkeitsethik prallt mit den Formen ökonomisch-administrativer Rationalität, in denen sich Wirtschaft und Staat zu einem brüderlichkeitsfeindlichen Kosmos versachlichen, zusammen: »Wie das ökonomische und das politische rationale Handeln seinen Eigengesetzlichkeiten folgt, so bleibt jedes andere rationale Handeln innerhalb der Welt unentrinnbar an die brüderlichkeitsfremden Bedingungen der Welt, die seine Mittel oder Zwecke sein müssen, gebunden und gerät daher irgendwie in Spannung zur Brüderlichkeitsethik.«[143]

Eine Entschärfung dieses im Gegensatz von Brüderlichkeit und Unbrüderlichkeit strukturell begründeten Konfliktes ist nur auf zwei Wegen möglich: entweder durch den Rückzug in die »akosmistische Brüderlichkeit« der christlichen Mystik oder auf dem Weg in die innerweltliche Askese und damit in »die Paradoxie der protestantischen Berufsethik, welche, als Virtuosenreligiosität, auf den Universalismus der Liebe verzichtete, alles Wirken in der Welt als Dienst in Gottes, in seinem letzten Sinn ganz unverständlichen, aber nun einmal allein erkennbaren positiven Willen und Erprobung des Gnadenstandes rational verpflichtete und damit auch die Versachlichung des mit der ganzen Welt als kreatürlich und verderbt entwerteten ökonomischen Kosmos als gottgewollt und Material der Pflichterfüllung hinnahm. Das war im letzten Grunde der prinzipielle Verzicht auf Erlösung als ein durch Menschen und für jeden Menschen erreichbares Ziel zugunsten der grundlosen, aber stets nur partikulären Gnade. Eine eigentliche ›Erlösungsreligion‹ war dieser Standpunkt der Unbrüderlichkeit in Wahrheit nicht mehr.«[144]

Schroffer läßt sich der *gnadenpartikularistische Rückfall* einer egozentrisch verkürzten, in die Brüderlichkeitsfeindschaft der kapitalistischen Wirtschaft sich einfügenden asketischen Berufsethik un-

142 Weber (1963), 544.
143 Weber (1963), 552.
144 Weber (1963), 545 f.

ter das in der kommunikativ entfalteten Brüderlichkeitsethik bereits erreichte Niveau kaum formulieren. Gleichwohl hat Weber diese Einsicht theoretisch nicht fruchtbar gemacht. Dies ist um so weniger verständlich, wenn man Webers Analyse des weiteren Schicksals der protestantischen Ethik im Verlaufe der kapitalistischen Entwicklung folgt.

Die protestantische Berufsethik erfüllt notwendige Bedingungen für die Entstehung einer motivationalen Basis zweckrationalen Handelns in der Sphäre gesellschaftlicher Arbeit. Mit dieser wertrationalen Verankerung zweckrationaler Handlungsorientierungen erfüllt sie freilich nur die *Start*bedingungen für die kapitalistische Gesellschaft; sie bringt den Kapitalismus auf den Weg, ohne die Bedingungen ihrer eigenen Stabilisierung sichern zu können. Weber glaubt nun, daß die Subsysteme zweckrationalen Handelns langfristig für die protestantische Ethik eine destruktive Umwelt bilden, und dies um so eher, je mehr sie sich nach der kognitiv-instrumentellen Eigengesetzlichkeit des kapitalistischen Wachstums und der Reproduktion staatlicher Macht entfalten. Die moralisch-praktische Rationalität der Gesinnungsethik kann in der Gesellschaft, deren Start sie ermöglicht, selbst nicht institutionalisiert werden. Auf längere Sicht wird sie vielmehr durch einen Utilitarismus ersetzt, der sich einer empiristischen Umdeutung der Moral, nämlich der pseudomoralischen Aufwertung der Zweckrationalität, verdankt und über eine interne Beziehung zur moralischen Wertsphäre nicht mehr verfügt. Wie erklärt Weber dieses *selbstdestruktive Muster* der gesellschaftlichen Rationalisierung? Die Komponente der Brüderlichkeit hatte die protestantische Ethik schon abgestreift; es konnte also nur mehr ihre Einbettung in den Kontext einer Erlösungsreligion überhaupt sein, der sie in einen Gegensatz zu modernen Lebensbedingungen brachte.

Tatsächlich ist es die Konkurrenz mit den wissenschaftlich rationalisierten Deutungsmustern und Lebensordnungen, die über das Schicksal der Religion, und damit, wie Weber meint, auch über das der religiös fundierten Ethik entscheidet: »Die moderne Form der zugleich theoretischen und praktischen intellektuellen und zweckhaften Durchrationalisierung des Weltbildes und der Lebensführung hat die allgemeine Folge gehabt: daß die Religion, je weiter diese besondere Art von Rationalisierung fortschritt, desto mehr ihrerseits in das – vom Standpunkt einer intellektuellen Formung des Weltbildes aus gesehen: – Irrationale geschoben wurde.«[145] In der »Zwischenbetrachtung« arbeitet Weber die Grundlage dieses Konfliktes noch schärfer heraus: »Das rationale Erkennen, an welches ja die ethische Religiosität selbst appelliert hatte, gestaltete, autonom und innerweltlich seinen eigenen Normen folgend, einen Kosmos von Wahrheiten, welcher nicht nur mit den systematischen Postulaten der rationalen religiösen Ethik: daß die Welt als Kosmos ihren Anforderungen genüge oder irgendeinen ›Sinn‹ aufweise, gar nichts mehr zu schaffen hatte, diesen Anspruch vielmehr prinzipiell ablehnen mußte. Der Kosmos der Naturkausalität und der postulierte Kosmos der ethischen Ausgleichskausalität standen in unvereinbarem Gegensatz gegeneinander. Und obwohl die Wissenschaft, die jenen Kosmos schuf, über ihre eigenen letzten Voraussetzungen sicheren Aufschluß nicht geben zu können schien, trat sie im Namen der ›intellektuellen Rechtschaffenheit‹ mit dem Anspruch auf: die einzig mögliche Form der denkenden Weltbetrachtung zu sein. Wie alle Kulturwerte, so schuf dabei auch der Intellekt eine von allen persönlichen ethischen Qualitäten der Menschen unabhängige, also unbrüderliche Aristokratie des rationalen Kulturbesitzes.«[146]

Diese Erklärung des selbstdestruktiven Musters gesellschaftlicher Rationalisierung ist unbefriedigend, weil Weber den Nachweis dafür schuldig bleibt, daß ein prinzipiengeleitetes moralisches Bewußtsein nur in religiösen Kontexten überleben kann. Er müßte erklären, warum die Einbettung der prinzipiengeleiteten Ethik in eine Erlösungsreligion, warum die Verbindung von Moralbewußtsein und Erlösungsinteresse für die *Erhaltung* des Moralbewußtseins ebenso unerläßlich ist, wie sie es unter genetischen Gesichtspunkten, eben für die *Entstehung* dieser Stufe des moralischen Bewußtseins ohne Zweifel gewesen ist. Dafür gibt es weder durchschlagende empirische Evidenzen (a) noch starke systematische Argumente (b).

145 Weber (1963), 253.
146 Weber (1963), 569.

a) Weber hat sein Forschungsprogramm, das erlauben sollte, die »Kulturbedeutung des asketischen Protestantismus im Verhältnis zu anderen plastischen Elementen der modernen Kultur« einzuschätzen[147], nicht durchgeführt. Es sollte unter anderem die sozialethischen Einflüsse des Humanismus sowie des philosophischen und wissenschaftlichen Empirismus umfassen. Dabei hätte Weber die Traditionen behandeln müssen, die in den Rationalismus der Aufklärung eingeflossen sind und in bürgerlichen Schichten eine säkularisierte Laienmoral gefördert haben; und diese war, wenn man die Wirkung einer Emanzipation von der Welt der katholischen Kirchenfrömmigkeit bedenkt, durchaus ein Äquivalent für die protestantische Ethik. Bernhard Groethuysens bekannte Untersuchung aus dem Jahre 1927[148] konzentriert sich auf einen solchen Fall: die Ausbildung eines gegenüber der Kirche autonomen bürgerlichen Moralbewußtseins im französischen Bürgertum. Groethuysen stützt sich vor allem auf Predigten des 17. und 18. Jahrhunderts sowie auf pädagogische und philosophische Traktate aus der zweiten Hälfte des 18. Jahrhunderts. Aus diesen Quellen läßt er das Bild einer von religiösen Kontexten abgelösten, prinzipiengeleiteten Ethik entstehen, mit der sich die bürgerlichen Schichten sowohl gegenüber dem Klerus wie gegenüber dem in naiver Frömmigkeit befangenen Volk absetzten. Der Bürger »weiß hier wohl zu unterscheiden: für ihn die weltliche Moral und die Wissenschaft, für die anderen die Religion«.[149] Groethuysen belegt, wie das französische Bürgertum dieser Zeit aus der katholischen Vorstellungswelt herauswächst und die säkularisierten Lebensanschauungen entwickelt, deren »es bedarf um das gesellschaftlich-wirtschaftliche Leben zu regeln und seine Ansprüche zur Geltung zu bringen«.[150] Die bürgerliche Moral genügt sich selbst. Ob der einzelne Bürger katholisch bleibt oder nicht, der kirchliche Katholizismus verliert seine handlungsorientierende Gewalt über die Alltagspraxis der bürgerlichen Schichten: »Der

147 Weber (1973), 189.
148 B. Groethuysen, Die Entstehung der bürgerlichen Welt- und Lebensanschauung in Frankreich, 2 Bde., Ffm. 1979.
149 Groethuysen (1979), I, 17.
150 Groethuysen (1979), II, 210.

Bürger hat seine Lebensform, seine Moral gefunden, die im engen Zusammenhang steht mit den bürgerlichen Lebensbedingungen...«[151]

b) Für die These, daß sich ein Moralbewußtsein auf posttraditionaler Stufe ohne religiöse Einbettung nicht stabilisieren könne, fehlen aber auch die systematischen Gründe. Wenn die Ethisierung religiöser Weltbilder zur Ausdifferenzierung einer auf moralisch-praktischen Fragen spezialisierten Wertsphäre führt, ist zu erwarten, daß die ethische Rationalisierung innerhalb dieser Wertsphäre, und zwar nach der Eigengesetzlichkeit einer von deskriptiven Ansprüchen und expressiven Aufgaben freigesetzten praktischen Vernunft fortgesetzt wird. Auf dieser Linie liegen die philosophischen Profanethiken der Neuzeit, die über formalistische Ethiken des kantischen Typs zu den, teils an Kant, teils an das rationale Naturrecht anknüpfenden, aber auch utilitaristische Gesichtspunkte aufnehmenden Diskursethiken der Gegenwart führen. Diese könnte man, im Anschluß an Weber, *kognitivistische Verantwortungsethiken nennen.*[152]

Freilich geht Weber selbst, vor allem in methodologischen Zusammenhängen, von einer durch den Positivismus seiner Zeit bestimmten Argumentationslage aus, derzufolge ethische Werturteile bloß subjektive Einstellungen ausdrücken und einer intersubjektiv verbindlichen Begründung nicht fähig seien. Dem widersprechen seine eigenen Argumente für die Überlegenheit der Verantwortungs- gegenüber den Gesinnungsethiken. Weber selbst übernimmt die Rolle eines ethischen Systematikers, sobald er den Versuch macht, die gesinnungsethischen Grenzen der religiösen Brüderlichkeitsethik nachzuweisen. Diese biete »kein Mittel zum Austrag schon der allerersten Frage...: von woher im einzelnen Fall der ethische Wert eines Handelns bestimmt werden soll: ob vom *Erfolg* oder von einem – irgendwie ethisch zu bestimmenden – *Eigenwert* dieses Tuns an sich aus. Ob und inwieweit also die Verantwortung des Handelnden für die Folgen die Mittel heiligt

---

151 Groethuysen (1979), II, 213.
152 Dazu würde ich u. a. die moraltheoretischen Ansätze von Baier, Hare, Singer, Rawls, Lorenzen, Kambartel, Apel und mir rechnen. Vgl. Oelmüller 1978 a; R. Wimmer 1980.

oder umgekehrt der Wert der Gesinnung, welche die Handlung trägt, ihn berechtigen soll, die Verantwortung für die Folgen abzulehnen, sie Gott oder der von Gott zugelassenen Verderbtheit und Torheit der Welt zuzuschieben. Die gesinnungsethische Sublimierung der religiösen Ethik wird der letzten Alternative zuneigen: ›der Christ tut recht und stellt den Erfolg Gott anheim‹«.[153] Mit diesen und ähnlichen Argumenten[154] betritt Weber den Boden einer philosophischen Diskussion, die den Eigensinn moralisch-praktischer Fragen, die Logik der Rechtfertigung von Handlungsnormen herausarbeiten konnte, nachdem sich Moral und Recht von der Begrifflichkeit religiöser (und metaphysischer) Weltbilder gelöst hatten.

Wenn die Möglichkeit einer vernünftigen, das heißt zwar nicht wissenschaftlichen, aber mit den Begründungsforderungen modernen wissenschaftlichen Denkens *verträglichen* Moraltheorie nicht von vornherein ausgeschlossen werden kann, müßte die kognitive Dissonanz zwischen einem wissenschaftlich aufgeklärten Alltagsbewußtsein und der protestantischen Berufsethik anders erklärt werden, beispielsweise mit dem besonderen Charakter ihres Gnadenpartikularismus. Dann würden auch Webers gelegentliche Bemerkungen über den irrationalen Charakter der Gnadenwahllehre und der in ihr fundierten Art der Lebensführung eine systematische Bedeutung gewinnen. Die protestantische Ethik ist ja keineswegs eine exemplarische, sondern eine verzerrte, eben *höchst irrationale* Verkörperung des Moralbewußtseins, das sich zunächst in der religiösen Brüderlichkeitsethik ausdrückt. R. Döbert hat das doppelte Gesicht, das die historisch wirksam gewordenen Versionen der Berufsethik unter strukturellen Gesichtspunkten zeigen, gut analysiert.[155] Mit der protestantischen Ethik sind Bewußtseinsstrukturen, die bis dahin nur eine gleichsam exterritoriale Bedeutung hatten, in einigen Trägerschichten des Kapitalismus verankert worden. Aber der Erfolg dieser Institutionalisierung ist

---

153 Weber (1963), 552.
154 Zum Zusammenhang von Ethik und Wissenschaftstheorie bei M. Weber vgl. W. Schluchter, Wertfreiheit und Verantwortungsethik, zum Verhältnis von Wissenschaft und Politik bei Max Weber, Tgb. 1971.
155 Döbert (1977), 544 ff.

damit bezahlt worden, daß die prinzipiell zugänglichen Bewußtseinsstrukturen nur *selektiv genutzt* worden sind. Döbert verweist vor allem auf den Gnadenpartikularismus eines Gottes, dessen Ratschluß prinzipiell unergründlich ist, und auf die erbarmungslose Gnadenungewißheit, die durch Hilfskonstruktionen mehr oder weniger einleuchtender Art psychologisch erträglich gemacht werden mußte. Die Selektivität zeigt sich ebenso an den repressiven Zügen der religiösen Vergesellschaftung, so an der totalen inneren Vereinsamung des religiösen Virtuosen, der sich sogar innerhalb seiner eigenen Gemeinde auf ein instrumentelles Verhalten einstellt, oder an der Rigidität der Triebkontrolle, die ein freies Verhältnis des Individuums zu seiner eigenen Natur ausschließt. In seinen Abhandlungen über die protestantischen Sekten verschleiert Weber diese unerquicklichen, durchaus symptomatischen Züge methodisch-rationaler Lebensführung keineswegs.[156]

Wenn aber die protestantische Ethik, sowohl die Lehren, in deren Kontext sie steht, wie auch die Lebensformen und Persönlichkeitsstrukturen, in denen sie sich verkörpert, nicht schlechthin als Ausdruck einer prinzipiengeleiteten Moral gelten dürfen, wenn wir den *partiellen Charakter* dieser Gestalt ethischer Rationalisierung ernst nehmen, fällt ein anderes Licht auf diejenigen protestantischen Sekten, die, wie die Wiedertäufer, die universalistische Brüderlichkeitsethik vorbehaltloser, nämlich auch in neuen Formen der sozialen Gemeinschaft und der politischen Willensbildung institutionalisieren wollten.[157] Diese sozialen Bewegungen, die das Potential der durchethisierten Weltbilder nicht in die Bahnen einer disziplinierten Berufsarbeit von *Privatleuten* ablenken, sondern in sozialrevolutionäre Lebensformen umsetzen wollten, sind im ersten Anlauf gescheitert. Denn die *radikalisierten Lebensformen* entsprachen nicht den Forderungen einer kapitalistischen Wirtschaftsethik. Diese Zusammenhänge bedürfen einer genaueren Analyse. Immerhin können diese Überlegungen Anlaß geben, zu fragen:

156 Weber (1973), 279 ff., 318 ff.
157 Vgl. Webers Bemerkung zur »Täuferrevolution« (1963), 554. Dazu R. v. Dülmen, Reformation als Revolution, München 1977; dort (373 ff.) weitere Literaturhinweise.

– ob nicht die methodische Lebensführung der von Weber untersuchten protestantischen Zielgruppen nur darum ihre historische Bedeutung erlangt haben, weil sie ein Muster posttraditionaler Moralität verwirklicht haben, das für eine kapitalistische Unternehmensführung funktional war,

– und ob nicht ihre von Weber beobachtete Instabilität darauf zurückgeht, daß die kapitalistische Entwicklung posttraditionale Handlungsorientierungen nur in eingeschränkter Form zuläßt, nämlich ein Rationalisierungsmuster fördert, demzufolge die kognitiv-instrumentelle Rationalität über Wirtschaft und Staat hinaus in andere Lebensbereiche eindringt und dort auf Kosten moralisch-praktischer und ästhetisch-praktischer Rationalität Vorrang erhält.[158]

(2) Diese Fragen liegen auf einer Argumentationslinie, der Weber nicht gefolgt ist, obwohl sie sich aus seinem zweistufig angelegten theoretischen Ansatz ergibt. Webers empirische Untersuchungen konzentrieren sich *unmittelbar* auf das Problem der Entstehung des Kapitalismus und auf die Frage, wie zweckrationale Handlungsorientierungen in der Entstehungsphase tatsächlich institutionalisiert werden konnten. Damit bezieht er gesellschaftliche Rationalisierung von vornherein auf den Aspekt der Zweckrationalität; er spiegelt das geschichtliche Profil dieses Vorgangs nicht am Hintergrund dessen, was *strukturell möglich* gewesen wäre. Diese komplexere Fragestellung kehrt allerdings in Webers Gegenwartsdiagnose wieder. Hier ist Weber darüber beunruhigt, daß sich die Subsysteme zweckrationalen Handelns von ihren wertrationalen Grundlagen losreißen und eigendynamisch verselbständigen. Diese These vom Freiheitsverlust wird uns noch beschäftigen. Weber bringt sie mit dem Resultat der vergleichenden religionssoziologischen Untersuchungen, nämlich damit in Zusammenhang, daß die zu eigenständigen kulturellen Wertsphären ausdifferenzierten Bewußtseinsstrukturen in entsprechend *antagonistischen* Lebensordnungen verkörpert werden. Das Thema der »Zwischenbetrach-

---

158 Aus dieser Perspektive übt Kritik an Weber H. Marcuse, Industrialisierung und Kapitalismus, in: O. Stammer (Hrsg.) (1965), 161 ff; vgl. dazu die Einleitung in Käsler (1972); 7 ff.

tung« sind jene *intern begründeten* Konflikte, die nach Webers Meinung zwischen einer konsequenten Brüderlichkeitsethik und den säkularen Ordnungen einer strukturell ausdifferenzierten Gesellschaft auftreten *müssen*. Die zeitdiagnostischen Überlegungen, die sich an dieses Thema anschließen, stelle ich noch zurück. Ich will zunächst das Modell von Wertsphären und Lebensordnungen herauspräparieren, das diesen Überlegungen zugrunde liegt.

Der systematische Gesichtspunkt, unter dem Weber seine »Zwischenbetrachtung« anstellt, ist in dem berühmten Satz formuliert: ». . . die Rationalisierung und bewußte Sublimierung der Beziehungen des Menschen zu den verschiedenen Sphären äußeren und inneren, religiösen und weltlichen, Güterbesitzes . . . drängte dazu: *innere Eigengesetzlichkeiten* der einzelnen Sphären in ihren Konsequenzen *bewußt* werden und dadurch in jene Spannungen zueinander geraten zu lassen, welche der urwüchsigen Unbefangenheit der Beziehung zur Außenwelt verborgen blieben.«[159] Die »Eigengesetzlichkeiten« verweisen auf die »rationale Geschlossenheit« von *Ideen*; der Besitz an inneren und äußeren, ideellen und materiellen Gütern begründet *Interessen*lagen. Solange wir Ideen für sich betrachten, bilden sie *kulturelle Wertsphären*; sobald sie sich mit Interessen verbinden, bilden sie *Lebensordnungen*, die den Besitz von Gütern legitim regeln. Ich möchte auf die Systematik dieser Lebensordnungen eingehen (a), dann deren »Eigengesetzlichkeiten« behandeln (b), um schließlich die Frage der partiellen Verwirklichung moderner Bewußtseinsstrukturen wiederaufzunehmen (c).

a) In der »Zwischenbetrachtung« trifft Weber keine exakte Unterscheidung zwischen den Ebenen von kultureller Überlieferung und institutionalisierten Handlungssystemen oder Lebensordnungen. Die religiöse Brüderlichkeitsethik, die den Bezugspunkt des Vergleichs mit den »Ordnungen und Werten der Welt« bietet, wird, wie es dem Kontext der Weltbildanalyse auch entspricht, hauptsächlich als *kultureller Symbolismus* behandelt. Andererseits erscheinen Wissenschaft und Kunst eher unter dem Aspekt von Lebensordnungen, also als *kulturelle Handlungssysteme*, die

159 Weber (1963), 541 f.

gleichzeitig mit den *sozialen Handlungssystemen* Wirtschaft und Staat ausdifferenziert worden sind. Die Systematik der Weberschen Grundbegriffe legt allerdings die folgende Differenzierung zwischen den Ebenen der kulturellen Überlieferung und der kulturellen Handlungssysteme nahe (Fig. 8).

Fig. 8 *Kultureller Komplex*

Kulturelle Wertsphären	kognitive Ideen	normative Ideen	ästhetische Ideen
kulturelle Handlungssysteme: Besitz an ideellen Gütern	Wissenschafts-betrieb	religiöse Gemeinde	Kunstbetrieb

Die drei kulturellen Handlungssysteme sind Lebensordnungen, die den *Besitz an ideellen Gütern* regeln. Davon unterscheidet Weber Sphären des *weltlichen Güterbesitzes*. In modernen Gesellschaften stellen vor allem die alltäglichen Kulturgüter *Reichtum* und *Macht* sowie das außeralltägliche Gut *geschlechtliche* (bzw. erotisch sublimierte) *Liebe,* Werte dar, um die sich Lebensordnungen kristallisieren. So ergeben sich die fünf Lebensordnungen (kulturelle oder im engeren Sinne soziale Handlungssysteme), mit denen die religiöse Brüderlichkeitsethik in Spannung treten kann: vgl. Fig. 9.
In der »Zwischenbetrachtung« folgt Weber der Absicht, die »Spannungsverhältnisse zwischen Religion und Welt« zu analysieren, wobei die Brüderlichkeitsethik den religiösen Bezugspunkt bildet. Nach seiner Analyse müssen *Konflikte* um so schärfer hervortreten, je mehr die »Beziehungen des Menschen zu den verschiedenen Sphären des äußeren und inneren Güterbesitzes« in ihrer Eigenart zu Bewußtsein gelangen. Und dies ist, je weitergehend die Lebensordnungen rationalisiert werden, um so deutlicher der Fall. Die Konflikte oder »Spannungsverhältnisse«, die Weber

Kulturelle Ideen / Interessen am Besitz	alltägliche		außeralltägliche
ideeller Güter	Wissen: Wissenschaftsbetrieb		Kunst: Kunstbetrieb
materieller Güter	Reichtum: Ökonomie	Macht: Politik	Liebe: hedonistische Gegenkulturen

an dieser Stelle interessieren, ergeben sich nicht *extern*, aus unvereinbaren *Interessenlagen*, sondern *intern*, aus der Unvereinbarkeit verschiedener *Strukturen*. Wenn wir der Systematik dieser Fragestellung und nicht unmittelbar dem Text folgen, müssen wir uns zunächst den kulturellen Wertsphären zuwenden; diese gehorchen ja unmittelbar der Eigengesetzlichkeit von Ideen, während in den Lebensordnungen Ideen mit Interessen zu legitimen Ordnungen schon verschmolzen sind.

(b) Weber stellt der ethischen Wertsphäre Wissenschaft und Kunst gegenüber. Darin erkennen wir die kognitiven, die normativen und die expressiven Bestandteile der Kultur wieder, die nach Maßgabe jeweils eines universalen Anspruchs ausdifferenziert werden. In diesen kulturellen Wertsphären drücken sich die modernen Bewußtseinsstrukturen aus, die aus der Rationalisierung der Weltbilder hervorgegangen sind. Diese hat, wie gezeigt, zu den formalen Begriffen einer objektiven, einer sozialen und einer subjektiven Welt, und zu entsprechenden Grundeinstellungen gegenüber einer kognitiv bzw. moralisch *versachlichten* Außen-, und einer *subjektivierten* Innenwelt geführt. Dabei haben wir die objektivierende Einstellung gegenüber Prozessen der äußeren Natur, die normenkonforme (bzw. -kritische) Einstellung gegenüber legitimen Ordnungen der Gesellschaft, sowie die expressive Einstellung gegenüber der Subjektivität der inneren Natur unterschieden. Die für die Moderne bestimmenden Strukturen eines (im Sinne Piagets) *dezentrierten Weltverständnisses* lassen sich nun dadurch kennzeichnen, daß das handelnde und erkennende Subjekt *verschiedene* Grundeinstellungen *gegenüber Bestandteilen derselben* Welt einnehmen kann. Aus der Kombination von Grundeinstellungen und formalen Weltkonzepten ergeben sich neun fundamentale Beziehungen; das folgende Schema bietet einen aus dem Duktus der Weberschen Gedankenführung gewonnenen Leitfaden für die »Rationalisierung der Beziehungen des Menschen zu den verschiedenen Sphären«.

Fig. 10 *Formalpragmatische Beziehungen*

Grund-einstellungen \ Welten	1. objektive	2. soziale	3. subjektive
1. objektivierend:	kognitiv-instrumentelles Verhältnis	kognitiv-strategische Beziehung	objektivistisches Selbstverhältnis
2. normenkonform	moralisch-ästhetisches Verhältnis zu nicht objektivierter Umwelt	obligatorische Beziehung	zensierendes Selbstverhältnis
3. expressiv		Selbstinszenierung	sinnlich-spontanes Selbstverhältnis

An dieser Stelle kann ich die formalpragmatischen Beziehungen nicht systematisch untersuchen; ich begnüge mich mit intuitiven Hinweisen auf charakteristische Äußerungsformen, die zur Illustration dienen können. Das kognitiv-instrumentelle Verhältnis (1.1) läßt sich an Behauptungen, instrumentellen Handlungen, Beobachtungen usw. erläutern; die kognitiv-strategische Beziehung (1.2) an sozialen Handlungen des zweckrationalen Typs; die obligatorische Beziehung (2.2) an normenregulierten Handlungen; die Selbstinszenierung (3.2) an sozialen Handlungen des dramaturgischen oder selbstdarstellenden Typs. Ein objektivistisches Verhältnis zu sich selbst (1.3) kann sich in Theorien (z. B. der empiristischen Psychologie oder der utilitaristischen Ethik) ausdrücken; ein zensierendes Verhältnis zu sich selbst (2.3) läßt sich an Über-Ich-Phänomenen wie Schuldgefühlen ebenso illustrieren wie an Abwehrreaktionen; ein sinnlich-spontanes Verhältnis zu sich selbst (3.3) läßt sich an affektiven Äußerungen, libidinösen Regungen, kreativen Leistungen usw. ablesen. Für ein ästhetisches Verhältnis gegenüber einer nicht-objektivierten Umgebung (3.1) bieten sich trivialerweise Kunstwerke, überhaupt Stilphänomene zur Erläuterung an, aber auch z. B. Theorien, in denen sich eine morphologische Naturanschauung niederschlägt. Am unklarsten sind die Phänomene, die für einen moralisch-praktischen, einen »geschwisterlichen« Umgang mit Natur exemplarisch sind, wenn man nicht auch hier auf mystisch inspirierte Überlieferungen zurückgehen will oder auf Tabuisierungen (z. B. vegetarische Ekelschranken), auf den anthropomorphisierenden Umgang mit Tieren usw.

Schon dieser vorläufige Charakterisierungsversuch zeigt, daß von dem durch »Entzauberung« formal zugänglich gewordenen pragmatischen Beziehungen zwischen einem Aktor und seiner äußeren oder inneren Umwelt nur einige ausgewählt und zu standardisierten Äußerungsformen artikuliert worden sind. Diese differentielle Ausschöpfung formaler Möglichkeiten kann externe oder interne Gründe haben. Sie kann eine kultur- und gesellschaftsspezifische Ausschöpfung des mit den modernen Bewußtseinsstrukturen angebotenen Rationalisierungspotentials widerspiegeln, also ein selektives Muster der gesellschaftlichen Rationalisierung. Vielleicht verhält es sich aber auch so, daß sich nur einige dieser formalpragmatischen Beziehungen für die Akkumulation von Wissen eignen. Wir müssen deshalb versuchen, diejenigen Beziehungen zu identifizieren, die unter dem Gesichtspunkt des *Wissenserwerbs* produktiv genug sind, um eine im Sinne Max Webers *eigengesetzliche* Entwicklung kultureller Wertsphären zu erlauben. Da ich an dieser Stelle einen systematischen Anspruch nicht einlösen kann, halte ich mich an Webers Aussage. Er ist offensichtlich der Auffassung, daß nur sechs der klassifizierten Aktor-Welt-Beziehungen »rationalisiert und bewußt sublimiert« werden können:

Fig. 11 *Rationalisierungskomplexe*

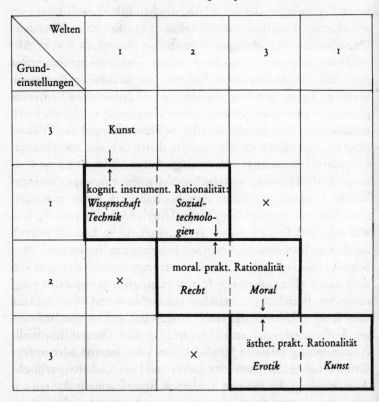

Die objektivierende Einstellung gegenüber äußerer Natur und Gesellschaft umschreibt einen Komplex kognitiv-instrumenteller Rationalität, innerhalb dessen die Wissensproduktion die Form des wissenschaftlichen und technischen Fortschritts (einschließlich der Sozialtechnologien) annehmen kann. Daß das Feld 1.3 leer bleibt, steht für die Annahme, daß in objektivierender Einstellung über die innere Natur qua Subjektivität nichts gelernt werden kann. Die normenkonforme Einstellung gegenüber Gesellschaft und innerer Natur umschreibt einen Komplex moralisch-praktischer Rationalität, innerhalb dessen die Wissensproduktion die Form einer systematischen Bearbeitung von Rechts- und Moralvorstellungen annehmen kann; daß das Feld 2.1 leer bleibt, bedeutet Skepsis gegenüber der Möglichkeit, den geschwisterlichen Umgang mit einer nicht-objektivierten Natur rational auszugestalten, z. B. in Gestalt naturphilosophischer Erkenntnisse, die mit den modernen Naturwissenschaften konkurrieren könnten.[160] Die expressive Einstellung gegenüber innerer und äußerer Natur umschreibt schließlich einen Komplex ästhetisch-praktischer Rationalität, innerhalb dessen die Wissensproduktion die Form einer authentischen, also unter veränderten historischen Bedingungen jeweils zu erneuernden Interpretation von Bedürfnissen annehmen kann. Daß das Feld 3.2 leer bleibt, soll anzeigen, daß expressiv bestimmte Formen der Interaktion (z. B. gegenkulturelle Lebensformen) keine aus sich heraus rationalisierungsfähigen Strukturen bilden, sondern insofern parasitär sind, als sie von Innovationen in anderen Wertsphären abhängig bleiben.

Wenn nun diese drei, formalpragmatisch aus Grundeinstellungen und Weltkonzepten abgeleiteten Rationalitätskomplexe auf genau die drei kulturellen Wertsphären, die in der europäischen Moderne ausdifferenziert worden sind, verweisen, so ist das noch kein Einwand gegen den systematischen Stellenwert des Schemas. Nach Webers Auffassung sind ja die modernen Bewußtseinsstrukturen aus einem universalgeschichtlichen Entzauberungsprozeß hervorgegangen und spiegeln insofern nicht nur idiosynkratische Züge einer besonderen Kultur. Einem systematischen Anspruch genügen freilich auch Webers historische Darstellungen nicht. Vielleicht könnte aus einer *Theorie der Argumentation* eine unabhängige Begründung gewonnen werden. Dazu habe ich vorerst nur eine forschungsstrategische Bemerkung anzubieten.

Wenn sich kulturelle Wertsphären durch eine nach Geltungsan-

---

160 Vgl. meine Antwort auf McCarthy, in: Held/Thompson (forthcoming).

sprüchen differenzierte und verstetigte Wissensproduktion auszeichnen; und wenn die Kontinuität dieser Wissensproduktion nur durch das Reflexivwerden von Lernprozessen, d. h. durch eine Rückkoppelung mit institutionell ausdifferenzierten Formen der Argumentation gesichert werden kann; dann müssen sich für die *historisch ausgeprägten* Wertsphären (die wir aus den Kombinationen 1.1, 1.2; 2.2, 2.3; 3.3, 3.1 abgeleitet haben) plausible Beziehungen zu einer jeweils typischen, auf einen *universalen Geltungsanspruch spezialisierten* Form der Argumentation nachweisen lassen. Unsere Hypothese ist widerlegt, wenn das nicht gelingt oder wenn sich umgekehrt für die durch »x« gekennzeichneten »leeren« Felder (1.3, 2.1, 3.2), d. h. für die durch sie repräsentierten Erfahrungsbereiche spezialisierte Formen der Argumentation tatsächlich auffinden ließen. Für eine Falsifikation genügt auch der deskriptive Nachweis, daß es Kulturen gibt, in denen entsprechende, für uns schwer vorstellbare Wertsphären mit einer entsprechenden, kontinuierlichen Wissensproduktion auftreten.

In diesem Zusammenhang ist Max Webers Einschätzung des Utilitarismus (1.3) und der Bohème (3.2) aufschlußreich: beide hält er nicht für stabilisierungsfähig, weil sie keine mit interner Eigengesetzlichkeit ausgestattete, rationalisierungsfähige Wertsphäre verkörpern. Und den moralförmigen, als Interaktion gedeuteten Umgang mit der äußeren Natur (2.1) hat Weber immer nur als »Zaubergarten« verstanden, der im Zuge der Rationalisierung anderer Wert- und Lebenssphären verschwindet.

(c) Wenn wir davon ausgehen, daß sich die modernen Bewußtseinsstrukturen zu den drei genannten Rationalitätskomplexen verdichten, dann kann man sich die *strukturell mögliche* gesellschaftliche Rationalisierung so vorstellen, daß sich die entsprechenden Ideen (aus den Bereichen Wissenschaft und Technik, Recht und Moral, Kunst und ›Erotik‹) mit Interessen verbinden und in entsprechend differenzierten Lebensordnungen verkörpern. Dieses etwas halsbrecherische Modell würde die Angabe notwendiger Bedingungen für ein *nicht-selektives Muster der Rationalisierung* erlauben: die drei kulturellen Wertsphären müssen an entsprechende Handlungssysteme so angeschlossen werden, daß eine nach Geltungsansprüchen spezialisierte Wissensproduktion und -vermittlung sichergestellt ist; das von Expertenkulturen entwickelte kognitive Potential muß seinerseits an die kommunikative Alltagspraxis weitergeleitet und für soziale Handlungssysteme fruchtbar gemacht werden; schließlich müssen die kulturellen Wertsphären so ausgewogen institutionalisiert werden, daß die ihnen korrespondierenden Lebensordnungen hinreichend autonom sind, um nicht den Eigengesetzlichkeiten heterogener Lebensordnungen untergeordnet zu werden. Ein selektives Muster der Rationalisierung entsteht dann, wenn (mindestens) einer der drei konstitutiven Bestandteile kultureller Überlieferung nicht systematisch bearbeitet wird, oder wenn (mindestens) eine kulturelle Wertsphäre unzureichend, d. h. ohne einen strukturbildenden Effekt für die Gesamtgesellschaft institutionalisiert wird, oder wenn (mindestens) eine Lebenssphäre so weit überwiegt, daß sie andere Lebensordnungen einer ihnen fremden Form der Rationalität unterwirft.

Weber hat zwar kontrafaktische Überlegungen dieser Art nicht angestellt. Man kann sich aber auf dieser Folie ganz gut den systematischen Gehalt der »Zwischenbetrachtung« klarmachen:

– Die *kognitiv-instrumentelle Rationalität* wird im Wissenschaftsbetrieb institutionalisiert; zugleich vollzieht sich die eigengesetzliche Entwicklung der ökonomischen und der politischen Lebensordnung, die die Struktur der bürgerlichen Gesellschaft bestimmen, nach Maßgabe formaler Rationalität.

– Die *ästhetisch-praktische Rationalität* wird im Kunstbetrieb institutionalisiert; freilich hat die autonome Kunst ebensowenig wie die unbeständigen intellektuellen Gegenkulturen, die sich um dieses Subsystem herum bilden, einen für die Gesamtgesellschaft strukturbildenden Effekt; die außeralltäglichen Werte dieser Sphäre bilden allenfalls den Fokus für einen auf innerweltliche Erlösung gerichteten hedonistischen Lebensstil des »Genußmenschentums«, der auf »den Druck des theoretischen und praktischen« Rationalismus des alltäglichen, in Wissenschaft, Ökonomie und Staat etablierten »Fachmenschentums« reagiert.

– Die *moralisch-praktische Rationalität* der erlösungsreligiösen Brüderlichkeitsethik ist mit Fach- und Genußmenschen gleichermaßen unvereinbar; die moderne Welt ist von Lebensordnungen beherrscht, in denen die beiden anderen Rationalitätskomplexe zur Herrschaft gelangen und arbeitsteilig eine »Weltherrschaft der Unbrüderlichkeit« errichten; gegenüber dieser, zugleich kognitiv-instrumentell versachlichten und ins Subjektivistische gewendeten Welt haben Moralvorstellungen, die auf eine in kommunikativer Versöhnung wurzelnden Autonomie zielen, keine hinreichenden Durchsetzungschancen; die Brüderlichkeitsethik findet keinen Halt in Institutionen, über die sie sich auf Dauer kulturell reproduzieren könnte.

– Aber nicht nur die *religiöse Brüderlichkeitsethik*, auch jene Gestalt der Ethik, die sich an die »Lieblosigkeit des versachlichten ökonomischen Kosmos« anpaßt, eben die *Protestantische Ethik*, wird zwischen den Mühlsteinen der beiden anderen Rationalitätskomplexe längerfristig zerrieben. Sie kommt zwar in der protestantischen Berufskultur zunächst soweit zu institutioneller Geltung, daß die Startbedingungen für die Modernisierung erfüllt sind; aber die Modernisierungsprozesse selbst untergraben rückwirkend die wertrationalen Grundlagen zweckrationalen Handelns; nach Webers Diagnose werden die gesinnungsethischen Grundlagen der Berufsorientierung zugunsten einer utilitaristisch gedeuteten instrumentalistischen Arbeitshaltung weggespült.

Am Ende bleibt das religiös artikulierte Bedürfnis, das der Antrieb zu allen Formen der Rationalisierung gewesen ist, unerfüllt zurück, nämlich der Anspruch »daß der Weltverlauf, wenigstens soweit er die Interessen der Menschen berührt, ein irgendwie *sinnvoller* Vorgang sei«. Das Paradoxe an der gesellschaftlichen Rationalisierung ist die Erfahrung der »Sinnlosigkeit der rein innerweltlichen Selbstvervollkommnung zum Kulturmenschen, des letzten Wertes also, auf welchen die ›Kultur‹ reduzierbar schien«.[161]

Wenn man sich den systematischen Gehalt der »Zwischenbetrachtung« in dieser Weise vergegenwärtigt, wird deutlich, daß Webers Intuitionen in die Richtung eines selektiven Musters der Rationalisierung, eines gezackten Modernisierungsprofils weisen. Gleichwohl hat Weber vom *paradoxen*, nicht aber vom *partiellen* Charakter der gesellschaftlichen Rationalisierung gesprochen. Den ei-

161 Weber (1963), 569.

gentlichen Grund für die Dialektik der Rationalisierung sieht er nämlich darin, daß in der Ausdifferenzierung der Eigengesetzlichkeiten kultureller Wertsphären *selbst schon* der Keim der Zerstörung für die Rationalisierung der Welt, die sie doch ermöglicht, angelegt ist – und nicht etwa in einer ungleichgewichtigen institutionellen Verkörperung der damit freigesetzten kognitiven Potentiale.

Dieser Gedanke behält eine gewisse Plausibilität freilich nur so lange, wie Weber für den moralisch-praktischen Rationalitätskomplex eine auf der Augenhöhe von moderner Wissenschaft und autonomer Kunst säkularisierte Form der religiösen Brüderlichkeitsethik, eine von ihrer erlösungsreligiösen Grundlage entkoppelte kommunikative Ethik *nicht* in Betracht zieht, sondern allgemein auf die Spannungsverhältnisse zwischen Religion und Welt fixiert bleibt.

Zudem fällt auf, daß das moderne Recht in der »Zwischenbetrachtung« keinen systematischen Platz erhält. Es taucht nur einmal im Kontext der staatlichen Ordnung als Organisationsmittel ohne moralisch-praktische Substanz auf.[162] Das moderne Recht spielt aber für die Institutionalisierung zweckrationaler Handlungsorientierungen eine ähnliche Rolle wie die protestantische Berufsethik. Ohne die Verrechtlichung des kapitalistischen Wirtschaftsverkehrs ist die Automatisierung oder Selbststabilisierung eines von ihren ethisch-motivationalen Grundlagen abgelösten Subsystems zweckrationalen Handelns nicht zu denken. Weber kann deshalb die in der »Zwischenbetrachtung« angelegte Gegenwartsdiagnose nur durchführen, wenn es ihm gelingt, die moderne Rechtsentwicklung vom Schicksalsweg der moralisch-praktischen Rationalität abzukoppeln und als eine weitere Verkörperung kognitiv-instrumenteller Rationalität begreiflich zu machen.

162 Weber (1963), 547.

4. Rationalisierung des Rechts
und Gegenwartsdiagnose

In Webers Theorie der Rationalisierung nimmt die Rechtsentwicklung einen ebenso prominenten wie zweideutigen Platz ein. Die Zweideutigkeit der Rationalisierung des Rechts besteht darin, daß sie zugleich die Institutionalisierung zweckrationalen Wirtschafts- und Verwaltungshandelns wie auch die Ablösung der Subsysteme zweckrationalen Handelns von ihren moralisch-praktischen Grundlagen ermöglicht – oder zu ermöglichen scheint. Die methodische Lebensführung gilt als eine Verkörperung moralisch-praktischer Bewußtseinsstrukturen; aber die prinzipiengeleitete Berufsethik bleibt, wie Weber meint, nur so lange wirksam, wie sie in einen religiösen Kontext eingebettet ist. Die Dialektik von Wissenschafts- und Religionsentwicklung soll, wie wir gesehen haben, die empirische Begründung dafür bieten, daß die ethischen Handlungsorientierungen infolge der Erschütterung religiöser Glaubensgewißheiten nicht mehr verläßlich reproduziert werden können. Diese Erklärung könnte in analoger Weise für das moderne Recht schon deshalb nicht zutreffen, weil dieses von Anbeginn in säkularisierter Form auftritt. In seiner Rechtssoziologie schlägt Weber deshalb eine andere Strategie ein als in den religionssoziologischen Untersuchungen. Während er im Falle der protestantischen Ethik Gründe angibt, warum es zu einer dauerhaften Institutionalisierung moralisch-praktischer Bewußtseinsstrukturen nicht kommen kann, *deutet er das moderne Recht so um,* daß es von der evaluativen Wertsphäre abgekoppelt und von vornherein als eine institutionelle Verkörperung kognitiv-instrumenteller Rationalität erscheinen kann. Diese Strategie steht im Zusammenhang einer Gegenwartsdiagnose, die sich an den in der »Zwischenbetrachtung« skizzierten Gedankengang anlehnt. Bevor ich auf die Rationalisierung des Rechts eingehe (2), möchte ich deshalb die beiden wichtigsten Komponenten der Weberschen Zeitdiagnose behandeln (1).

(1). In seiner Gegenwartsanalyse hält sich Weber enger als sonst an die theoretische Perspektive, aus der sich die Modernisierung als eine Fortsetzung des universalgeschichtlichen Entzauberungsprozesses darstellt. Die Ausdifferenzierung eigenständiger kultureller Wertsphären, die für die Phase der *Entstehung* des Kapitalismus wichtig ist, und die Verselbständigung der Subsysteme zweckrationalen Handelns, die die *Entfaltung* der kapitalistischen Gesellschaft seit dem späten 18. Jh. kennzeichnet, sind die beiden Trends, die Weber zu einer existentiell-individualistischen Gegenwartskritik verbindet. Die erste Komponente läßt sich auf die *These vom Sinnverlust*, die zweite auf die *These vom Freiheitsverlust* bringen. Beide Thesen zusammengenommen bestimmen bis heute die fortschrittskeptische Hintergrundideologie jener Sozialwissenschaftler, die ihre weltanschaulichen Bedürfnisse ihrem deklarierten Szientismus nicht vollends aufopfern möchten.[163]

Mit der Ausdifferenzierung eigenständiger kultureller Wertsphären kommen auch deren Eigengesetzlichkeiten zu Bewußtsein. Dieser Umstand hat, wie Weber meint, zwiespältige Konsequenzen. Einerseits wird dadurch eine Rationalisierung von Symbolsystemen unter einem jeweils abstrakten Wertmaßstab (wie Wahrheit, normative Richtigkeit, Schönheit und Authentizität) erst möglich; andererseits zerfällt damit auch die sinnstiftende Einheit metaphysisch-religiöser Weltbilder: zwischen den verselbständigten Wertsphären entstehen Konkurrenzen, die nicht mehr unter einem übergeordneten Gesichtspunkt einer göttlichen oder kosmologischen Weltordnung geschlichtet werden können. Sobald sich Handlungssysteme um diese ›letzten‹ Ideen herum kristallisieren, geraten diese Lebenssphären »in jene Spannungen zueinander...., welche der urwüchsigen Unbefangenheit der Beziehung zur Außenwelt verborgen blieben«.[164] Wir können diesen zentralen Gedanken, von dem die »Zwischenbetrachtung« ausgeht, anhand der Fig. 11 (S. 326) verdeutlichen.

In dem Maße wie sich die Eigenlogik einzelner Wertsphären in die gesellschaftlichen Strukturen entsprechend ausdifferenzierter Lebenssphären umsetzt, kann sich, was auf kultureller Ebene eine

163 Zum neokonservativen Potential unter amerikanischen Sozialwissenschaftlern vgl. P. Steinfels, The Neoconservatives, N. Y. 1979; für die Bundesrepublik R. Lederer, Neokonservative Theorie und Gesellschaftsanalyse, Ffm. 1979.
164 Weber (1971), I, 541.

Differenz zwischen Geltungsansprüchen ist, auf der Ebene der Gesellschaft in Spannungen zwischen institutionalisierten Handlungsorientierungen, d. h. in *Handlungskonflikte* verwandeln. In dem obigen Schema bezeichnen die gegenläufigen Pfeile die gegensinnigen Grundeinstellungen, die der Handelnde jeweils gegenüber *demselben* Realitätsbereich einnehmen kann. Gegenüber der äußeren Natur kann er eine objektivierende, aber auch eine expressive Einstellung einnehmen. Gegenüber der Gesellschaft eine normenkonforme, aber auch eine objektivierende, und gegenüber der inneren Natur eine expressive, aber auch eine normenkonforme Einstellung. Diese Möglichkeiten des »Umschaltens« sind für die Freiheitsgrade eines dezentrierten Weltverständnisses charakteristisch. Dieselben Freiheitsgrade können aber zum Herd von Konflikten werden, sobald verschiedene kulturelle Wertsphären *gleichzeitig* auf dieselben institutionellen Bereiche durchschlagen, so daß am selben Ort Rationalisierungsprozesse verschiedener Art miteinander konkurrieren. Die kognitiv-instrumentellen, die moralisch-praktischen und die ästhetisch-expressiven Handlungsorientierungen dürfen sich nicht soweit zu antagonistischen Lebensordnungen verselbständigen, daß sie die durchschnittliche Integrationsfähigkeit des Persönlichkeitssystems überfordern und zu *Dauerkonflikten zwischen Lebensstilen* führen.

Das Problem, wie in der Mannigfaltigkeit der sozialen Handlungssituationen und Lebenssphären die Einheit der Lebenswelt gesichert werden kann, besteht natürlich immer schon. Bereits innerhalb segmentärer Stammesgesellschaften kommt es zu Differenzierungen; hier kann der Antagonismus zwischen verschiedenen Lebenssphären noch mit Mitteln der mythischen Weltdeutung aufgefangen werden: jede Sphäre wird durch eine eigene Ursprungsmacht, die mit allen übrigen Mächten kommuniziert, vertreten. Eine späte Form dieser mythischen Anschauung bildet der Polytheismus, der es gestattet, die Konkurrenz der Lebensprobleme als Kampf der Götter zu personifizieren und in den Himmel zu projizieren. Auf der Entwicklungsstufe der Hochkulturen wird die Gesellschaft nach Berufsgruppen und sozialen Schichten differenziert, so daß die Einheit der Lebenswelt alsbald durch mythische Weltdeutungen nicht mehr garantiert werden kann. Nun erfüllen religiös-metaphysische Weltbilder diese einheitsstiftende Funktion, und dies um so eindrucksvoller, je mehr sie rational durchgestaltet werden.

Eben diese Integrationsleistung wird aber in modernen Gesellschaften mit der Ausdifferenzierung der kulturellen Wertsphären in Frage gestellt. In dem Maße wie die Rationalisierung der Weltbilder moderne Bewußtseinsstrukturen aus sich heraussetzt, zerfallen diese *als* Weltbilder: »Der großartige Rationalismus der ethisch-methodischen Lebensführung, der aus jeder religiösen Prophetie quillt, hatte diese Vielgötterei entthront zugunsten des ›Einen, das not tut‹ – und hatte dann, angesichts der Realitäten des äußeren und inneren Lebens, sich zu jenen Kompromissen und Relativierungen genötigt gesehen, die wir alle aus der Geschichte des Christentums kennen. Heute aber ist es religiöser ›Alltag‹. Die alten vielen Götter, entzaubert und daher in Gestalt unpersönlicher Mächte, entsteigen ihren Gräbern, streben nach Gewalt über unser Leben und beginnen untereinander wieder ihren ewigen Kampf. Das aber, was gerade dem modernen Menschen so schwer wird, und der jungen Generation am schwersten, ist: einem solchen Alltag gewachsen zu sein. Alles Jagen nach dem ›Erlebnis‹ stammt aus dieser Schwäche. Denn Schwäche ist es: dem Schicksal der Zeit nicht in sein ernstes Antlitz blicken zu können.«[165] Die ethisch rationalisierten religiösen Weltbilder hatten ebenso wie die kognitiv rationalisierten metaphysischen Weltbilder in ihren Prinzipien (wie Gott, Natur, Vernunft usw.) die drei Aspekte, unter denen die Welt jeweils als eine objektive oder soziale oder subjektive Welt der rationalen Bearbeitung zugänglich gemacht wurde, *noch zusammengehalten.* Sie hatten deshalb der Lebensführung derer, die sich in ihrem Handeln und Denken an diesen Weltbildern orientierten, einen einheitlichen Sinn vermitteln können. In der »Zwischenbetrachtung« und in »Wissenschaft als Beruf« entwickelt Weber die beiden zusammengehörigen Thesen, daß angesichts der rationalen Eigengesetzlichkeiten der modernen Lebensordnungen die ethische Vereinheitlichung der Welt im Na-

165 M. Weber, Wissenschaft als Beruf, in: Gesammelte Aufsätze zur Wissenschaftslehre, Tbg. 1968 b, 604 f.

men eines subjektivierten Glaubens ebenso undurchführbar geworden ist wie die theoretische Vereinheitlichung der Welt im Namen der Wissenschaft. Weber sieht das Signum des Zeitalters in der Wiederkehr eines neuen Polytheismus, bei dem freilich der Kampf der Götter die depersonifizierte, *versachlichte* Gestalt eines Antagonismus zwischen unversöhnlichen Wert- und Lebensordnungen annimmt. Die rationalisierte Welt ist sinnlos geworden, »weil die verschiedenen Wertordnungen der Welt in unlöslichem Kampf untereinander stehen. Der alte Mill . . . sagt einmal: wenn man von der reinen Erfahrung ausgehe, komme man zum Polytheismus. Das ist flach formuliert und klingt paradox, und doch steckt Wahrheit darin. Wenn irgend etwas, so wissen wir es heute wieder: daß etwas heilig sein kann nicht nur: obwohl es nicht schön ist, sondern: *weil* und *insofern* es nicht schön ist, – in dem 53. Kapitel des Jesaiabuches und im 22. Psalm können Sie die Belege dafür finden; – und daß etwas schön sein kann nicht nur: obwohl, sondern: in dem, worin es nicht gut ist, das wissen wir seit Nietzsche wieder, und vorher finden Sie es gestaltet in den ›Fleurs du mal‹, wie Baudelaire seinen Gedichtband nannte; – und eine Alltagsweisheit ist es, daß etwas wahr sein kann, obwohl und indem es nicht schön und nicht heilig und nicht gut ist. Aber das sind nur die elementarsten Fälle dieses Kampfes der Götter der einzelnen Ordnungen und Werte . . . Es ist wie in der alten, noch nicht von ihren Göttern und Dämonen entzauberten Welt, nur in anderem Sinne: wie der Hellene einmal der Aphrodite opferte und dann dem Apollon und vor allem jeder den Göttern seiner Stadt, so ist es, entzaubert und entkleidet der mythischen, aber innerlich wahren Plastik jenes Verhaltens, noch heute. Und über diesen Göttern und in ihrem Kampf waltet das Schicksal, aber ganz gewiß keine ›Wissenschaft‹.«[166]

In der Formel vom »neuen Polytheismus« drückt Weber die These des Sinnverlustes aus. In ihr spiegelt sich die generationstypische Erfahrung des Nihilismus, die Nietzsche so eindrucksvoll dramatisiert hatte. Origineller als die Theorie selbst ist ihre Begründung mit Hilfe einer Dialektik, die angeblich schon in dem religionsge-

166 Weber (1968 b), 603 F.

schichtlichen Prozeß der Entzauberung, d. h. der Entbindung moderner Bewußtseinsstrukturen angelegt ist: *die Vernunft selbst spaltet sich in eine Pluralität von Wertsphären auf und vernichtet ihre eigene Universalität.* Diesen Sinnverlust deutet Weber als existentielle Aufforderung an den Einzelnen, die Einheit, die in den Ordnungen der Gesellschaft nicht mehr hergestellt werden kann, nun in der Privatheit der jeweils eigenen Biographie mit dem Mut der Verzweiflung, der absurden Hoffnung der Hoffnungslosen herzustellen. Die praktische Rationalität, die die zweckrationalen Handlungsorientierungen wertrational einbindet und begründet, kann, wenn nicht im Charisma neuer Führer, nur noch in der Persönlichkeit des einsamen Individuums ihren Ort finden; zugleich ist diese innerliche, heroisch zu behauptende Autonomie bedroht, weil sich innerhalb der modernen Gesellschaft keine legitime Ordnung mehr findet, die für die kulturelle Reproduktion der entsprechenden Wertorientierungen und Handlungsdispositionen bürgen könnte.

Diese These von der Verselbständigung der Subsysteme zweckrationalen Handelns, die die Freiheit des Einzelnen bedroht, ergibt sich freilich nicht ohne weiteres aus jener ersten These; es ist unklar, wie die These vom Sinnverlust mit der These vom Freiheitsverlust zusammenhängt. Die berühmte Stelle, an der Weber diese These aufstellt, lautet: »Einer der konstitutiven Bestandteile des modernen kapitalistischen Geistes, und nicht nur dieses, sondern der modernen Kultur: die rationale Lebensführung auf Grundlage der *Berufsidee*, ist – das sollten diese Darlegungen erweisen – geboren aus dem Geist der *christlichen Askese* ... indem die Askese aus den Mönchszellen heraus in das Berufsleben übertragen wurde und die innerweltliche Sittlichkeit zu beherrschen begann, half sie an ihrem Teile mit daran, jenen mächtigen Kosmos der modernen, an die technischen und ökonomischen Voraussetzungen mechanisch-maschineller Produktion gebundenen, Wirtschaftsordnung zu erbauen, der heute den Lebensstil aller Einzelnen, die in dieses Triebwerk hineingeboren werden – *nicht* nur der direkt ökonomischen Erwerbstätigen –, mit überwältigendem Zwang bestimmt und vielleicht bestimmen wird, bis der letzte Zentner fossilen Brennstoffs verglüht ist. Nur wie ›ein dünner Mantel, den man jederzeit abwerfen könnte‹, sollte nach Baxters Ansicht die Sorge um die äußeren Güter um die Schultern seiner Heiligen liegen. Aber aus dem Mantel ließ das Verhängnis ein stahlhartes Gehäuse werden. Indem die Askese die Welt umzubauen und in der Welt sich auszuwirken unternahm, gewannen die äußeren Güter dieser Welt zunehmende und schließlich unentrinnbare Macht über den Menschen, wie niemals zuvor in der Geschichte. Heute ist ihr Geist – ob endgültig, wer weiß es? – aus diesem Gehäuse entwichen. Der siegreiche Kapitalismus jedenfalls bedarf, seit er auf mechanischer Grundlage ruht, dieser Stütze nicht mehr ... Niemand weiß noch, wer künftig in jenem Gehäuse wohnen wird und ob am Ende dieser ungeheuren Entwicklung ganz neue Prophetien oder eine mächtige Wiedergeburt alter Gedanken und Ideale stehen werden, *oder* aber – wenn keins von beiden – mechanisierte Versteinerung, mit einer Art von krampfhaftem Sich-wichtig-nehmen verbrämt. Dann allerdings könnte für die ›letzten Menschen‹ dieser Kulturentwicklung das Wort zur Wahrheit werden: ›Fachmenschen ohne Geist, Genußmenschen ohne Herz‹: dies Nichts bildet sich ein, eine nie vorher erreichte Stufe des Menschentums erstiegen zu haben.«[167]

Weber behandelt die Entstehung und Entfaltung des Kapitalismus unter dem Gesichtspunkt der Institutionalisierung zweckrationaler Handlungsorientierungen und stößt dabei auf die Rolle der protestantischen Berufsethik und des modernen Rechts. Er zeigt, wie mit ihrer Hilfe die kognitiv-instrumentelle Rationalität in Wirtschaft und Staat institutionalisiert wird; daraus ergibt sich jedoch nicht per se die pessimistische Voraussage einer Reifizierung dieser Teilsysteme zu einem »stahlharten Gehäuse«. Weber hat denn auch das Gefühl, daß er mit dieser Prognose auf »das Gebiet der Wert- und Glaubensurteile« gerät.[168] Gleichwohl vermitteln die späten Abhandlungen (Politik als Beruf, Wissenschaft als Beruf, die Zwischenbetrachtung usw.) den Eindruck, als ließe sich diese zweite These nicht nur als eine Trendaussage mit dem Hinweis auf die dysfunktionalen Nebenfolgen einer alles durch-

167 Weber (1973), I, 187-189.
168 Weber (1973), I, 189.

dringenden Bürokratisierung[169] empirisch belegen, sondern als theoretischer Satz aus der ersten These ableiten. Dieser Versuch hält einer Nachprüfung nicht stand. Dazu zwei Überlegungen. *Zunächst* ist die erste These in sich nicht plausibel. Gewiß zerfällt mit dem Auftreten moderner Bewußtseinsstrukturen die unmittelbare, in religiösen und metaphysischen Grundbegriffen suggerierte Einheit des Wahren, Guten und Vollkommenen. Selbst der emphatische Begriff der Vernunft, der die kognitiven, evaluativen und expressiven Aspekte der Welt weniger vermittelt, als ineins setzt, wird zusammen mit dem Ansatz metaphysischen Denkens unhaltbar. Insofern wendet sich Weber mit Recht gegen das »Charisma der Vernunft«[170] und besteht auf einem Begriff von Rationalität, der sich in die Eigengesetzlichkeit verschiedener, aufeinander nicht reduzierbarer Wertsphären, wie es neukantisch heißt, zerlegt. Aber Weber geht zu weit, wenn er aus dem Verlust der substantiellen Einheit der Vernunft auf einen Polytheismus miteinander ringender Glaubensmächte schließt, deren Unversöhnlichkeit in einem Pluralismus *unvereinbarer* Geltungsansprüche wurzelt. Gerade auf der formalen Ebene der argumentativen Einlösung von Geltungsansprüchen ist die *Einheit* der Rationalität in der Mannigfaltigkeit der eigensinnig rationalisierten Wertsphären gesichert. Geltungsansprüche unterscheiden sich von empirischen Ansprüchen durch die Präsupposition, daß sie mit Hilfe von Argumenten eingelöst werden können. Und Argumente oder Gründe haben mindestens dies gemeinsam, daß sie, und nur sie, unter den kommunikativen Voraussetzungen einer kooperativen Prüfung hypothetischer Geltungsansprüche die Kraft rationaler Motivation entfalten können. Freilich erfordern die differentiellen Geltungsansprüche der propositionalen Wahrheit, der normativen Richtigkeit, der Wahrhaftigkeit und Authentizität (wie auch der auf regelrechte Symbolkonstruktion bezogene Anspruch auf Wohlgeformtheit oder Verständlichkeit) nicht nur Begründungen überhaupt, sondern Gründe in jeweils typischen Formen der Argumentation; und je nachdem übernehmen Argumente verschiedene Rollen mit einem

169 M. Weber, Gesammelte politische Schriften, Tbg. 1958, 60 ff.
170 Weber (1964), 922.

differentiellen Grad diskursiver Verbindlichkeit. Bis heute fehlt, wie wir gesehen haben, eine pragmatische Logik der Argumentation, die auf befriedigende Weise die internen Zusammenhänge zwischen Sprechakt*formen* erfaßt. Erst eine solche Diskurstheorie könnte explizit angeben, worin die Einheit der Argumentation besteht und was wir mit prozeduraler Rationalität meinen, nachdem alle substantiellen Vernunftbegriffe kritizistisch aufgelöst worden sind.[171]

Weber hat nicht hinreichend zwischen den partikularen Wert*inhalten* kultureller Überlieferungen und jenen universalen Wert*maßstäben* unterschieden, unter denen sich die kognitiven, normativen und expressiven Bestandteile der Kultur zu Wertsphären verselbständigen und eigensinnige Rationalitätskomplexe ausbilden. Ein Beispiel für die Konfusion der Wertmaßstäbe oder universalen Geltungsansprüche mit partikularen Wertinhalten bietet die oben (S. 336) angeführte Stelle, wo Weber die Differenz zwischen verschiedenen Geltungsansprüchen herausarbeitet und zeigt, daß Wahrheit, normative Verbindlichkeit (Heiligkeit) und Schönheit nicht aufeinander reduziert werden können, um dann fortzufahren: »Aber das sind nur die elementarsten Fälle des Kampfes der Götter der einzelnen Ordnungen und Werte. Wie man es machen will, ›wissenschaftlich‹ zu entscheiden zwischen dem Wert der französischen und deutschen Kultur, weiß ich nicht. Hier streiten eben auch verschiedene Götter miteinander, und zwar für alle Zeit.«[172] Die Wertsysteme der französischen und der deutschen Kultur sind in der Tat ein gutes Beispiel für geschichtliche Konfigurationen von Wert*inhalten*, die so wenig wie die Lebensformen, in denen sie objektive Gestalt annehmen, aufeinander reduziert werden können. Der Pluralismus von *Wertmaterien* hat aber nichts mit der Differenz zwischen *Geltungsaspekten* zu tun, unter denen Wahrheitsfragen, Gerechtigkeitsfragen und Geschmacksfragen ausdifferenziert und als solche rational bearbeitet werden können.

Deshalb muß auch die Ausdifferenzierung des Wissenschafts-,

171 Siehe oben S. 44 ff. (Exkurs zur Argumentationstheorie).
172 Weber (1968 b), 604.

Rechts- oder Kunstbetriebs, in denen kulturelles Wissen unter jeweils einem universalen Geltungsaspekt entwickelt wird, keineswegs einen Konflikt zwischen unversöhnlichen Lebensordnungen provozieren. Diese kulturellen Handlungssysteme stehen zwischen den kulturellen Wertsphären, auf die sie sich unmittelbar beziehen, und jenen sozialen Handlungssystemen, die sich, wie Ökonomie und Staat, um einzelne materielle Werte wie Reichtum, Macht, Gesundheit usw. kristallisieren. Erst mit dieser Institutionalisierung verschiedener Wertmaterien kommen Beziehungen der Konkurrenz zwischen letztlich irrationalen Handlungsorientierungen ins Spiel. Hingegen bedeuten Rationalisierungsvorgänge, die sich an die drei allgemeinen Rationalitätskomplexe anschließen, eine Verkörperung verschiedener kognitiver Strukturen, die allenfalls das Problem aufwerfen, wo in der kommunikativen Alltagspraxis Schaltstellen angebracht werden müssen, damit die Individuen ihre Handlungsorientierungen von einem Rationalitätskomplex auf den anderen umstellen können.

Eine dieser Schaltstellen hat für die Form der sozialen Integration, die sich mit der kapitalistischen Gesellschaft herausbildet, eine besondere Relevanz: die zwischen dem kognitiv-instrumentellen und dem normativen Rationalitätskomplex. Wir kennen dieses Problem bereits unter der Bezeichnung der Institutionalisierung zweckrationaler Handlungsorientierungen. Damit kehren wir zu der Frage zurück, wie denn die These einer freiheitsbedrohenden Verselbständigung der erfolgreich etablierten Lebenssphären zweckrationalen Wirtschafts- und Verwaltungshandelns mit der ersten These zusammenhängt (wobei ich diese nur um des Argumentes willen als richtig unterstelle).

Das Organisationsmittel des formalen Rechts ist, obwohl es auf posttraditionalen Rechtsvorstellungen beruht, nicht, wie die strukturgleichen moralischen Ordnungen, einer Konkurrenz, sei es von seiten der Wissenschaft oder der Kunst ausgesetzt. Vielmehr wächst das Rechtssystem einem immer komplexer werdenden Wirtschafts- und Verwaltungssystem nach; es wird sogar immer unentbehrlicher, je mehr die moralischen Quellen versiegen, die dem Beschäftigungssystem die notwendigen Motive zuführen. Max Weber steht also vor der Alternative, entweder seine Vision vom »stahlharten Gehäuse«, dessen moralisch-praktische Substanz austrocknet, zu entdramatisieren, oder Moral und Recht *verschiedenen* Rationalitätskomplexen zuzuordnen. Er wählt die zweite Alternative und spielt die strukturellen Analogien, die zwischen der Moralentwicklung einerseits, der Rechtsrationalisierung andererseits bestehen, herunter. Weber betrachtet das Recht in erster Linie als eine Sphäre, die, wie die materielle Güterversorgung oder der Kampf um legitime Macht, formaler Rationalisierung zugänglich ist. Dabei kommt ihm abermals die Verwechslung von Wertmustern und Geltungsansprüchen zu Hilfe. Denn die Rationalisierung der Rechtsordnung könnte nur dann in gleicher Weise wie die Wirtschafts- und Herrschaftsordnung unter den ausschließlichen Aspekt der Zweckrationalität gebracht werden, wenn zwischen dem abstrakten Wertmaßstab des Rechts, also der »Richtigkeit« von Normen einerseits, und Wertmaterien wie Reichtum oder Macht andererseits ein interner Zusammenhang bestünde.

Hier schiebt sich nun an die Stelle des Modells von drei unter jeweils einem abstrakten Geltungsaspekt eigensinnig rationalisierten Wertsphären die Vorstellung einer Vielfalt unsortierter Werte wie Wahrheit, Reichtum, Schönheit, Gesundheit, Recht, Macht, Heiligkeit usw.; zwischen diesen partikularen und letztlich irrationalen Werten bestehen Konflikte, die mit Gründen nicht geschlichtet werden können. Wenn aus diesem Pool einige Werte zum Kristallisationskern rationalisierungsfähiger Lebensordnungen werden, kann sich der Aspekt der Rationalisierung nur noch auf Zweck-Mittelbeziehungen erstrecken. Es ist *dieses* Modell, welches Weber beispielsweise auf die verwissenschaftlichte medizinische Berufspraxis, die Kunstwissenschaft und die Jurisprudenz anwendet: »Die allgemeine ›Voraussetzung‹ des *medizinischen Betriebs* ist, trivial ausgedrückt: daß die Aufgabe der Erhaltung des Lebens rein als solchen und der möglichsten Verminderung des Leidens rein als solchen bejaht werde. Und das ist problematisch. Der Mediziner erhält mit seinen Mitteln den Todkranken, auch wenn er um Erlösung vom Leben fleht, auch wenn die Angehörigen, denen dieses Leben wertlos ist, die ihm die Erlösung vom Leiden gönnen, denen die Kosten der Erhaltung des wertlosen Lebens unerträglich werden – es handelt sich vielleicht um einen armseligen Irren – seinen Tod, eingestandener- oder uneingestandenermaßen, wünschen und wünschen müssen. Allein die Voraussetzungen der Medizin und das Strafgesetzbuch hindern den Arzt, davon abzugehen. Ob das Leben lebenswert ist und wann?, – danach fragt sie nicht. Alle Naturwissenschaften geben uns Antwort auf die Frage: was sollen wir tun, wenn wir das Leben technisch beherrschen wollen? Ob wir es aber technisch beherrschen sollen und wollen, und ob das letztlich eigentlich Sinn hat: – das lassen sie ganz dahingestellt oder setzen es für ihre Zwecke voraus. Oder nehmen Sie eine Disziplin wie die *Kunstwissenschaft*. Die Tatsache, daß es Kunstwerke gibt, ist der Ästhetik gegeben. Sie sucht zu ergründen, unter welchen Bedingungen dieser Sachverhalt vorliegt. Aber sie wirft die Frage nicht auf, ob das Reich der Kunst nicht vielleicht ein Reich diabolischer Herrlichkeit sei, ein Reich von dieser Welt, deshalb widergöttlich im tiefsten Innern und in seinem tiefinnerlichst aristokratischen Geist widerbrüderlich. Danach also fragt sie nicht: ob es Kunstwerke geben s o l l e. – Oder die *Jurisprudenz*: sie stellt fest, was, nach den Regeln des teils zwingend logisch, teils durch konventionell gegebene Schemata gebundenen juristischen Denkens gilt, also: wenn bestimmte Rechtsregeln und bestimmte Methoden ihrer Deutung als verbindlich anerkannt sind. O b es Recht geben solle, und o b man gerade diese Regeln aufstellen solle, darauf antwortet sie nicht; sondern sie kann nur angeben: wenn man den Erfolg will, so ist diese Rechtsregel nach den Normen unseres Rechtsdenkens das geeignete Mittel, ihn zu erreichen.«[173]

An dieser Stelle wird die Jurisprudenz, stellvertretend für die Sphäre des Rechts im ganzen, nach dem Modell einer Lebensordnung vorgestellt, die, wie Ökonomie oder Staat, unter einem partikularen Wertgesichtspunkt formal, d. h. im Hinblick auf Zweck-Mittelbeziehungen rationalisiert werden kann. Unter den erwähnten Beispielen trifft aber dieses Modell unzweideutig nur auf die medizinische Versorgung zu. Hier handelt es sich um den Fall der wertorientierten Anwendung naturwissenschaftlichen Wissens, also um die Rationalisierung von Dienstleistungen im Rahmen einer

---

173 Weber (1968 b), 599 f.

Berufspraxis, die als Heilpraxis an einem bestimmten Wertinhalt, der Gesundheit von Patienten, ausgerichtet ist. Dieser Wert ist empirisch fast allgemein akzeptiert, gleichwohl handelt es sich um ein partikulares Wertmuster, das keineswegs intern mit einem der universalen Geltungsansprüche verknüpft ist. Das gilt natürlich nicht für die Medizin als wissenschaftliche Disziplin: *als* Forschung ist diese nicht an partikularen Werten, sondern an Wahrheitsfragen orientiert. Ähnlich verhält es sich mit der Kunstwissenschaft und der Jurisprudenz, soweit diese als wissenschaftliche Disziplinen betrachtet werden. Nun können auch diese Disziplinen berufspraktisch umgesetzt werden, die Kunstwissenschaft z. B. in Kunstkritik, die Jurisprudenz in Rechtsprechung, Rechtspublizistik usw. Dadurch werden sie zu Bestandteilen der kulturellen Handlungssysteme Kunstbetrieb und Rechtspflege. Diese orientieren sich aber nicht, wie die medizinische Berufspraxis, an einem partikularen Wert wie ›Gesundheit‹, sondern an Wissenssystemen, die jeweils unter einem der universalen Geltungsansprüche ausdifferenziert worden sind. In dieser Hinsicht gleichen Kunstbetrieb und Rechtspflege dem Wissenschaftsbetrieb, nicht dem Gesundheitswesen. Es geht hier um die Beurteilung der Authentizität von Werken, die exemplarische Erfahrungen zum Ausdruck bringen, oder um die Bearbeitung normativer Fragen in einem ähnlichen Sinne wie im Wissenschaftssystem um die Erzeugung empirisch-theoretischen Wissens.

Deshalb ist es nicht zulässig, den medizinischen Fall der Anwendung empirisch-theoretischen Wissens, der allerdings unter dem Aspekt der Durchsetzung zweckrationaler Handlungsorientierungen angemessen analysiert werden kann, zu verallgemeinern und gesellschaftliche Rationalisierung in *allen* Lebensbereichen als eine Rationalisierung von Mitteln für Zwecke, die unter partikularen Werten selegiert werden, zu begreifen. Nun ist die moralisch-praktische Rationalität nach Webers eigenem theoretischen Ansatz von zentraler Bedeutung für die *Institutionalisierung* zweckrationalen Wirtschafts- und Verwaltunghandelns. Es wäre erstaunlich, wenn Weber nicht gesehen hätte, daß die Rationalisierung des Rechts in erster Linie unter dem Aspekt einer *wertrationalen* Umformung des Institutionensystems, und erst in zweiter Linie unter dem Aspekt der Durchsetzung *zweckrationaler* Handlungsorientierungen begriffen werden muß. Aber die unklare Interferenz von zwei verschiedenen Fragestellungen, unter denen Weber Modernisierungsvorgänge als Rationalisierungsprozesse begreift, führt gerade in der Rechtssoziologie zu Widersprüchen.

Diese gehen auf einen zentralen Widerspruch zurück: *Einerseits* identifiziert Weber die beiden Neuerungen, denen der Kapitalismus seine Entstehung verdankt, mit der protestantischen Berufsethik und dem modernen Rechtssystem. Mit ihnen gelingt eine Verkörperung des prinzipiengeleiteten moralischen Bewußtseins im Persönlichkeits- und im Institutionensystem. Sie sichern eine wertrationale Verankerung zweckrationaler Handlungsorientierungen. Weber verfügt, wie ich gezeigt habe, über einen komplexen Begriff praktischer Rationalität, der von einer Koordinierung zweck- und wertrationaler Handlungsaspekte ausgeht. Gleichwohl betrachtet Weber *auf der anderen Seite* gesellschaftliche Rationalisierung ausschließlich unter dem Aspekt der Zweckrationalität. Jenen umfassenden Rationalitätsbegriff, den er seinen Untersuchungen der kulturellen Überlieferung zugrunde legt, wendet Weber auf der Ebene der Institutionen nicht an. Für die Rationalität von Handlungssystemen erlangt allein der kognitiv-instrumentelle Rationalitätskomplex Bedeutung. Auf der Ebene der Subsysteme von Wirtschaft und Politik soll interessanterweise nur der Aspekt des zweckrationalen, nicht der des wertrationalen Handelns strukturbildende Effekte haben. Aus Webers Wirtschafts-, Staats- und Rechtssoziologie muß man den Eindruck gewinnen, daß in modernen Gesellschaften Rationalisierungsprozesse nur am empirisch-theoretischen Wissen und an den instrumentellen und strategischen Aspekten des Handelns ansetzen, während praktische Rationalität nicht eigenständig, d. h. mit einem subsystemspezifischen Eigensinn institutionalisiert werden kann.

(2) Diese widerstreitenden Tendenzen spiegeln sich in der Rechtssoziologie. Auf der einen Seite gilt das moderne Recht doch in ähnlicher Weise wie die protestantische Ethik als eine Verkörperung posttraditionaler Bewußtseinsstrukturen: das Rechtssystem ist eine Lebensordnung, die den Formen moralisch-praktischer Rationalität gehorcht (a). Auf der anderen Seite versucht Weber,

die Rationalisierung des Rechts ausschließlich unter den Aspekt der Zweckrationalität zu bringen und als einen Parallelfall zur Verkörperung kognitiv-instrumenteller Rationalität in Wirtschaft und Staatsverwaltung zu konstruieren. Das gelingt nur um den Preis einer empiristischen Umdeutung der Legitimationsproblematik und einer begrifflichen Entkoppelung des politischen Systems von Formen moralisch-praktischer Rationalität: Weber schneidet auch die politische Willensbildung auf Prozesse des Machterwerbs und der Machtkonkurrenz zurück (b).

(a) Zunächst zum posttraditionalen Charakter des bürgerlichen Rechts. Soziale Handlungen werden im Rahmen legitimer Ordnungen institutionalisiert; und diese beruhen auch auf Einverständnis. Dabei gründet sich das Einverständnis auf die intersubjektive Anerkennung von Normen. Soweit sich das normative Einverständnis auf Tradition stützt, spricht Weber von *konventionellem Gemeinschaftshandeln.* In dem Maße wie konventionell gebundenes Handeln durch erfolgsorientiertes, zweckrationales Handeln ersetzt wird, entsteht das Problem, wie die Spielräume des von Konventionen freigesetzten *Interessenhandelns* ihrerseits legitim geordnet, d. h. normativ verbindlich gegeneinander abgegrenzt werden können.

Das normative Einverständnis muß sich von einem durch Tradition vorgegebenen zu einem kommunikativ erzielten, d. h. *vereinbarten* Einverständnis verschieben. Im Grenzfall wird das, was als legitime Ordnung gelten soll, förmlich vereinbart und positiv gesetzt; *rationales Gesellschaftshandeln* tritt damit an die Stelle des konventionellen Gemeinschaftshandelns: »Flüssig ist natürlich der Übergang vom Einverständnishandeln zum Gesellschaftshandeln, – welches ja lediglich den durch *Satzung* geordneten Spezialfall darstellt ... Und umgekehrt pflegt fast jeder Vergesellschaftung ein über den Umkreis ihrer rationalen Zwekke hinaus übergreifendes (›vergesellschaftungs*bedingtes*‹) Einverständnishandeln zwischen den Vergesellschafteten zu entspringen ... Je zahlreicher und mannigfaltiger nach der Art der für sie konstitutiven Chancen nun die Umkreise sind, an denen der Einzelne sein Handeln *rational* orientiert, desto weiter ist die ›rationale gesellschaftliche *Differenzierung*‹ vorgeschritten; je mehr

es den Charakter der *Vergesellschaftung* annimmt, desto weiter die
›rationale gesellschaftliche *Organisation*‹.«[174]
Der idealtypische Fall der normativen Regelung zweckrationalen
Handelns ist die frei vereinbarte *Satzung* mit Rechtskraft; die auf
gesatzter Ordnung beruhende Institution ist der *Verein* oder, wo
ein Zwangsapparat die ursprüngliche Vereinbarung fortdauernd
sanktioniert, die *Anstalt.* In diesen Begriffen beschreibt Weber die
Tendenz zur gesellschaftlichen Rationalisierung: »Im ganzen
ist ... eine immer weiter greifende zweckrationale Ordnung des
Einverständnishandelns durch Satzung und insbesondere eine immer weitere Umwandlung von Verbänden in zweckrational geord-
nete Anstalten zu konstatieren.«[175] An dieser Stelle verwendet Weber den Ausdruck »zweckrational« nicht in Übereinstimmung mit
den von ihm eingeführten Definitionsregeln[176]; er hätte hier
»wertrational« sagen müssen. Dafür spricht die folgende Überlegung.
Wenn das normative Einverständnis die Form einer rechtlich sanktionierten Vereinbarung annimmt, begründet allein die Prozedur
seines Zustandekommens die Vermutung, daß es rational motiviert
ist. Das Einverständnis bezieht sich auch hier noch auf die Geltung
einer normativen Regelung, welche zum Bestandteil der legitimen
Ordnung wird und die Handelnden für eine regelungsbedürftige
Materie auf bestimmte Wertorientierungen verpflichtet. Lediglich
innerhalb normativ festgelegter Grenzen dürfen die Rechtssubjek-
te ohne Rücksicht auf Konventionen zweckrational handeln. Für
die Institutionalisierung zweckrationalen Handelns ist mithin eine
Art des normativen Einverständnisses erforderlich, das unter der
Idee der freien (diskursiven) Vereinbarung und der autonomen
(gewillkürten) Satzung steht und durch formale Eigenschaften der
Wertrationalität ausgezeichnet ist. In dieser Hinsicht bezieht Weber freilich keine unzweideutige Position; der schwankende
Sprachgebrauch kommt nicht von ungefähr.
Weber nennt als ein wesentliches Merkmal der Rationalität des

174 Weber (1968a), 201 f.
175 Weber (1968a), 210.
176 Siehe oben S. 242 ff.

modernen Rechts zunächst die Rechtssystematik. Das moderne Recht ist in besonderem Maße Juristenrecht. Mit dem juristisch geschulten Richter und Fachbeamten werden Rechtsprechung und öffentliche Verwaltung professionalisiert. Nicht nur die Gesetzesanwendung, auch die Rechtssetzung wird immer stärker an formale Verfahren und damit an den Fachverstand der Juristen gebunden. Diese Umstände fördern die Systematisierung der Rechtssätze, die Kohärenz der Rechtsdogmatik, also eine Durchrationalisierung des Rechts nach internen, rein formalen Maßstäben analytischer Begrifflichkeit, deduktiver Strenge, prinzipieller Begründung usw. Diese Tendenz ist schon an den juristischen Fakultäten des späten Mittelalters zu beobachten; sie setzt sich vollends mit dem juristischen Positivismus durch (und ist z. B. von Kelsen auf ihren Begriff gebracht worden). Gewiß ist diese formale Durchstrukturierung des Rechts, die uneingeschränkte Anwendung formal-operationalen Denkens auf das berufspraktische Wissen der juristischen Fachleute, ein interessanter Tatbestand; aber schon der Umstand, daß sich in den verschiedenen nationalen Rechtsentwicklungen diese Tendenz sehr ungleichmäßig durchgesetzt hat (ausgeprägter in den Ländern römisch-rechtlicher Tradition), stimmt skeptisch gegenüber dem Vorschlag, den Rationalitätszuwachs des modernen Rechts vor allem in einer *internen Systematisierung* zu suchen. Vielmehr setzt diese Systematisierung von Sinnzusammenhängen den Übergang zu einer posttraditionalen Stufe des moralischen Bewußtseins, das durch die ethische Rationalisierung von Weltbildern ermöglicht worden ist, voraus. Auf dieser Stufe ergibt sich erst ein formaler Begriff der sozialen Welt als Gesamtheit legitim geregelter interpersonaler Beziehungen.

Wie sich in einer solchen Welt das moralische Handlungssubjekt nach Grundsätzen methodischer Lebensführung orientieren kann, so kann sich das Privatrechtssubjekt *berechtigt* fühlen, innerhalb legaler Grenzen rein erfolgsorientiert zu handeln. Die Entzauberung des religiösen Weltbildes und die Dezentrierung des Weltverständnisses sind die Voraussetzung dafür, daß die sakralen Rechtsbegriffe aus der hypothetischen Perspektive von grundsätzlich freien und gleichen Rechtsgenossen umgeformt werden können. Diese können, der Idee nach, Vereinbarungen darüber treffen, welche Normen Geltung haben oder verlieren sollen: ». . . überall fehlt ursprünglich der Gedanke: daß man Regeln für das Handeln, welche den Charakter von ›Recht‹ besitzen, also durch ›Rechtszwang‹ garantiert sind, als *Normen* absichtlich schaffen könne, vollständig. Es fehlt den Rechtsentscheidungen zunächst . . . der Begriff der ›Norm‹ überhaupt. Sie geben sich durchaus nicht als ›Anwendung‹ feststehender ›Regeln‹, wie wir das heute für die Urteile als selbstverständlich ansehen. Wo aber die Vorstellung von für das Handeln ›geltenden‹ und für die Streitentscheidung *verbindlichen* Normen konzipiert ist, werden diese vielmehr zunächst nicht als Produkte oder auch nur als möglicher Gegenstand menschlicher Satzungen aufgefaßt. Sondern ihre ›legitime‹ Existenz beruht einerseits auf der *absoluten Heiligkeit* bestimmter Gepflogenheiten als solcher, von denen abzuweichen bösen Zauber oder die Unruhe der Geister oder den Zorn der Götter hervorrufen kann. Sie gelten als ›Tradition‹ [und somit] wenigstens theoretisch als unabänderlich. Sie müssen erkannt und richtig, den Gepflogenheiten entsprechend, interpretiert werden, *aber man kann sie nicht schaffen.* Sie zu interpretieren, fällt denen zu, welche sie am längsten kennen, also den physisch ›ältesten Leuten‹ oder den Sippenältesten oder – und besonders oft – den Zauberern und Priestern, weil sie allein kraft ihrer fachmäßigen Kenntnis der magischen Kräfte bestimmte Regeln: Kunstregeln für den Verkehr mit den übersinnlichen Mächten, kennen und kennen müssen. Trotzdem nun entstehen [andererseits] Normen auch bewußt als *oktroyierte* neue Regeln. Dies aber kann nur geschehen auf dem hierfür ausschließlich möglichen Wege einer neuen charismatischen *Offenbarung.* Entweder der Offenbarung einer nur individuellen Entscheidung, was im konkreten Einzelfall rechtens sei. Das ist das Ursprüngliche. Oder auch einer generellen Norm, was künftig in allen ähnlichen Fällen zu geschehen habe. Die Rechtsoffenbarung in diesen Formen ist das urwüchsige, revolutionierende Element gegenüber der Stabilität der Tradition und die Mutter aller ›Satzung‹ von Recht.«[177] Weber verfolgt die Entstehung der *formalen Qualitäten des modernen Rechts* »von der charismati-

177 Weber (1964), 570.

schen Rechtsoffenbarung durch ›Rechts*propheten*‹ zur empirischen Rechtsschöpfung und Rechtsfindung durch Rechts*honora-
tioren* (Kautelar- und Präjudizienrechtsschöpfung), weiter zur
Rechtsoktroyierung durch weltliches *imperium* und theokratische
Gewalten und endlich zur systematischen Rechtssatzung und zur
fachmäßigen, auf Grund literarischer und formal logischer Schu-
lung sich vollziehenden ›Rechtspflege‹ durch Rechts*gebildete*
(Fachjuristen)«.[178]

Für den Gesichtspunkt, unter dem Weber die Rationalisierung des
Rechts untersucht, hat Schluchter in Analogie zur Entzauberung
der Heilswege die glückliche Formulierung von der »Entzauberung der Rechtswege« gefunden. Diesen Prozeß verfolgt Weber
von den Anfängen eines »magisch bedingten Formalismus«, wo
die ritualistische Einhaltung der Form des Rechtshandelns die inhaltliche Richtigkeit des Urteils verbürgt, bis zum »logischen Formalismus« des zeitgenössischen Rechts, wo die Normen des
Rechtsgangs von der Materie des Rechtsvorgangs, also Verfahren
und Inhalt unterschieden werden.

Weber konstruiert eine Entwicklung vom offenbarten über das
traditionale bis zum, sei es ›erschlossenen‹ oder ›gesatzten‹ modernen Recht, und zwar einerseits im Hinblick auf die Differenzierung verschiedener *Rechtsgebiete*, andererseits im Hinblick auf die
Konzeptualisierung der *Geltungsgrundlage des Rechts.* Auf der
Stufe des primitiven Rechts fehlt noch der Begriff der objektiven
Norm, auf der Stufe des traditionalen Rechts gelten Normen als
gegeben, als überlieferte Konventionen, und erst auf der Stufe des
modernen Rechts können Normen als willkürliche Satzungen betrachtet und nach ihrerseits bloß hypothetisch geltenden Prinzipien beurteilt werden.

Die Rationalisierung des Rechts spiegelt dieselbe Stufenfolge von
präkonventionellen, konventionellen und postkonventionellen
Grundbegriffen, die die Entwicklungspsychologie für die Ontogenese nachgewiesen hat. Diese These, die Klaus Eder anhand anthropologischen Materials geprüft hat,[179] exemplifiziert

178 Weber (1964), 645.
179 Eder (1976), 158 ff.

Schluchter an Webers Rechtssoziologie: »Der primitive Rechtsgang kennt noch kein ›objektives‹ Recht unabhängig von Handlungen: Handlungen und Normen bleiben ineinander verschränkt. Die Chance einer Regelmäßigkeit dès sozialen Handelns beruht ausschließlich auf Brauch und Sitte oder auf Interessenlage. Denn das Handeln orientiert sich noch nicht an Rechtspflichten, die von einem Kreise von Menschen ›um ihrer selbst willen‹ als ›verbindlich‹ anerkannt sind. Dies geschieht erst im Übergang zum traditionalen Rechtsgang, der nun auch Handlungen im Lichte gegebener Rechtsnormen beurteilt. Freilich bleiben diese noch partikularistisch: sie sind noch nicht auf universalistische Rechtsprinzipien gebracht. Dies ist die Leistung des Naturrechts, das unterstellt, solche Prinzipien ließen sich vernünftig erschließen. Damit aber wird das Recht nicht nur auf eine prinzipielle, sondern zugleich auf eine metajuristische Basis gestellt. Das existierende Recht muß sich nun mit solchen Prinzipien legitimieren, und es muß und kann verändert werden, wenn es ihnen widerspricht. Damit ist der Idee der Rechtssetzung ein entscheidender Impuls gegeben. Freilich hält das Naturrecht noch an der Idee der Gegebenheit der Rechtsprinzipien fest. Erst als diese Idee erschüttert ist, als diese Prinzipien selbst reflexiv werden, kann das Recht positiv im strikten Sinne werden. Dies ist im modernen Rechtsgang erreicht. Hier kann nahezu alles Recht als gesetzt und damit als revidierbar gelten. Und seine ›Verankerung‹ wird deshalb von metajuristischen auf juristische Prinzipien umgestellt. Diese haben nur noch hypothetischen Charakter, was Ausdruck für die Tatsache ist, daß das Recht autonom geworden ist, zugleich aber auf außerrechtliche Zusammenhänge bezogen bleibt.«[180]
Erst auf dieser Entwicklungsstufe können sich moderne Bewußtseinsstrukturen in einem Rechtssystem verkörpern, das sich, wie das bürgerliche Privatrecht, vor allem durch drei formale Merkmale auszeichnet: durch Positivität, Legalismus und Formalität.
Positivität. Das moderne Recht gilt als positiv gesetztes Recht. Es wird nicht durch Interpretation anerkannter und geheiligter Traditionen fortgebildet; es drückt vielmehr den Willen eines souve-

180 Schluchter (1979), 146.

ränen Gesetzgebers aus, der mit rechtlichen Organisationsmitteln soziale Tatbestände konventionell regelt.

Legalismus. Das moderne Recht unterstellt den Rechtspersonen außer einem generellen Rechtsgehorsam keine sittlichen Motive; es schützt ihre privaten Neigungen innerhalb sanktionierter Grenzen. Sanktioniert werden nicht böse Gesinnungen, sondern normabweichende Handlungen (dabei sind Zurechnungsfähigkeit und Schuld vorausgesetzt).

Formalität. Das moderne Recht definiert Bereiche der legitimen Willkür von Privatpersonen. Die Willkürfreiheit der Rechtspersonen in einem sittlich neutralisierten Bereich privater, aber mit Rechtsfolgen verknüpfter Handlungen wird vorausgesetzt. Der Privatrechtsverkehr kann daher negativ auf dem Wege der Einschränkung von prinzipiell anerkannten Berechtigungen geregelt werden (anstelle einer positiven Regelung über konkrete Pflichten und materiale Gebote). In diesem Bereich ist alles erlaubt, was nicht rechtlich verboten ist.

Die drei erwähnten Strukturmerkmale beziehen sich auf den Modus der Rechtsgeltung und Rechtssetzung, auf Kriterien der Strafbarkeit und auf den Sanktionsmodus, schließlich auf die Art der Organisation des Rechtshandelns. Sie definieren ein Handlungssystem, in dem unterstellt wird, daß sich alle Personen strategisch verhalten, indem sie erstens Gesetzen als öffentlich sanktionierten, aber jederzeit legitim veränderbaren Vereinbarungen gehorchen, indem sie zweitens ohne sittliche Rücksichten ihre Interessen verfolgen und drittens nach diesen Interessenorientierungen im Rahmen geltender Gesetze (d. h. auch im Hinblick auf die kalkulierbaren Rechtsfolgen) optimale Entscheidungen treffen; es wird, mit anderen Worten, unterstellt, daß die Rechtspersonen ihre private Autonomie zweckrational nutzen.

Positivität, Legalität, Formalität sind allgemeine Merkmale einer rechtsverbindlichen Institutionalisierung von wohlumschriebenen Bereichen strategischen Handelns. Sie machen die Form explizit, aufgrund deren das moderne Recht die funktionalen Imperative eines über Märkte regulierten Wirtschaftsverkehrs erfüllen kann. Aber diese Systemfunktionalität *ergibt* sich aus Rechtsstrukturen, in denen zweckrationales Handeln allgemein werden kann; sie *er-*

klärt nicht, wie diese Rechtsstrukturen selbst möglich sind. Daß das moderne Recht für die Institutionalisierung zweckrationalen Handelns funktional ist, erklärt mit anderen Worten noch nicht die strukturellen Merkmale, aufgrund deren es diese Funktion erfüllen kann. Die Form des modernen Rechts erklärt sich vielmehr aus den posttraditionalen Bewußtseinsstrukturen, die es verkörpert. Insofern müßte Weber das moderne Rechtssystem als eine Lebensordnung verstehen, die der moralisch-praktischen Wertsphäre zugeordnet ist und, ähnlich wie die methodische Lebensführung der frühkapitalistischen Unternehmer, unter dem abstrakten Wertmaßstab normativer Richtigkeit rationalisiert werden kann. Dem widerspricht aber der rivalisierende Versuch, die Rationalisierung des Rechts ausschließlich unter dem Aspekt der Zweckrationalität zu betrachten.

Die Positivierung, Legalisierung und Formalisierung des Rechts bedeuten, daß die Rechtsgeltung nicht mehr von der selbstverständlichen Autorität sittlicher Traditionen zehren kann, sondern einer autonomen, d. h. *einer nicht nur auf gegebene Zwecke relativen Begründung* bedarf. Einer solchen Forderung kann aber das moralische Bewußtsein erst auf postkonventioneller Stufe genügen. Hier erst entsteht *die Idee der grundsätzlichen Kritisierbarkeit und Rechtfertigungsbedürftigkeit von Rechtsnormen,* die Unterscheidung zwischen Handlungsnormen und Handlungsprinzipien, der Begriff einer prinzipiengeleiteten Erzeugung von Normen, die Vorstellung der vernünftigen Vereinbarung normativ verbindlicher Regeln, auch die eines Kontraktes, der Vertragsbeziehungen erst möglich macht, die Einsicht in den Zusammenhang der Allgemeinheit und der Begründungsfähigkeit von Rechtsnormen, die Konzepte der allgemeinen Rechtsfähigkeit, der abstrakten Rechtsperson, der rechtsetzenden Kraft der Subjektivität usw. Diese *posttraditionalen Grundbegriffe von Recht und Moral* sind zunächst im rationalen Naturrecht entwickelt und systematisiert worden. Das Modell für die Begründung von Rechtsnormen ist die ungezwungene Vereinbarung, die die Betroffenen in der Rolle prinzipiell freier und gleicher Vertragspartner miteinander treffen. Wie immer die Begründungsvorstellungen im einzelnen aussehen, für modernes Recht ist wichtig, daß es überhaupt einer autonomen, von bloßer Tradition unabhängigen Begründung bedarf, daß, in Webers Worten, *traditionale durch rationale Einverständnisgeltung ersetzt wird.*

Die mit dem modernen Recht vollzogene Trennung von Moralität und Legalität bringt das Folgeproblem mit sich, daß der Bereich der Legalität *als ganzer* einer praktischen Rechtfertigung bedarf. Die moralfreie Sphäre des Rechts, das zugleich die Bereitschaft der Rechtsgenossen zum Gehorsam gegenüber dem Gesetz verlangt, verweist auf eine ihrerseits in Prinzipien begründete Moral.

Die eigentümliche Leistung der Positivierung der Rechtsordnung besteht darin, *Begründungsprobleme zu verlagern,* also die technische Handhabung des Rechts *über weite Strecken* von Begründungsproblemen zu entlasten, aber nicht darin, die Begründungsproblematik zu *beseitigen:* gerade die posttraditionale Struktur des Rechtsbewußtseins verschärft die Problematik der Rechtfertigung zu einer Prinzipienfrage, die in die Grundlagen verschoben, aber dadurch nicht etwa zum Verschwinden gebracht werden kann. Der Katalog der Grundrechte, den bürgerliche Verfassungen, soweit sie formell niedergelegt sind, enthalten, ist neben dem Grundsatz der Volkssouveränität, der die Gesetzgebungskompetenz an das Verständnis demokratischer Willensbildung bindet, Ausdruck dieser strukturell notwendig gewordenen Rechtfertigung.

Gewiß lassen sich die legitimationswirksamen Basisinstitutionen bürgerlicher Verfassungen (ebenso wie die des Privat- und Strafrechts) nicht *nur* als Verkörperung posttraditionaler Bewußtseinsstrukturen verstehen, sondern ebensogut funktionalistisch wie ideologiekritisch »hinterfragen«. Allein, die Ideologiekritik bedient sich der funktionalistischen Analyse von Rechtssystemen nur, um die uneingelösten normativen Geltungsansprüche einzuklagen, nicht um diese zu suspendieren; andernfalls verfällt sie den Leerformeln eines marxistischen Funktionalismus, der in dieser Hinsicht um nichts besser ist als ein verselbständigter Systemfunktionalismus. Max Weber scheint diesen Zusammenhang durchaus zu sehen. In dem Maße wie das moderne Recht zum Organisationsmittel politischer Herrschaft, d. h. ›legaler Herrschaft‹ wird, ist diese auf eine Legitimation angewiesen, die der prinzipiellen Begründungsbedürftigkeit des modernen Rechts Genüge tut. Dieser Legitimation dient beispielsweise eine Verfassung, die als Ausdruck eines rationalen Einverständnisses aller Bürger interpretiert werden kann: »Unsere heutigen Verbände, vor allem die politischen, haben den Typus ›legaler‹ Herrschaften. Das heißt: die Legitimität zu befehlen ruht für den Inhaber der Befehlsgewalt auf rational gesatzter, paktierter oder oktroyierter Regel, und die Legitimation zur Satzung dieser Regeln wiederum auf rational gesatzter oder interpretierter ›Verfassung‹.«[181]

Formulierungen dieser Art täuschen freilich über den Weberschen Rechtspositivismus hinweg. Im allgemeinen faßt Weber das moderne Recht und die legale Herrschaft begrifflich so eng, *daß das Prinzip der Begründungsbedürftigkeit zugunsten des Satzungsprinzips ausgeblendet wird.* Weber betont vor allem die strukturellen Eigenschaften, die mit dem Formalismus eines fachlich systematisierten Rechts und mit der Positivität gesatzter Normen zusammenhängen. Er hebt die Strukturmerkmale hervor, die ich als Positivität, Legalität und Formalität des Rechts erläutert habe. Aber er vernachlässigt das Moment der Begründungsbedürftigkeit, er schließt aus dem Begriff des modernen Rechts gerade die rationalen Begründungsvorstellungen aus, die mit dem Vernunftrecht im 17. Jahrhundert aufkommen und seitdem, wenn nicht für alle Rechtsnormen, so doch für das Rechtssystem im ganzen, insbesondere für die öffentlich-rechtlichen Grundlagen der legalen Herrschaft kennzeichnend sind. Dies ist der Weg, auf dem Weber das Recht an ein zweckrational zu handhabendes Organisationsmittel assimiliert, die Rationalisierung des Rechts vom moralisch-praktischen Rationalitätskomplex abkoppelt und auf eine pure Rationalisierung von Zweck-Mittel-Beziehungen reduziert.

(b) Meistens beschreibt Weber die Rationalität des modernen Rechts in der Weise, daß nicht mehr die *wertrationale Verankerung* zweckrationalen Wirtschafts- und Verwaltungshandelns im Vordergrund steht, sondern die *zweckrationale Verwendbarkeit* der rechtlichen Organisationsmittel. Das zeigt sich an *drei* charakteristischen *Linien der Argumentation*: an der Deutung des rationalen Naturrechts, an der positivistischen Gleichsetzung von Le-

181 Weber (1963), 267 f.

galität und Legitimität und an der These von der Gefährdung der formalen Qualitäten des Rechts durch »materiale Rationalisierung«.

Zur Naturrechtsinterpretation. Wir können das rationale Naturrecht in seinen verschiedenen Versionen von Locke und Hobbes über Rousseau und Kant bis Hegel als einen theoretischen Rahmen für Versuche der Begründung rechtlich organisierter Staats- und Gesellschaftsverfassungen verstehen.[182] Dieses Vernunftrecht knüpft, wie Weber feststellt, die Legitimität des positiven Rechts an formale Bedingungen: »Alles legitime Recht beruht auf Satzung, und Satzung ihrerseits letztlich immer auf rationaler Vereinbarung. Entweder real, auf einem wirklichen Urvertrag freier Individuen, welcher auch die Art der Entstehung neuen gesatzten Rechts für die Zukunft regelt. Oder in dem ideellen Sinn, daß nur ein solches Recht legitim ist, dessen Inhalt dem Begriff einer vernunftgemäßen, durch freie Vereinbarung gesatzten Ordnung nicht widerstreitet. Die ›Freiheitsrechte‹ sind der wesentliche Bestandteil eines solchen Naturrechts, und vor allem: die *Vertragsfreiheit.* Der freiwillige rationale Kontrakt entweder als wirklicher historischer Grund aller Vergesellschaftungen einschließlich des Staats oder doch als regulativer Maßstab der Bewertung wurde eines der universellen Formalprinzipien naturrechtlicher Konstruktionen.«[183]

Weber sieht im rationalen Naturrecht den »reinsten Typus wertrationaler Geltung« und zitiert es als eindrucksvolles Beispiel für die externe Wirksamkeit interner Geltungszusammenhänge: »Wie begrenzt auch immer gegenüber seinen idealen Ansprüchen, so ist doch ein nicht ganz geringes Maß von realem Einfluß seiner logisch erschlossenen Sätze auf das Handeln nicht zu bestreiten . . .«[184]

Das Vernunftrecht beruht auf einem rationalen Begründungsprin-

---

182 L. Strauss, Naturrecht und Geschichte, Stuttg. 1956; C. B. McPherson, Die politische Theorie des Besitzindividualismus, Ffm. 1967; W. Euchner, Naturrecht und Politik bei J. Locke, Frankfurt 1969; I. Fetscher, Rousseaus politische Philosophie, Ffm. (1975).
183 Weber (1964), 637.
184 Weber (1968a), 317.

zip und ist im Sinne moralisch-praktischer Rationalisierung weiter fortgeschritten als die protestantische Ethik, die ja noch religiös fundiert ist. Gleichwohl rechnet Weber das Vernunftrecht nicht schlechthin zum modernen Recht. Er möchte es sorgfältig »sowohl von dem offenbarten wie vom gesatzten wie vom traditionellen Recht scheiden«.[185] Weber konstruiert also einen Gegensatz zwischen dem im strikten Sinne modernen Recht, das auf Satzungsprinzip *allein* beruht, und dem noch nicht vollständig »formal« gewordenen Recht, das auf (wie immer auch rationalen) Begründungsprinzipien beruht. Nach seiner Auffassung ist das moderne Recht im positivistischen Sinne als das Recht zu verstehen, das durch Dezision gesetzt wird und von rationalem Einverständnis, von Begründungsvorstellungen überhaupt, und seien diese noch so formal, völlig losgelöst ist. Weber hat die Vorstellung, daß es »ein rein formales Naturrecht nicht geben« könne: »*Materialer* Maßstab für das, was naturrechtlich legitim ist, sind ›Natur‹ und ›Vernunft‹ ... Das Geltensollende gilt als identisch mit dem faktisch im Durchschnitt überall Seienden; die durch logische Bearbeitung von Begriffen: juristischen oder ethischen, gewonnenen ›Normen‹ gehören im gleichen Sinn wie die ›Naturgesetze‹ zu denjenigen allgemein verbindlichen Regeln, welche ›Gott selbst nicht ändern kann‹ und gegen welche eine Rechtsordnung sich nicht aufzulehnen versuchen darf.«[186]

Dieses Argument ist verwirrend, weil es auf undurchsichtige Weise eine immanente Kritik an der mangelnden Radikalität naturrechtlicher, noch nicht hinreichend formaler Begründungsvorstellungen mit einer transzendenten Kritik am Erfordernis von Begründungsprinzipien überhaupt verbindet und beide in die Form einer Kritik an einem naturalistischen Fehlschluß kleidet. Gewiß läßt sich einwenden, daß der Begriff natürlicher Rechte auch im 17. und 18. Jahrhundert noch starke metaphysische Konnotationen hat. Aber mit dem Modell eines Vertrages, durch den alle Rechtsgenossen als ursprünglich freie und gleiche Partner ihr Zusammenleben nach vernünftiger Abwägung ihrer Interessen regeln, entsprechen die

185 Weber (1968a), 317.
186 Weber (1964), 638.

modernen Naturrechtstheoretiker als erste der Forderung nach einer prozeduralen Begründung des Rechts, d. h. einer Begründung aus Prinzipien, deren Geltung ihrerseits kritisiert werden kann. Insofern stehen in diesem Kontext »Natur« und »Vernunft« nicht für irgendwelche metaphysischen Gehalte; sie umschreiben vielmehr die formalen Bedingungen, denen ein Einverständnis genügen muß, wenn es legitimierende Kraft haben, und das heißt: rational sein soll. Weber verwechselt die formalen Eigenschaften eines post-traditionellen Begründungsniveaus wiederum mit besonderen, materiellen Werten. Er unterscheidet auch am rationalen Naturrecht nicht hinreichend zwischen strukturellen und inhaltlichen Aspekten und kann deshalb »Natur« und »Vernunft« mit Wert*inhalten* gleichsetzen, von denen sich das im strikten Sinne moderne Recht als ein Instrument zur Durchsetzung *beliebiger* Werte und Interessen löst.

Zum Legalitätsglauben. Das positivistische Rechtskonzept bringt Weber bei der Frage, wie legale Herrschaft legitimiert werden kann, in Verlegenheit. Wenn irgendeine Form von rationalem Einverständnis (das die naturrechtlichen Vertragstheorien in bestimmter Weise auslegen) »die einzig konsequente Form der Legitimität eines Rechts« bedeutet, die noch möglich ist, »wenn religiöse Offenbarung und Autorität der Heiligkeit der Tradition und ihrer Träger fortfallen«,[187] dann entsteht das folgende Problem. Wie kann, vorausgesetzt, daß Legitimität eine notwendige Bedingung für den Fortbestand *jeder* politischen Herrschaft darstellt, eine legale Herrschaft, deren Legalität auf ein rein dezisionistisch gefaßtes Recht gestützt ist (also auf ein Recht, welches Begründung im Prinzip entwertet), überhaupt legitimiert werden? Webers Antwort, die von C. Schmitt bis Luhmann[188] Schule gemacht hat, lautet: durch Verfahren. Legitimation durch Verfahren bedeutet dabei nicht der Rückgang auf formale Bedingungen der moralisch-praktischen Rechtfertigung von Rechtsnormen,[189] sondern Einhaltung von Verfahrensvorschriften in Rechtsprechung, Rechtsan-

187 Weber (1964), 636.
188 N. Luhmann, Legitimation durch Verfahren, Neuwied 1969; dazu meine Kritik in: J. Habermas, N. Luhmann, Theorie der Gesellschaft, Ffm. 1971, 243 f.
189 Dazu jetzt: R. Alexy (1978 b); ferner R. Dreier, Zu Luhmanns systemtheoreti-

wendung und Rechtsetzung. Die Legitimität beruht dann »auf dem Glauben an die Legalität gesatzter Ordnungen und des Anweisungsrechts der durch sie zur Ausübung der Herrschaft Berufenen«.[190] Unklar bleibt, woher der Legalitätsglauben die Kraft zur Legitimation aufbringen soll, wenn Legalität lediglich Übereinstimmung mit einer faktisch bestehenden Rechtsordnung bedeutet, und wenn diese wiederum als willkürlich gesatztes Recht einer praktisch-moralischen Rechtfertigung unzugänglich ist. Der Legalitätsglaube kann nur dann Legitimität schaffen, wenn die Legitimität der Rechtsordnung, die festlegt, was legal ist, schon vorausgesetzt wird. Aus dieser Zirkularität führt kein Weg heraus.[191]

In den soziologischen Grundbegriffen heißt es: »Legalität kann [den Beteiligten] als *legitim* gelten: a) kraft Vereinbarung der Interessenten für diese; b) kraft Oktroyierung (aufgrund einer als *legitim* geltenden Herrschaft von Menschen über Menschen) und Fügsamkeit.«[192] In beiden Fällen ist es nicht die Legalität als solche, die Legitimation schafft, sondern entweder (a) ein rationales Einverständnis, das der Rechtsordnung schon zugrunde liegt, oder (b) eine *anderweitig* legitimierte Herrschaft derer, die die Rechtsordnung oktroyieren. Dabei ist der Übergang zwischen paktierter zu oktroyierter Ordnung fließend: »Die heute geläufigste Legitimitätsform ist der *Legalitäts*glaube, die Fügsamkeit gegenüber *formal* korrekt und in der üblichen Form zustande gekommenen Satzungen. Der Gegensatz paktierter und oktroyierter Ordnungen ist dabei nur relativ. Denn sobald die Geltung einer paktierten Ordnung nicht auf *einmütiger* Vereinbarung beruht – wie dies in der Vergangenheit oft für erforderlich zur wirklichen Legitimität gehalten wurde –, sondern innerhalb eines Kreises von Menschen auf tatsächlicher Fügsamkeit abweichend Wollender gegenüber Majo-

scher Neuformulierung des Gerechtigkeitsproblems, in: ders., Recht, Moral, Ideologie, Ffm. 1981, 270 ff.

190 Weber (1964), 159.

191 J. Winckelmann, Legitimität und Legalität in M. Webers Herrschaftssoziologie, Tbg. 1952; Habermas (1973a), 133 ff.; K. Eder, Zur Rationalisierungsproblematik des modernen Rechts, in: Soziale Welt, 2, 1978, 247 ff.

192 Weber (1968a), 316.

ritäten – wie es sehr oft der Fall ist –, dann liegt tatsächlich eine Oktroyierung gegenüber der Minderheit vor.«[193]

Auch bei fließenden Übergängen lassen sich freilich die beiden Quellen der Legitimität, von denen der Legalitätsglaube abhängig ist, analytisch trennen: eine *begründete Vereinbarung* von der *Auferlegung* eines *mächtigen Willens*. Und für diesen gilt eben: »Die Fügsamkeit gegenüber der Oktroyierung von Ordnungen durch Einzelne oder Mehrere setzt, soweit nicht bloße Furcht oder zweckrationale Motive dafür entscheidend sind, sondern Legalitätsvorstellungen bestehen, den Glauben an eine in irgendeinem Sinn *legitime Herrschafts*gewalt des oder der Oktroyierenden voraus . . .«[194]

Der Glaube an die Legalität eines Verfahrens kann nicht per se, d. h. kraft positiver Satzung Legitimität erzeugen – das ergibt sich bereits aus der logischen Analyse der Ausdrücke Legalität und Legitimität. Das liegt so sehr auf der Hand, daß man sich fragt, wie Weber dazu kommt, legale Herrschaft als eine *eigenständige* Form legitimer Herrschaft zu betrachten. Ich finde nur ein Argument, das aber einer näheren Prüfung auch nicht standhält. Man kann den Legalitätsglauben als den speziellen Fall eines allgemeineren Phänomens betrachten. Rational zustande gekommene Techniken und Regelungen werden von denen, die sie alltäglich handhaben oder befolgen, normalerweise nicht mehr in ihren inneren Gründen durchschaut: »Die empirische ›Geltung‹ *gerade* einer ›rationalen‹ Ordnung ruht also dem Schwerpunkt nach ihrerseits wieder auf dem Einverständnis der Fügsamkeit in das Gewohnte, Eingelebte, Anerzogene, immer sich Wiederholende . . . Der Fortschritt der gesellschaftlichen Differenzierung und Rationalisierung bedeutet also, wenn auch nicht absolut immer, so im Resultat durchaus normalerweise, ein im ganzen immer weiteres Distanzieren der durch die rationalen Techniken und Ordnungen praktisch Betroffenen von deren rationaler Basis, die ihnen, im ganzen, verborgener zu sein pflegt als dem ›Wilden‹ der Sinn der magischen Prozeduren seines Zauberers. Ganz und gar nicht eine Universalisierung

193 Weber (1968 a), 317.
194 Weber (1968 a), 318.

des Wissens um die Bedingtheiten und Zusammenhänge des Gemeinschaftshandelns bewirkt also dessen Rationalisierung, sondern meist das gerade Gegenteil.«[195]

Weber verweist auf so etwas wie den sekundären Traditionalismus, auf die Entproblematisierung voraussetzungsvoller Einrichtungen, in denen Rationalitätsstrukturen verkörpert sind. Den Legalitätsglauben können wir dann als Ausdruck eines solchen Traditionalisierungseffekts verstehen. Aber auch in diesem Falle ist es eben das *Vertrauen* in die global unterstellten *rationalen Grundlagen* der Rechtsordnung, die die Legalität eines Beschlusses zum *Anzeichen* der Legitimität macht; das sieht Weber selbst: »Was der Lage des ›Zivilisierten‹ in dieser Hinsicht ihre spezifisch ›rationale‹ Note gibt, im Gegensatz zu der des ›Wilden‹, ist: der generell eingelebte Glaube daran, daß die Bedingungen seines Alltagslebens, heißen sie nun: Trambahn oder Lift oder Geld oder Gericht oder Militär oder Medizin, prinzipiell rationalen Wesens, d. h. der rationalen Kenntnis, Schaffung und Kontrolle zugängliche menschliche Artefakte seien – was für den Charakter des ›Einverständnisses‹ gewisse gewichtige Konsequenzen hat.«[196] Eine Rechtsordnung beansprucht also Geltung im Sinne eines rationalen Einverständnisses auch dann, wenn die Beteiligten davon ausgehen, daß gegebenenfalls nur noch Experten gute Gründe für ihr Bestehen angeben könnten, während die juristischen Laien dazu ad hoc nicht in der Lage sind.

Wie man es dreht und wendet, die auf positiver Satzung allein beruhende Legalität kann eine zugrunde liegende Legitimität *anzeigen*, aber nicht *ersetzen*. Der Glaube an die Legalität ist kein unabhängiger Legitimitätstypus.[197]

Zur Dialektik formaler und materialer Rationalisierung. Nachdem Weber den positivistischen Begriff des Rechts adoptiert und einen

---

195 Weber (1968 a), 212 f.
196 Weber (1968 a), 214.
197 Um diese Lücke zu schließen, führt W. Schluchter (im Anschluß an H. Heller) »Rechtsgrundsätze« ein, die eine Brückenfunktion zwischen positivem Recht und den Grundlagen einer Verantwortungsethik erfüllen sollen (1979, 155 ff.). Der Status dieser Grundsätze bleibt unklar, und innerhalb der Weberschen Systematik sind sie ein fremdes Element.

dezisionistischen Begriff der Verfahrenslegitimität entwickelt hat, kann er die Rationalisierung des Rechts auf die kognitive Wertsphäre umpolen und unabhängig von Gesichtspunkten der ethischen Rationalisierung untersuchen. Sobald aber die Rationalisierung des Rechts zu einer Frage der zweckrationalen Organisation zweckrationalen Wirtschaftens und Verwaltens uminterpretiert wird, können Fragen der institutionellen Verkörperung moralisch-praktischer Rationalität nicht nur beiseitegeschoben, sondern geradezu in ihr Gegenteil verkehrt werden: diese erscheinen nun als Quelle von Irrationalität, jedenfalls von »Motiven, welche den formalen Rechtsrationalismus abschwächen«.[198]

Weber verwechselt den Rekurs auf die Begründungsbedürftigkeit legaler Herrschaft, jeden Versuch also, auf die legitimierende Grundlage eines rationalen Einverständnisses zurückzugehen, mit einer Berufung auf partikulare Werte. Deshalb bedeutet für ihn *materiale Rationalisierung des Rechts* nicht etwa eine fortschreitende Ethisierung, sondern die Zerstörung der kognitiven Rationalität des Rechts: »Nun entstehen mit dem Erwachen moderner Klassenprobleme materiale Anforderungen an das Recht von seiten eines Teils der Rechtsinteressenten (namentlich der Arbeiterschaft) einerseits, der Rechtsideologen andererseits, welche sich gerade gegen diese Alleingeltung solcher nur geschäftssittlicher Maßstäbe richten und ein soziales Recht auf der Grundlage pathetischer sittlicher Postulate (›Gerechtigkeit‹, ›Menschenwürde‹) verlangen. Dies aber stellt den *Formalismus des Rechts* grundsätzlich in Frage.«[199] Diese Perspektive erlaubt es, die Rechtsentwicklung in die Dialektik der Rationalisierung einzubeziehen, freilich auf eine ironische Weise.

Weber arbeitet die formalen Merkmale des modernen Rechts, aufgrund deren es sich als Organisationsmittel für Subsysteme zweckrationalen Handelns eignet, energisch heraus; er schränkt aber den Rechtsbegriff positivistisch soweit ein, daß er für die Rationalisierung des Rechts den moralisch-praktischen Aspekt (Begründungsprinzip) vernachlässigen kann und allein den kognitiv-instru-

198 Weber (1964), 654.
199 Weber (1964), 648.

mentellen Aspekt (Satzungsprinzip) zu berücksichtigen braucht. Weber bringt die Fortschritte moderner Rechtsentwicklung ausschließlich unter Gesichtspunkte der formalen Rationalität, d. h. einer wertneutralen, unter Zweck- und Mittelaspekten planmäßigen Durchgestaltung von Handlungssphären, die auf den Typus strategischen Handelns zugeschnitten ist. Die Rationalisierung des Rechts bemißt sich dann nicht mehr, wie diejenige der Ethik und der Lebensführung, an der Eigengesetzlichkeit der moralisch-praktischen Wertsphäre; sie ist unmittelbar mit Fortschritten des Wissens in der kognitiv-instrumentellen Wertsphäre rückgekoppelt.

Für diese formale Rationalisierung des Rechts nennt Weber empirische Indikatoren, vor allem die Verbesserung der formalen Qualitäten des Rechts, soweit diese sich a) an der analytischen Durchsystematisierung der Rechtssätze und dem professionellen, fachjuristisch geprägten Umgang mit Rechtsnormen und b) an der Zurückführung von Legitimität auf Legalität, d. h. an der Ersetzung von Begründungs- durch Verfahrensprobleme ablesen läßt. Für beide Trends ist weiterhin der sekundäre Traditionalismus der Laien gegenüber einem undurchschaubar gewordenen, aber grundsätzlich als »rational« anerkannten Recht charakteristisch: ».. . unter allen Umständen ist als Konsequenz der technischen und ökonomischen Entwicklung, allem Laienrichtertum zum Trotz, die unvermeidlich zunehmende Unkenntnis des an technischem Gehalt stetig anschwellenden Rechts auf seiten der Laien, also (die) Fachmäßigkeit des Rechts, und die zunehmende Wertung des jeweils geltenden Rechts als eines rationalen, daher jederzeit zweckrational umzuschaffenden, jeder inhaltlichen Heiligkeit entbehrenden, technischen Apparats sein unvermeidliches Schicksal. Dieses Schicksal kann durch die aus allgemeinen Gründen vielfach zunehmende Fügsamkeit in das einmal bestehende Recht zwar verschleiert, nicht aber wirklich von ihm abgewendet werden.«[200]

Es trifft zu, daß die »Unkenntnis des an technischem Gehalt stetig anschwellenden Rechts« den Legitimationsweg verlängert, und die

200 Weber (1964), 656.

öffentliche Verwaltung von Legitimationsdruck entlastet. Die Verlängerung der Legitimationswege bedeutet aber nicht, daß der Legalitätsglaube den Glauben an die Legitimität des Rechtssystems im ganzen ersetzen könnte. Die mit dem Rechtspositivismus aufkommende, vom sozialwissenschaftlichen Funktionalismus aufgenommene und *überdehnte* Annahme, daß sich die normativen Geltungsansprüche ohne nennenswerte Folgen für den Bestand des Rechtssystems im Bewußtsein der Systemmitglieder überhaupt einziehen ließen, ist empirisch nicht haltbar. Weiterhin hat diese konzeptuelle Strategie die höchst problematische Folge, daß Weber *alle* Gegenbewegungen gegen die Verdünnung des modernen Rechts zu einem bloßen, aus moralisch-praktischen Begründungskontexten herausgelösten Organisationsmittel als »materiale Rationalisierung« abqualifizieren muß. Er subsumiert sowohl die Tendenzen zur Reideologisierung der Rechtsgrundlagen, die den posttraditionalen Status des Rechts tatsächlich angreifen, wie andererseits das Drängen auf eine ethische Rationalisierung des Rechts, die eine *weitergehende* Verkörperung posttraditionaler Bewußtseinsstrukturen bedeutet, *unterschiedslos* unter die »antiformalistischen« Tendenzen der Rechtsentwicklung.

Daraus ergibt sich eine ironische Konsequenz für Webers Zeitdiagnose. Weber beklagt die Umpolung von ethischen auf rein utilitaristische Handlungsorientierungen und begreift diese als eine Abkoppelung der motivationalen Grundlagen von der moralisch-praktischen Wertsphäre. Er müßte also Bewegungen, die sich gegen parallele Tendenzen im Recht wenden, begrüßen. Was ihm dort als eine Verselbständigung der Subsysteme zweckrationalen Handelns zu einem »stahlharten Gehäuse der Hörigkeit« erscheint, dürfte ihm hier, wo es doch um die Abkoppelung des Rechts, als des sozialintegrativen Kerns des Institutionensystems, von derselben moralisch-praktischen Wertsphäre geht, nicht weniger als eine Gefahr erscheinen. Das Gegenteil ist der Fall. Weber sieht nicht nur in den traditionalistischen Versuchen der Reideologisierung des Rechts, sondern ebenso in den progressiven Bestrebungen, das Recht mit prozeduralen Begründungsforderungen rückzukoppeln, eine Beeinträchtigung der formalen Qualitäten des Rechts: »Jedenfalls aber wird die juristische Präzision der Arbeit, wie sie sich in den Urteilsgründen ausspricht, ziemlich stark herabgesetzt werden, wenn soziologische und ökonomische oder ethische Räsonnements an die Stelle juristischer Begriffe treten. Die Bewegung ist, alles in allem, einer der charakteristischen Rückschläge gegen die Herrschaft des ›Fachmenschentums‹ und den Rationalismus, der freilich letztlich ihr eigener Vater ist.«[201] Weber ist nicht in der Lage, beide Momente so in das Muster einer partiellen Rationalisierung entwickelter kapitalistischer Gesellschaften einzuordnen, daß die Konsistenz seiner Beurteilung von Moral- und Rechtsentwicklung gewahrt würde. Ich habe nicht die Absicht, ideologiekritisch den Wurzeln dieser Inkonsistenz nachzugehen. Mich interessieren die immanenten Gründe dafür, daß Weber seine Theorie der Rationalisierung nicht so durchführen kann, wie sie angelegt ist. Erst wenn die Fehler, die ich in der Theoriekonstruktion selbst vermute, aufgeklärt sind, läßt sich auch der systematische Gehalt der Weberschen Gegenwartsdiagnose in der Weise rekonstruieren, daß wir das Anregungspotential der Weberschen Theorie für die Zwecke einer Analyse unserer eigenen Gegenwart ausschöpfen können. Ich vermute, daß die Fehler an zwei theoriestrategisch wichtigen Stellen liegen.

Erstens werde ich Engpässe in der handlungstheoretischen Begriffsbildung aufspüren. Diese hindern Weber daran, die Rationalisierung von Handlungssystemen unter anderen Aspekten als dem einzigen der Zweckrationalität zu untersuchen, obwohl er doch die Rationalisierung der Weltbilder und die Ausdifferenzierung der für die Moderne bestimmenden kulturellen Wertsphären in einer Begrifflichkeit beschreibt, welche die gesellschaftliche Rationalisierung in ihrer ganzen Komplexität ins Blickfeld rückt – nämlich auch die moralisch-praktischen und die ästhetisch-expressiven Erscheinungen des okzidentalen Rationalismus einschließt. Dieses Problem wird Anlaß geben, im Anschluß an eine kritische Analyse der Weberschen Handlungstheorie zum Grundbegriff des kommunikativen Handelns zurückzukehren, und die Klärung des Begriffs kommunikativer Vernunft voranzutreiben (Erste Zwischenbetrachtung).

201 Weber (1964), 655.

Zweitens möchte ich zeigen, daß die Zweideutigkeit der Rationalisierung des Rechts innerhalb der Grenzen einer Handlungstheorie überhaupt nicht angemessen begriffen werden kann. In den Tendenzen zur Verrechtlichung setzt sich eine formale Organisation von Handlungssystemen durch, die tatsächlich eine Ablösung der Subsysteme zweckrationalen Handelns von ihren moralisch-praktischen Grundlagen zur Folge hat. Aber diese Verselbständigung von selbstgeregelten Subsystemen gegenüber einer kommunikativ strukturierten Lebenswelt hat weniger mit der Rationalisierung von Handlungsorientierungen als vielmehr mit einem neuen Niveau der Systemdifferenzierung zu tun. Dieses Problem wird Anlaß geben, den handlungstheoretischen Ansatz nicht nur auf der Linie einer Theorie des kommunikativen Handelns zu erweitern, sondern mit dem systemtheoretischen Ansatz zu verbinden (Zweite Zwischenbetrachtung). Erst die Integration beider Ansätze macht die Theorie des kommunikativen Handelns zu einem tragfähigen Fundament für eine Gesellschaftstheorie, die die zuerst von Max Weber in Angriff genommene Problematik gesellschaftlicher Rationalisierung mit Aussicht auf Erfolg aufnehmen kann (Schlußbetrachtung).

III. Erste Zwischenbetrachtung: Soziales Handeln, Zwecktätigkeit und Kommunikation

Wenn man Max Webers religionssoziologischen Untersuchungen folgt, ist es eine empirische, also zunächst offene Frage, warum nicht alle drei Rationalitätskomplexe, die nach dem Zerfall traditionaler Weltbilder ausdifferenziert worden sind, in den Lebensordnungen moderner Gesellschaften eine gleichgewichtige institutionelle Verkörperung gefunden haben und in gleichem Maße die kommunikative Alltagspraxis bestimmen. Durch seine handlungstheoretischen Grundannahmen hatte Weber diese Frage aber so präjudiziert, daß die Vorgänge *gesellschaftlicher* Rationalisierung nur noch unter Gesichtspunkten der Zweckrationalität in den Blick kommen konnten. Ich möchte deshalb die begriffsstrategischen Engpässe seiner Handlungstheorie erörtern und diese Kritik zum Ausgangspunkt für eine weitere Analyse des Begriffs kommunikativen Handelns machen.

Bei dieser Skizze verzichte ich auf eine Auseinandersetzung mit der im angelsächsischen Bereich entwickelten analytischen Handlungstheorie.[1] Die unter diesem Titel durchgeführten Untersuchungen, deren Ergebnisse ich mir an anderer Stelle[2] zunutze mache, repräsentieren keineswegs einen einheitlichen Ansatz; gemeinsam ist ihnen aber die Methode der Begriffsanalyse und eine relativ enge Problemfassung. Ergiebig ist die analytische Handlungstheorie für die Klärung der Strukturen der Zwecktätigkeit. Sie beschränkt sich freilich auf das atomistische Handlungsmodell eines einsamen Aktors und vernachlässigt Mechanismen der Handlungskoordinierung, durch die interpersonale Beziehungen zustande kommen. Sie konzipiert Handlungen unter der ontologischen Voraussetzung genau einer Welt existierender Sachverhalte und vernachlässigt diejenigen Aktor-Welt-Bezüge, die für soziale Interaktionen wesentlich sind. Da Handlungen auf zwecktätige

---

1 M. Brand, D. Walton (Eds.), Action Theory, Dordrecht 1976; Beckermann (1977), Meggle (1977).
2 Siehe oben S. 143 ff.

Eingriffe in die objektive Welt reduziert werden, steht die Rationalität von Zweck-Mittel-Beziehungen im Vordergrund. Schließlich versteht die analytische Handlungstheorie ihre Aufgabe als die einer metatheoretischen Klärung von Grundbegriffen; sie achtet nicht auf die empirische Brauchbarkeit handlungstheoretischer Grundannahmen und findet deshalb kaum Anschluß an die sozialwissenschaftliche Begriffsbildung. Sie erzeugt einen Satz von philosophischen Problemen, die für Zwecke der Gesellschaftstheorie zu unspezifisch sind.

Der Empirismus wiederholt auf dem Felde der analytischen Handlungstheorie längst geschlagene Schlachten; wiederum geht es um das Verhältnis von Geist und Körper (Idealismus vs. Materialismus), um Gründe und Ursachen (Willensfreiheit vs. Determinismus), um Verhalten und Handlung (objektivistische vs. nicht-objektivistische Handlungsbeschreibung), um den logischen Status von Handlungserklärungen, um Kausalität, Intentionalität usw. Zugespitzt formuliert, bearbeitet die analytische Handlungstheorie die ehrwürdigen Probleme der vorkantischen Bewußtseinsphilosophie in neuer Perspektive, ohne zu den Grundfragen einer soziologischen Handlungstheorie vorzudringen.

Unter soziologischen Gesichtspunkten empfiehlt es sich, beim kommunikativen Handeln anzusetzen: »Die Notwendigkeit koordinierten Handelns erzeugt in der Gesellschaft einen bestimmten Kommunikationsbedarf, der gedeckt werden muß, wenn eine effektive Koordinierung von Handlungen zum Zweck der Bedürfnisbefriedigung möglich sein soll.«[3] Für eine Theorie des kommunikativen Handelns, die sprachliche Verständigung als Mechanismus der Handlungskoordinierung in den Mittelpunkt des Interesses rückt, bietet die analytische Philosophie mit ihrer Kerndisziplin, der Bedeutungstheorie, durchaus einen aussichtsreichen Anknüpfungspunkt. Das gilt weniger für denjenigen bedeutungstheoretischen Ansatz, der der Handlungstheorie in einer Hinsicht am nächsten steht, nämlich für die auf Untersuchungen von H. P.

3 S. Kanngiesser, Sprachliche Universalien und diachrone Prozesse, in: Apel (1976), 273 ff., hier 278. Th. S. Frentz, Th. B. Farrell, Language-Action. A Paradigm for Communication, Quart. J. of Communication 62, 1976, 333 f.

Grice zurückgehende[4], durch D. Lewis ergänzte[5] und St. R. Schiffer[6] sowie J. Bennett[7] ausgearbeitete *intentionale Semantik*.[8] Diese nominalistische Bedeutungstheorie eignet sich nicht zur Aufklärung des Koordinierungsmechanismus sprachlich vermittelter Interaktionen, weil sie den Akt der Verständigung seinerseits nach dem Muster konsequenzenorientierten Handelns analysiert.

Die intentionale Semantik stützt sich auf die kontraintuitive Vorstellung, daß sich das Verstehen der Bedeutung eines symbolischen Ausdrucks x auf das Verstehen der Absicht eines Sprechers S, einem Hörer H mit Hilfe eines Anzeichens etwas zu verstehen zu geben, zurückführen läßt. Auf diese Weise wird ein abgeleiteter Modus der Verständigung, auf den ein Sprecher zurückgreifen kann, wenn ihm der Weg direkter Verständigung verlegt ist, zum Originalmodus der Verständigung stilisiert. Der Versuch der intentionalen Semantik, das, was der symbolische Ausdruck x bedeutet, auf das, was S mit x meint bzw. indirekt zu verstehen gibt, zurückzuführen, scheitert, weil es für einen Hörer zweierlei ist zu verstehen, was S mit x *meint*, d. h. die *Bedeutung* von x zu *verstehen*, und die Absicht, die S mit der Verwendung von x verfolgt, also den *Zweck*, den S mit seiner Handlung erreichen *will*, zu *kennen*. Von Absichten kann man Kenntnis haben wie von Vorkommnissen in der Welt; anders verhält es sich mit Meinungen. Meinungen sind keine Absichten. H kann wissen, *daß* S eine Meinung hat, wenn ihm diese Tatsache zur Kenntnis gelangt; aber *was* S meint, kann H nur wissen, wenn er das Gemeinte (eben die Bedeutung eines entsprechenden symbolischen Ausdrucks) versteht.[9]

4 H. P. Grice, Intendieren, Meinen, Bedeuten; ders., Sprecher-Bedeutung und Intentionen, in: G. Meggle (Hrsg.), Handlung, Kommunikation, Bedeutung, Ffm. 1979, 2 ff. und 16 ff.

5 D. Lewis, Conventions, Cambr./Mass. 1969, dtsch. Bln. 1975.

6 St. R. Schiffer, Meaning, Oxford 1972.

7 J. Bennett, Linguistic Behavior, Cambr. 1976.

8 J. Heal, Common Knowledge, Philos. Quart. 28, 1978, 116 ff.; G. Meggle, Grundbegriffe der Kommunikation, Bln. 1981.

9 A. Leist, Über einige Irrtümer der intentionalen Semantik, 1978, Linguistic Agency Univ. of Trier, Series A, Paper No. 51; zur Kritik am Sprachnominalismus vgl. auch K. O. Apel, Intentions, Conventions and Reference of Things, in: H.

Für eine Theorie des kommunikativen Handelns sind nur diejenigen analytischen Bedeutungstheorien, die an der Struktur des sprachlichen Ausdrucks statt an den Sprecherintentionen ansetzen, instruktiv. Allerdings behält sie dabei das Problem im Auge, wie die Handlungen mehrerer Aktoren mit Hilfe des Verständigungsmechanismus aneinander angeschlossen, d. h. in sozialen Räumen und historischen Zeiten vernetzt werden können. Für diese kommunikationstheoretische Fragestellung ist das *Organonmodell von Karl Bühler* repräsentativ. Bühler[10] geht vom semiotischen Modell des Sprachzeichens aus, das von einem Sprecher (Sender) mit dem Ziel verwendet wird, sich mit einem Hörer (Empfänger) über Gegenstände und Sachverhalte zu verständigen. Er unterscheidet drei Funktionen der Zeichenverwendung: die kognitive Funktion der Darstellung eines Sachverhalts, die expressive Funktion der Kundgabe von Erlebnissen des Sprechers und die appelative Funktion von Aufforderungen, die an den Adressaten gerichtet werden. Das Sprachzeichen funktioniert unter diesen Gesichtspunkten gleichzeitig als Symbol, Symptom und Signal: »Es ist *Symbol* kraft seiner Zuordnung zu Gegenständen und Sachverhalten, *Symptom* (Anzeichen, Indicium) kraft seiner Abhängigkeit vom Sender, dessen Innerlichkeit es ausdrückt, und *Signal* kraft seines Appells an den Hörer, dessen äußeres oder inneres Verhalten es steuert wie andere Verkehrszeichen.«[11]

Auf die Rezeption und Kritik dieses Sprachmodells in Sprachwissenschaft und Psychologie[12] brauche ich nicht einzugehen, da die entscheidenden Präzisierungen (mit einer Ausnahme[13]) von sprachanalytischer Seite vorgenommen worden sind; zumindest lassen sich die drei wichtigsten analytischen Bedeutungstheorien in

Parret (Ed.), Meaning and Understanding, Bln. 1981; ders.; Three Dimensions of Understanding and Meaning in Analytic Philosophy, Soc. Criticism, 7, 1980, 115 ff.

10 K. Bühler, Sprachtheorie, Jena 1934.

11 Bühler (1934), 28.

12 W. Busse, Funktionen und Funktion der Sprache, in: B. Schlieben-Lange (Hrsg.), Sprachtheorie, Hbg. 1975, 207; G. Beck, Sprechakte und Sprachfunktionen, Tbg. 1980.

13 R. Jakobson, Linguistik und Poetik (1960), in: R. Jakobson, Poetik, hrsg. von E. Holenstein und T. Schelbert, Ffm. 1979, 83 ff.

Bühlers Modell so eintragen, daß sie die Kommunikationstheorie von innen, über die formale Analyse der Verwendungsregeln sprachlicher Ausdrücke, und nicht von außen, über eine kybernetische Reformulierung des Übertragungsvorgangs präzisieren. Diese bedeutungstheoretische Linie der Ausgestaltung des Organonmodells führt weg von der objektivistischen Konzeption des Verständigungsvorganges als eines Informationsflusses zwischen Sender und Empfänger,[14] hin zum formalpragmatischen Begriff einer durch Verständigungsakte vermittelten Interaktion sprach- und handlungsfähiger Subjekte.

Im Anschluß an die pragmatistische, von Peirce eingeführte und von Morris fortgebildete Zeichentheorie hat Carnap den von Bühler zunächst nur funktionalistisch betrachteten Symbolkomplex unter syntaktischen und semantischen Gesichtspunkten einer intern ansetzenden Sprachanalyse zugänglich gemacht: nicht das isolierte Zeichen ist der Träger von Bedeutungen, sondern Elemente eines Sprachsystems, d. h. Sätze, deren Form durch syntaktische Regeln und deren semantischer Gehalt durch den Bezug zu designierten Gegenständen oder Sachverhalten bestimmt ist. Mit *Carnaps logischer Syntax* und den Grundannahmen der *Referenzsemantik* eröffnet sich ein Weg zur formalen Analyse der Darstellungsfunktion der Sprache. Die Appell- und Ausdrucksfunktionen der Sprache betrachtet Carnap hingegen als pragmatische Aspekte der Sprachverwendung, die einer empirischen Analyse überlassen werden sollen. Die Sprachpragmatik ist dieser Auffassung zufolge nicht derart durch ein allgemeines System von nachkonstruierbaren Regeln bestimmt, daß sie sich ähnlich wie Syntax und Semantik einer begrifflichen Analyse erschließen könnte.

Endgültig wird die Bedeutungstheorie freilich erst mit dem Schritt von der Referenz- zur *Wahrheitssemantik* als eine formale Wissenschaft etabliert. Die von Frege begründete, über Wittgenstein I bis zu Davidson und Dummet ausgebaute Semantiktheorie rückt die Relation zwischen Satz und Sachverhalt, zwischen Sprache und

14 P. Watzlawick, J. H. Beavin, D. D. Jackson, Pragmatics of Human Communication, N. Y. 1962; H. Hörmann, Psychologie der Sprache, Heidelberg 1967; ders., Meinen und Verstehen, Ffm. 1976.

Welt ins Zentrum.[15] Mit dieser ontologischen Wendung löst sich die Semantiktheorie von der Auffassung, daß die Darstellungsfunktion anhand des Modells von Namen, die Gegenstände bezeichnen, geklärt werden kann. Die Bedeutung von Sätzen, und das Verstehen der Satzbedeutung, läßt sich von dem der Sprache innewohnenden Bezug zur Gültigkeit von Aussagen nicht trennen. Sprecher und Hörer verstehen die Bedeutung eines Satzes, wenn sie wissen, unter welchen Bedingungen der Satz wahr ist. Entsprechend verstehen sie die Bedeutung eines Wortes, wenn sie wissen, welchen Beitrag dieses dazu leistet, daß der mit seiner Hilfe gebildete Satz wahr sein kann. Die Wahrheitssemantik entfaltet also die These, daß die Bedeutung eines Satzes von dessen Wahrheitsbedingungen determiniert wird. Damit wird der interne Zusammenhang zwischen der *Bedeutung* eines sprachlichen Ausdrucks und der *Geltung* eines mit seiner Hilfe gebildeten Satzes zunächst für die Dimension der sprachlichen Darstellung von Sachverhalten herausgearbeitet.

Freilich ist diese Theorie gehalten, alle Sätze nach dem Muster assertorischer Sätze zu analysieren; die Grenzen dieses Ansatzes werden sichtbar, sobald die verschiedenen Modi der Verwendung von Sätzen in die formale Betrachtung einbezogen wird. Schon Frege hatte zwischen der assertorischen bzw. interrogativen Kraft von Behauptungen oder Fragen und der Struktur der in diesen Äußerungen verwendeten Aussagesätze unterschieden. Auf der Linie von Wittgenstein II über Austin bis zu Searle wird die formale Semantik von Sätzen auf Sprechhandlungen ausgedehnt. Sie beschränkt sich nicht länger auf die Darstellungsfunktion der Sprache, sondern öffnet sich einer unvoreingenommenen Analyse der Mannigfaltigkeit illokutionärer Kräfte. Die *Gebrauchstheorie der Bedeutung* macht auch die pragmatischen Aspekte des sprachlichen Ausdrucks einer begrifflichen Analyse zugänglich; und die *Theorie der Sprechakte* bedeutet den ersten Schritt zu einer formalen Pragmatik, die sich auf nicht-kognitive Verwendungsweisen

---

15 K. O. Apel, Die Entfaltung der analytischen Sprachphilosophie, in: Apel (1973 a); vgl. auch St. Davis, Speech Acts, Performance and Competence, J. of Pragmatics, 3, 1979, 497 ff.

erstreckt. Gleichzeitig bleibt sie aber, wie die Versuche zu einer Systematisierung der Sprechaktklassen von Stenius über Kenny bis zu Searle zeigen, an die engen ontologischen Voraussetzungen der Wahrheitssemantik gebunden. Die Bedeutungstheorie kann das Integrationsniveau der von Bühler programmatisch entworfenen Kommunikationstheorie erst einholen, wenn sie für die Appell- und Ausdrucksfunktionen (gegebenenfalls auch für die von Jakobson betonte, auf die Darstellungsmittel selbst bezogene »poetische« Funktion) der Sprache in ähnlicher Weise eine systematische Begründung geben kann wie die Wahrheitssemantik für die Darstellungsfunktion der Sprache. Diesen Weg habe ich mit meinen Überlegungen zu einer Universalpragmatik beschritten.[16]

Bühlers Theorie der Sprachfunktionen kann mit den Methoden und den Einsichten der analytischen Bedeutungstheorie verknüpft und zum Kernstück einer Theorie verständigungsorientierten Handelns gemacht werden, wenn es gelingt, den Begriff der Geltung, über die Wahrheitsgeltung von Propositionen hinaus, zu verallgemeinern und Gültigkeitsbedingungen nicht mehr nur auf der semantischen Ebene für Sätze, sondern auf der pragmatischen Ebene für Äußerungen zu identifizieren. Zu diesem Zweck muß der von Austin eingeleitete und von K. O. Apel historisch einleuchtend dargestellte Paradigmenwechsel in der Sprachphilosophie[17] derart radikalisiert werden, daß der Bruch mit der »Logos-Auszeichnung der Sprache«, d. h. mit der Privilegierung ihrer Darstellungsfunktion, auch für die Wahl der ontologischen Voraussetzungen der Sprachtheorie Folgen hat. Es geht nicht nur darum, neben dem assertorischen Modus andere gleichberechtigte Modi der Sprachverwendung zuzulassen; für diese anderen Modi müssen vielmehr in ähnlicher Weise wie für den assertorischen Modus Geltungsansprüche und Weltbezüge nachgewiesen werden.[18] In diese Richtung zielt mein Vorschlag, die *illokutionäre* Rolle nicht als eine *irrationale* Kraft dem geltungsbegründenden propositionalen Bestandteil gegenüberzustellen, sondern als

16 Habermas (1976a).
17 K. O. Apel, Zwei paradigmatische Antworten auf die Frage nach der Logosauszeichnung der Sprache, in: Festschrift für Perpeet, Bonn 1980.
18 Siehe oben S. 148 ff.

diejenige Komponente zu begreifen, die spezifiziert, *welchen* Geltungsanspruch ein Sprecher mit seiner Äußerung erhebt, *wie* er ihn erhebt und *für was* er ihn erhebt.

Mit der illokutionären Kraft einer Äußerung kann ein Sprecher einen Hörer motivieren, sein Sprechaktangebot anzunehmen und damit *eine rational motivierte Bindung einzugehen*. Dieses Konzept setzt voraus, daß sprach- und handlungsfähige Subjekte auf mehr als nur eine Welt Bezug nehmen können, und daß sie, indem sie sich miteinander über etwas in einer Welt verständigen, ihrer Kommunikation ein gemeinsam unterstelltes System von Welten zugrunde legen. In diesem Zusammenhang habe ich vorgeschlagen, die Außenwelt in eine objektive und in eine soziale Welt zu differenzieren, und die Innenwelt als Komplementärbegriff zu dieser Außenwelt einzuführen. Die entsprechenden Geltungsansprüche der Wahrheit, Richtigkeit und Wahrhaftigkeit können dann als Leitfaden für die Wahl der theoretischen Gesichtspunkte dienen, unter denen sich Grundmodi der Sprachverwendung, oder Sprachfunktionen, begründen und die einzelsprachlich variierenden Sprechhandlungen klassifizieren lassen. Die Bühlersche Appellfunktion der Sprache müßte demnach in regulative und imperative Funktionen aufgespalten werden. Im regulativen Sprachgebrauch erheben die Teilnehmer in verschiedener Weise normative Geltungsansprüche und beziehen sich auf etwas in ihrer gemeinsamen sozialen Welt; im imperativen Sprachgebrauch beziehen sie sich auf etwas in der objektiven Welt, wobei der Sprecher gegenüber dem Adressaten einen Machtanspruch erhebt, um ihn zu veranlassen, so zu handeln, daß der bezweckte Sachverhalt zur Existenz gelangt. Eine auf dieser Linie formalpragmatisch ausgearbeitete Kommunikationstheorie kann für eine soziologische Handlungstheorie fruchtbar gemacht werden, wenn es gelingt zu zeigen, wie kommunikative Akte, d. h. Sprechhandlungen oder äquivalente nicht-verbale Äußerungen, die Funktion der Handlungskoordinierung übernehmen und ihren *Beitrag zum Aufbau von Interaktionen* leisten.

Schließlich ist kommunikatives Handeln auf situative Kontexte angewiesen, die ihrerseits Ausschnitte aus der Lebenswelt der Interaktionsteilnehmer darstellen. Erst dieses Konzept der Lebenswelt, das über die von Wittgenstein angeregten Analysen des Hintergrundwissens[19] als Komplementärbegriff zum kommunikativen Handeln eingeführt werden kann, sichert den Anschluß der Handlungstheorie an die Grundbegriffe der Gesellschaftstheorie.

Im Rahmen einer Zwischenbetrachtung kann ich dieses Programm bestenfalls plausibel machen. Ausgehend von zwei Versionen der Weberschen Handlungstheorie möchte ich zunächst den zentralen Stellenwert des Problems der Handlungskoordinierung deutlich machen (1). Sodann möchte ich Austins Unterscheidung zwischen illokutionären und perlokutionären Akten für die Abgrenzung verständigungsorientierter von erfolgsorientierten Handlungen fruchtbar machen (2), um den illokutionären Bindungseffekt von Sprechaktangeboten (3) und die Rolle kritisierbarer Geltungsansprüche zu untersuchen (4). Die Auseinandersetzung mit konkurrierenden Versuchen, Sprechhandlungen zu klassifizieren, dient der Bestätigung dieser Thesen (5). Schließlich möchte ich einige Übergänge von der formalpragmatischen Untersuchungsebene zur empirischen Pragmatik aufzeigen und am Verhältnis von wörtlicher und kontextabhängiger Bedeutung von Sprechhandlungen erklären, warum der Begriff des kommunikativen Handelns durch das Konzept der Lebenswelt ergänzt werden muß (6).

(1) *Zwei Versionen der Weberschen Handlungstheorie.*

Weber führt zunächst »Sinn« als handlungstheoretischen Grundbegriff ein und unterscheidet Handlungen von beobachtbarem Verhalten mit Hilfe dieser Kategorie: »Handeln soll ein menschliches Verhalten (einerlei ob äußeres oder innerliches Tun, Unterlassen oder Dulden) heißen, wenn und insofern als der oder die Handelnden mit ihm einen subjektiven Sinn verbinden.«[20] Dabei hat Weber keine Bedeutungstheorie, sondern eine intentionalistische Bewußtseinstheorie im Rücken. Er erläutert »Sinn« nicht anhand des Modells sprachlicher Bedeutungen und bezieht »Sinn« nicht auf das sprachliche Medium möglicher Verständigung, sondern auf Meinungen und Absichten eines zunächst isoliert vorgestellten Handlungssubjekts. Diese erste Weichenstellung trennt Weber von

19 L. Wittgenstein, Über Gewißheit, Ffm. 1970.
20 Weber (1964), 3.

einer Theorie des kommunikativen Handelns: nicht die auf sprachliche Verständigung verweisende interpersonale Beziehung zwischen mindestens zwei sprach- und handlungsfähigen Subjekten gilt als fundamental, sondern die Zwecktätigkeit eines einsamen Handlungssubjekts. Sprachliche Verständigung wird, wie in der intentionalistischen Semantik, nach dem Muster der wechselseitigen Einwirkung von teleologisch handelnden Subjekten aufeinander vorgestellt: »Eine Sprachgemeinschaft wird im idealtypischen ›zweckrationalen‹ Grenzfall dargestellt durch zahlreiche einzelne Akte..., die orientiert sind an der Erwartung, bei anderen ›Verständnis‹ eines gemeinten Sinnes zu erreichen.«[21] Verständigung gilt als ein abgeleitetes Phänomen, das mit Hilfe eines primitiv angesetzten Intentionsbegriffs konstruiert werden soll. Weber geht also von einem teleologischen Handlungsmodell aus und bestimmt den ›subjektiven Sinn‹ als eine (vorkommunikative) Handlungsabsicht. Der Handelnde kann entweder eigene Interessen wie den Erwerb von Macht oder den Gewinn von Reichtum verfolgen; oder er kann Werten wie Pietät oder Menschenwürde genügen wollen; oder er kann im Ausleben von Affekten und Begierden Befriedigung suchen. Diese *utilitarischen, werthaften* oder *affektuellen* Ziele, die zu situationsspezifischen Zwecken kleingearbeitet werden, sind Ausprägungen des subjektiven Sinnes, den die handelnden Subjekte mit ihrer zielgerichteten Tätigkeit verbinden können.[22]

Da Weber von einem monologisch gefaßten Handlungsmodell ausgeht, kann er den Begriff des »sozialen Handelns« nicht auf dem Wege der Explikation des Sinnbegriffs einführen. Er muß vielmehr das Modell der Zwecktätigkeit um zwei Bestimmungen erweitern, damit die Bedingungen sozialer Interaktion erfüllt sind: hinzu kommen (a) die Orientierung am Verhalten *anderer* Handlungssubjekte und (b) die *reflexive Beziehung* der Handlungsorientierungen mehrerer Interaktionsteilnehmer *aufeinander*. Weber schwankt freilich, ob er für soziale Interaktionen die Bedin-

21 Weber (1968 a), 194.
22 H. Girndt, Das soziale Handeln als Grundkategorie der erfahrungswissenschaftlichen Soziologie, Tbg. 1967.

gung (a) für hinreichend halten, oder ob er auch (b) fordern soll. In § 1 von WG heißt es lediglich: »›Soziales‹ Handeln soll ein solches Handeln heißen, welches seinem von dem oder den Handelnden gemeinten Sinn nach auf das Verhalten anderer bezogen wird und daran in seinem Ablauf orientiert ist.«[23] Hingegen betont Weber in § 3, daß die Handlungsorientierungen der Teilnehmer reziprok aufeinander bezogen sein müssen: »›Soziale Beziehung‹ soll ein seinem Sinngehalt nach aufeinander *gegenseitig* eingestelltes und dadurch orientiertes Sichverhalten mehrerer heißen.«[24]

Wichtiger für die Konstruktion der Handlungstheorie ist aber eine weitere Entscheidung. Soll Weber die rationalisierungsfähigen Aspekte des Handelns auf der Grundlage des teleologischen Handlungsmodells einführen, oder soll dafür der Begriff der sozialen Interaktion als Grundlage dienen? Im ersten Falle (a) muß sich Weber auf die rationalisierungsfähigen Aspekte beschränken, die das Modell der Zwecktätigkeit hergibt: auf Mittel- und Zweckrationalität. Im zweiten Fall (b) stellt sich die Frage, ob es verschiedene Arten der reflexiven Beziehung von Handlungsorientierungen gibt und damit auch *weitere* Aspekte, unter denen Handlungen rationalisiert werden können.

(a) *Die offizielle Version.* Weber unterscheidet bekanntlich zweckrationales, wertrationales, affektuelles und traditionales Handeln. Diese Typologie stützt sich auf Kategorien von Handlungszielen, an denen sich der Aktor in seiner Zwecktätigkeit orientieren kann: utilitarische, werthafte und affektuelle Ziele. Dann ergibt sich ›traditionales Handeln‹ als eine zunächst nicht weiter bestimmte Restkategorie. Diese Typologie ist ersichtlich von dem Interesse geleitet, Rationalisierungsgrade des Handelns zu unterscheiden. Weber setzt hier nicht an der sozialen Beziehung an. Er hält nur die Zweck-Mittel-Beziehung einer teleologisch vorgestellten monologischen Handlung für einen rationalisierungsfähigen Aspekt. Wenn man diese Perspektive einnimmt, sind an Handlungen objektiver Beurteilung nur zugänglich die *Wirksamkeit* eines kausalen Eingriffs in eine bestehende Situation und die *Wahrheit* der empi-

23 Weber (1964), 4.
24 Weber (1964), 19.

rischen Aussagen, die der Maxime oder dem Handlungsplan, d. h. der subjektiven Meinung über eine zweckrationale Mittelorganisation zugrundeliegen.

So wählt Weber die zweckrationale Handlung als Bezugspunkt für seine Typologie: »Wie jedes Handeln kann auch das soziale Handeln bestimmt sein 1. *zweckrational*: durch Erwartungen des Verhaltens von Gegenständen der Außenwelt und von anderen Menschen und unter Benutzung dieser Erwartungen als ›Bedingungen‹ oder als ›Mittel‹ für rational, als Erfolg, erstrebte und abgewogene eigne *Zwecke*, – 2. *wertrational*: durch bewußten Glauben an den – ethischen, ästhetischen, religiösen oder wie immer sonst zu deutenden – unbedingten *Eigen*wert eines bestimmten Sichverhaltens rein als solchen und unabhängig vom Erfolg, – 3. *affektuell*, insbesondere *emotional*: durch aktuelle Affekte und Gefühlslagen, – 4. *traditional*: durch eingelebte Gewohnheit.«[25] Wenn man einem Interpretationsvorschlag von W. Schluchter folgt[26], läßt sich die Typologie anhand der formalen Merkmale zweckrationalen Handelns rekonstruieren. Zweckrational verhält sich der Handelnde, der aus einem klar artikulierten *Wert*horizont *Zwecke* wählt und unter Berücksichtigung alternativer *Folgen* geeignete *Mittel* organisiert. In der von Weber vorgeschlagenen Reihenfolge der Handlungstypen verengt sich das Bewußtsein des handelnden Subjekts Schritt für Schritt: es werden aus dem subjektiven Sinn ausgeblendet und damit rationaler Kontrolle entzogen im wertrationalen Handeln die Folgen, im affektuellen Handeln die Folgen und die Werte und im nur noch faktisch eingewöhnten Handeln auch noch der Zweck (Fig. 12).

In dieser Konstruktion kann Weber freilich ›wertrationales‹ Handeln nur unterbringen, wenn er diesem eine restriktive Bedeutung beilegt. Hier kann dieser Typus nur gesinnungsethische, nicht aber verantwortungsethische Handlungsorientierungen einschließen. Nicht berücksichtigt wird der prinzipiengeleitete Charakter, aufgrund dessen sich beispielsweise die protestantische Ethik als Rahmen für eine methodische Lebensführung qualifiziert. Die post-

25 Weber (1964), 17.
26 Schluchter (1979), 192.

Fig. 12 *Die offizielle Handlungstypologie*

Handlungstypen nach Graden abnehmender Rationalität	Subjektiver Sinn erstreckt sich auf folgende Elemente:			
	Mittel	Zwecke	Werte	Folgen
zweckrational	+	+	+	+
wertrational	+	+	+	−
affektuell	+	+	−	−
traditional	+	−	−	−

traditionalen Bewußtseinsstrukturen, die Weber an ethisch rationalisierten Weltbildern abliest, können schon aus analytischen Gründen nicht in eine Handlungstypologie eingehen, die sich auf eine Kategorisierung nicht-sozialer Handlungen stützt; denn moralisches Bewußtsein bezieht sich auf die konsensuelle Regelung interpersonaler Handlungskonflikte.

(b) *Die inoffizielle Version.* Sobald Weber versucht, eine Typologie auf der begrifflichen Stufe sozialen Handelns anzusetzen, stößt er auf weitere Aspekte der Handlungsrationalität. Soziale Handlungen lassen sich nach Mechanismen der Handlungskoordinierung unterscheiden, so danach, ob sich eine soziale Beziehung allein auf *Interessenlagen* oder auch auf *normatives Einverständnis* stützt. In dieser Weise unterscheidet Weber zwischen dem bloß faktischen Bestehen einer Wirtschaftsordnung und der sozialen Geltung einer Rechtsordnung; dort gewinnen soziale Beziehungen durch das faktische Ineinandergreifen von Interessenlagen, hier durch die Anerkennung normativer Geltungsansprüche Bestand. Eine zunächst allein durch Interessenkomplementarität gesicherte Handlungskoordinierung kann freilich durch das Hinzutreten von »Einverständnisgeltung«, d. h. durch den »Glauben an das rechtliche oder konventionelle Gebotensein eines bestimmten Verhaltens«[27] normativ überformt werden. Weber erläutert das an der Bildung von Traditionen beim Übergang von Sitte zu Konvention: »Konventionelle Regeln sind normalerweise der Weg, auf welchem bloß faktische Regelmäßigkeiten des Handelns, bloße ›Sitte‹ also, in die Form verbindlicher, zunächst durch psychischen Zwang garantierter ›Normen‹ überführt werden.«[28]

Nun gibt es die auf *Interessenkomplementarität* beruhende Interaktion nicht nur in Form von Sitte, d. h. dumpf hingenommener Gewöhnung, sondern auch auf der Stufe des rationalen Wettbewerbsverhaltens, z. B. im modernen Tauschverkehr, wo die Beteiligten ein klares Bewußtsein von der Komplementarität, aber auch der Kontingenz ihrer Interessenlagen ausgebildet haben. Auf der anderen Seite nimmt auch die auf *normativem Konsens* beruhende Interaktion nicht nur die Form traditionsgebundenen konventionellen Handelns an; so ist das moderne Rechtssystem auf einen aufgeklärten Legitimitätsglauben angewiesen, den das rationale Naturrecht, mit der Idee eines Grundvertrages zwischen Freien und Gleichen, auf Prozeduren vernünftiger Willensbildung zurückführt. Wenn man diesen Überlegungen folgt, liegt es nahe, Typen des sozialen Handelns a) nach der Art der Koordinierung und b) nach dem Rationalitätsgrad der sozialen Beziehung zu konstruieren (Fig. 13).

Diese Typenbildung findet Anhaltspunkte in »Wirtschaft und Gesellschaft«[29]; anhand des Aufsatzes »Über einige Kategorien der verstehenden Soziologie«[30] ließe sie sich verhältnismäßig gut belegen. Darauf will ich jedoch verzichten, weil Weber die interessante Unterscheidung zwischen sozialen Beziehungen, die durch Interessenlage, und solchen, die durch normatives Einverständnis vermittelt sind, auf der Ebene der Handlungsorientierungen selbst nicht klar durchführt (ich werde das unter dem Titel Erfolgs- vs. Verständigungsorientierung nachholen). Schwerwiegender ist der weitere Umstand, daß Weber zwischen traditionsgebundenem und rationalem Einverständnis zwar unterscheidet, aber dieses rationa-

27 Weber (1964), 247.
28 Weber (1964), 246.
29 Weber (1964), 19-26, 240-250.
30 Weber (1964), 169-213.

Fig. 13 *Eine alternative Handlungstypologie*

Grade der Handlungs-Rationalität / Koordinierung	niedrig	hoch
durch Interessenlage	faktisch eingewöhntes Handeln (»Sitte«)	strategisches Handeln (»Interessenhandeln«)
durch normatives Einverständnis	konventionelles Einverständnishandeln (»Gemeinschaftshandeln«)	postkonventionelles Einverständnishandeln (»Gesellschaftshandeln«)

le Einverständnis, wie wir gesehen haben, am Modell der Vereinbarung zwischen Privatrechtssubjekten nur unzureichend erläutert, jedenfalls nicht auf die moralisch-praktischen Grundlagen diskursiver Willensbildung zurückführt. Sonst hätte an dieser Stelle klar werden müssen, daß sich das Gesellschaftshandeln vor dem Gemeinschaftshandeln nicht durch zweckrationale Handlungsorientierungen auszeichnet, sondern durch die höhere, nämlich postkonventionelle Stufe moralisch-praktischer Rationalität. Weil das nicht geschieht, kann ein spezifischer Begriff von Wertrationalität für die Handlungstheorie nicht die Bedeutung gewinnen, die ihm zugeschrieben werden müßte, wenn die ethische Rationalisierung, die Weber auf der Ebene kultureller Überlieferungen untersucht hat, in ihren Folgen für die sozialen Handlungssysteme sollte erfaßt werden können.

Weber hat die inoffizielle Handlungstypologie für die Problematik der gesellschaftlichen Rationalisierung nicht fruchtbar machen können. Die offizielle Version ist hingegen konzeptuell so eng angelegt, daß in diesem Rahmen soziale Handlungen nur unter dem Aspekt der Zweckrationalität beurteilt werden können. Aus dieser begrifflichen Perspektive muß sich die Rationalisierung von Handlungssystemen auf die Durchsetzung und Verbreitung von subsystemspezifischen Typen zweckrationalen Handelns beschränken. Damit Prozesse gesellschaftlicher Rationalisierung *in ihrer ganzen Breite* untersucht werden können, bedarf es *anderer* handlungstheoretischer Grundlagen.

Ich will deshalb den in der Einleitung exponierten Begriff des kommunikativen Handelns wiederaufnehmen und im Anschluß an die Sprechakttheorie diejenigen rationalisierungsfähigen Aspekte des Handelns, die in Webers offizieller Handlungstheorie vernachlässigt werden, in den konzeptuellen Grundlagen verankern. Auf diesem Wege hoffe ich, den komplexen Begriff von Rationalität, den Weber in seinen kulturellen Analysen verwendet, handlungstheoretisch einzuholen. Dabei gehe ich von einer Klassifikation von Handlungen aus, die sich an die inoffizielle Version der Weberschen Handlungstheorie insofern anlehnt, als soziale Handlungen nach zwei Handlungsorientierungen unterschieden werden, die einer Handlungskoordinierung durch Interessenlage und normatives Einverständnis korrespondieren:

Fig. 14 *Handlungstypen*

Handlungs- orientierung Handlungs- situation	erfolgsorientiert	verständigungsorientiert
nicht-sozial	instrumentelles Handeln	–
sozial	strategisches Handeln	kommunikatives Handeln

Das Modell *zweckrationalen* Handelns geht davon aus, daß der Aktor in erster Linie an der Erreichung eines nach Zwecken hinreichend präzisierten Ziels orientiert ist, Mittel wählt, die ihm in der gegebenen Situation geeignet erscheinen, und andere vorher-sehbare Handlungsfolgen als Nebenbedingungen des Erfolgs kalkuliert. Der Erfolg ist definiert als das Eintreten eines erwünschten Zustandes in der Welt, der in einer gegebenen Situation durch zielgerichtetes Tun oder Unterlassen kausal bewirkt werden kann. Die eintretenden Handlungseffekte setzen sich zusammen aus Handlungsergebnissen (soweit der gesetzte Zweck realisiert worden ist), Handlungsfolgen (die der Aktor vorhergesehen und mitintendiert bzw. in Kauf genommen hat) und Nebenfolgen (die der Aktor nicht vorhergesehen hat). Eine erfolgsorientierte Handlung nennen wir *instrumentell*, wenn wir sie unter dem Aspekt der Befolgung technischer Handlungsregeln betrachten und den Wirkungsgrad einer Intervention in einen Zusammenhang von Zuständen und Ereignissen bewerten; *strategisch* nennen wir eine erfolgsorientierte Handlung, wenn wir sie unter dem Aspekt der Befolgung von Regeln rationaler Wahl betrachten und den Wirkungsgrad der Einflußnahme auf die Entscheidungen eines rationalen Gegenspielers bewerten. Instrumentelle Handlungen können mit sozialen Interaktionen verknüpft sein, strategische Handlungen stellen selbst soziale Handlungen dar. Hingegen spreche ich von *kommunikativen* Handlungen, wenn die Handlungspläne der beteiligten Aktoren nicht über egozentrische Erfolgskalküle, sondern über Akte der Verständigung koordiniert werden. Im kommunikativen Handeln sind die Beteiligten nicht primär am eigenen Erfolg orientiert; sie verfolgen ihre individuellen Ziele unter der Bedingung, daß sie ihre Handlungspläne auf der Grundlage gemeinsamer Situationsdefinitionen aufeinander abstimmen können. Insofern ist das Aushandeln von Situationsdefinitionen ein wesentlicher Bestandteil der für kommunikatives Handeln erforderlichen Interpretationsleistungen.

(2) *Erfolgs- vs. Verständigungsorientierung.* Indem ich strategische und kommunikative Handlungen als Typen bestimmte, gehe ich davon aus, daß sich konkrete Handlungen unter diesen Gesichtspunkten klassifizieren lassen. Ich möchte mit ›strategisch‹ und ›kommunikativ‹ nicht nur zwei analytische Aspekte bezeichnen, unter denen sich *dieselbe* Handlung einmal als die wechselseitige Beeinflussung von zweckrational handelnden Gegenspielern, und

zum anderen als Prozeß der Verständigung zwischen Angehörigen einer Lebenswelt beschreiben lassen. Vielmehr lassen sich soziale Handlungen danach unterscheiden, ob die Beteiligten entweder eine erfolgs- oder eine verständigungsorientierte Einstellung einnehmen; und zwar sollen sich diese Einstellungen unter geeigneten Umständen anhand des intuitiven Wissens der Beteiligten selbst identifizieren lassen. Zunächst ist also eine begriffliche Analyse der beiden Einstellungen erforderlich.

Im Rahmen einer Handlungstheorie kann das nicht als psychologische Aufgabe verstanden werden. Mein Ziel ist nicht die empirische Charakterisierung von Verhaltensdispositionen, sondern die Erfassung allgemeiner Strukturen von Verständigungsprozessen, aus denen sich formal zu charakterisierende Teilnahmebedingungen ableiten lassen. Um zu erklären, was ich mit ›verständigungsorientierter Einstellung‹ meine, muß ich den Begriff der ›Verständigung‹ analysieren. Dabei geht es nicht um die Prädikate, die ein Beobachter verwendet, wenn er Verständigungsprozesse beschreibt, sondern um das vortheoretische Wissen kompetenter Sprecher, die selber intuitiv unterscheiden können, wann sie auf andere einwirken und wann sie sich mit ihnen verständigen; und die zudem wissen, wann Verständigungsversuche fehlschlagen. Wenn wir die Standards, die sie diesen Unterscheidungen implizit zugrunde legen, explizit angeben könnten, hätten wir das gesuchte Konzept der Verständigung.

Verständigung gilt als ein Prozeß der Einigung unter sprach- und handlungsfähigen Subjekten. Allerdings kann sich eine Gruppe von Personen in einer Stimmung eins fühlen, die so diffus ist, daß es schwerfällt, den propositionalen Gehalt bzw. einen intentionalen Gegenstand anzugeben, auf den diese sich richtet. Eine solche kollektive *Gleichgestimmtheit* erfüllt nicht die Bedingungen der Art von *Einverständnis*, in dem Verständigungsversuche, wenn sie gelingen, terminieren. Ein kommunikativ erzieltes, oder im kommunikativen Handeln gemeinsam vorausgesetztes, Einverständnis ist propositional differenziert. Dank dieser sprachlichen Struktur kann es nicht allein durch Einwirkung von außen induziert sein, es muß von den Beteiligten als gültig akzeptiert werden. Insofern unterscheidet es sich von einer bloß *faktisch* bestehenden *Überein-*

stimmung. Verständigungsprozesse zielen auf ein Einverständnis, welches den Bedingungen einer rational motivierten Zustimmung zum Inhalt einer Äußerung genügt. Ein kommunikativ erzieltes Einverständnis hat eine rationale Grundlage; es kann nämlich von keiner Seite, sei es instrumentell, durch Eingriff in die Handlungssituation unmittelbar, oder strategisch, durch erfolgskalkulierte Einflußnahme auf die Entscheidungen eines Gegenspielers, *auferlegt* werden. Wohl kann ein Einverständnis objektiv erzwungen sein, aber was *ersichtlich* durch äußere Einwirkung oder Anwendung von Gewalt zustande kommt, kann subjektiv nicht als Einverständnis *zählen*. Einverständnis beruht auf gemeinsamen *Überzeugungen*. Der Sprechakt des einen gelingt nur, wenn der andere das darin enthaltene Angebot akzeptiert, indem er (wie implizit auch immer) zu einem grundsätzlich kritisierbaren Geltungsanspruch mit Ja oder Nein Stellung nimmt. Sowohl Ego, der mit seiner Äußerung einen Geltungsanspruch erhebt, wie Alter, der diesen anerkennt oder zurückweist, stützen ihre Entscheidungen auf potentielle Gründe.

Könnten wir nicht auf das Modell der Rede Bezug nehmen, wären wir nicht imstande, auch nur in einem ersten Schritt zu analysieren, was es heißt, daß sich zwei Subjekte miteinander verständigen. Verständigung wohnt als Telos der menschlichen Sprache inne. Zwar verhalten sich Sprache und Verständigung nicht wie Mittel und Zweck zueinander. Aber wir können das Konzept der Verständigung nur erklären, wenn wir angeben, was es heißt, Sätze in kommunikativer Absicht zu verwenden. Die Konzepte des Sprechens und der Verständigung interpretieren sich wechselseitig. Deshalb können wir die formalpragmatischen Merkmale der verständigungsorientierten Einstellung am Modell der Einstellung von Kommunikationsteilnehmern analysieren, von denen, im einfachsten Fall, einer einen Sprechakt ausführt und ein anderer mit Ja oder Nein dazu Stellung nimmt (auch wenn Äußerungen in der kommunikativen Alltagspraxis meistens keine explizit sprachliche, oft überhaupt keine verbale Form haben).

Wenn wir erfolgs- und verständigungsorientierte Handlungen auf dem Wege einer Analyse von Sprechhandlungen voneinander abgrenzen wollen, begegnen wir freilich der folgenden Schwierigkeit.

Einerseits betrachten wir die kommunikativen Akte, mit deren Hilfe sich Sprecher und Hörer über etwas verständigen, als einen Mechanismus der Handlungskoordinierung. Der Begriff des kommunikativen Handelns ist so angesetzt, daß die Akte der Verständigung, die die teleologisch strukturierten Handlungspläne verschiedener Teilnehmer verknüpfen und damit Einzelhandlungen zu einem Interaktionszusammenhang erst zusammenfügen, nicht ihrerseits auf teleologisches Handeln reduziert werden können. Insofern ist der paradigmatische Begriff der sprachlich vermittelten Interaktion unverträglich mit einer Bedeutungstheorie, die, wie die intentionale Semantik, Verständigung als Lösung eines Koordinationsproblems zwischen erfolgsorientiert handelnden Subjekten begreiflich machen will. Andererseits bietet aber *nicht jede* sprachlich vermittelte Interaktion ein Beispiel für verständigungsorientiertes Handeln. Zweifellos gibt es zahllose Fälle indirekter Verständigung, sei es, daß der eine dem anderen durch Signale etwas zu verstehen gibt, ihn indirekt veranlaßt, auf dem Wege der schlußfolgernden Verarbeitung von Situationswahrnehmungen eine bestimmte Meinung zu bilden oder bestimmte Absichten zu fassen; sei es, daß der eine den anderen auf der Basis einer bereits eingespielten kommunikativen Alltagspraxis unauffällig für seine Zwecke einspannt, also durch den manipulativen Einsatz sprachlicher Mittel zu einem ihm erwünschten Verhalten veranlaßt und damit für den eigenen Handlungserfolg instrumentalisiert. Beispiele eines solchen konsequenzenorientierten Sprachgebrauchs scheinen die Sprechhandlung als Modell für verständigungsorientiertes Handeln zu entwerten.

Das ist nur dann nicht der Fall, wenn sich zeigen läßt, daß der verständigungsorientierte Sprachgebrauch der *Originalmodus* ist, zu dem sich die indirekte Verständigung, das Zu-verstehen-geben oder das Verstehen-lassen, parasitär verhalten. Genau dies leistet, wie ich meine, Austins Unterscheidung zwischen Illokutionen und Perlokutionen.

Austin unterscheidet bekanntlich lokutionäre, illokutionäre und perlokutionäre Akte.[31] Lokutionär nennt Austin den Gehalt von

31 J. L. Austin, How to do things with words, Oxford 1962, deutsch Stuttg. 1972.

Aussagesätzen (›p‹) oder von nominalisierten Aussagesätzen (›-daß p‹). Mit *lokutionären Akten* drückt der Sprecher Sachverhalte aus; er sagt etwas. Mit *illokutionären Akten* vollzieht der Sprecher eine Handlung, indem er etwas sagt. Die illokutionäre Rolle legt den Modus eines als Behauptung, Versprechen, Befehl, Geständnis usw. verwendeten Satzes (›M p‹) fest. Unter Standardbedingungen wird der Modus mit Hilfe eines in der ersten Person Präsens gebrauchten performativen Verbes ausgedrückt, wobei der Aktionssinn insbesondere daran zu erkennen ist, daß der illokutionäre Bestandteil der Sprechhandlung den Zusatz ›hiermit‹ gestattet: »hiermit verspreche ich dir (befehle ich dir, gestehe ich dir), daß p.« Mit *perlokutionären Akten* erzielt der Sprecher schließlich einen Effekt beim Hörer. Dadurch, daß er eine Sprechhandlung ausführt, bewirkt er etwas in der Welt. Die drei Akte, die Austin unterscheidet, lassen sich also durch die folgenden Stichworte charakterisieren: *etwas* sagen; handeln, *indem* man etwas sagt; etwas bewirken, *dadurch daß* man handelt, indem man etwas sagt.

Austin legt die begrifflichen Schnitte so, daß die aus illokutionärem und propositionalem Bestandteil zusammengesetzte *Sprechhandlung* (›M p‹)[32] als ein selbstgenügsamer Akt vorgestellt wird, den der Sprecher stets in kommunikativer Absicht, nämlich mit dem Ziel äußert, ein Hörer möge seine Äußerung verstehen und akzeptieren. Die Selbstgenügsamkeit des illokutionären Aktes ist in dem Sinne zu verstehen, daß sich die kommunikative Absicht des Sprechers und das von ihm angestrebte illokutionäre Ziel aus der manifesten Bedeutung des Gesagten ergeben. Anders verhält es sich mit teleologischen Handlungen. Deren Sinn identifizieren wir allein anhand der Absichten, die der Autor verfolgt, und der Zwecke, die er realisieren möchte. Wie für illokutionäre Akte die *Bedeutung des Gesagten* konstitutiv ist, so für teleologische Handlungen die *Intention* des Handelnden.

Was Austin *perlokutive Effekte* nennt, entsteht nun dadurch, daß

---

32 Ich vernachlässige die Entwicklung, die die Theorie der Sprechakte bei Austin selbst erfahren hat (vgl. Habermas, 1976, 228 ff.), und gehe von der Interpretation aus, die Searle dieser Theorie gegeben hat. J. R. Searle, Speech Acts, London 1969, deutsch Ffm. 1971. Ferner: D. Wunderlich, Studien zur Sprechakttheorie, Ffm. 1976.

illokutionäre Akte eine Rolle in einem teleologischen Handlungszusammenhang übernehmen. Solche Effekte ergeben sich immer
dann, wenn ein Sprecher zugleich erfolgsorientiert handelt und
dabei Sprechhandlungen mit Absichten verknüpft und für Ziele
instrumentalisiert, die mit der Bedeutung des Gesagten in einem
nur kontigenten Zusammenhang stehen: »Wer einen lokutionären
und damit einen illokutionären Akt vollzieht, kann in einem dritten Sinne auch noch eine weitere Handlung vollziehen. Wenn etwas gesagt wird, dann wird das oft, ja gewöhnlich, gewisse Wirkungen auf die Gefühle, Gedanken oder Handlungen des oder der
Hörer, des Sprechers oder anderer Personen haben; und die Äußerung kann mit dem Plan, in der Absicht, zu dem Zweck getan
worden sein, die Wirkungen hervorzubringen. Wenn wir das im
Auge haben, dann können wir den Sprecher als Täter einer Handlung bezeichnen, in deren Namen der lokutionäre und der illokutionäre Akt nur indirekt oder überhaupt nicht vorkommen. Das
Vollziehen einer solchen Handlung wollen wir das Vollziehen eines *perlokutionären* Aktes oder einer Perlokution nennen.«[33]
Die Abgrenzung zwischen illokutionären und perlokutionären
Akten hat eine ausgedehnte Kontroverse hervorgerufen.[34] Dabei
haben sich vier Abgrenzungskriterien herausgeschält.
(a) Das illokutionäre Ziel, das ein Sprecher mit einer Äußerung
verfolgt, geht aus der für Sprechhandlungen konstitutiven Bedeutung des Gesagten selbst hervor; Sprechakte sind in diesem Sinne
selbstidentifizierend.[35] Der Sprecher gibt mit Hilfe des illokutionären Aktes zu erkennen, daß er, was er sagt, als Gruß, Befehl,
Ermahnung, Erklärung usw. verstanden wissen will. Seine kommunikative Absicht erschöpft sich darin, daß der Hörer den manifesten Gehalt der Sprechhandlung verstehen soll. Hingegen geht
das perlokutionäre Ziel eines Sprechers, wie die mit zielgerichteten
Handlungen verfolgten Zwecke überhaupt, aus dem manifesten
Gehalt der Sprechhandlung nicht hervor; dieses Ziel kann nur über
die Intention des Handelnden erschlossen werden. So wenig bei-

33 Austin (1972), 116.
34 B. Schlieben-Lange, Linguistische Pragmatik, Stuttg. 1975, 86 ff.
35 D. S. Shwayder, The Stratification of Behavior, London 1965, 287 ff.

spielsweise ein Beobachter, der einen Bekannten über die Straße eilen sieht, erkennt, warum dieser sich so beeilt, so wenig kann ein Hörer, der eine an ihn gerichtete Aufforderung versteht, damit schon wissen, was der Sprecher, indem er das äußert, *sonst noch* bezweckt. Der Adressat könnte perlokutionäre Ziele des Sprechers allenfalls aus dem Kontext erschließen.[36] Die drei übrigen Kriterien hängen mit dem Charakter der Selbstidentifizierung von Sprechhandlungen zusammen.

(b) Aus der Beschreibung eines Sprechaktes wie in (1) und (2) lassen sich die Bedingungen für den entsprechenden illokutionären Erfolg des Sprechers ableiten, nicht aber die Bedingungen für perlokutionäre Erfolge, die ein erfolgsorientiert handelnder Sprecher gegebenenfalls mit der Ausführung dieses Sprechaktes erzielen möchte bzw. erzielt hat. In die Beschreibung von Perlokutionen wie (3) und (4) gehen Erfolge ein, die die Bedeutung des Gesagten und damit das, was ein Adressat unmittelbar verstehen könnte, überschreiten:

(1) S hat gegenüber H behauptet, daß er seiner Firma gekündigt hat.

Mit der in (1) wiedergegebenen Äußerung wird S einen illokutionären Erfolg dann erzielt haben, wenn H seine Behauptung versteht und als wahr akzeptiert. Das gleiche gilt für

(2) H hat S gewarnt, er möge seiner Firma nicht kündigen.

Mit der in (2) wiedergegebenen Äußerung wird H einen illokutionären Erfolg dann erzielt haben, wenn S seine Warnung versteht und (je nachdem, ob sie im gegebenen Kontext eher einen prognostischen oder einen moralisch-appellativen Sinn hat) als wahr bzw. als richtig akzeptiert. Das Akzeptieren der in (2) beschriebenen Äußerung begründet in jedem Fall bestimmte Handlungsverpflichtungen auf seiten des Adressaten und entsprechende Handlungserwartungen auf seiten des Sprechers. Ob die erwarteten Handlungsfolgen faktisch eintreten oder ausbleiben, berührt den

36 M. Meyer, Formale und handlungstheoretische Sprachbetrachtungen, Stuttg. 1976.

illokutionären Erfolg des Sprechers nicht. Wenn z. B. S nicht kündigt, ist das keine perlokutionär erzielte Wirkung, sondern die Folge eines kommunikativ erzielten Einverständnisses, mithin die Erfüllung einer Verpflichtung, die der Adressat mit seinem Ja zu einem Sprechaktangebot übernommen hat. Aus der Beschreibung

(3) S hat H dadurch, daß er ihm/ihr mitgeteilt hat, er habe in seiner Firma gekündigt, (wie beabsichtigt) in Schrecken versetzt

geht hervor, daß der illokutionäre Erfolg der in (1) beschriebenen Behauptung keine hinreichende Bedingung ist, um einen perlokutionären Effekt zu erzielen. Der Hörer könnte in einem anderen Kontext auf dieselbe Äußerung ebensogut mit Erleichterung reagieren. Das gleiche gilt für

(4) H hat S mit der Warnung, er möge seiner Firma nicht kündigen, beunruhigt.

In einem anderen Kontext könnte dieselbe Warnung den S ebensogut in seinem Vorsatz bestärken, z. B. dann, wenn S den Argwohn hegt, daß H ihm Übles wünscht. Die Beschreibung perlokutionärer Effekte muß also auf einen Zusammenhang teleologischen Handelns Bezug nehmen, der über die Sprechhandlung *hinausreicht*.[37]

(c) Austin hat aus Überlegungen dieser Art die Konsequenz gezogen, daß illokutionäre Erfolge mit der Sprechhandlung in einem *konventionell* geregelten oder *internen* Zusammenhang stehen, während perlokutionäre Effekte der Bedeutung des Gesagten äußerlich bleiben. Mögliche perlokutionäre Wirkungen eines Sprechaktes sind von zufälligen Kontexten abhängig und nicht, wie illokutionäre Erfolge, durch Konventionen festgelegt.[38] Allerdings könnte man (4) als Gegenbeispiel benützen. Nur wenn der Adressat die Warnung ernst nimmt, ist Beunruhigung, und nur wenn er sie nicht ernst nimmt, ist ein Gefühl der Bestätigung eine plausible Reaktion. Die Bedeutungskonventionen der Handlungsprädikate, mit denen illokutionäre Akte gebildet werden, schließen in einigen

---

37 M. Schwab, Redehandeln, Königstein 1980, 28 ff.
38 Austin (1972), 134.

Fällen bestimmte Klassen von perlokutionären Effekten aus. Gleichwohl sind diese mit Sprechhandlungen nicht nur auf konventionelle Weise verknüpft. Wenn ein Hörer eine Behauptung von S als wahr, einen Befehl als richtig, ein Geständnis als wahrhaftig akzeptiert, erklärt er sich damit implizit bereit, seine weiteren Handlungen an bestimmte konventionelle Verpflichtungen zu binden. Hingegen ist das Gefühl der Beunruhigung, das ein Freund mit seiner von S ernstgenommenen Warnung erweckt, ein Zustand, der eintreten oder auch nicht eintreten kann.

(d) Ähnliche Bedenken wie das eben behandelte haben Strawson dazu bewogen, das Konventionalitätskriterium durch ein anderes Abgrenzungskriterium zu ersetzen.[39] Perlokutionäre Ziele darf ein Sprecher, wenn er Erfolg haben will, nicht zu erkennen geben, während illokutionäre Ziele allein dadurch zu erreichen sind, daß sie ausgesprochen werden. Illokutionen werden offen geäußert; Perlokutionen dürfen nicht als solche »zugegeben« werden. Dieser Unterschied zeigt sich auch darin, daß die Prädikate, unter denen perlokutionäre Akte beschrieben werden (in Schrecken versetzen, Beunruhigung auslösen, in Zweifel stürzen, jemanden verstimmen, irreführen, kränken, gegen sich aufbringen, demütigen usw.) nicht unter den Prädikaten auftreten können, die verwendet werden, um diejenigen illokutionären Akte auszuführen, mit deren Hilfe entsprechende perlokutionäre Effekte erzielt werden können. Perlokutionäre Akte bilden diejenige Teilklasse teleologischer Handlungen, die mit Hilfe von Sprechhandlungen unter der Bedingung ausgeführt werden können, daß der Aktor das Handlungsziel nicht als solches deklariert oder zugibt.

Während die Einteilung in lokutionäre und illokutionäre Akte den Sinn hat, den propositionalen Gehalt und den Modus von Sprechhandlungen als analytische Aspekte zu trennen, hat die Unterscheidung zwischen diesen beiden Akttypen auf der einen, perlokutionären Akten auf der anderen Seite, einen keineswegs analytischen Charakter. Perlokutionäre Effekte können mit Hilfe von Sprechhandlungen nur dann erzielt werden, wenn diese *als Mittel*

---

39 P. Strawson, Intention and Convention in Speech Acts, Philos. Rev. 1964, 439 ff.

in teleologische, am Erfolg orientierte Handlungen *einbezogen* werden. Perlokutionäre Effekte sind ein Anzeichen für die Integration von Sprechhandlungen in Zusammenhänge strategischer Interaktion. Sie gehören zu den intendierten Handlungsfolgen oder Ergebnissen einer teleologischen Handlung, die der Aktor in der Absicht unternimmt, mit Hilfe illokutionärer Erfolge auf einen Hörer in bestimmter Weise einzuwirken. Sprechhandlungen können diesem *nicht-illokutionären Ziel der Hörerbeeinflussung* freilich nur dienen, wenn sie für die Erreichung illokutionärer Ziele geeignet sind. Wenn der Hörer nicht verstehen würde, was der Sprecher sagt, könnte auch ein teleologisch handelnder Sprecher den Hörer nicht mit Hilfe kommunikativer Akte veranlassen, sich in gewünschter Weise zu verhalten. Insofern ist, was wir zunächst als »konsequenzorientierten Sprachgebrauch« bezeichnet hatten, gar kein originärer Sprachgebrauch, sondern die Subsumtion von Sprechhandlungen, die illokutionären Zielen dienen, unter Bedingungen erfolgsorientierten Handelns.

Da aber Sprechhandlungen keineswegs immer in dieser Weise funktionieren, müssen die Strukturen der sprachlichen Kommunikation auch ohne Bezugnahme auf Strukturen der Zwecktätigkeit geklärt werden können. Die erfolgsorientierte Einstellung des teleologisch Handelnden ist nicht konstitutiv für das Gelingen von Verständigungsprozessen, erst recht dann nicht, wenn diese in strategische Interaktionen einbezogen sind. Was wir mit Verständigung und verständigungsorientierte Einstellung meinen, muß *allein* anhand illokutionärer Akte geklärt werden. Ein mit Hilfe eines Sprechaktes unternommener Verständigungsversuch gelingt, wenn ein Sprecher im Sinne Austins sein illokutionäres Ziel erreicht.

Perlokutionäre Effekte, wie Erfolge teleologischer Handlungen überhaupt, lassen sich als Zustände in der Welt beschreiben, die durch Intervention in die Welt herbeigeführt werden. Illokutionäre Erfolge werden hingegen auf der Ebene interpersonaler Beziehungen erzielt, auf der sich Kommunikationsteilnehmer miteinander über etwas in der Welt verständigen; sie sind in diesem Sinne *nichts Innerweltliches*, sondern extramundan. Illokutionäre Erfolge treten allenfalls innerhalb der Lebenswelt ein, der die Kommunikationsteilnehmer angehören, und die für ihren Verständigungsprozeß den Hintergrund bildet. Dieses Modell verständigungsorientierten Handelns, das ich noch entwickeln werde, wird durch die Art, wie Austin zwischen Illokutionen und Perlokutionen unterscheidet, eher verdunkelt.

Aus unserer Diskussion geht hervor, daß Perlokutionen als eine spezielle Klasse strategischer Interaktionen begriffen werden können. Dabei werden Illokutionen als Mittel in teleologischen Handlungszusammenhängen eingesetzt. Diese Verwendung steht allerdings, wie Strawson gezeigt hat, unter Vorbehalten. Ein teleologisch handelnder Sprecher muß sein illokutionäres Ziel, daß der Hörer das Gesagte versteht und die mit der Annahme des Sprechaktangebots verbundenen Verpflichtungen eingeht, erreichen, ohne daß er sein perlokutionäres Ziel verrät. Dieser Vorbehalt verleiht Perlokutionen den eigentümlich asymmetrischen Charakter von verdeckt strategischen Handlungen. Dies sind Interaktionen, in denen sich mindestens einer der Beteiligten strategisch verhält, während er andere Beteiligte darüber täuscht, daß er diejenigen Voraussetzungen *nicht* erfüllt, unter denen normalerweise illokutionäre Ziele nur erreicht werden können. Auch deshalb eignet sich dieser Typus von Interaktion nicht für eine Analyse, die den sprachlichen Mechanismus der Handlungskoordinierung mit Hilfe des illokutionären Bindungseffekts von Sprechhandlungen erklären soll. Für diesen Zweck empfiehlt sich ein Typus von Interaktion, der nicht mit den Asymmetrien und Vorbehalten von Perlokutionen belastet ist. Diese Art von Interaktionen, in denen *alle* Beteiligten ihre individuellen Handlungspläne aufeinander abstimmen und daher ihre illokutionären Ziele *vorbehaltlos* verfolgen, habe ich kommunikatives Handeln genannt.

Auch Austin analysiert Sprechhandlungen in Interaktionszusammenhängen. Es ist gerade die Pointe seines Ansatzes, den performativen Charakter sprachlicher Äußerungen an institutionell gebundenen Sprechhandlungen wie taufen, wetten, ernennen usw. herauszuarbeiten, bei denen die aus dem Vollzug des Sprechakts hervorgehenden Verpflichtungen durch zugehörige Institutionen oder Handlungsnormen unzweideutig geregelt sind. Aber Austin verwirrt das Bild dadurch, daß er diese Interaktionen, anhand deren er den illokutionären Bindungseffekt von Sprechhandlungen analysiert, nicht als *typenverschieden* von jenen Interaktionen betrachtet, in denen perlokutionäre Effekte auftreten. Wer eine Wette abschließt, einen Offizier zum Oberbefehlshaber ernennt, wer einen Befehl gibt, eine Ermahnung oder eine Warnung ausspricht, eine Voraussage macht, eine Erzählung vorträgt, ein Geständnis ablegt, eine Enthüllung macht usw., handelt kommunikativ und kann *auf derselben Interaktionsebene* überhaupt keine perlokutionären Effekte erzeugen. Perlokutionäre Ziele kann der Sprecher nur dann verfolgen, wenn er sein Gegenüber darüber täuscht, daß er strategisch handelt; wenn er beispielsweise den Befehl gibt, anzugreifen, um die Truppe in einen Hinterhalt laufen zu lassen; wenn er eine Wette um dreitausend Mark anbietet, um den anderen in Verlegenheit zu bringen; wenn er am späten Abend noch eine Geschichte erzählt, um den Aufbruch eines Gastes zu verzögern usw. Gewiß können im kommunikativen Handeln jederzeit Handlungsfolgen eintreten, die nicht beabsichtigt sind; sobald aber die Gefahr besteht, daß diese dem Sprecher als intendierte Erfolge zugerechnet werden, sieht dieser sich zu Erklärungen und Dementis, gegebenenfalls zu Entschuldigungen genötigt, um den *falschen Eindruck* zu zerstreuen, die Nebenfolgen seien *perlokutionäre Effekte*. Sonst muß er damit rechnen, daß sich die Kommunikationsteilnehmer getäuscht fühlen, ihrerseits eine strategische Einstellung einnehmen und aus verständigungsorientiertem Handeln ausscheren. In komplexen Handlungszusammenhängen kann allerdings ein Sprechakt, der unmittelbar unter Voraussetzungen kommunikativen Handelns vollzogen und akzeptiert wird, auf *anderen* Interaktionsebenen gleichzeitig einen strategischen Stellenwert haben, bei *Dritten* perlokutive Effekte auslösen.

Ich rechne also diejenigen sprachlich vermittelten Interaktionen, in denen alle Beteiligten mit ihren Sprechhandlungen illokutionäre Ziele *und nur solche* verfolgen, zum kommunikativen Handeln. Die Interaktionen hingegen, in denen mindestens einer der Beteiligten mit seinen Sprechhandlungen bei einem Gegenüber perlokutionäre Effekte hervorrufen will, betrachte ich als sprachlich vermitteltes strategisches Handeln. Austin hat diese beiden Fälle nicht als verschiedene Interaktionstypen auseinandergehalten, weil er dazu neigte, Sprechhandlungen, also Akte der Verständigung, mit den sprachlich vermittelten Interaktionen selber zu identifizieren. Er hat nicht gesehen, daß Sprechhandlungen als Koordinationsmechanismen für *andere* Handlungen funktionieren. Aus solchen Zusammenhängen kommunikativen Handelns müssen sie ausgeklinkt werden, bevor sie in strategische Interaktionen einbezogen werden können. Das ist wiederum nur darum möglich, weil Sprechhandlungen gegenüber dem kommunikativen Handeln, auf dessen Interaktionsstrukturen die Bedeutung des Gesagten stets verweist, eine relative Selbständigkeit besitzen. Die Differenz zwischen einer Sprechhandlung und dem Interaktionszusammenhang, den sie durch ihre handlungskoordinierende Leistung konstituiert, läßt sich leichter erkennen, wenn man nicht, wie Austin, an den Modellfall institutionell gebundener Sprechhandlungen fixiert ist.[40]

3. *Bedeutung und Geltung.* Ich habe anhand des kontroversen Verhältnisses von illokutionären und perlokutionären Akten nachzuweisen versucht, daß Sprechhandlungen zwar strategisch eingesetzt werden können, aber nur für kommunikative Handlungen eine konstitutive Bedeutung haben. Kommunikatives Handeln zeichnet sich gegenüber strategischen Interaktionen dadurch aus, daß alle Beteiligten illokutionäre Ziele vorbehaltlos verfolgen, um ein Einverständnis zu erzielen, das die Grundlage für eine einver-

---

40 Dazu vgl. Habermas (1976 b), 221: »Für institutionell gebundene Sprechhandlungen lassen sich stets bestimmte Institutionen angeben; für institutionell ungebundene Sprechhandlungen lassen sich lediglich allgemeine Kontextbedingungen angeben, die typischerweise erfüllt sein müssen, damit ein entsprechender Akt gelingen kann. Um zu erklären, was Wett- oder Taufakte bedeuten, muß ich mich auf die Institution der Wette oder der Taufe beziehen. Hingegen stellen Befehle oder Ratschläge oder Fragen keine Institutionen dar, sondern Sprechhandlungstypen, die zu sehr verschiedenen Institutionen passen. ›Institutionelle Bindung‹ ist gewiß ein Kriterium, das nicht in jedem Fall eine unzweideutige Einstufung erlaubt: Befehle kann es überall geben, wo Autoritätsverhältnisse institutionalisiert sind; Ernennungen setzen spezielle, nämlich bürokratisch ausgebildete Ämterorganisationen voraus; und Heiraten verlangen eine einzige Institution (die zudem universell verbreitet ist). Das entwertet aber nicht die Brauchbarkeit des analytischen Gesichtspunkts. Institutionell ungebundene Sprechhandlungen beziehen sich (soweit sie überhaupt einen regulativen Sinn haben) auf allgemeine Aspekte von Handlungsnormen überhaupt; sie sind aber nicht wesentlich durch besondere Institutionen festgelegt.«

nehmliche Koordinierung der jeweils individuell verfolgten Handlungspläne bietet. Im weiteren möchte ich erklären, welchen Bedingungen ein kommunikativ erzieltes Einverständnis, das Funktionen der Handlungskoordinierung erfüllt, genügen muß. Das Modell, an dem ich mich dabei orientieren will, sind elementare Paare von Äußerungen, die jeweils aus dem Sprechakt eines Sprechers und der affirmativen Stellungnahme eines Hörers bestehen. An den folgenden Beispielsätzen[41]

(1) Ich verspreche Dir (hiermit), daß ich morgen kommen werde

(2) Es wird gebeten, das Rauchen einzustellen

(3) Ich gestehe Dir, daß ich Deine Handlungsweise abscheulich finde

(4) Ich kann (Dir) voraussagen, daß der Urlaub verregnen wird

läßt sich ablesen, was eine affirmative Stellungnahme jeweils bedeutet und welche Art von Interaktionsfolgen sie begründet:

(1') Ja, ich verlasse mich darauf...

(2') Ja, ich will dem Folge leisten...

(3') Ja, das glaube ich Dir...

(4') Ja, damit müssen wir rechnen...

Der Hörer akzeptiert mit seinem »Ja« ein Sprechaktangebot und begründet ein Einverständnis, das sich einerseits auf den *Inhalt der Äußerung*, andererseits auf *sprechaktimmanente Gewährleistungen* und *interaktionsfolgenrelevante Verbindlichkeiten* bezieht. Das sprechakttypische Handlungspotential kommt in dem Anspruch zum Ausdruck, den der Sprecher im Fall expliziter Sprechhandlungen mit Hilfe eines performativen Verbes für das, was er sagt, erhebt. Indem der Hörer diesen Anspruch anerkennt, akzeptiert er ein mit dem Sprechakt gemachtes Angebot. Dieser illokutionäre Erfolg ist insofern handlungsrelevant, als mit ihm eine koordinationswirksame interpersonale Beziehung zwischen Sprecher und Hörer hergestellt wird, die Handlungsspielräume und Interaktionsfolgen ordnet und über generelle Handlungsalternativen Anschlußmöglichkeiten für den Hörer eröffnet.

---

41 Vgl. D. Wunderlich, Zur Konventionalität von Sprechhandlungen, in: D. Wunderlich (Hrsg.), Linguistische Pragmatik, Ffm. 1972, 16 f.; dort auch eine linguistische Charakterisierung von Sprechhandlungen in Standardform.

Es fragt sich nun, woraus Sprechhandlungen ihre handlungskoordinierende Kraft beziehen, soweit sie diese Autorität nicht, wie im
Falle institutionell gebundener Sprechhandlungen, unmittelbar der
sozialen Geltung von Normen entlehnen oder, wie im Falle von
imperativen Willensäußerungen, einem kontingenterweise verfügbaren Sanktionspotential verdanken. Aus der Perspektive des Hörers, an den eine Äußerung adressiert wird, können wir drei Ebenen von Reaktionen auf eine (korrekt wahrgenommene) Sprechhandlung unterscheiden: der Hörer *versteht* die Äußerung, d. h. er
erfaßt die Bedeutung des Gesagten; der Hörer *nimmt* zu einem mit
dem Sprechakt erhobenen Anspruch mit ›*Ja*‹ oder ›*Nein*‹ *Stellung*,
d. h. er akzeptiert das Sprechaktangebot oder lehnt es ab; und in
der Konsequenz eines erzielten Einverständnisses richtet der Hörer sein Handeln nach den *konventionell festgelegten Handlungsverpflichtungen.* Die *pragmatische* Ebene des koordinationswirk-
samen Einverständnisses verknüpft die *semantische* Ebene des
Sinnverstehens mit der *empirischen* Ebene einer kontextabhän-
gigen Weiterverarbeitung der interaktionsfolgenrelevanten Einigung. Wie diese Verknüpfung zustande kommt, kann mit Mitteln
der Bedeutungstheorie aufgeklärt werden; dazu muß freilich der
formalsemantische Ansatz, der sich auf das Verstehen von Sätzen
beschränkt, erweitert werden.[42]

42 Selbst die im Anschluß an den späten Wittgenstein (W. P. Alston, Philosophy of
Language, Englewood Cliffs 1964; Tugendhat 1976) entwickelte Gebrauchstheorie
der Bedeutung bleibt an die solitäre Verwendung von Sätzen fixiert. Wie die Bedeutungstheorie von Frege orientiert auch sie sich am Beispiel der nicht-kommunikativen Verwendung von Aussagesätzen in foro interno; sie sieht von interpersonalen
Beziehungen zwischen Sprechern und Hörern, die sich mit Hilfe kommunikativer
Akte über etwas verständigen, ab. Tugendhat begründet diese Selbstbeschränkung
der Semantik damit, daß der kommunikative Gebrauch der Sprache nur für spezielle sprachliche Ausdrücke, insbesondere für die performativen Verben und die mit
ihnen gebildeten Sprechhandlungen konstitutiv sei; in den semantisch wesentlichen
Teilen könne die Sprache jedoch für eine monologische Gedankenführung verwendet werden. Tatsächlich besteht ja ein intuitiv leicht zugänglicher Unterschied zwischen einem von Sprecher-Hörer-Beziehungen abstrahierenden Denken in Propositionen und einer Vergegenwärtigung interpersonaler Beziehungen in der Einbil-
dung. Bei der Imagination von Geschichten, in denen das phantasierende Ich sich
selbst einen Platz in einem Interaktionszusammenhang zuweist, bleiben die wie
immer auch internalisierten Rollen von Kommunikationsteilnehmern der ersten,

Die formalpragmatisch ansetzende Bedeutungstheorie geht von der Frage aus, *was es heißt*, einen kommunikativ verwendeten Satz, d. h. *eine Äußerung zu verstehen*. Die formale Semantik legt einen begrifflichen Schnitt zwischen die Bedeutung eines Satzes und die Meinung des Sprechers, der mit dem Satz, wenn er ihn in einem Sprechakt verwendet, etwas anderes sagen kann, als dieser wörtlich bedeutet. Diese Unterscheidung läßt sich jedoch nicht zu einer methodischen Trennung zwischen der formalen Analyse von *Satzbedeutungen* und der empirischen Analyse von geäußerten *Meinungen* ausbauen, weil die wörtliche Bedeutung eines Satzes unabhängig von den Standardbedingungen seiner kommunikativen Verwendung gar nicht erklärt werden kann. Allerdings muß auch die formale Pragmatik Vorkehrungen treffen, damit im Standardfall das Gemeinte von der wörtlichen Bedeutung des Gesagten nicht abweicht. Unsere Analyse beschränkt sich deshalb auf Sprechhandlungen, die *unter Standardbedingungen* ausgeführt werden. Damit soll sichergestellt werden, daß ein Sprecher nichts anderes meint als die wörtliche Bedeutung dessen, was er sagt.

Ich will nun, in entfernter Analogie zur Grundannahme der Wahrheitssemantik, das Verständnis einer Äußerung auf die Kenntnis der Bedingungen zurückführen, unter denen die Äußerung von einem Hörer akzeptiert werden kann. *Wir verstehen einen Sprechakt, wenn wir wissen, was ihn akzeptabel macht.* Aus der Perspektive des Sprechers sind die Akzeptabilitätsbedingungen mit den Bedingungen seines illokutionären Erfolgs identisch. Akzeptabilität wird nicht im objektivistischen Sinne aus der Perspektive eines Beobachters definiert, sondern aus der performativen Einstellung des Kommunikationsteilnehmers. Ein Sprechakt soll dann »akzep-

zweiten und dritten Person für den Sinn des Gedachten oder Vorgestellten konstitutiv. Allein, auch das einsame Denken in Propositionen ist nicht nur im übertragenen Sinne diskursiv. Das zeigt sich, sobald die Gültigkeit und damit die assertorische Kraft einer Aussage problematisch wird und der einsame Denker vom Schlußfolgern zum Erfinden und Abwägen von Hypothesen übergehen muß. Dann sieht er sich nämlich genötigt, die Argumentationsrollen des Proponenten und des Opponenten in ähnlicher Weise als eine kommunikative Beziehung in seine Gedanken aufzunehmen wie der Tagträumer, wenn er sich an Alltagsszenen erinnert, die narrative Struktur von Sprecher-Hörerbeziehungen.

tabel« heißen dürfen, wenn er die Bedingungen erfüllt, die notwendig sind, damit ein Hörer zu dem vom Sprecher erhobenen Anspruch mit ›Ja‹ Stellung nehmen kann. Diese Bedingungen können nicht einseitig, weder sprecher- noch hörerrelativ erfüllt sein; es sind vielmehr Bedingungen für die *intersubjektive Anerkennung* eines sprachlichen Anspruchs, der sprechakttypisch ein inhaltlich spezifiziertes Einverständnis über interaktionsfolgenrelevante Verbindlichkeiten begründet.

Unter Gesichtspunkten einer soziologischen Handlungstheorie muß ich vornehmlich an der Aufklärung des Mechanismus, der die Koordinationsleistungen von Sprechhandlungen betrifft, interessiert sein; deshalb konzentriere ich mich auf diejenigen Bedingungen, unter denen ein Sprecher zur Annahme eines Sprechaktangebots motiviert wird, wenn vorausgesetzt werden darf, daß die verwendeten sprachlichen Ausdrücke grammatisch wohlgeformt sind und daß die sprechakttypisch erforderlichen Kontextbedingungen erfüllt sind.[43] Ein Hörer versteht die Bedeutung einer Äußerung, wenn er außer grammatischen Wohlgeformtheits- und allgemeinen Kontextbedingungen[44] diejenigen *essentiellen Bedingungen* kennt, unter denen er vom Sprecher zu einer affirmativen Stellungnahme motiviert werden kann.[45] Diese *Akzeptabilitätsbedingungen im engeren Sinne* beziehen sich auf den Sinn der illokutiven Rolle, den S in Standardfällen mit Hilfe eines performativen Handlungsprädikats zum Ausdruck bringt.

43 Wenn ein Versprechen beispielsweise die Form annähme
(1[+]) Ich verspreche dir, daß ich gestern in Hamburg gewesen bin
wäre eine Bedingung der grammatischen Wohlgeformtheit verletzt. Wenn hingegen S den korrekten Satz (1) unter der Voraussetzung äußern würde, daß H ohnehin mit einem Besuch von S rechnen kann, wäre eine der für Versprechen typischerweise vorausgesetzten Kontextbedingungen verletzt.

44 Die philosophischen und linguistischen Beiträge zur Theorie der Sprechakte befassen sich hauptsächlich mit der Analyse dieser Bedingungen. Unter den von Searle entwickelten theoretischen Gesichtspunkten analysiert Sprechhandlungen vom Typus der »Ratschläge« D. Wunderlich, Grundlagen der Linguistik, Hbg. 1974, 349 ff.

45 In diesem Sinne spricht auch R. Bartsch, Die Rolle von pragmatischen Korrektheitsbedingungen bei der Interpretation von Äußerungen, in: G. Grewendorf (Hrsg.), Sprechakttheorie und Semantik, Ffm. 1979, 217 ff., von ›Akzeptierbarkeitsbedingungen‹ im Unterschied zu Korrektheits- und Gültigkeitsbedingungen.

Betrachten wir aber zunächst einen grammatisch richtigen Aufforderungssatz, der als Imperativ unter angemessenen Kontextbedingungen verwendet wird:

(5) Ich fordere Dich (hiermit) auf, das Rauchen einzustellen.

Imperative werden oft nach dem Muster perlokutionärer Akte als Versuche eines Aktors S verstanden, H dazu zu veranlassen, eine bestimmte Handlung auszuführen. Nach dieser Auffassung vollzieht S einen Aufforderungssatz nur dann, wenn er mit seiner Äußerung die Intention verbindet, H solle der Äußerung entnehmen, daß S den Versuch macht, ihn zur Handlung h zu veranlassen.[46] Mit dieser Auffassung wird aber der illokutionäre Sinn von Aufforderungen verkannt. Indem ein Sprecher einen Imperativ äußert, *sagt* er, *was* H tun möge. Diese *direkte Form* der Verständigung macht eine Sprechhandlung, mittels deren er einen Hörer zu einer bestimmten Handlung indirekt veranlassen könnte, überflüssig. Der illokutionäre Sinn von Aufforderungen läßt sich vielmehr durch folgende Paraphrasen[47] beschreiben:

(5a) S hat dem H gesagt, er möge dafür Sorge tragen, daß ›p‹ zustande kommt;

(5b) S hat dem H bedeutet, er solle ›p‹ verwirklichen;

(5c) Die von S geäußerte Aufforderung ist dahingehend zu verstehen, daß H ›p‹ herbeiführen solle.

Dabei bezeichnet ›p‹ einen Zustand in der objektiven Welt, der, relativ zum Zeitpunkt der Äußerung, in der Zukunft liegt und durch eine Intervention bzw. Unterlassung des Adressaten, wenn alle übrigen Bedingungen gleichbleiben, zur Existenz gelangen kann, so z. B. den Zustand des Nicht-Rauchens, den H herbeiführt, indem er seine brennende Zigarette ausdrückt.

Die Bedingungen, unter denen ein Hörer die Aufforderung (5) akzeptiert, indem er dazu affirmativ mit

(5') Ja, ich will das Verlangte tun . . .

Stellung nimmt, zerfallen, wenn wir uns auf die Akzeptabilitäts-

---

46 Erstaunlicherweise nähert sich auch Searle (1969, 66) dieser Auffassung der intentionalen Semantik; dazu vgl. Schiffer (1972), 63.
47 Schwab (1980), 65

bedingungen im engeren Sinne beschränken, in zwei Komponenten.

Der Hörer soll den illokutionären Sinn von Aufforderungen so verstehen, daß er diesen mit Sätzen wie (5a) oder (5b) oder (5c) paraphrasieren und den propositionalen Gehalt »Das Rauchen einstellen« im Sinne einer an ihn ergangenen Aufforderung interpretieren kann. In der Tat versteht der Hörer die Aufforderung (5), wenn er die Bedingungen kennt, unter denen ›p‹ eintreten würde, und wenn er weiß, was er selbst unter gegebenen Umständen tun oder lassen müßte, damit diese Bedingungen erfüllt werden. Wie man für das Verständnis einer Proposition deren Wahrheitsbedingungen kennen muß, so muß man für das Verständnis von Imperativen wissen, unter welchen Bedingungen der Imperativ als erfüllt gilt. Im Rahmen einer pragmatisch ansetzenden Bedeutungstheorie werden diese zunächst semantisch formulierten *Erfüllungsbedingungen* im Sinne interaktionsfolgenrelevanter Verbindlichkeiten gedeutet. Der Hörer versteht einen Imperativ, wenn er weiß, was er tun oder lassen müsse, um den von S erwünschten Zustand ›p‹ herbeizuführen; damit weiß er auch, wie er seine Handlungen an die Handlungen von S *anschließen* könnte.

Sobald wir das Verstehen von Imperativen aus dieser auf den Interaktionszusammenhang erweiterten Perspektive begreifen, wird freilich klar, daß die Kenntnis der »Erfüllungsbedingungen« nicht hinreicht, um zu wissen, wann die Aufforderung akzeptabel ist. Es fehlt als zweite Komponente die Kenntnis der *Bedingungen für das Einverständnis*, welches die *Einhaltung* der interaktionsfolgenrelevanten Verbindlichkeiten erst *begründet*. Der Hörer versteht den illokutionären Sinn der Aufforderung vollständig erst dann, wenn er weiß, warum der Sprecher erwartet, daß er seinen Willen dem Hörer imponieren kann. Der Sprecher erhebt mit einem Imperativ einen *Machtanspruch*, dem sich der Hörer, wenn er ihn akzeptiert, unterwirft. Es gehört zur Bedeutung eines Imperativs, daß der Sprecher für die Durchsetzung seines Machtanspruchs eine *begründete* Erwartung hegt; dies gilt nur unter der Bedingung, daß S weiß, daß sein Adressat Gründe hat, sich seinem Machtanspruch zu fügen. Da wir Aufforderungen zunächst im Sinne faktischer Willensäußerungen verstehen, können diese

Gründe nicht im illokutionären Sinn der Sprechhandlung selber liegen; sie können nur in einem mit der Sprechhandlung extern verknüpften Sanktionspotential liegen. Mithin müssen *die Erfüllungsbedingungen durch Sanktionsbedingungen ergänzt* werden, um die Akzeptabilitätsbedingungen vollständig zu machen.

Ein Hörer versteht also die Aufforderung (5), wenn er (a) die Bedingungen kennt, unter denen ein Adressat den erwünschten Zustand (Nicht-Rauchen) herbeiführen kann, und wenn er (b) die Bedingungen kennt, unter denen S gute Gründe hat zu erwarten, daß H sich (beispielsweise durch die Androhung von Strafen, die auf der Verletzung von Sicherheitsvorschriften stehen) gezwungen sieht, sich dem Willen von S zu fügen. Erst in Kenntnis beider Komponenten (a) und (b) weiß der Hörer, welche Bedingungen erfüllt sein müssen, damit ein Hörer zu der Aufforderung (5) im Sinne von (5') affirmativ Stellung nehmen kann. Indem er diese Bedingungen kennt, weiß er, was die Äußerung akzeptabel macht.

Das Bild kompliziert sich auf eine lehrreiche Weise, wenn wir von echten Imperativen oder *einfachen* Aufforderungen zu *normativ autorisierten* Aufforderungen oder Befehlen übergehen und (5) mit einer Variante von (2) vergleichen:

(6) Ich gebe Ihnen (hiermit) die Anweisung, das Rauchen einzustellen.

Diese Äußerung setzt anerkannte Normen voraus, z. B. die Sicherheitsvorschriften des internationalen Flugverkehrs, und einen institutionellen Rahmen, der die Inhaber bestimmter Positionen, z. B. Stewardessen, befugt, in bestimmten Situationen, beim Ansetzen zur Landung, einem bestimmten Kreis von Personen, hier also den Passagieren, mit Berufung auf bestimmte Vorschriften die Anweisung zu geben, das Rauchen einzustellen.

Wiederum läßt sich der illokutionäre Sinn zunächst durch die unter (a) genannten Bedingungen spezifizieren; aber im Falle von Anweisungen *verweist* der illokutionäre Sinn nicht nur auf Bedingungen (b), die aus dem Kontext der Sprechhandlung ergänzt werden müssen; vielmehr *ergeben* sich diese Bedingungen für das Akzeptieren des sprachlichen Anspruchs, und damit für ein Einverständnis zwischen S und H, aus dem illokutionären Akt selber. Im

Falle der imperativischen Willensäußerung hat S für die Erwartung, daß H sich seinem Willen beugt, nur dann gute Gründe, wenn er über Sanktionen verfügt, mit denen er H erkennbar drohen oder locken kann. Solange sich S nicht auf die Gültigkeit von Normen beruft, macht es keinen Unterschied, ob das Sanktionspotential rechtlich oder faktisch begründet ist; denn S wirkt, solange er einen Imperativ, und d. h. nichts als den eigenen Willen äußert, auf die Motive von H immer nur empirisch ein, indem er einen Schaden androht oder einen Gewinn anbietet. Die Gründe für das Akzeptieren von Willensäußerungen beziehen sich auf Motive des Hörers, auf die der Sprecher allein empirisch, letztlich mit Gewalt oder Gütern Einfluß nehmen kann. Anders verhält es sich mit normativ autorisierten Aufforderungen wie Befehlen oder Anweisungen. Im Unterschied zu (5) beruft sich der Sprecher mit (6) auf die *Geltung* von Sicherheitsvorschriften und erhebt, indem er eine Anweisung gibt, einen Geltungsanspruch.

Die Anmeldung eines *Geltungsanspruches* ist nicht Ausdruck eines kontingenten Willens; und das Ja zu einem Geltungsanspruch keine allein empirisch motivierte Entscheidung. Beide Akte, das Stellen und das Anerkennen eines Geltungsanspruchs, unterliegen konventionellen Beschränkungen, weil ein solcher Anspruch nur in Form einer Kritik zurückgewiesen, und gegen Kritik nur in Form einer Widerlegung verteidigt werden kann. Wer sich einer Anweisung widersetzt, wird auf geltende Vorschriften hingewiesen, nicht auf Strafen, die im Falle der Nichtbefolgung zu erwarten sind. Und wer die Gültigkeit der zugrunde liegenden Normen anzweifelt, wird *Gründe* anführen müssen, sei es gegen die Legalität der Vorschrift, d. h. die Rechtmäßigkeit ihrer sozialen Geltung, oder gegen die Legitimität der Vorschrift, d. h. den Anspruch, im moralisch-praktischen Sinne richtig oder gerechtfertigt zu sein. Geltungsansprüche sind *intern* mit Gründen verknüpft. Insofern können die Bedingungen für die Akzeptabilität von Anweisungen dem illokutionären Sinn einer Sprechhandlung *selbst* entnommen werden; sie brauchen nicht durch *hinzutretende* Sanktionsbedingungen vervollständigt zu werden.

So versteht ein Hörer die Anweisung (6), wenn er (a) die Bedingungen kennt, unter denen ein Adressat den erwünschten Zustand

(Nicht-Rauchen) herbeiführen kann, und wenn er (b) die Bedingungen kennt, unter denen S überzeugende Gründe haben kann, eine Aufforderung des Inhalts (a) für gültig, d. h. für normativ gerechtfertigt zu halten. Die Bedingungen (a) betreffen Handlungsverpflichtungen, die sich[48] aus einem Einverständnis ergeben, welches auf der intersubjektiven Anerkennung des für eine entsprechende Aufforderung erhobenen normativen Geltungsanspruches beruht. Die Bedingungen (b) betreffen das Akzeptieren dieses Geltungsanspruches selber, wobei wir unterscheiden müssen zwischen der *Gültigkeit* einer Handlung bzw. der zugrunde liegenden Norm, dem *Anspruch*, daß die Bedingungen für deren Gültigkeit erfüllt sind, und der *Einlösung* des erhobenen Geltungsanspruchs, d. h. der Begründung, daß die Bedingungen für die Gültigkeit einer Handlung bzw. der zugrunde liegenden Norm erfüllt sind. Ein Sprecher kann einen Hörer zur Annahme seines Sprechaktangebotes, wie wir nun sagen können, *rational motivieren*, weil er aufgrund eines internen Zusammenhangs zwischen Gültigkeit, Geltungsanspruch und Einlösung des Geltungsanspruchs die *Gewähr* dafür übernehmen kann, erforderlichenfalls überzeugende Gründe anzugeben, die einer Kritik des Hörers am Geltungsanspruch standhalten. So verdankt ein Sprecher die bindende Kraft seines illokutionären Erfolges nicht der Gültigkeit des Gesagten, sondern *dem Koordinationseffekt der Gewähr*, die er dafür bietet, den mit seiner Sprechhandlung erhobenen Geltungsanspruch gegebenenfalls einzulösen. An die Stelle der empirisch motivierenden Kraft eines mit Sprechhandlungen kontingent verknüpften Sanktionspotentials tritt die rational motivierende Kraft der Gewährleistung von Geltungsansprüchen in allen Fällen, wo die illokutionäre Rolle keinen Macht-, sondern einen Geltungsanspruch zum Ausdruck bringt.

Das gilt nicht nur für regulative Sprechakte wie (1) und (2), sondern auch für expressive und konstative Sprechakte wie (3) und

---

48 im Falle von Befehlen oder Anweisungen in erster Linie für den Adressaten, im Falle von Versprechen oder Ankündigungen in erster Linie für den Sprecher, im Falle von Vereinbarungen oder Verträgen symmetrisch für beide Seiten, im Falle von (normativ gehaltvollen) Ratschlägen oder Warnungen zwar für beide Seiten, aber asymmetrisch ergeben.

(4). Wie der Sprecher mit (1) für seine Absicht, selber einen erwünschten Zustand herbeizuführen, einen normativen Geltungsanspruch *erzeugt*; und wie er mit (2) für seine Aufforderung an H, dieser möge einen für S erwünschten Zustand herbeiführen, einen normativen Geltungsanspruch *erhebt*, so stellt der Sprecher mit (3) für ein preisgegebenes intentionales Erlebnis einen Wahrhaftigkeitsanspruch und mit (4) für eine Proposition einen Wahrheitsanspruch. In (3) ist es die Enthüllung einer bis dahin kaschierten Gefühlseinstellung, in (4) die Aufstellung einer Proposition, für deren Gültigkeit der Sprecher, indem er ein Geständnis ablegt bzw. eine Voraussage macht, die Gewähr übernimmt. So versteht ein Hörer das Geständnis (3), wenn er (a) die Bedingungen kennt, unter denen eine Person Abscheu vor ›p‹ empfinden kann, und wenn er (b) die Bedingungen kennt, unter denen S sagt, was er meint, und damit die Gewähr dafür übernimmt, daß sein weiteres Verhalten mit diesem Geständnis konsistent sein wird. Ein Hörer versteht (4), wenn er (a) die Bedingungen kennt, die die Voraussage wahr machen, und wenn er (b) die Bedingungen kennt, unter denen S überzeugende Gründe haben kann, eine Aussage des Inhalts (a) für wahr zu halten.

Allerdings bestehen auch wichtige Asymmetrien. So betreffen die unter (a) genannten Bedingungen bei expressiven und konstativen Sprechhandlungen wie (3) und (4) *nicht* die Handlungsverpflichtungen, die sich aus der intersubjektiven Anerkennung des jeweiligen Geltungsanspruches ergeben, sondern allein das Verständnis des propositionalen Gehalts eines Erlebnis- bzw. eines Aussagesatzes, für den der Sprecher Gültigkeit beansprucht. Bei regulativen Sprechakten wie (1) und (2) betreffen die Bedingungen (a) zwar ebenfalls das Verständnis des propositionalen Gehalts eines Absichts- bzw. eines Aufforderungssatzes, für den der Sprecher normative Gültigkeit erzeugt bzw. beansprucht; aber hier umschreibt der Inhalt *zugleich* die interaktionsfolgenrelevanten Verbindlichkeiten, die sich für den Hörer aus dem Akzeptieren des Geltungsanspruches ergeben.

Aus der Bedeutung expressiver Sprechakte ergeben sich im allgemeinen Handlungsverpflichtungen nur in der Weise, daß der Sprecher spezifiziert, womit sein Verhalten nicht in Widerspruch geraten darf. Daß ein Sprecher meint, was er sagt, kann er nur in der Konsequenz seines Tuns, nicht durch die Angabe von Gründen glaubhaft machen. Deshalb können Adressaten, die einen Wahrhaftigkeitsanspruch akzeptiert haben, in bestimmten Hinsichten eine Verhaltenskonsistenz erwarten; diese Erwartung folgt aber aus den unter (b) angegebenen Bedingungen. Natürlich ergeben sich auch bei regulativen und konstativen Sprechhandlungen Konsequenzen aus den mit dem Geltungsanspruch angebotenen Gewährleistungen; aber diese *geltungsrelevanten* Verpflichtungen, gegebenenfalls Rechtfertigungen für Normen oder Begründungen für Propositionen beizubringen, sind *handlungsrelevant* nur auf einer metakommunikativen Ebene. Unmittelbare *Relevanz für die Fortsetzung der Interaktion* haben nur jene Bewährungsverpflichtungen, die der Sprecher mit expressiven Sprechakten übernimmt; darin ist das Angebot enthalten, der Hörer möge an der Konsistenz seiner Handlungssequenzen überprüfen, ob der Sprecher meint, was er sagt.[49]

Aus der Bedeutung von konstativen Sprechakten folgen im allgemeinen keine *speziellen* Handlungsverpflichtungen; aus der Erfüllung der unter (a) wie unter (b) genannten Akzeptabilitätsbedingungen ergeben sich interaktionsfolgenrelevante Verbindlichkeiten nur insofern, als Sprecher und Hörer sich verpflichten, ihr Handeln auf Situationsdeutungen zu stützen, die den als wahr akzeptierten Aussagen nicht widersprechen.

Wir haben echte Imperative, mit denen der Sprecher einen Machtanspruch verbindet, von Sprechhandlungen unterschieden, mit denen der Sprecher einen kritisierbaren Geltungsanspruch erhebt. Während Geltungsansprüche intern mit Gründen verknüpft sind und der illokutionären Rolle eine rational motivierende Kraft verleihen, müssen Machtansprüche durch ein Sanktionspotential gedeckt sein, damit sie durchgesetzt werden können. Allerdings sind Aufforderungen einer *sekundären Normierung* zugänglich. Das läßt sich am Verhältnis von Absichtssätzen und Absichtserklärungen illustrieren. Absichtssätze gehören in die gleiche Kategorie wie

49 Zu diesen »sprechaktimmanenten Verpflichtungen« vgl. Habermas (1976b), 252 ff.

Aufforderungssätze, mit denen Imperative gebildet werden; Absichtssätze können wir nämlich als internalisierte und vom Sprecher an sich selbst adressierte Aufforderungen verstehen.[50] Freilich sind Aufforderungen illokutionäre Akte, während Absichtssätze eine illokutionäre Rolle erst dadurch erhalten, daß sie in Absichtserklärungen oder *Ankündigungen* transformiert werden. Während Imperative von Haus aus eine, wenn auch auf eine Ergänzung durch Sanktionen angelegte illokutionäre Kraft besitzen, können Absichtssätze, die in foro interno gleichsam ihre imperativische Kraft eingebüßt haben, eine illokutionäre Kraft dadurch zurückgewinnen, daß sie eine Verbindung mit Geltungsansprüchen eingehen, sei es in der Form expressiver Sprechhandlungen wie

(7) Ich gestehe Dir, daß ich die Absicht habe...

oder in der Form normativer Sprechhandlungen wie:

(8) Ich erkläre Dir (hiermit), daß ich die Absicht habe...

Mit Ankündigungen wie (8) geht der Sprecher eine schwache normative Bindung ein, die der Adressat in ähnlicher Weise einklagen kann wie ein Versprechen.

Nach diesem Vorbild der Normierung von Absichtssätzen läßt sich auch die Transformation von einfachen Aufforderungen in normativ autorisierte Aufforderungen oder von bloßen Imperativen in Befehle begreifen. Die Aufforderung (5) kann, indem sie mit einem normativen Geltungsanspruch aufgeladen wird, in die Anweisung (6) umgeformt werden. Damit verändert sich in den Akzeptabilitätsbedingungen die jeweils unter (b) angegebene Komponente; die zum imperativischen Machtanspruch hinzutretenden Sanktionsbedingungen werden durch die rational motivierenden Bedingungen für die Annahme eines kritisierbaren Geltungsanspruches ersetzt. Weil diese aus der illokutionären Rolle selbst abgeleitet werden können, gewinnt die normierte Aufforderung eine Autonomie, die dem bloßen Imperativ abgeht.

Daran wird noch einmal deutlich, daß nur solche Sprechhandlungen, mit denen der Sprecher einen kritisierbaren Geltungsanspruch verbindet, sozusagen aus eigener Kraft, und zwar dank der Geltungsbasis der auf Verständigung angelegten sprachlichen Kom-

---

50 Siehe unten Bd. 2, S. 52 ff.

munikation, einen Hörer zur Annahme eines Sprechaktangebots bewegen und damit als Mechanismus der Handlungskoordinierung wirksam werden können.[51]

Nach diesen Überlegungen bedarf der vorläufig eingeführte Begriff des kommunikativen Handelns einer Präzisierung. Zum kommunikativen Handeln haben wir zunächst alle die Interaktionen gerechnet, in denen die Beteiligten ihre individuellen Handlungspläne vorbehaltlos auf der Grundlage eines kommunikativ erzielten Einverständnisses koordinieren. Mit der Bestimmung der »vorbehaltlosen Verfolgung illokutionärer Ziele« sollten Fälle latent strategischen Handelns ausgeschlossen werden, in denen der Sprecher illokutionäre Erfolge *unauffällig* für perlokutive Ziele einsetzt. Nun sind aber imperativische Willensäußerungen illokutionäre Akte, mit denen der Sprecher das Ziel der Einflußnahme auf die Entscheidungen eines Gegenübers *offen* deklariert, wobei er die Durchsetzung seines Machtanspruchs auf ergänzende Sanktionen stützen muß. Deshalb können Sprecher mit echten Imperativen oder nicht-normierten Anforderungen illokutionäre Ziele vorbehaltlos verfolgen und gleichwohl strategisch handeln.

Für kommunikatives Handeln sind nur solche Sprechhandlungen konstitutiv, mit denen der Sprecher kritisierbare Geltungsansprüche verbindet. In den anderen Fällen, wenn ein Sprecher mit perlokutionären Akten nicht-deklarierte Ziele verfolgt, zu denen der Hörer überhaupt nicht Stellung nehmen kann, oder wenn er illokutionäre Ziele verfolgt, zu denen der Hörer, wie gegenüber Imperativen, nicht *begründet* Stellung nehmen kann, bleibt das in sprachlicher Kommunikation stets enthaltene Potential für eine durch Einsicht in Gründe motivierte Bindung brachliegen.

(4) *Geltungsansprüche.* Nachdem ich kommunikative Handlungen von allen übrigen sozialen Handlungen durch ihren illokutionären

---

51 Weil Schwab zwischen einfacher und normierter Aufforderung, Imperativ und Befehl, ebensowenig unterscheidet wie zwischen dem monologisch und dem kommunikativ verwendeten Absichtssatz, d. h. Absicht und Absichtserklärung, stellt er zwischen Imperativen und Absichtserklärungen eine falsche Parallele her und unterscheidet beide von konstativen Sprechhandlungen durch das Auseinanderfallen, und die hierarchische Stufung, von Geltungs- und Erfüllungserfolg. Schwab (1980), 72 f.; 74 ff.; 95 ff.

Bindungseffekt abgegrenzt habe, bietet es sich an, die Vielfalt kommunikativer Handlungen nach Typen von Sprechhandlungen zu ordnen. Und als Leitfaden für die Klassifikation von Sprechhandlungen empfehlen sich die Optionen eines Hörers, zur Äußerung eines Sprechers rational motiviert mit »Ja« oder »Nein« Stellung zu nehmen. Bei den bisherigen Beispielen sind wir davon ausgegangen, daß der Sprecher mit seiner Äußerung genau einen Geltungsanspruch erhebt. Mit dem Versprechen (1) verbindet er einen Geltungsanspruch für eine angekündigte Absicht, mit der Anweisung (2) einen Geltungsanspruch für eine Aufforderung, mit dem Geständnis (3) einen Geltungsanspruch für eine Gefühlsäußerung und mit der Voraussage (4) einen Geltungsanspruch für eine Aussage. Entsprechend bestreitet der Adressat mit einer Nein-Stellungnahme die Richtigkeit von (1) und (2), die Wahrhaftigkeit von (3) und die Wahrheit von (4). Dieses Bild ist insofern unvollständig, als jede Sprechhandlung unter mehr als einem Aspekt bestritten, d. h. als ungültig zurückgewiesen werden kann.

Nehmen wir an, daß ein Seminarteilnehmer die an ihn gerichtete Aufforderung des Professors

(7) Bitte, bringen Sie mir ein Glas Wasser

nicht als nackte imperativische Willensäußerung, sondern als einen in verständigungsorientierter Einstellung vollzogenen Sprechakt versteht. Dann kann er diese Bitte prinzipiell unter drei Geltungsaspekten zurückweisen. Er kann entweder die normative Richtigkeit der Äußerung bestreiten:

(7') Nein, Sie können mich nicht wie einen Ihrer Angestellten behandeln

oder er kann die subjektive Wahrhaftigkeit der Äußerung bestreiten:

(7") Nein, eigentlich haben Sie ja nur die Absicht, mich vor anderen Seminarteilnehmern in ein schiefes Licht zu bringen

oder er kann bestreiten, daß bestimmte Existenzvoraussetzungen zutreffen:

(7''') Nein, die nächste Wasserleitung ist so weit entfernt, daß ich vor Ende der Sitzung nicht zurück sein könnte.

Im ersten Fall wird bestritten, daß die Handlung des Professors in dem gegebenen normativen Kontext richtig ist; im zweiten Fall wird bestritten, daß der Professor meint, was er sagt, weil er einen bestimmten perlokutionären Effekt erzielen möchte; im dritten Fall werden Aussagen bestritten, deren Wahrheit der Professor unter den gegebenen Verhältnissen voraussetzen muß.

Was sich an diesem Beispiel demonstrieren läßt, gilt für *alle* verständigungsorientierten Sprechhandlungen. In Zusammenhängen kommunikativen Handelns können Sprechhandlungen stets unter *jedem* der drei Aspekte zurückgewiesen werden: unter dem Aspekt der Richtigkeit, die der Sprecher für seine Handlung mit Bezugnahme auf einen normativen Kontext (bzw. mittelbar für diese Normen selber) beansprucht; unter dem Aspekt der Wahrhaftigkeit, die der Sprecher für die Äußerung der ihm privilegiert zugänglichen subjektiven Erlebnisse beansprucht; schließlich unter dem Aspekt der Wahrheit, die der Sprecher mit seiner Äußerung für eine Aussage (bzw. für die Existenzpräsuppositionen des Inhalts einer nominalisierten Aussage) beansprucht.

Diese starke These kann an beliebigen Beispielen getestet und durch Überlegungen plausibel gemacht werden, die uns zu Bühlers Modell der Sprachfunktionen zurückführen werden.

Der Terminus ›Verständigung‹ hat die Minimalbedeutung, daß (mindestens) zwei sprach- und handlungsfähige Subjekte einen sprachlichen Ausdruck identisch verstehen. Nun besteht die Bedeutung eines elementaren Ausdrucks in dem Beitrag, den dieser zur Bedeutung einer akzeptablen Sprechhandlung leistet. Und um zu verstehen, was ein Sprecher mit einem solchen Akt sagen will, muß der Hörer die Bedingungen kennen, unter denen er akzeptiert werden kann. Insofern weist bereits das Verständnis eines elementaren Ausdrucks über die Minimalbedeutung des Ausdrucks ›Verständigung‹ hinaus. Wenn nun der Hörer ein Sprechaktangebot akzeptiert, kommt zwischen (mindestens) zwei sprach- und handlungsfähigen Subjekten ein *Einverständnis* zustande. Dieses beruht aber nicht nur auf der intersubjektiven Anerkennung eines einzigen, thematisch hervorgehobenen Geltungsanspruchs. Vielmehr wird ein solches Einverständnis gleichzeitig auf drei Ebenen erzielt. Diese lassen sich intuitiv leicht identifizieren, wenn man bedenkt, daß ein Sprecher im kommunikativen Handeln einen verständlichen sprachlichen Ausdruck nur wählt, um sich *mit* einem Hörer *über* etwas zu verständigen und dabei *sich selbst* verständlich zu machen. Es liegt in der kommunikativen Absicht des Sprechers, (a) eine im Hinblick auf den gegebenen normativen Kontext *richtige* Sprechhandlung zu vollziehen, damit eine als legitim anerkannte interpersonale Beziehung zwischen ihm und dem Hörer zustande kommt; (b) eine *wahre* Aussage (bzw. *zutreffende* Existenzvoraussetzungen) zu machen, damit der Hörer das Wissen des Sprechers übernimmt und teilt; und (c) Meinungen, Absichten, Gefühle, Wünsche usw. wahrhaftig zu äußern, damit der Hörer dem Gesagten Glauben schenkt. Daß die intersubjektive Gemeinsamkeit eines kommunikativ erzielten Einverständnisses auf den Ebenen normativer Übereinstimmung, geteilten propositionalen Wissens und gegenseitigen Vertrauens in die subjektive Aufrichtigkeit besteht, läßt sich wiederum mit den *Funktionen sprachlicher Verständigung* erklären.

Als Medium der Verständigung dienen Sprechakte (a) der Herstellung und der Erneuerung interpersonaler Beziehungen, wobei der Sprecher auf etwas in der *Welt* legitimer Ordnungen Bezug nimmt; (b) der Darstellung oder der Voraussetzung von Zuständen und Ereignissen, wobei der Sprecher auf etwas in der *Welt* existierender Sachverhalte Bezug nimmt; und (c) der Manifestation von Erlebnissen, d. h. der Selbstrepräsentation, wobei der Sprecher auf etwas in der ihm privilegiert zugänglichen subjektiven *Welt* Bezug nimmt. Das kommunikativ erzielte Einverständnis bemißt sich an genau drei kritisierbaren Geltungsansprüchen, weil die Aktoren, indem sie sich miteinander über etwas verständigen und dabei sich selbst verständlich machen, nicht umhin können, die jeweilige Sprechhandlung in genau drei Weltbezüge einzubetten und für sie, unter jedem dieser Aspekte, Gültigkeit zu beanspruchen. Wer ein verständliches Sprechaktangebot zurückweist, bestreitet mindestens einen dieser Geltungsansprüche. Indem der Hörer einen Sprechakt als unrichtig, unwahr oder unwahrhaftig ablehnt, bringt er mit seinem »Nein« zum Ausdruck, daß die Äußerung ihre Funktionen der Sicherung einer interpersonalen Beziehung, der Darstellung von Sachverhalten oder der Manifestation von Erlebnissen nicht erfüllt, weil sie entweder mit *unserer* Welt legitim geordneter interpersonaler Beziehungen oder mit *der* Welt existierender Sachverhalte oder mit der *jeweiligen* Welt subjektiver Erlebnisse nicht in Einklang steht.

Obwohl verständigungsorientierte Sprechhandlungen stets auf diese Weise in ein komplexes Netz von Weltbezügen eingelassen sind, geht aus ihrer illokutionären Rolle (unter Standardbedingungen aus der Bedeutung ihres illokutionären Bestandteiles) hervor, unter welchem Geltungsaspekt der Sprecher seine Äußerung *vor allem* verstanden haben möchte. Wenn er eine Aussage macht, etwas behauptet, erzählt, erklärt, darstellt, voraussagt, erörtert usw., sucht er mit dem Hörer ein Einverständnis auf der Grundlage der Anerkennung eines Wahrheitsanspruchs. Wenn der Sprecher einen Erlebnissatz äußert, etwas enthüllt, preisgibt, gesteht, offenbart usw., kann ein Einverständnis nur auf der Grundlage der Anerkennung eines Wahrhaftigkeitsanspruchs zustande kommen. Wenn der Sprecher einen Befehl oder ein Versprechen gibt, jemanden ernennt oder ermahnt, eine Taufe besiegelt, etwas kauft, jemanden heiratet usw., hängt ein Einverständnis davon ab, ob die Beteiligten die Handlung als richtig gelten lassen. Diese Grundmodi sind um so reiner ausgeprägt, je eindeutiger die Verständigung an nur einem dominierenden Geltungsanspruch orientiert ist. Die Analyse setzt zweckmäßigerweise an idealisierten oder *reinen Fällen von Sprechakten* an. Ich denke dabei an:

– konstative Sprechhandlungen, in denen *elementare Aussagesätze* verwendet werden;

– expressive Sprechhandlungen, in denen *elementare Erlebnissätze* (der 1. Person Präsens) auftreten; und an

– regulative Sprechhandlungen, in denen entweder (wie in Befehlen) elementare *Aufforderungssätze* oder (wie in Versprechen) elementare *Absichtssätze* auftreten.

Zu jedem dieser Komplexe gibt es in der analytischen Philosophie eine ausgedehnte Literatur. Dort sind Instrumente entwickelt und Analysen durchgeführt worden, die es erlauben, die universalen

Geltungsansprüche zu erklären, an denen sich der Sprecher orientiert, und die Grundeinstellungen zu präzisieren, die der Sprecher dabei einnimmt. Es handelt sich um die *objektivierende Einstellung*, in der sich ein neutraler Beobachter zu etwas verhält, das in der Welt statthat; ferner um die *expressive Einstellung*, in der ein sich selbst darstellendes Subjekt etwas von seinem Inneren, zu dem es privilegierten Zugang hat, vor den Augen eines Publikums enthüllt; und schließlich um die *normenkonforme Einstellung*, in der das Mitglied sozialer Gruppen legitime Verhaltenserwartungen erfüllt. Diesen drei fundamentalen Einstellungen entspricht jeweils ein Konzept von »Welt«.

Wenn wir nun beliebige explizite Sprechhandlungen durch Mp repräsentieren, wobei »M« für den illokutionären und »p« für den propositionalen Bestandteil steht[52]; und wenn $M_{(k)}$ den kognitiven, $M_{(e)}$ den expressiven und $M_{(r)}$ den regulativen Sprachgebrauch bezeichnet; dann läßt sich anhand jener Grundeinstellungen intuitiv unterscheiden, in welchem Sinne der Sprecher den propositionalen Bestandteil jeweils interpretiert haben möchte. In einer gültigen Äußerung vom Typ $M_{(k)}p$ bedeutet »p« einen Sachverhalt, der in der objektiven Welt *existiert*; in einer gültigen Äußerung von Typ $M_{(e)}p$ bedeutet »p« ein subjektives Erlebnis, das manifestiert und der *Innenwelt* des Sprechers zugeschrieben wird; und in einer gültigen Äußerung vom Typ $M_{(r)}p$ bedeutet »p« eine Handlung, die in der sozialen Welt als legitim anerkannt ist.

Die Auszeichnung von genau drei Grundmodi der verständigungsorientierten Sprachverwendung könnte nur in Form einer ausgeführten Theorie der Sprechakte begründet werden. Ich kann die erforderlichen Analysen an Ort und Stelle nicht durchführen, möchte aber auf einige prima facie-Einwände gegen das vorgeschlagene Programm eingehen.

A. Leist hat meine Grundthese in der folgenden Weise formuliert: »Für alle S und H in allen Sprechakten verständigungsorientierten Handelns, die illokutionär, propositional ausdifferenziert und in-

---

52 E. Stenius, Mood and Language Game, Synthese, 17. 1967, 254 ff.; vgl. dazu D. Føllesdal, Comments on Stenius' ›Mood and Language Game‹, Synthese, 17, 1967, 275 ff.

stitutionell ungebunden sind, ist es wechselseitiges Wissen, daß es geboten ist, verständlich zu sprechen, wahrhaftig zu sein, seine Äußerung für wahr und eine aktrelevante Norm für richtig zu halten.«[53] Diese Formulierung verlangt zunächst die Erläuterung, daß ich ›verständigungsorientierte‹ Sprechhandlungen unter *interaktionstheoretischen* Gesichtspunkten von den Sprechakten abgrenze, die in strategische Handlungszusammenhänge einbezogen werden, sei es weil sie, wie echte Imperative, nur mit Machtansprüchen verbunden werden und daher aus eigener Kraft keinen illokutionären Bindungseffekt hervorbringen, sei es weil der Sprecher mit solchen Äußerungen perlokutionäre Ziele verfolgt. Sodann würde ich den aus der intentionalen Semantik stammenden Ausdruck ›wechselseitiges Wissen‹ nicht verwenden und statt dessen von ›gemeinsamen Unterstellungen‹ sprechen. Weiterhin legt der Ausdruck ›geboten‹ einen normativen Sinn nahe; ich würde lieber die schwachen transzendentalen Konnotationen in Kauf nehmen und von ›allgemeinen Bedingungen‹ sprechen, die erfüllt sein müssen, wenn ein kommunikatives Einverständnis erzielt werden soll. Schließlich vermisse ich eine Hierarchisierung zwischen der Wohlgeformtheit bzw. Verständlichkeit des sprachlichen Ausdrucks als einer Kommunikationsvoraussetzung einerseits, den Ansprüchen auf Wahrhaftigkeit, propositionale Wahrheit und normative Richtigkeit andererseits. Das Akzeptieren dieser Ansprüche führt ein Einverständnis zwischen S und H herbei, das interaktionsfolgenrelevante Verbindlichkeiten begründet. Von diesen unterscheide ich die Gewähr, die der Sprecher für die Einlösung des von ihm gestellten Geltungsanspruchs übernimmt, wie auch die reziproke Verpflichtung, die der Hörer mit der Negierung eines Geltungsanspruchs eingeht.

Bedenken richten sich nun vor allem gegen die Annahmen, daß
– mit *allen* verständigungsorientierten Sprechhandlungen *genau drei* Geltungsansprüche erhoben werden (a);
– daß die Geltungsansprüche *hinreichend* voneinander *diskriminiert* werden können (b); und

---

53 A. Leist, Was heißt Universalpragmatik?, in: Germanistische Linguistik, H. 5/6 1977, 93.

– daß die Geltungsansprüche *formalpragmatisch*, d. h. auf der Ebene der kommunikativen Verwendung von Sätzen analysiert werden müssen (c).

ad a) Läßt sich die *Universalität des Wahrheitsanspruchs* behaupten, obwohl wir mit nicht-konstativen Sprechhandlungen offensichtlich keinen Wahrheitsanspruch erheben können?[54] Es trifft gewiß zu, daß wir nur mit konstativen Sprechhandlungen den Anspruch erheben können, daß die behauptete Aussage ›p‹ wahr ist. Aber auch alle übrigen Sprechakte enthalten einen propositionalen Bestandteil, normalerweise in der Form eines nominalisierten Aussagesatzes ›daß p‹. Das bedeutet, daß sich der Sprecher auch mit nicht-konstativen Sprechhandlungen auf Sachverhalte bezieht, freilich nicht direkt, d. h. in der propositionalen Einstellung dessen, der denkt oder meint, weiß oder glaubt, daß ›p‹ der Fall ist. Die propositionalen Einstellungen des Sprechers, der in expressiven Sprechhandlungen Erlebnissätze oder in regulativen Sprechhandlungen Aufforderungs- bzw. Absichtssätze verwendet, sind anderer Art. Sie richten sich keineswegs auf die Existenz des im propositionalen Bestandteil erwähnten Sachverhalts. Indem der Sprecher mit einer nicht-konstativen Sprechhandlung sagt, daß er etwas begehrt oder verabscheut, etwas herbeiführen oder herbeigeführt sehen möchte, *setzt* er jedoch die Existenz *anderer*, nicht erwähnter Sachverhalte *voraus*. Es gehört zum Begriff einer objektiven Welt, daß Sachverhalte in einem Nexus stehen und nicht isoliert in der Luft hängen. Darum verbindet der Sprecher mit dem propositionalen Bestandteil seiner Sprechhandlung *Existenzpräsuppositionen*, die erforderlichenfalls in der Form assertorischer Sätze expliziert werden können. Insofern haben auch nicht-konstative Sprechhandlungen einen Wahrheitsbezug.

Das gilt übrigens nicht nur für propositional ausdifferenzierte Sprechhandlungen; auch illokutionär verkürzte Akte, beispielsweise als ein Gruß geäußertes »Hallo«, werden als Erfüllung von Normen verstanden, aus denen sich der propositionale Gehalt der Sprechhandlung *ergänzen* läßt; so etwa im Falle einer Begrüßung das Wohlergehen des Adressaten oder die Bestätigung seines sozia-

---

54 Leist (1977), 97 f.

len Status. Zu den Existenzpräsuppositionen eines Grußes gehört u. a. die Anwesenheit einer Person, der es gut oder schlecht gehen kann, deren Zugehörigkeit zu einer sozialen Gruppe usw.

Etwas anders verhält es sich mit der *Universalität des Richtigkeitsanspruches*. Dagegen läßt sich einwenden, daß sich aus der Bedeutung nicht-regulativer Sprechhandlungen ein Bezug zu normativen Kontexten nicht entnehmen läßt.[55] Dennoch sind Mitteilungen manchmal ›unangebracht‹, Berichte ›fehl am Platz‹, Geständnisse ›peinlich‹, Enthüllungen ›verletzend‹. Daß sie unter diesem Aspekt mißlingen können, ist den nicht-regulativen Sprechhandlungen keineswegs äußerlich, sondern ergibt sich notwendig aus ihrem Charakter *als* Sprechhandlungen. An ihrem illokutionären Bestandteil läßt sich nämlich ablesen, daß der Sprecher auch mit konstativen und expressiven Sprechhandlungen interpersonale Beziehungen eingeht; und diese gehören, ob sie nun zum jeweils bestehenden normativen Kontext passen oder nicht, zur Welt legitimer Ordnungen.

Einwände haben sich auch gegen die *Vollständigkeit der Tafel der Geltungsansprüche* ergeben. Wenn man diese beispielsweise mit den von Grice vorgeschlagenen Konversationspostulaten[56] vergleicht, kann man gewisse Parallelen feststellen, aber auch Asymmetrien. So fehlt ein Gegenstück zu dem Postulat, der Sprecher möge zum Thema stets einen Redebeitrag liefern, der im Kontext des Gesprächs relevant ist. Abgesehen davon, daß ein solcher Anspruch auf Relevanz des Gesprächsbeitrages vom Hörer erhoben und auf einen Text (statt auf eine einzelne Sprechhandlung) bezogen wird, also einem Ja/Nein-Test nicht ausgesetzt werden kann, dürfte die Universalität einer solchen Forderung schwer zu begründen sein. Es gibt offensichtlich Situationen, etwa gesellige Unterhaltungen oder gar ganze kulturelle Milieus, in denen eine gewisse Redundanz der Redebeiträge geradezu geboten ist.[57]

---

55 Leist (1977), 109.
56 H. P. Grice, Logic and Conversation, in: P. Cole, J. L. Morgan (Eds.), Syntax and Semantics, Vol. 3, N. Y. 1974, 41 ff.; A. P. Martinich, Conversational Maxims and some Philosophical Problems, Philos. Quart., 30, 1980, 215 ff.
57 Zu anderen Einwänden dieser Art vgl. J. Thompson, Universal Pragmatics, in: D. Held, J. Thompson (Eds.), Habermas: Critical Debates, Cambr. (forthcoming).

ad b) Bedenken ergeben sich ferner im Hinblick auf die Möglichkeit einer trennscharfen Diskriminierung zwischen Wahrheits- und Wahrhaftigkeitsansprüchen. Muß nicht ein Sprecher, der die Meinung ›p‹ wahrhaftig äußert, zugleich für ›p‹ einen Wahrheitsanspruch stellen? Es scheint unmöglich zu sein, »von S in einem anderen Sinne zu erwarten, daß er die Wahrheit sagt, als in dem, daß S die Wahrheit sagen will – und das heißt nichts anderes als wahrhaftig sein«.[58] Dieser Einwand bezieht sich nicht auf die Klasse expressiver Sprechhandlungen im ganzen, sondern auf diejenigen Äußerungen, in deren propositionalem Bestandteil Kognitionsverben in der ersten Person Präsens (wie ich denke bzw. weiß, glaube, vermute, meine, ›daß p‹) auftreten. Gleichzeitig besteht nämlich auch zwischen diesen propositionalen Einstellungen, die mit Hilfe von Kognitionsverben ausgedrückt werden können, und konstativen Sprechhandlungen eine interne Beziehung. Wenn jemand ›p‹ behauptet oder feststellt oder beschreibt, meint oder weiß oder glaubt er zugleich, ›daß p‹. Schon Moore[59] hat auf den paradoxen Charakter von Äußerungen wie

(9$^+$) Es regnet gerade, aber ich glaube nicht, daß es gerade regnet

hingewiesen. Trotz dieser internen Zusammenhänge kann ein Hörer mit der Negation von:

(9) Es regnet gerade

zwei *verschiedene* Geltungsansprüche zurückweisen. Er kann mit seiner negativen Stellungnahme sowohl

(9') Nein, das ist nicht wahr

meinen, wie auch:

(9'') Nein, du meinst ja gar nicht, was du sagst.

Im einen Fall versteht er (9) als konstative, im anderen Falle als expressive Äußerung. Ersichtlich impliziert die Verneinung der

58 Leist (1977), 102; K. Graham, Belief and the Limits of Irrationality, Inquiry, 17, 1974, 315 ff.
59 Auf dieses Argument bezieht sich J. Searle, Intentionalität und der Gebrauch der Sprache, in: Grewendorf (1979), 163 f.

Aussage ›p‹ so wenig die Negation des Glaubens ›daß p‹ wie umgekehrt (9") die Stellungnahme (9'). Allerdings darf der Hörer unterstellen, daß S, *wenn* dieser ›p‹ behauptet, auch glaubt, ›daß p‹. Davon bleibt aber unberührt, daß sich der Wahrheitsanspruch auf die Existenz des Sachverhalts ›p‹ bezieht, während der Wahrhaftigkeitsanspruch nur mit der Manifestation der Meinung oder des Glaubens ›daß p‹ zu tun hat. Der Mörder, der ein Geständnis ablegt, kann meinen, was er sagt, und doch, ohne es zu intendieren, die Unwahrheit sagen. Er kann auch, ohne es zu intendieren, die Wahrheit sagen, obwohl er, indem er sein Wissen vom Tatvorgang verschweigt, lügt. Ein Richter, der über hinreichende Evidenzen verfügte, könnte im einen Fall die wahrhaftige Äußerung als unwahr kritisieren, im anderen Fall die wahre Äußerung als unwahrhaftig decouvrieren.

Tugendhat versucht hingegen, mit einem einzigen Geltungsanspruch auszukommen.[60] Er nimmt die ausgedehnte Diskussion im Anschluß an Wittgensteins Privatsprachenargument auf, um zu zeigen, daß mit Erlebnissätzen wie:

(10) Ich habe Schmerzen

(11) Ich fürchte mich davor, vergewaltigt zu werden

derselbe assertorische Geltungsanspruch verbunden wird wie mit Aussagesätzen des gleichen propositonalen Gehaltes:

(12) Er hat Schmerzen

(13) Sie fürchtet sich davor, vergewaltigt zu werden

wobei die einander entsprechenden Personalpronomen der ersten und der dritten Person jeweils dieselbe Referenz haben sollen.

Wenn Tugendhats Assimilationsthese stimmt, hat die Negation von (10) oder (11) denselben Sinn wie die Negation von (12) bzw. (13). Es wäre redundant, noch einen Wahrhaftigkeitsanspruch neben dem Wahrheitsanspruch zu postulieren.

Mit Wittgenstein geht Tugendhat zunächst von einer Ausdrucks-

60 E. Tugendhat, Selbstbewußtsein und Selbstbestimmung, Ffm. 1979, 5. und 6. Vorlesung.

geste, dem Ausruf »Au«, aus und stellt sich vor, daß dieser sprachlich rudimentäre Schmerzensschrei durch eine expressive Äußerung ersetzt wird, die auf der semantischen Ebene durch den Erlebnissatz (10) repräsentiert ist. Solchen Erlebnissätzen spricht
Wittgenstein den Aussagecharakter ab.[61] Er nimmt an, daß zwischen den beiden nicht-kognitiven Ausdrucksformen für Schmerz,
der Geste und dem Satz, ein Kontinuum besteht. Für Tugendhat
besteht hingegen der kategoriale Unterschied darin, daß der Erlebnissatz falsch sein kann, die Geste aber nicht. Seine Analyse führt
zu dem Ergebnis, daß mit der Transformation des Ausrufes in
einen gleichbedeutenden Erlebnissatz »ein Ausdruck erzeugt wird,
der, obwohl er nach derselben Regel verwendet wird wie der Ausruf, dann wahr ist, wenn er richtig verwendet wird; und so ergibt
sich der einzigartige Fall von assertorischen Sätzen, die wahr oder
falsch sein können und die gleichwohl nicht kognitiv sind«.[62] Deshalb sollen sich Erlebnissätze wie (10) von Aussagesätzen desselben propositionalen Gehalts wie (12) *nicht* anhand des Kriteriums
der Wahrheitsfähigkeit unterscheiden können. Beide können wahr
oder falsch sein. Allerdings weisen Erlebnissätze die Eigenart auf,
daß sie ein »unkorrigierbares Wissen« ausdrücken und daher,
wenn sie nur regelrecht verwendet werden, wahr sein *müssen*.
Zwischen den Sätzen (10) und (12) besteht in dem Sinne eine »veri-
tative Symmetrie«, daß (12) wahr ist, sobald (10) regelkonform
verwendet wird.
Diesen Zusammenhang erklärt Tugendhat mit der Besonderheit
des singulären Terminus ›Ich‹, mit dem der Sprecher sich selbst
bezeichnet, ohne sich damit zugleich zu identifizieren. Auch wenn
diese These stimmt, erledigt sich damit aber nicht das Problem, wie
man erklären kann, daß ein Satz assertorischen Charakter hat und
damit wahrheitsfähig ist, ohne jedoch kognitiv, also zur Wiederga-
be existierender Sachverhalte verwendet werden zu können.
Im allgemeinen *verweist* die Verwendungsregel assertorischer Sätze auf eine Erkenntnis; nur im Falle expressiver Sätze soll die
richtige Verwendung des sprachlichen Ausdrucks auch schon des-

61 L. Wittgenstein, Zettel §§ 404, 549, in: Schriften Bd. V, Ffm. 1970, 369 u. 398.
62 Tugendhat (1979), 131.

sen Wahrheit *garantieren*. Aber ein Hörer, der *feststellen* will, ob
ein Sprecher ihn mit dem Satz (10) täuscht, muß *prüfen*, ob der
Satz (12) wahr ist oder nicht. Daran zeigt sich, daß expressive Sätze
der ersten Person nicht dazu da sind, Erkenntnisse auszudrücken,
daß sie den ihnen zugeschriebenen Wahrheitsanspruch den korrespondierenden Aussagesätzen der dritten Person bestenfalls
entlehnen; denn nur diese können den Sachverhalt, auf dessen
Existenz der Wahrheitsanspruch sich bezieht, *darstellen*. So gerät
Tugendhat in das Dilemma, dasjenige, was ein Sprecher mit Erlebnissätzen meint, widersprüchlich charakterisieren zu müssen. Einerseits soll es sich um ein Wissen handeln, für das der Sprecher
Gültigkeit im Sinne propositionaler Wahrheit beansprucht; andererseits kann dieses Wissen nicht den Status einer Erkenntnis haben, denn Erkenntnisse lassen sich nur in assertorischen Sätzen
wiedergeben, die prinzipiell als unwahr bestritten werden können.
Dieses Dilemma ergibt sich allerdings nur dann, wenn man den
wahrheitsanalogen Geltungsanspruch der Wahrhaftigkeit mit dem
Wahrheitsanspruch identifiziert. Das Dilemma löst sich auf, sobald man von der semantischen Ebene auf die pragmatische über-
wechselt und einen Vergleich zwischen Sprechhandlungen statt
zwischen Sätzen anstellt:

(14) Ich muß Dir gestehen, ich habe schon seit Tagen Schmerzen

(15) Ich kann Dir berichten, daß er schon seit Tagen Schmerzen hat

(wobei das Personalpronomen der ersten Person in (14) und das
Personalpronomen der dritten Person in (15) dieselbe Referenz
haben sollen). Dann wird auf den ersten Blick klar, daß der Sprecher im Falle der Ungültigkeit von (14) den Hörer täuscht, während er im Falle der Ungültigkeit von (15) dem Hörer die Unwahrheit sagt, ohne daß eine Täuschungsabsicht vorliegen muß. Es ist
also legitim, für expressive Sprechhandlungen einen *anderen* Geltungsanspruch als für gleichbedeutende konstative Sprechhandlungen zu postulieren. Dieser Einsicht kommt Wittgenstein an
einer Stelle seiner »Philosophischen Untersuchungen« sehr nahe,
als er am Modellfall eines Geständnisses zeigt, daß expressive Äußerungen keinen deskriptiven Sinn haben, also nicht wahrheitsfä-

hig sind, und *gleichwohl gültig oder ungültig* sein können: »Für die Wahrheit des *Geständnisses*, ich hätte das und das gedacht, sind die Kriterien nicht die der wahrheitsgemäßen *Beschreibung* eines Vorgangs. Und die Wichtigkeit des wahren Geständnisses liegt nicht darin, daß es irgendeinen Vorgang mit Sicherheit richtig wiedergibt. Sie liegt vielmehr in den besonderen Konsequenzen, die sich aus einem Geständnis ziehen lassen, dessen Wahrheit durch die besonderen Kriterien der *Wahrhaftigkeit* verbürgt ist.«[63]

ad c) Mit diesen Argumenten berühren wir schon die dritte Gruppe von Einwänden, die sich gegen den formalpragmatischen Ansatz der Analyse von Geltungsansprüchen richtet. Diese Geltungsansprüche, die nach dem Modell von Rechtsansprüchen die Beziehungen zwischen Personen betreffen und auf intersubjektive Anerkennung angelegt sind, werden für die Gültigkeit von symbolischen Ausdrücken erhoben, im Standardfall für die Gültigkeit des vom illokutionären Bestandteil abhängigen Satzes propositionalen Gehaltes. Es liegt deshalb nahe, einen Geltungsanspruch als komplexes und abgeleitetes Phänomen zu betrachten, das auf das zugrunde liegende Phänomen der Erfüllung von Bedingungen für die Gültigkeit von Sätzen zurückgeführt werden kann. Müssen dann aber diese Bedingungen nicht eher auf der semantischen Ebene der Analyse von Aussage-, Erlebnis-, Aufforderungs- und Absichtssätzen aufgesucht werden als auf der pragmatischen Ebene der Verwendung dieser Sätze in konstativen, expressiven und regulativen Sprechhandlungen? Ist nicht gerade eine Theorie der Sprechhandlungen, die den illokutionären Bindungseffekt mit einer vom Sprecher angebotenen Gewähr für die Gültigkeit des Gesagten und mit einer entsprechend rationalen Motivation des Hörers erklären will, auf eine Bedeutungstheorie angewiesen, die ihrerseits erklärt, unter welchen Bedingungen die verwendeten Sätze gültig sind?

63 Wittgenstein (1960), 535; vgl. ferner: St. Hampshire, Feeling and Expression, London 1961; B. Aune, On the Complexity of Avowals, in: M. Black (Ed.), Philosophy in America, London 1965, 35 ff.; D. Gustafson, The Natural Expression of Intention, Philos. Forum, 2, 1971, 299 ff.; ders., Expressions of Intentions, Mind, 83, 1974, 321 ff.; N. R. Norrick, Expressive Illocutionary Acts, J. of Pragmatics, 2, 1978, 277 ff.

Bei diesem Streit geht es nicht um Fragen der Revierabgrenzung oder der nominellen Definition, sondern darum, ob das *Konzept der Gültigkeit* eines Satzes unabhängig vom *Konzept* der *Einlösung* eines mit der Äußerung dieses Satzes erhobenen *Geltungsanspruchs* geklärt werden kann. Ich vertrete die These, daß das nicht möglich ist. Die semantisch ansetzenden Untersuchungen deskriptiver, expressiver und normativer Sätze nötigen, wenn sie nur konsequent genug durchgeführt werden, zu einem Wechsel der analytischen Ebenen. Die Analyse der Bedingungen für die Gültigkeit von Sätzen drängt *von selbst* zur Analyse der Bedingungen für die intersubjektive Anerkennung entsprechender Geltungsansprüche. Ein Beispiel dafür ist die Weiterführung der Wahrheitssemantik durch M. Dummet.[64]

Dummet geht aus von der Unterscheidung zwischen den Bedingungen, denen ein assertorischer Satz genügen muß, um wahr zu sein, und der Kenntnis, die ein Sprecher, der den Satz als wahr behauptet, von diesen Wahrheitsbedingungen, die zugleich die Bedeutung des Satzes determinieren, hat. Die Kenntnis der Wahrheitsbedingungen besteht darin, daß man *weiß, wie man feststellt*, ob sie im gegebenen Fall erfüllt sind oder nicht. Der orthodoxen Version der Wahrheitssemantik, die das Verständnis der Satzbedeutung mit der Kenntnis der Wahrheitsbedingungen erklären will, liegt nun die unrealistische Annahme zugrunde, als stünden für alle, mindestens für alle assertorischen Sätze, Verfahren zur Verfügung, mit denen sich effektiv entscheiden läßt, ob die Wahrheitsbedingungen jeweils erfüllt sind oder nicht. Diese Annahme stützt sich stillschweigend auf eine empiristische Erkenntnistheorie, die den einfachen prädikativen Sätzen einer Beobachtungssprache einen fundamentalen Stellenwert zuschreibt. Nun besteht aber nicht einmal das Argumentationsspiel, das Tugendhat für die Verifikation solcher scheinbar elementaren Sätze postuliert, aus einem Entscheidungsverfahren, das wie ein Algorithmus, also in der Weise angewendet werden könnte, daß weitergehende Begründungsforderungen prinzipiell ausgeschlossen sind.[65] Besonders deutlich

---

64 M. Dummet, What is a Theory of Meaning? in: G. Evans, J. McDowell (Eds.), Truth and Meaning, Oxford 1976, 67 ff.
65 Tugendhat (1976), 256 ff.

ist es bei irrealen Bedingungssätzen, bei allgemeinen Existenzsätzen und bei Sätzen mit einem Zeitindex (überhaupt allen Sätzen, die sich auf aktuell unzugängliche Räume und Zeiten beziehen), daß effektive Entscheidungsprozeduren fehlen: »The difficulty arises because natural language is full of sentences which are not effectively decideable, ones for which there exists no effective procedure for determining whether or not their truth conditions are fulfilled.«[66]

Weil in vielen, wenn nicht den meisten Fällen die Kenntnis der Wahrheitsbedingungen assertorischer Sätze *problematisch* ist, betont nun Dummet den Unterschied zwischen der Kenntnis der Bedingungen, die einen Satz wahr machen, und den Gründen, die einen Sprecher berechtigen, einen Satz als wahr zu behaupten. Er reformuliert dann in Anlehnung an Grundannahmen des Intuitionismus die Bedeutungstheorie folgendermaßen: »... an understanding of a statement consists in a capacity to recognize whatever is counted as verifying it, i. e. as conclusively establishing it as true. It is not necessary that we should have any means of deciding the truth or falsity of the statement, only that we be capable of recognizing when its truth has been established.«[67] Zum Verständnis eines Satzes gehört die Fähigkeit, *Gründe*, mit denen der *Anspruch*, daß seine Wahrheitsbedingungen erfüllt sind, *eingelöst werden könnte*, zu erkennen. Diese Theorie erklärt also die Bedeutung eines Satzes nur noch mittelbar mit der Kenntnis der Bedingungen für seine Gültigkeit, unmittelbar aber mit der Kenntnis von Gründen, die einem Sprecher objektiv zur Verfügung stehen, um einen Wahrheitsanspruch einzulösen.

Nun könnte der Sprecher solche Gründe immer noch nach einem monologisch anwendbaren Verfahren erzeugen; dann würde auch eine Explikation der Wahrheitsbedingungen in Begriffen der Begründung eines Wahrheitsanspruchs nicht zum Übergang von der semantischen Ebene der Sätze zur pragmatischen Ebene der kommunikativen Verwendung von Sätzen nötigen. Dummet betont aber, daß der Sprecher die erforderlichen Verifikationen keines-

66 Dummet (1976), 81.
67 Dummet (1976), 110 f.

425

wegs nach Schlußregeln deduktiv zwingend vornehmen kann. Die Menge der jeweils verfügbaren Gründe ist durch interne Beziehungen eines nur argumentativ zu durchmessenden Universums sprachlicher Strukturen umschrieben. Dummet verfolgt diesen Gedanken so weit, daß er am Ende die Grundvorstellung des Verifikationismus ganz aufgibt: »A verificationist theory comes as close as any plausible theory of meaning can do to explaining the meaning of a sentence in terms of the grounds on which it may be asserted; it must of course distinguish a speaker's actual grounds, which not be conclusive, or may be indirect, from the kind of direct, conclusive grounds in terms of which the meaning is given, particularly for sentences, like those in the furture tense for which the speaker cannot have grounds of the latter kind at the time of utterance. But a falsificationist theory ... links the content of an assertion with the commitment that a speaker undertakes in making that assertion; an assertion is a kind of gamble that the speaker will not be proved wrong.«[68]

Ich meine, daß es konsequenter wäre, sich ebenso wenig auf falsifikationistische wie auf verifikationistische Vorstellungen festzulegen und statt dessen die diskursive Einlösung von Geltungsansprüchen fallibilistisch zu deuten. Wichtig ist nur, daß der illokutionäre Anspruch, den der Sprecher für die Gültigkeit eines Satzes erhebt, grundsätzlich kritisiert werden kann. In jedem Fall trägt die revidierte Wahrheitssemantik dem Umstand Rechnung, daß die Wahrheitsbedingungen nicht unabhängig von dem Wissen, wie man einen entsprechenden Wahrheitsanspruch einlöst, expliziert werden können. Eine Behauptung zu verstehen, heißt zu wissen, wann ein Sprecher gute Gründe hat, die Gewähr dafür zu übernehmen, daß die Bedingungen für die Wahrheit der behaupteten Aussage erfüllt sind.

Wie im Falle der Bedeutung von assertorischen Sätzen läßt sich auch für expressive und normative Sätze zeigen, daß eine semantisch ansetzende Analyse über sich selbst hinaustreibt. Gerade die Diskussion, die sich an Wittgensteins Analyse von Erlebnissätzen angeschlossen hat, macht klar, daß der mit Expressionen verbun-

68 Dummet (1976), 126.

dene Anspruch genuin *an andere* adressiert ist. Der Sinn der Ausdrucks- und Kundgabefunktion spricht ohnehin für eine primär kommunikative Verwendung dieser Ausdrücke.[69] Noch deutlicher ist der intersubjektive Charakter der Sollgeltung von Normen. Auch hier führt eine Analyse, die bei einfachen Prädikaten für scheinbar subjektive Gefühlsreaktionen auf Verletzungen oder Beeinträchtigungen der persönlichen Integrität einsetzt, schrittweise zum intersubjektiven, ja überpersönlichen Sinn moralischer Grundbegriffe.[70]

(5) *Zur Klassifikation von Sprechakten*

Wenn unsere These zutrifft, daß die Gültigkeit verständigungsorientierter Sprechhandlungen unter genau drei universalen Aspekten bestritten werden kann, dürfen wir ein System von Geltungsansprüchen vermuten, das auch der Ausdifferenzierung von Typen von Sprechhandlungen zugrunde liegt. Die Universalitätsthese hätte dann auch Konsequenzen für den Versuch, Sprechhandlungen unter theoretischen Gesichtspunkten zu klassifizieren. Ich habe bisher stillschweigend die Einteilung in regulative, expressive und konstative Sprechhandlungen verwendet. Diese möchte ich nun auf dem Wege einer kritischen Auseinandersetzung mit *anderen* Klassifikationsversuchen rechtfertigen.

Austin hatte bekanntlich am Schluß seiner Vorlesungsreihe »How to do things with words?« einen Anlauf zur Typologisierung von Sprechhandlungen unternommen. Er hatte dort die illokutionären Akte anhand performativer Verben geordnet und fünf Typen (nämlich verdictives, exercitives, commissives, behabitives und expositives) unterschieden, ohne den vorläufigen Charakter dieser Einteilung zu verleugnen.[71] Tatsächlich gibt Austin nur für die Klasse der Kommissive ein eindeutiges Abgrenzungskriterium an: mit Versprechen, Drohungen, Ankündigungen, Gelübden, Verträgen usw. legt sich der Sprecher darauf fest, in Zukunft bestimmte Handlungen auszuführen. Der Sprecher geht eine normative Bin-

---

69 P. M. S. Hacker, Einsicht und Täuschung, Kap. VIII und IX, Ffm. 1978, 289 ff.
70 Ein überzeugendes Beispiel ist P. F. Strawsons Analyse der durch moralische Verletzungen hervorgerufenen Ressentiments, in: ders., Freedom and Resentment, London 1974.
71 Austin (1962), 150 ff.

dung ein, die ihn zu einer bestimmten Handlungsweise verpflichtet. Die übrigen Klassen sind, auch wenn man den deskriptiven Charakter der Einteilung berücksichtigt, nicht befriedigend definiert. Sie genügen den Forderungen[72] der Distinktheit und der Disjunktivität nicht; Austins Klassifikation nötigt nicht dazu, verschiedene Phänomene stets verschiedenen Kategorien bzw. jedes Phänomen höchstens einer Kategorie zuzuordnen.

Die Klasse der ›verdictives‹ umfaßt Äußerungen, mit denen »Urteile« im Sinne einer Einstufung oder einer Bewertung festgestellt werden. Dabei unterscheidet Austin nicht zwischen Beurteilungen deskriptiven und normativen Gehalts. So ergeben sich Überschneidungen sowohl mit den ›expositives‹ wie mit den ›exercitives‹. Diese Klasse der ›exercitives‹ umfaßt zunächst alle Deklarative, also Ausdrücke für institutionell, meist rechtlich autorisierte Entscheidungen (wie Verurteilungen, Adoptionen, Ernennungen, Nominierungen, Rücktritte usw.). Überlappungen gibt es nicht nur mit ›verdictives‹ wie ›benennen‹ und ›auszeichnen‹, sondern auch mit ›behabitives‹ wie z. B. ›Protest erheben‹. Diese ›behabitives‹ bilden ihrerseits eine recht heterogen zusammengesetzte Klasse. Neben Ausdrücken für standardisierte Gefühlsäußerungen wie Klagen und Mitleidsbezeigungen enthält sie sowohl Ausdrücke für institutionell gebundene Äußerungen (Gratulationen, Flüche, Toaste, Willkommensgrüße) wie auch Ausdrücke für Satisfaktionen (Entschuldigungen, Danksagungen, Wiedergutmachungen aller Art). Die Klasse der *expositives* schließlich diskriminiert nicht zwischen den Konstativen, die dazu dienen, Sachverhalte darzustellen, und den Kommunikativen, die sich, wie Fragen und Erwiderungen, Anreden, Zitate usw. auf die Rede selbst beziehen. Davon sind noch einmal die Ausdrücke zu unterscheiden, mit denen wir den Vollzug von Operationen wie schließen, identifizieren, berechnen, klassifizieren usw. bezeichnen.

Searle hat versucht, Austins Klassifikation eine schärfere Fassung zu geben.[73] Er orientiert sich nicht länger an einer Liste performa-

---

72 Allerdings sollte man nicht so starke Forderungen stellen wie Th. T. B. Ballmer, Probleme der Klassifikation von Sprechakten, in: Grewendorf (1979), 247 ff.
73 J. Searle, A Taxonomy of illocutionary Acts, in: J. Searle, Expression and Meaning, Cambridge 1979, 1 ff.

tiver Verben, die in einer bestimmten Sprache ausdifferenziert worden sind, sondern an den illokutionären Absichten bzw. Zielen, die ein Sprecher mit verschiedenen Typen von Sprechhandlungen unabhängig von den Formen ihrer einzelsprachlichen Realisierung verfolgen. Er gelangt zu einer übersichtlichen und intuitiv einleuchtenden Klassifikation: konstative, kommissive, direktive, deklarative und expressive Sprechhandlungen. Als gut definierte Klasse führt Searle zunächst die konstativen (oder repräsentativen) Sprechhandlungen ein. Von Austin übernimmt er ferner die Klasse der Kommissive und stellt diesen die Direktive gegenüber; während sich dort der Sprecher selbst zu einer Handlung verpflichtet, versucht er hier, den Hörer zu bewegen, eine bestimmte Handlung auszuführen. Zu den Direktiven rechnet Searle Anordnungen, Bitten, Weisungen, Aufforderungen, Einladungen, auch Fragen und Gebete. Dabei diskriminiert er nicht zwischen normierten Aufforderungen wie Gesuchen, Verweisen, Befehlen usw. einerseits, den einfachen Imperativen, d. h. nicht-autorisierten Willensäußerungen andererseits. Deshalb bleibt auch die Abgrenzung der Direktive von den Deklarativen unscharf. Für deklarative Äußerungen sind zwar einzelne Institutionen erforderlich, die die normative Verbindlichkeit (beispielsweise von Ernennungen, Abdankungen, Kriegserklärungen, Kündigungen) sichern; aber sie haben einen ähnlichen normativen Sinn wie Anweisungen und Befehle. Die letzte Klasse umfaßt die expressiven Sprechhandlungen. Diese sind durch das Ziel definiert, daß mit ihnen der Sprecher seine psychischen Einstellungen aufrichtig zum Ausdruck bringt. Allerdings ist Searle bei der Anwendung dieses Kriteriums unsicher; so fehlen die exemplarischen Fälle von Geständnissen, Enthüllungen, Offenbarungen usw. Genannt sind Klagen und Bezeugungen von Freude und Mitleid. Offenbar läßt sich Searle von Austins Charakterisierung der ›behabitives‹ dazu verleiten, auch institutionell gebundene Sprechhandlungen wie Glückwünsche und Begrüßungen dieser Klasse zuzuschlagen.

Die durch Searle bereinigte Fassung der Austinschen Sprechhandlungstypen kennzeichnet die Ausgangslage einer Diskussion, die sich in zwei verschiedene Richtungen entwickelt hat. Die eine Richtung ist durch Searles eigene Bemühungen um eine ontologische Begründung der fünf Sprechhandlungstypen gekennzeichnet; die andere Richtung ist durch den Versuch bestimmt, die Klassifikation von Sprechhandlungen unter Gesichtspunkten der empirischen Pragmatik so auszubauen, daß sie für die Analyse von Sprechhandlungssequenzen in Alltagskommunikationen fruchtbar gemacht werden kann.

Auf dieser Linie liegen die Arbeiten von Linguisten und Soziolinguisten wie Wunderlich, Campbell und Kreckel.[74] Der empirischen Pragmatik stellen sich gesellschaftliche Lebenszusammenhänge als kommunikative Handlungen dar, die sich in sozialen Räumen und historischen Zeiten vernetzen. Die einzelsprachlich realisierten Muster illokutionärer Kräfte spiegeln die Struktur dieser Handlungsnetze. Die sprachlichen Möglichkeiten, illokutionäre Akte auszuführen, ob nun in der verfestigten Form grammatischer Modi oder in den flexibleren Formen von performativen Verben, Satzpartikeln, Satzintonationen usw., bieten Schemata für die Herstellung interpersonaler Beziehungen. Die illokutionären Kräfte bilden die Knotenpunkte in den Netzen kommunikativer Vergesellschaftung; das illokutionäre Lexikon ist gleichsam die Schnittfläche, wo sich die Sprache und die institutionellen Ordnungen einer Gesellschaft durchdringen. Diese gesellschaftliche Infrastruktur der Sprache ist selber im Fluß; sie variiert in Abhängigkeit von Institutionen und Lebensformen. Aber in diesen Variationen schlägt sich *auch* eine sprachliche Kreativität nieder, die der innovativen Bewältigung unvorhergesehener Situationen neue Ausdrucksformen verleiht.[75]

74 D. Wunderlich, Skizze zu einer integrierten Theorie der grammatischen und pragmatischen Bedeutung, in: ders., Wunderlich (1976), 51 ff.; ders., Was ist das für ein Sprechakt?, in: Grewendorf (1979), 275 ff.; ders., Aspekte einer Theorie der Sprechhandlungen, in: H. Lenk (1980), 381 ff.; B. G. Campbell, Toward a workable taxonomy of illocutionary forces, Language and Style, Vol. VIII, 1975, 3 ff.; M. Kreckel, Communicative Acts and Shared Knowledge in Natural Discourse, London 1981.
75 Ein Maß für die Flexibilität einer Gesellschaft ist der Anteil, den die institutionell mehr oder weniger gebundenen, idiomatisch festgelegten, ritualisierten Sprechhandlungen an der Gesamtheit der jeweils zur Verfügung stehenden illokutionären Anschlußmöglichkeiten haben. So unterscheidet Wunderlich (1976, 86 ff.) Sprechakte danach, ob sie stärker von Handlungsnormen oder von Handlungssituationen

Für eine pragmatische Klassifikation von Sprechhandlungen sind Indikatoren wichtig, die sich auf allgemeine Dimensionen der Sprechsituation beziehen. Für die *zeitliche Dimension* stellt sich die Frage, ob sich die Beteiligten eher an Zukunft, Vergangenheit oder Gegenwart orientieren oder ob die Sprechhandlungen zeitneutral sind. Für die *soziale Dimension* stellt sich die Frage, ob sich interaktionsfolgenrelevante Verbindlichkeiten für den Sprecher, für den Hörer oder für beide Seiten ergeben. Und für die *sachliche Dimension* stellt sich die Frage, ob der thematische Schwerpunkt eher bei den Objekten oder den Handlungen oder den Aktoren selbst liegt. M. Kreckel benutzt diese Indikatoren für einen Klassifikationsvorschlag, den sie ihrer Analyse von Alltagskommunikationen zugrunde legt (Fig. 15, S. 432).

Der Vorzug dieser und ähnlicher Klassifikationen besteht gewiß darin, daß sie einen Leitfaden für ethno- und soziolinguistische Beschreibungssysteme an die Hand geben und der Komplexität von natürlichen Szenen eher gewachsen sind als Typologien, die stärker von den illokutionären Absichten und Zielen als von Situationsmerkmalen ausgehen. Sie bezahlen diesen Vorzug allerdings mit dem Verzicht auf die intuitive Evidenz von Einteilungen, die sich an semantische Analysen anschließen und den elementaren Sprachfunktionen (wie der Darstellung von Sachverhalten, der Expression von Erlebnissen und der Herstellung interpersonaler Beziehungen) Rechnung tragen. Die induktiv gewonnenen, nach pragmatischen Indikatoren gebildeten Klassen von Sprechhandlungen verdichten sich nicht zu anschaulichen Typen; ihnen fehlt die theoretische Leuchtkraft, die unsere Intuitionen erhellen könnte.

Den Schritt zu einer *theoretisch motivierten Sprechhandlungstypologie* vollzieht Searle, indem er die illokutionären Absichten und propositionalen Einstellungen, die ein Sprecher verfolgt bzw. einnimmt, wenn er konstative, direktive, kommissive, deklarative und expressive Sprechakte ausführt, ontologisch kennzeichnet. Dabei

abhängen; Campbell (1975) verwendet dafür die Dimensionen ›institutional vs. vernacular‹ und ›positional vs. interactional‹. Relevant ist in dieser Hinsicht auch die Dimension ›initiativ vs. reaktiv‹ (Wunderlich [1976], 59 ff.).

	Speaker (S)	Hearer (H)
	cognition-oriented (C)	cognition-oriented (C)
Present	Does the speaker indicate that he has taken up the hearer's message?	Does the speaker try to influence the hearer's view of the world?
	examples: agreeing acknowledging rejecting	examples: asserting arguing declaring
	person-oriented (P)	person-oriented (P)
Past	Does the speaker refer to himself and/or his past action?	Does the speaker refer to the person of the hearer and/or his past action?
	examples: justifying defending lamenting	examples: accusing criticizing teasing
	action-oriented (A)	action-oriented (A)
Future	Does the speaker commit himself to future action?	Does the speaker try to make the hearer do something?
	examples: promising refusing giving in	examples: advising challenging ordering

Aus: Kreckel (1981), 188.

bedient er sich des bekannten Modells, das die Welt als Gesamtheit existierender Sachverhalte definiert, den Sprecher/Aktor als eine Instanz außerhalb dieser Welt ansetzt und genau zwei sprachlich vermittelte Beziehungen zwischen Aktor und Welt zuläßt: die kognitive Beziehung der Tatsachenfeststellung und die interventionistische Beziehung der Verwirklichung eines Handlungszwecks. Dann lassen sich die illokutionären Absichten durch die Richtung charakterisieren, in der Sätze und Tatsachen in Übereinstimmung gebracht werden sollen; der Pfeil von oben nach unten ↓ besagt, daß die Sätze zu den Tatsachen passen sollen; der Pfeil in umgekehrter Richtung ↑ besagt, daß die Tatsachen an die Sätze angepaßt werden sollen. So gilt für die assertorische Kraft konstativer Sprechhandlungen und für die imperative Kraft direktiver Sprechhandlungen:

Konstative	⊢	↓ K(p)
Direktive	!	↑ I (H bewirkt p)

wobei K für Kognitionen oder die propositionalen Einstellungen des Meinens, Denkens, Glaubens usw. und I für Intentionen oder die propositionalen Einstellungen des Wollens, Wünschens, Beabsichtigens usw. stehen. Die assertorische Kraft bedeutet, daß S gegenüber H einen Wahrheitsanspruch für p stellt, d. h. die Gewähr für die Übereinstimmung des Aussagesatzes mit den Tatsachen übernimmt (↓); die imperativische Kraft bedeutet, daß S gegenüber H einen Machtanspruch für die Durchsetzung von »H bewirkt p« stellt, d. h. die Gewähr dafür übernimmt, daß die Tatsachen mit dem Aufforderungssatz in Übereinstimmung gebracht werden (↑). Indem Searle die illokutionären Kräfte mit Hilfe der Relationen zwischen Sprache und Welt beschreibt, rekurriert er auf Bedingungen für die Gültigkeit von Aussage- bzw. Aufforderungssätzen. Er entnimmt die theoretischen Gesichtspunkte für die Klassifikation von Sprechhandlungen der *Geltungsdimension*. Allerdings beschränkt er sich auf die Perspektive des Sprechers und läßt die Dynamik der Verhandlung und intersubjektiven Anerkennung von Geltungsansprüchen, also die *Konsensbildung*, außer acht. Für die intersubjektive Beziehung zwischen Kommunikationsteilnehmern, die sich miteinander über etwas in der Welt verständigen, läßt das Modell der zwei sprachlich vermittelten Beziehungen eines einsamen Aktors zur einen, objektiven Welt keinen Platz. Bei der Durchführung erweist sich dieses ontologische Konzept als zu eng.

Die kommissiven Sprechhandlungen scheinen sich dem Modell zunächst zwanglos zu fügen; mit einem solchen Sprechakt übernimmt S gegenüber H die Gewähr dafür, daß die Tatsachen mit dem geäußerten Absichtssatz in Übereinstimmung gebracht werden (↑):

Kommissive C   ↑ I (S bewirkt p).

Allerdings hatten wir bei der Analyse der Verwendung von Absichtssätzen in Ankündigungen gesehen, daß die illokutionäre Kraft der kommissiven Sprechakte nicht mit den Erfüllungsbedingungen für die angekündigte Handlungsabsicht erklärt werden kann. Nur dies ist aber mit ↑ gemeint. Mit kommissiven Sprechhandlungen *bindet* der Sprecher seinen Willen im Sinn einer *normativen Verpflichtung*; und die Bedingungen für die *Verläßlichkeit* einer Absichts*erklärung* sind ganz anderer Art als diejenigen Bedingungen, die der Sprecher erfüllt, wenn er als Aktor seine Absicht wahrmacht. Searle müßte die Geltungsbedingungen von den Erfolgsbedingungen unterscheiden.

In ähnlicher Weise hatten wir normierte Aufforderungen wie Anweisungen, Befehle, Verordnungen usw. von bloßen Imperativen unterschieden; dort erhebt der Sprecher einen normativen Geltungsanspruch, hier einen extern sanktionierten Machtanspruch. Deshalb kann nicht einmal der imperativische Sinn von einfachen Aufforderungen mit den Bedingungen für die Erfüllung der dabei verwendeten Imperativsätze erklärt werden. Selbst wenn das genügen würde, hätte Searle Schwierigkeiten, die Klasse der Direktive auf die Klasse der echten Imperative zu beschränken und gegenüber Anweisungen oder Befehlen abzugrenzen, da sein Modell Bedingungen für die Gültigkeit (bzw. für die Erfüllung) von Normen nicht zuläßt. Dieser Mangel macht sich insbesondere bemerkbar, sobald Searle die deklarativen Sprechhandlungen in seiner Systematik unterzubringen versucht.

Offensichtlich läßt sich die illokutionäre Kraft einer Kriegserklärung, eines Rücktritts, der Eröffnung einer Sitzung, der Lesung eines Gesetzes usw. nicht nach dem Schema der beiden Anpassungsrichtungen interpretieren. Indem ein Sprecher institutionelle Tatsachen schafft, bezieht er sich überhaupt nicht auf etwas in der objektiven Welt; vielmehr handelt er in Übereinstimmung mit den legitimen Ordnungen der sozialen Welt und initiiert gleichzeitig neue interpersonale Beziehungen. Es ist pure Verlegenheit, wenn Searle diesen Sinn, der einer *anderen* Welt angehört, durch den auf die objektive Welt gemünzten Doppelpfeil symbolisiert:

Deklarative   D ↕ (p)

wobei keine besonderen propositionalen Einstellungen erforderlich sein sollen. Diese Verlegenheit wiederholt sich noch einmal bei
den expressiven Sprechhandlungen, deren illokutionäre Kraft
durch Beziehungen eines Aktors zur Welt existierender Sachverhalte ebensowenig charakterisiert werden kann. Searle ist konsequent genug, um die Nichtanwendbarkeit seines Schemas durch
ein Weder-noch-Zeichen zum Ausdruck zu bringen:

Expressive Sprechakte   E Ø (p)

wobei beliebige propositionale Einstellungen möglich sind.
Die Schwierigkeiten des Searleschen Klassifikationsversuches lassen sich, unter Beibehaltung des fruchtbaren theoretischen Ge-
sichtspunktes, vermeiden, wenn wir davon ausgehen, *daß die illokutionären Ziele von Sprechhandlungen durch die intersubjektive
Anerkennung von Macht- oder Geltungsansprüchen erreicht werden*, wenn wir weiterhin normative Richtigkeit sowie subjektive
Wahrhaftigkeit als wahrheitsanaloge Geltungsansprüche einführen
und diese ebenfalls durch Aktor-Welt-Beziehungen interpretieren.
Diese Revisionen ergeben die folgende Klassifikation:
– mit *Imperativen* bezieht sich der Sprecher auf einen erwünschten Zustand in der objektiven Welt, und zwar in der Weise, daß er
H dazu bewegen möchte, diesen Zustand herbeizuführen. Imperative können nur unter Gesichtspunkten der Durchführbarkeit der
verlangten Handlung, d. h. anhand von Erfolgsbedingungen kritisiert werden. Die Ablehnung von Imperativen bedeutet aber normalerweise die Zurückweisung eines Machtanspruchs; sie beruht
nicht auf Kritik, sondern bringt ihrerseits *einen Willen zum Ausdruck*.
– mit *konstativen Sprechhandlungen* bezieht sich der Sprecher auf
etwas in der objektiven Welt, und zwar in der Weise, daß er einen
Sachverhalt wiedergeben möchte. Die Negation einer solchen Äußerung bedeutet, daß H den von S für die behauptete Proposition
erhobenen Wahrheitsanspruch *bestreitet*.
– mit *regulativen Sprechhandlungen* bezieht sich der Sprecher auf

etwas in einer gemeinsamen sozialen Welt, und zwar in der Weise, daß er eine als legitim anerkannte interpersonale Beziehung herstellen möchte. Die Negation einer solchen Äußerung bedeutet, daß H die von S für seine Handlung beanspruchte normative Richtigkeit *bestreitet*.

– mit *expressiven Sprechhandlungen* bezieht sich der Sprecher auf etwas in seiner subjektiven Welt, und zwar in der Weise, daß er ein ihm privilegiert zugängliches Erlebnis vor einem Publikum enthüllen möchte. Die Negation einer solchen Äußerung bedeutet, daß H den von S erhobenen Anspruch auf die Wahrhaftigkeit der Selbstrepräsentation *bezweifelt*.

Eine weitere Klasse von Sprechhandlungen bilden die *Kommunikative*; sie lassen sich auch als diejenige Teilklasse regulativer Sprechhandlungen verstehen, die, wie Fragen und Antworten, Anreden, Einwendungen, Zugeständnisse usw., der *Organisation der Rede*, ihrer Gliederung in Themen und Beiträge, der Distribution von Gesprächsrollen, der Regulierung der Gesprächsabfolge usw. dienen.[76] Es empfiehlt sich aber, die Kommunikative eher als selbständige Klasse aufzufassen und durch die *reflexive Bezugnahme auf den Kommunikationsvorgang* zu definieren. Dann lassen sich nämlich auch diejenigen Sprechakte einschließen, die sich entweder (wie Bejahungen, Verneinungen, Versicherungen, Bestätigungen usw.) direkt auf Geltungsansprüche oder (wie Begründungen, Rechtfertigungen, Widerlegungen oder Annahmen, Beweise usw.) auf die argumentative Bearbeitung von Geltungsansprüchen beziehen.

Bleibt schließlich die Klasse der *Operative*, also Sprechhandlungen, die (wie schließen, identifizieren, rechnen, klassifizieren, abzählen, prädizieren usw.) die Anwendung konstruktiver Regeln (der Logik, Grammatik, Mathematik usw.) bezeichnen. Operative Sprechhandlungen haben einen performativen, aber *keinen genuin kommunikativen Sinn*; sie dienen zugleich der *Beschreibung* des-

---

76 Zu den redeorganisierenden Sprechakten siehe im Anschluß an H. Sacks, E. Schegloff, E. Jefferson, A simplist Systematics for the Organization of turn-taking for Conversation, Language 50 (1974), 696 ff., Wunderlich, Studien zur Sprechakttheorie, Ffm. 1976, 330 ff.

sen, was man bei der Konstruktion regelrechter symbolischer Ausdrücke tut.[77]

Wenn man diese Klassifikation zugrunde legt, müssen Kommissive und Deklarative ebenso wie die institutionell gebundenen Sprechhandlungen (Wetten, Heiraten, Schwüre usw.) und die Satisfaktive (die sich auf Entschuldigungen für Normverstöße und Wiedergutmachungen beziehen) derselben Klasse regulativer Sprechhandlungen subsumiert werden. Daran sieht man schon, daß die Grundmodi weiterer Differenzierungen bedürfen. Sie sind für Zwecke einer Analyse von Alltagskommunikationen so lange unbrauchbar, wie es nicht gelingt, Taxonomien für die *ganze Breite illokutionärer Kräfte* zu entwickeln, die sich, in den Grenzen eines bestimmten Grundmodus, jeweils einzelsprachlich ausdifferenzieren. Nur einige wenige illokutionäre Akte sind *so allgemein,* daß sie, wie Behauptungen und Feststellungen, Versprechen und Befehle, Geständnisse und Enthüllungen, einen Grundmodus *als solchen* kennzeichnen können. Normalerweise charakterisieren die einzelsprachlich standardisierten Ausdrucksmöglichkeiten nicht nur die Bezugnahme auf einen Geltungsanspruch überhaupt, sondern *die Art und Weise,* in der ein Sprecher für einen symbolischen Ausdruck Wahrheit, Richtigkeit oder Wahrhaftigkeit in Anspruch nimmt. Pragmatische Indikatoren wie der Grad der institutionellen Abhängigkeit von Sprechakten, Vergangenheits- und Zukunftsorientierung, Sprecher- und Hörerorientierung, Themenschwerpunkte usw. können nunmehr dazu dienen, die *illokutionären Modifikationen der Geltungsansprüche* systematisch zu erfassen. Erst eine theoretisch angeleitete empirische Pragmatik wird Sprechhandlungstaxonomien entwickeln können, die informativ, d. h. weder blind noch leer sind.

Allerdings eignen sich die *reinen Typen des verständigungsorientierten Sprachgebrauchs* als Leitfaden für die Typologisierung sprachlich vermittelter Interaktionen. Im kommunikativen Han-

---

77 Auf diese Klasse von Sprechhandlungen könnte noch am ehesten die These zutreffen, daß S mit einem illokutionären Akt den Hörer über den Vollzug dieser Handlung informiert oder ihm sagt, daß dieser Akt vollzogen wird. Zur Kritik dieser These von Lemmon, Hedenius, Wiggins, D. Lewis, Schiffer, Warnock, Cresswell u. a. vgl. G. Grewendorf, Haben explizit performative Äußerungen

deln werden die Handlungspläne der individuellen Teilnehmer mit Hilfe illokutionärer Bindungseffekte von Sprechhandlungen koordiniert. Deshalb ist zu vermuten, daß konstative, regulative und expressive Sprechakte auch entsprechende Typen sprachlich vermittelter Interaktion konstituieren. Das gilt offenbar für *regulative* und *expressive Sprechhandlungen,* die jeweils für das *normengeleitete* und das *dramaturgische* Handeln konstitutiv sind. Ein Interaktionstypus, der in ähnlicher Weise konstativen Sprechhandlungen korrespondierte, findet sich auf den ersten Blick nicht. Nun gibt es aber Handlungszusammenhänge, die nicht primär der *Ausführung* kommunikativ abgestimmter *Handlungspläne,* also *Zwecktätigkeiten* dienen, sondern ihrerseits Kommunikationen ermöglichen und stabilisieren – Unterhaltungen, Argumentationen, überhaupt Gespräche, die in bestimmten Kontexten zum Selbstzweck werden. In diesen Fällen löst sich der Prozeß der Verständigung aus der instrumentellen Rolle eines handlungskoordinierenden Mechanismus; und die kommunikative Verhandlung von Themen verselbständigt sich zum Zweck der Kooperation. Ich spreche immer dann von ›Konversation‹, wenn sich die Gewichte in dieser Weise von der Zwecktätigkeit zur Kommunikation verschieben. Da hier das Interesse an den verhandelten Gegenständen überwiegt, kann man vielleicht sagen, daß *konstative Sprechhandlungen* eine konstitutive Bedeutung für *Konversationen* haben.

Unsere Klassifikation der Sprechakte kann also dazu dienen, drei reine Typen, besser *Grenzfälle* des kommunikativen Handelns einzuführen: die Konversation, das normengeleitete und das dramaturgische Handeln. Wenn wir überdies die internen Beziehungen zwischen strategischem Handeln und perlokutionären Akten bzw. Imperativen berücksichtigen, gewinnen wir die folgende Einteilung für sprachlich vermittelte Interaktionen (Fig. 16):

einen Wahrheitswert?, in: Grewendorf (1979), 175 ff. Allerdings ist es falsch, Operative, die den Vollzug von Konstruktionsleistungen ausdrücken, an konstative Sprechhandlungen zu assimilieren. Mit ihnen verbindet der Sprecher einen Anspruch nicht auf propositionale Wahrheit, sondern auf konstruktive Wohlgeformtheit oder Verständlichkeit.

Fig. 16 *Reine Typen sprachlich vermittelter Interaktionen*

Formal-pragmatische Merkmale / Handlungstypen	kennzeichnende Sprechakte	Sprachfunktionen	Handlungsorientierungen	Grundeinstellungen	Geltungsansprüche	Weltbezüge
strategisches Handeln	Perlokutionen, Imperative	Beeinflussung des Gegenspielers	erfolgsorientiert	objektivierend	[Wirksamkeit]	objektive Welt
Konversation	Konstative	Darstellung von Sachverhalten	verständigungsorientiert	objektivierend	Wahrheit	objektive Welt
normenreguliertes Handeln	Regulative	Herstellung interpersonaler Beziehungen	verständigungsorientiert	normenkonform	Richtigkeit	soziale Welt
dramaturgisches Handeln	Expressive	Selbstrepräsentation	verständigungsorientiert	expressiv	Wahrhaftigkeit	subjektive Welt

(6) *Formale und empirische Pragmatik*

Selbst wenn das Programm einer Sprechhandlungstheorie, das ich nur umrissen habe, ausgeführt wäre, könnte man die Frage stellen, was mit einer solchen formalpragmatisch ansetzenden Theorie für eine brauchbare soziologische Handlungstheorie gewonnen würde. Es stellt sich zumindest die Frage, warum sich dafür nicht eher empirisch-pragmatische Forschungsansätze empfehlen, die sich mit rationalen Nachkonstruktionen einzelner, hochidealisierter Sprechhandlungen nicht aufhalten und sogleich mit der kommunikativen Alltagspraxis beginnen. Von linguistischer Seite gibt es interessante Beiträge zur Analyse von Erzählungen und Texten,[78] von soziologischer Seite Beiträge zur Konversationsanalyse,[79] von anthropologischer Seite Beiträge zur Ethnographie des Sprechens[80] und von psychologischer Seite Untersuchungen zu pragmatischen Variablen der sprachlichen Interaktion.[81] Demgegenüber scheint sich die formale Pragmatik, die sich in rekonstruktiver Absicht, also im Sinne einer Kompetenztheorie, auf die Bedingungen möglicher Verständigung richtet,[82] vom faktischen Sprachgebrauch hoffnungslos zu entfernen.[83] Ist es unter diesen Umständen überhaupt sinnvoll, auf der formalpragmatischen Begründung einer Theorie des kommunikativen Handelns zu beharren?

Ich möchte auf diese Frage in der Weise antworten, daß ich zunächst die methodischen Schritte aufzähle, mit denen die formale Pragmatik Anschluß an die empirische Pragmatik findet (a); dann

78 W. Kummer, Grundlagen der Texttheorie, Hbg. 1975; M. A. K. Halliday, System and Function in Language, Selected Papers, Oxford 1976; K. Bach, R. M. Hanisch, Linguistic Communication and Speech Acts, Cambridge 1979.

79 M. Coulthard, An Introduction into Discourse Analysis, London 1977; L. Churchill, Questioning Strategies in Sociolinguistics, Rowley, Ma. 1978; J. Schenken (Ed.), Studies in the Organization of Conversational Interaction, N. Y. 1978; S. Jacobs, Recent Advances in Discourse Analysis, Quart. J. of Speech, 66, 1980, 450 ff.

80 D. Hymnes (Ed.), Language in Culture and Society, N. Y. 1964; ders., Models of the interactions of language and social life, in: J. J. Gumperz, D. Hymes (Eds.), Directions in Sociolinguistics, N. Y. 1972, 35 ff.

81 R. Rommetveit, On Message-Structure, N. Y. 1974.

82 Apel (1976 b); Habermas (1976 b).

83 Siehe die kritische Bewertung der formalpragmatischen Ansätze von Allwood, Grice und Habermas in: Kreckel (1981), 14 ff.

will ich die Probleme nennen, die eine Klärung der rationalen Grundlagen von Verständigungsprozessen erforderlich machen (b); schließlich möchte ich auf ein strategisch wichtiges Argument eingehen, über das sich die formale von der empirischen Pragmatik belehren lassen muß, wenn sie die Rationalitätsproblematik nicht am falschen Ort lokalisieren soll – nämlich nicht in den Handlungsorientierungen, wie Max Webers Handlungstheorie nahelegt, sondern in den allgemeinen Strukturen der Lebenswelten, denen die handelnden Subjekte angehören (c).

ad a) Man kann die reinen Typen sprachlich vermittelter Interaktion schrittweise der Komplexität natürlicher Situationen annähern, ohne daß die theoretischen Gesichtspunkte für die Analyse der Handlungskoordinierung verlorengehen müßten. Die Aufgabe besteht darin, die starken Idealisierungen, denen sich der Begriff des kommunikativen Handelns verdankt, kontrolliert rückgängig zu machen:

– außer den *Grundmodi* wird die Mannigfaltigkeit der *konkret ausgeprägten illokutionären Kräfte* zugelassen, die das kulturspezifische und einzelsprachlich standardisierte Netz möglicher interpersonaler Beziehungen bildet;

– außer der *Standardform* der Sprechhandlungen werden *andere Formen der sprachlichen Realisierung* von Sprechakten zugelassen;

– außer *expliziten* Sprechhandlungen werden elliptisch verkürzte, extraverbal ergänzte, *implizite* Äußerungen zugelassen, bei denen das Verständnis des Hörers auf die Kenntnis nicht-standardisierter, zufälliger Kontextbedingungen angewiesen ist;

– außer *direkten* Sprechhandlungen werden *indirekte, übertragene* und *ambige* Äußerungen zugelassen, deren Bedeutung aus dem Kontext erschlossen werden muß;

– die Betrachtung wird von *isolierten* Sprechakten (und Ja/Nein-Stellungnahmen) auf Sequenzen von Sprechhandlungen, auf *Texte* oder *Gespräche* ausgedehnt, so daß Konversationsimplikaturen in den Blick kommen;

– neben den objektivierenden, normenkonformen und expressiven Grundeinstellungen wird eine übergreifende, *performative Einstellung* zugelassen, um der Tatsache Rechnung zu tragen, daß sich Kommunikationsteilnehmer mit jedem Sprechakt *gleichzeitig* auf etwas in der objektiven, sozialen und subjektiven Welt beziehen[84];

– außer der Ebene der *Verständigungsprozesse*, d. h. der *Rede* wird die Ebene des kommunikativen *Handelns*, d. h. der einvernehmlichen Koordinierung von Handlungsplänen individueller Teilnehmer in die Betrachtung einbezogen.

– außer *kommunikativen Handlungen* werden schließlich die Ressourcen des *Hintergrundwissens*, aus denen die Interaktionsteilnehmer ihre Interpretationen speisen, in die Analyse aufgenommen, d. h. Lebenswelten.

Diese Erweiterungen laufen auf die Preisgabe der methodischen Vorkehrungen hinaus, die mit der Einführung von Standardsprechakten zunächst beabsichtigt waren. Im Standardfall deckt sich die wörtliche Bedeutung der geäußerten Sätze mit dem, was

---

84 Die Klassifizierung nach konstativen, regulativen und expressiven Sprechhandlungen bedeutet, daß dem Sprecher jeweils eine dominante Grundeinstellung zugeschrieben wird. Sobald wir eine performative Einstellung zulassen, berücksichtigen wir den Umstand, daß komplexe Verständigungsprozesse nur gelingen können, wenn jeder Sprecher von einer (sei es objektivierenden, normenkonformen oder expressiven) Einstellung einen geregelten, d. h. rational kontrollierten Übergang zu den jeweils anderen Einstellungen vornimmt. Eine solche Transformation stützt sich auf intermodale *Geltungsinvarianzen*. Dieses Gebiet einer Logik von Sprechhandlungen ist noch kaum erforscht. Warum dürfen wir beispielsweise von der Geltung einer expressiven Sprechhandlung $M_{(e)}p$ auf die Geltung einer *entsprechenden* Sprechhandlung $M_{(k)}p$ schließen? Wenn Peter wahrhaftig gesteht, daß er Frieda liebt, fühlen wir uns berechtigt, die Behauptung, daß Peter Frieda liebt, als wahr zu akzeptieren. Und wenn umgekehrt die Behauptung, daß Peter Frieda liebt, wahr ist, fühlen wir uns berechtigt, ein Geständnis von Peter, daß er Frieda liebt, als wahrhaftig zu akzeptieren. Dieser Übergang könnte nur dann nach Regeln der Aussagenlogik gerechtfertigt werden, wenn wir expressive an konstative Sprechhandlungen oder Erlebnissätze an Aussagesätze assimilieren dürften. Da das nicht der Fall ist, müssen wir nach formalpragmatischen Regeln für die Verknüpfung solcher Sprechhandlungen suchen, die mit dem gleichen propositionalen Gehalt in verschiedenen Modis auftreten. Die folgende Tabelle soll lediglich illustrieren, welche Übergänge wir intuitiv für erlaubt (+) oder unerlaubt (−) halten (Fig. 17 auf S. 443):

Diese Phänomene können die bekannten Modallogiken nicht befriedigend erklären. Vgl. aber zum konstruktivistischen Ansatz einer pragmatischen Logik C. F. Gethmann (Hrsg.), Theorie des wissenschaftlichen Argumentierens, Ffm. 1980, Teil 3, 165-240; ders., Protologik, Ffm. 1979.

der Sprecher mit seinem Sprechakt meint.[85] Je mehr aber das, was
ein Sprecher mit seiner Äußerung meint, von einem implizit blei-
benden Hintergrundwissen abhängig gemacht wird, um so weiter
kann sich die kontextspezifische Bedeutung der Äußerung von der
wörtlichen Bedeutung des Gesagten unterscheiden.

Wenn man die Idealisierung einer vollständigen und wörtlichen
Repräsentation der Bedeutung von Äußerungen preisgibt, wird
auch die Lösung eines anderen Problems erleichtert, nämlich die
Unterscheidung und Identifizierung von verständigungsorientierten und erfolgsorientierten Handlungen in natürlichen Situationen. Dabei ist zu berücksichtigen, daß nicht nur Illokutionen in
strategischen Handlungszusammenhängen, sondern auch Perloku-

Fig. 17 *Intermodaler Geltungstransfer zwischen Sprechhandlungen
gleichen propositionalen Gehalts*

von:	auf: konstative Sprechhandlung (Wahrheit)	auf: expressive Sprechhandlung (Wahrhaftigkeit)	auf: regulative Sprechhandlung (Richtigkeit)
konstativer Sprechhandlung (Wahrheit)	×	+	−
expressiver Sprechhandlung (Wahrhaftigkeit)	+	×	−
regulativer Sprechhandlung (Richtigkeit)	+	+	×

85 Diesen methodischen Sinn hat das von Searle (1969), 87 f., eingeführte »principle of expressibility«; vgl. dazu: T. Binkley, The Principle of Expressibility, Philos.
Phenom. Res., 39, 1979, 307 ff.

tionen in kommunikativen Handlungszusammenhängen auftreten. Kooperative Deutungsprozesse durchlaufen verschiedene
Phasen. Deren Anfangszustand ist in der Regel dadurch definiert,
daß sich die Situationsdeutungen der Beteiligten für Zwecke der
Handlungskoordinierung nicht hinreichend überlappen. In dieser
Phase müssen die Teilnehmer auf die Ebene der Metakommunika-
tion ausweichen oder Mittel der indirekten Verständigung einsetzen. Eine indirekte Verständigung verläuft nach dem Modell der
intentionalen Semantik: der Sprecher gibt dem Hörer durch perlokutionäre Effekte etwas, das er (noch) nicht direkt mitteilen kann,
zu verstehen. In dieser Phase müssen also perlokutionäre Akte in
Zusammenhänge kommunikativen Handelns eingebettet werden.
Diese *strategischen Elemente innerhalb des verständigungsorientierten Sprachgebrauchs* können indessen von *strategischen Handlungen* dadurch unterschieden werden, daß die· gesamte Sequenz
eines Redeabschnitts auf seiten aller Beteiligten unter Präsuppositionen des verständigungsorientierten Sprachgebrauchs steht.
ad b) Eine empirische Pragmatik, die sich des formalpragmatischen
Ausgangspunktes gar nicht erst vergewisserte, würde nicht über
die begrifflichen Instrumente verfügen, die nötig sind, um die rationalen Grundlagen der sprachlichen Kommunikation in der ver-
wirrenden Komplexität der beobachteten Alltagsszenen wiederzu-
erkennen. Nur in formalpragmatischen Untersuchungen können
wir uns einer Idee der Verständigung versichern, die die empirische Analyse an voraussetzungsvolle Probleme oder die sprachliche
Repräsentation verschiedener Realitätsebenen, wie die Erscheinungen der Kommunikationspathologie oder die Entstehung eines
dezentrierten Weltverständnisses heranführen kann.
Die sprachliche *Abgrenzung der Realitätsebenen* von ›Spiel‹ und
›Ernst‹, der sprachliche Aufbau einer fiktiven Realität, Witz und
Ironie, übertragener und paradoxer Sprachgebrauch, Anspielun-
gen und die kontradiktorische Zurücknahme von Geltungsansprüchen auf metakommunikativer Ebene – alle diese Leistungen beruhen auf der absichtlichen Verwechslung von Seinsmodalitäten. Die
formale Pragmatik kann zur Aufklärung des Täuschungsmechanis-
mus, den der Sprecher dabei beherrschen muß, mehr beitragen als
eine noch so genaue empirische Beschreibung der erklärungsbe-

dürftigen Phänomene. Der Heranwachsende gewinnt mit der Einübung in die Grundmodi des Sprachgebrauchs die Fähigkeit, die Subjektivität der eigenen Erlebnisse von der Objektivität der vergegenständlichten Wirklichkeit, der Normativität der Gesellschaft und der Intersubjektivität der sprachlichen Kommunikation selbst abzugrenzen. Indem er mit den entsprechenden Geltungsansprüchen hypothetisch umgehen lernt, übt er sich in die kategorialen Unterscheidungen zwischen Wesen und Erscheinung, Sein und Schein, Sein und Sollen, Zeichen und Bedeutung ein. Mit diesen Seinsmodalitäten bekommt er die Täuschungsphänomene, die zunächst der unfreiwilligen Konfusion zwischen der eigenen Subjektivität auf der einen, den Bereichen des Objektiven, Normativen und Intersubjektiven auf der anderen Seite entspringen, selbst in die Hand. Er weiß nun, wie man die Konfusionen beherrschen und Entdifferenzierungen absichtlich erzeugen, für Fiktion, Witz, Ironie usw. einsetzen kann.[86]

Ähnlich verhält es sich mit Erscheinungen der *systematisch verzerrten Kommunikation*. Auch hier kann die formale Pragmatik zur Erklärung von Phänomenen beitragen, die zunächst nur aufgrund eines in klinischer Erfahrung gereiften intuitiven Verständnisses identifiziert werden. Solche Kommunikationspathologien lassen sich nämlich als Ergebnis einer Konfusion zwischen erfolgs- und verständigungsorientierten Handlungen begreifen. In Situationen verdeckt strategischen Handelns verhält sich mindestens einer der Beteiligten erfolgsorientiert, läßt aber andere in dem Glauben, daß alle die Voraussetzungen kommunikativen Handelns erfüllen. Das ist der Fall der Manipulation, den wir am Beispiel perlokutionärer Akte erwähnt haben. Demgegenüber führt jene Art von unbewußter Konfliktbewältigung, die die Psychoanalyse mit Hilfe von Abwehrstrategien erklärt, zu Kommunikationsstörungen gleichzeitig auf intrapsychischer und auf interpersoneller

86 J. Habermas, Universalpragmatische Hinweise auf das System der Ich-Abgrenzungen, in: Auwärter, Kirsch, Schröter (Hrsg.), Kommunikation, Interaktion, Identität, Ffm. 1976, 332 ff.; vgl. auch die empirische Untersuchung von M. Auwärter, E. Kirsch, Die konversationelle Generierung von Situationsdefinitionen im Spiel 4- bis 6jähriger Kinder, in: J. Matthes (Hrsg.), Soziologie in der Gesellschaft, Bremen 1981.

Ebene.[87] In solchen Fällen täuscht mindestens einer der Beteiligten sich selbst darüber, daß er in erfolgsorientierter Einstellung handelt und bloß den Schein kommunikativen Handelns aufrechterhält. Der Ort dieser systematisch verzerrten Kommunikation im Rahmen einer Theorie des kommunikativen Handelns ergibt sich aus dem folgenden Schema:

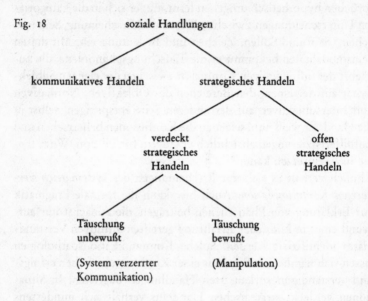

Fig. 18

Die formale Pragmatik hat aber in unserem Zusammenhang vor allem den Vorzug, daß sie mit den reinen Typen sprachlich vermittelter Interaktion genau diejenigen Aspekte hervorhebt, unter denen soziale Handlungen verschiedene Sorten von Wissen verkörpern. Die Theorie des kommunikativen Handelns kann die Schwäche, die wir in der Weberschen Handlungstheorie entdeckt hatten, insofern wettmachen, als sie nicht auf Zweckrationalität als einzigen Aspekt, unter dem Handlungen kritisiert und verbessert wer-

87 J. M. Ruskin, An Evaluative Review of Family Interaction Research, Fam. Process, 11, 1972, 365 ff.; J. H. Weakland, The Double Bind Theory. A reflexive hindsight, Fam. Process, 13, 1974, 269 ff.; S. S. Kety, From Rationalization to Reason, Am. J. of Psychiatr., 131, 1974, 957 ff.; D. Reiss, The Family and Schizophrenia, Am. J. of Psychiatr., 133, 1976, 181 ff.

den können, fixiert bleibt. Ich will verschiedene Aspekte der Handlungsrationalität anhand der eingeführten Handlungstypen kurz erläutern:

Teleologische Handlungen können unter dem Aspekt ihrer *Wirksamkeit* beurteilt werden. Die Handlungsregeln verkörpern *technisch* und *strategisch verwertbares* Wissen, das im Hinblick auf Wahrheitsansprüche kritisiert und durch eine Rückkoppelung mit dem Wachstum empirisch-theoretischen Wissens verbessert werden kann. Dieses Wissen wird in Form von Technologien und Strategien gespeichert.

Konstative Sprechhandlungen, die Wissen nicht nur verkörpern, sondern explizit darstellen und Konversationen ermöglichen, können unter dem Aspekt der Wahrheit kritisiert werden. Bei hartnäckigeren Kontroversen über die Wahrheit von Aussagen bietet sich der *theoretische Diskurs* als eine Fortsetzung des verständigungsorientierten Handelns mit anderen Mitteln an. Wenn die diskursive Prüfung ihren ad-hoc-Charakter verliert und empirisches Wissen systematisch in Frage gestellt wird, wenn die naturwüchsigen Lernprozesse durch die Schleuse von Argumentationen hindurchgeführt werden, ergeben sich kumulative Effekte. Dieses Wissen wird in Form von *Theorien* gespeichert.

Normenregulierte Handlungen verkörpern ein moralisch-praktisches Wissen. Sie können unter dem Aspekt der Richtigkeit bestritten werden. Ein kontroverser Richtigkeitsanspruch kann wie ein Wahrheitsanspruch zum Thema gemacht und diskursiv geprüft werden. Bei Störungen des regulativen Sprachgebrauchs bietet sich der praktische Diskurs als Fortsetzung des konsensuellen Handelns mit anderen Mitteln an. In moralisch-praktischen Argumentationen können die Teilnehmer sowohl die Richtigkeit einer bestimmten Handlung mit Bezugnahme auf eine gegebene Norm wie auch, auf der nächsten Stufe, die Richtigkeit einer solchen Norm selber prüfen. Dieses Wissen wird in Form von Rechts- und Moralvorstellungen tradiert.

Dramaturgische Handlungen verkörpern ein Wissen von der jeweils eigenen Subjektivität des Handelnden. Diese Äußerungen können als unwahrhaftig kritisiert, d. h. als Täuschungen oder Selbsttäuschungen zurückgewiesen werden. Selbsttäuschungen können in therapeutischen Gesprächen mit argumentativen Mitteln aufgelöst werden. Expressives Wissen läßt sich in Form derjenigen Werte explizieren, die der Bedürfnisinterpretation, der Deutung von Wünschen und Gefühlseinstellungen zugrundeliegen. Wertstandards sind ihrerseits abhängig von Innovationen im Bereich der evaluativen Ausdrücke. Diese spiegeln sich exemplarisch in Werken der Kunst. Die Aspekte der Handlungsrationalität lassen sich in dem folgenden Schema zusammenfassen:

Fig. 19 *Aspekte der Handlungsrationalität*

Handlungs-typen	Typ des verkörperten Wissens	Form der Argumentation	Muster tradierten Wissens
teleologisches Handeln: instrumentell strategisch	technisch u. stratetisch verwertbares Wissen	theoretischer Diskurs	Technologien/ Strategien
konstative Sprechhand-lungen (Konversation)	empirisch-theoretisches Wissen	theoretischer Diskurs	Theorien
normen-reguliertes Handeln	moralisch-praktisches Wissen	praktischer Diskurs	Rechts- und Moral-vorstellungen
dramaturgisches Handeln	ästhetisch-praktisches Wissen	therapeutische und ästhetische Kritik	Kunstwerke

ad c) Die Zusammenstellung von Handlungsorientierungen, Wissenstypen und Formen der Argumentation ist natürlich durch Webers Vorstellung inspiriert, daß sich in der europäischen Moderne mit Wissenschaft, Moral und Kunst Bestände expliziten Wissens ausdifferenzieren, die in verschiedene Bereiche institutionalisierten Alltagshandelns einfließen und die bis dahin traditionalistisch bestimmten Handlungsorientierungen gewissermaßen unter Rationalisierungsdruck setzen. Die Aspekte der Handlungsrationalität, die sich am kommunikativen Handeln ablesen lassen, sollen nun erlauben, die Prozesse der gesellschaftlichen Rationalisierung auf ganzer Breite und nicht mehr nur unter dem selektiven Gesichtspunkt der Institutionalisierung zweckrationalen Handelns zu erfassen.

Bei dieser Problemstellung kommt allerdings die *Rolle impliziten Wissens* zu kurz. Es bleibt unklar, wie der Horizont des Alltagshandelns aussieht, in den das explizite Wissen der kulturellen Experten einschießt, und wie sich die kommunikative Alltagspraxis unter diesem Zufluß tatsächlich verändert. Das Konzept des verständigungsorientierten Handelns hat den weiteren und ganz *anderen* Vorzug, daß es diesen *Hintergrund impliziten Wissens* beleuchtet, welches a tergo in die kooperativen Deutungsprozesse eingeht. Kommunikatives Handeln spielt sich innerhalb einer Lebenswelt ab, die den Kommunikationsteilnehmern im Rücken bleibt. Diesen ist sie nur in der präreflexiven Form von selbstverständlichen Hintergrundannahmen und naiv beherrschten Fertigkeiten präsent.

Wenn die sozio-, ethno- und psycholinguistischen Untersuchungen des letzten Jahrzehnts in einem konvergieren, dann ist es die vielfältig demonstrierte Erkenntnis, daß das kollektive Hintergrund- und Kontextwissen von Sprechern und Hörern die Deutung ihrer expliziten Äußerungen in außerordentlich hohem Maße determiniert. Searle hat diese Lehre der empirischen Pragmatik aufgenommen. Er kritisiert die lange herrschende Auffassung, daß Sätzen eine *wörtliche Bedeutung* allein aufgrund der Verwendungsregeln der in ihnen enthaltenen Ausdrücke zukommt.[88] Auch ich habe die Bedeutung von Sprechakten zunächst in diesem Sinne als wörtliche Bedeutung konstruiert. Diese konnte gewiß

88 J. Searle, Literal Meaning, in: Searle (1979), 117 ff.; vgl. auch R. D. Van Valin, Meaning and Interpretation, J. of Pragmatics, 4, 1980, 213 ff.

nicht unabhängig von Kontextbedingungen überhaupt gedacht werden. Es müssen für jeden Typus von Sprechhandlungen *allgemeine* Kontextbedingungen erfüllt sein, damit der Sprecher einen illokutionären Erfolg erzielen kann. Aber diese allgemeinen Kontextbedingungen sollten sich wiederum der wörtlichen Bedeutung der in den Standardsprechhandlungen verwendeten sprachlichen Ausdrücke entnehmen lassen. Tatsächlich darf die Kenntnis der Bedingungen, unter denen ein Sprechakt als gültig akzeptiert werden kann, nicht *vollständig* von einem kontingenten Hintergrundwissen abhängen, wenn die formale Pragmatik ihren Gegenstand nicht verlieren soll.

Searle zeigt nun aber anhand von einfachen Behauptungen (›Die Katze ist auf der Matte‹) und von Imperativen (›Geben Sie mir einen Hamburger‹), daß die Wahrheits- bzw. Erfüllungsbedingungen der darin verwendeten Aussage- und Aufforderungssätze nicht kontextfrei spezifiziert werden können. Wenn wir erst einmal damit anfangen, relativ tiefliegende und triviale *Hintergrundannahmen* zu variieren, bemerken wir, daß die scheinbar kontextinvarianten Gültigkeitsbedingungen ihren Sinn verändern, also keineswegs absolut sind. Searle geht nicht so weit, Sätzen und Äußerungen eine wörtliche Bedeutung überhaupt zu bestreiten. Er verteidigt aber die These, daß die wörtliche Bedeutung eines Ausdrucks relativ ist zu einem Hintergrund veränderlichen impliziten Wissens, das die Beteiligten normalerweise für trivial und selbstverständlich halten.

Die Relativitätsthese hat nicht den Sinn, die Bedeutung eines Sprechaktes auf das zu reduzieren, was der Sprecher mit ihm in einem zufälligen Kontext meint. Searle behauptet nicht einen schlichten Relativismus der Bedeutung sprachlicher Ausdrücke; denn deren Bedeutung verändert sich keineswegs mit dem Übergang von einem zufälligen Kontext zum nächsten. Die Relativität der wörtlichen Bedeutung eines Ausdrucks entdecken wir vielmehr erst durch eine *Art der Problematisierung*, die wir nicht ohne weiteres in der Hand haben. Sie ergibt sich infolge objektiv auftretender Probleme, die unser natürliches Weltbild erschüttern. Dieses fundamentale Hintergrundwissen, welches die Kenntnis der Akzeptabilitätsbedingungen sprachlich standardisierter Äußerungen stillschweigend ergänzen muß, damit ein Hörer deren wörtliche Bedeutung verstehen kann, hat merkwürdige Eigenschaften: es ist ein *implizites* Wissen, das nicht in endlich vielen Propositionen dargestellt werden kann; es ist ein *holistisch strukturiertes* Wissen, dessen Elemente aufeinander verweisen; und es ist ein Wissen, das uns insofern *nicht zur Disposition steht*, als wir es nicht nach Wunsch bewußt machen und in Zweifel ziehen können. Wenn Philosophen das dennoch versuchen, zeigt sich jenes Wissen in Gestalt von Common-sense-Gewißheiten, für die sich beispielsweise G. E. Moore interessiert hat[89], und auf die sich Wittgenstein in seinen Reflexionen »Über Gewißheit« bezieht.

Wittgenstein nennt diese Gewißheiten Bestandteile unseres Weltbildes, »die solchermaßen in allen meinen Fragen und Antworten verankert sind, daß ich nicht an sie rühren kann«.[90] Als absurd erscheinen nur genau die Meinungen, die nicht zu solchen ebenso fraglosen wie fundamentalen Überzeugungen passen: »Nicht als ob ich das System dieser Überzeugungen beschreiben könnte. Aber meine Überzeugungen bilden ein System, ein Gebäude.«[91] Wittgenstein kennzeichnet den *Dogmatismus der alltäglichen Hintergrundannahmen* und *-fertigkeiten* in ähnlicher Weise wie A. Schütz den Modus der Selbstverständlichkeit, in dem die *Lebenswelt* als präreflexiver Hintergrund präsent ist: »Das Kind lernt eine Menge Dinge glauben. D. h. es lernt nach diesem Glauben handeln. Es bildet sich nach und nach ein System von Geglaubtem heraus, und darin steht manches unverrückbar fest, manches ist mehr oder weniger beweglich. Was feststeht, tut dies nicht, weil es an sich offenbar oder einleuchtend ist, sondern es wird von dem, was darum herumliegt, festgehalten.«[92] Die wörtlichen Bedeutungen sind also relativ zu einem tiefverankerten, impliziten Wissen, *von* dem wir normalerweise nichts wissen, weil es schlechthin unproblematisch ist und in den Bereich kommunikativer Äußerungen, die gültig oder ungültig sein können, nicht hineinreicht:

89 G. E. Moore, Proof of an External World, in: Proceedings of the British Academy, London 1939.
90 L. Wittgenstein (1970), § 103, 35.
91 Wittgenstein (1970), § 102, 35.
92 Wittgenstein (1970), § 144, 146.

»Wenn das Wahre das Begründete ist, dann ist der Grund nicht wahr, noch falsch.«[93]

Searle entdeckt diese Schicht des im Alltag fungierenden Weltbildwissens als den Hintergrund, mit dem ein Hörer vertraut sein muß, wenn er die wörtliche Bedeutung von Sprechakten verstehen und kommunikativ handeln soll. Damit lenkt er den Blick auf einen Kontinent, der verborgen bleibt, solange der Theoretiker die Sprechhandlung aus dem Blickwinkel des Sprechers analysiert, der sich mit seiner Äußerung auf etwas in der objektiven, sozialen und subjektiven Welt bezieht. Erst mit der Rückwendung auf den kontextbildenden Horizont der Lebenswelt, aus der heraus sich die Kommunikationsteilnehmer miteinander über etwas verständigen, verändert sich das Blickfeld so, daß die Anschlußstellen der Handlungstheorie für die Gesellschaftstheorie sichtbar werden: das Gesellschaftskonzept muß an ein zum Begriff des kommunikativen Handelns komplementäres Lebensweltkonzept angeknüpft werden. Dann wird kommunikatives Handeln in erster Linie als ein Prinzip der Vergesellschaftung interessant; und zugleich gewinnen die Prozesse gesellschaftlicher Rationalisierung einen anderen Stellenwert. Diese vollziehen sich eher an den implizit gewußten Strukturen der Lebenswelt als, wie es Weber nahelegt, an den explizit gewußten Handlungsorientierungen. In der Zweiten Zwischenbetrachtung werde ich dieses Thema wieder aufnehmen.

93 Wittgenstein (1970), § 205, 59.

IV. Von Lukács zu Adorno: Rationalisierung als Verdinglichung

Die Kritik an den Grundlagen der Weberschen Handlungstheorie kann zwar an eine Argumentationslinie anschließen, die, wie gezeigt, in Webers eigenen Texten angelegt ist. Diese Kritik hat mich aber zu einer Alternative geführt, die einen Paradigmenwechsel vom teleologischen zum kommunikativen Handeln verlangt. Diesen hat Weber nicht anvisiert, geschweige denn vollzogen. »Sinn« als kommunikationstheoretischer Grundbegriff mußte dem in der Tradition der Bewußtseinsphilosophie aufgewachsenen Neukantianer unzugänglich bleiben. Das gleiche gilt für einen Begriff der gesellschaftlichen Rationalisierung, der aus der begrifflichen Perspektive des verständigungsorientierten Handelns entworfen werden kann, und der sich auf die Lebenswelt als das gemeinsame und im aktuellen Handeln als unproblematisch vorausgesetzte Hintergrundwissen bezieht.

Gesellschaftliche Rationalisierung bedeutet dann nicht die Diffusion zweckrationalen Handelns und die Transformation von Bereichen kommunikativen Handelns in Subsysteme zweckrationalen Handelns. Den Bezugspunkt bildet vielmehr das Rationalitätspotential, das in der Geltungsbasis der Rede angelegt ist. Dieses ist niemals völlig stillgestellt; es kann aber auf verschiedenen Niveaus, die vom Grad der Rationalisierung des Weltbildwissens abhängen, aktiviert werden. Soweit soziale Handlungen über Verständigung koordiniert werden, geben die formalen Bedingungen eines rational motivierten Einverständnisses an, wie die Beziehungen der Interaktionsteilnehmer zueinander rationalisiert werden können. Grundsätzlich gelten sie in dem Maße als rational, wie die Ja/Nein-Entscheidungen, die einen jeweiligen Konsens tragen, aus Interpretationsprozessen *der Beteiligten selbst* hervorgehen. Entsprechend kann eine Lebenswelt in dem Maße als rationalisiert angesehen werden, wie sie Interaktionen gestattet, die nicht über ein normativ *zugeschriebenes* Einverständnis, sondern – direkt oder indirekt – über eine kommunikativ *erzielte* Verständigung gesteuert werden.

Wie gezeigt, sieht Weber den Übergang zur Moderne durch eine Ausdifferenzierung von Wertsphären und Bewußtseinsstrukturen gekennzeichnet, die eine kritische Umformung des Traditionswissens unter jeweils spezifischen Geltungsansprüchen möglich machen. Dies ist eine notwendige Bedingung für die Institutionalisierung von entsprechend differenzierten Wissenssystemen und Lernprozessen. Auf dieser Linie liegen (a) die Etablierung eines Wissenschaftsbetriebs, in dem erfahrungswissenschaftliche Probleme unabhängig von theologischen Lehrmeinungen und getrennt von moralisch-praktischen Grundfragen nach internen Wahrheitsstandards bearbeitet werden können; (b) die Institutionalisierung eines Kunstbetriebs, in dem die Kunstproduktion schrittweise von kultisch-kirchlichen und höfisch-mäzenatischen Bindungen gelöst und die Rezeption der Kunstwerke in einem kunstgenießenden Publikum von Lesern, Zuschauern, Hörern durch professionalisierte Kunstkritik vermittelt wird; und schließlich (c) die fachlich-intellektuelle Bearbeitung von ethischen, staatstheoretischen und rechtswissenschaftlichen Fragen in juristischen Fakultäten, im Rechtssystem und in der Rechtsöffentlichkeit.

In dem Maße, wie die institutionalisierte Erzeugung von Wissen, das nach kognitiven, normativen und ästhetischen Geltungsansprüchen spezialisiert ist, auf die Ebene von Alltagskommunikationen durchschlägt und das Traditionswissen in seiner interaktionssteuernden Funktion ersetzt, kommt es zu einer Rationalisierung der Alltagspraxis, die sich nur aus der Perspektive verständigungsorientierten Handelns erschließt – zu einer Rationalisierung der Lebenswelt, die Weber gegenüber der Rationalisierung von Handlungssystemen wie Wirtschaft und Staat vernachlässigt hat. In der rationalisierten Lebenswelt wird der Verständigungsbedarf immer weniger durch einen kritikfesten Bestand an traditionell beglaubigten Interpretationen gedeckt; auf dem Niveau eines vollständig dezentrierten Weltverständnisses muß der Konsensbedarf immer häufiger durch ein riskantes, weil rational motiviertes Einverständnis befriedigt werden – sei es unmittelbar durch die Interpretationsleistungen der Beteiligten, oder durch ein sekundär eingewöhntes professionalisiertes Wissen von Experten. Auf diese Weise wird das kommunikative Handeln mit Konsenserwartungen und Dissensrisiken belastet, die große Anforderungen an Verständigung als den Mechanismus der Handlungskoordinierung stellen. An vielen Phänomenen läßt sich der wachsende Subjektivismus der Meinungen, Verpflichtungen und Bedürfnisse, die Reflexivität des Zeitverständnisses und die Mobilisierung des Raumbewußtseins ablesen. Der religiöse Glaube wird privatisiert. Mit der bürgerlichen Familie und einer dezentralisierten Gemeindereligiosität entsteht eine neue Intimsphäre, die sich in vertiefter Reflexions- und Gefühlskultur auslegt und die Bedingungen der Sozialisation verändert. Gleichzeitig bildet sich eine politische Öffentlichkeit von Privatleuten, die als ein Medium der Dauerkritik die Legitimationsbedingungen politischer Herrschaft verändert. Die Folgen der Rationalisierung der Lebenswelt sind zwiespältig: was die einen als institutionalisierten Individualismus feiern (Parsons), perhorreszieren die anderen als einen Subjektivismus, der die traditional verankerten Institutionen untergräbt, die Entscheidungsfähigkeit der Individuen überfordert, ein Krisenbewußtsein hervorruft und damit die soziale Integration gefährdet (A. Gehlen). Aus der begrifflichen Perspektive verständigungsorientierten Handelns erscheint also Rationalisierung zunächst als eine Umstrukturierung der Lebenswelt, als ein Prozeß, der über die Ausdifferenzierung von Wissenssystemen auf Alltagskommunikationen einwirkt und so die Formen sowohl der kulturellen Reproduktion wie der sozialen Integration und der Sozialisation erfaßt. Vor diesem Hintergrund erhält die Entstehung von Subsystemen zweckrationalen Handelns einen *anderen* Stellenwert als im Kontext der Weberschen Untersuchung. Auch Weber hat den globalen Vorgang der Rationalisierung auf der handlungstheoretischen Ebene als eine Tendenz zur Ersetzung von Gemeinschafts- durch Gesellschaftshandeln abgebildet. Aber erst wenn wir im »Gesellschaftshandeln« zwischen verständigungs- und erfolgsorientiertem Handeln differenzieren, lassen sich die kommunikative Rationalisierung des Alltagshandelns und die Subsystembildung für zweckrationales Wirtschafts- und Verwaltungshandeln als *komplementäre* Entwicklung begreifen. Zwar spiegeln beide die institutionelle Verkörperung von Rationalitätskomplexen, aber in anderer Hinsicht handelt es sich um *gegenläufige* Tendenzen.

Die Entschränkung normativer Kontexte und die Entbindung kommunikativen Handelns aus traditionsgestützten Institutionen, und das heißt: aus Konsensverpflichtungen, belastet (und überfordert) den Mechanismus der Verständigung mit wachsendem Koordinationsbedarf. Auf der anderen Seite treten, in zwei zentralen Handlungsbereichen, an die Stelle von Institutionen ›Anstalten‹ und Organisationen eines neuen Typs: sie bilden sich auf der Grundlage von Kommunikationsmedien, die das Handeln von Verständigungsprozessen abkoppeln und über verallgemeinerte instrumentelle Werte wie Geld und Macht koordinieren. Diese Steuerungsmedien ersetzen Sprache als Mechanismus der Handlungskoordinierung. Sie lösen soziales Handeln von einer über Wertekonsens laufenden Integration und stellen es auf mediengesteuerte Zweckrationalität um. Weil Weber seine Handlungstheorie zu schmalspurig anlegt, kann er in Geld und Macht nicht die Kommunikationsmedien erkennen, die, *indem sie Sprache substituieren,* die Ausdifferenzierung von Teilsystemen zweckrationalen Handelns ermöglichen. Diese Medien, und nicht unmittelbar die zweckrationalen Handlungsorientierungen selbst, sind es, die einer institutionellen und einer motivationalen Verankerung in der Lebenswelt bedürfen: die Legitimität der Rechtsordnung und die moralisch-praktische Grundlage für verrechtlichte, d. h. formal organisierte Handlungsbereiche bilden die Glieder, die das über Geld ausdifferenzierte Wirtschafts-, und das über Macht ausdifferenzierte Verwaltungssystem mit der Lebenswelt verbinden. An diesen beiden institutionellen Komplexen hat Weber zu Recht angesetzt, um die Modernisierung als eine in sich widersprüchliche Rationalisierung zu entschlüsseln.

Freilich öffnet sich erst mit der Begrifflichkeit des kommunikativen Handelns die Perspektive, aus der der Prozeß der gesellschaftlichen Rationalisierung von Anbeginn als widersprüchlich erscheint. Und zwar ergibt sich ein Widerspruch zwischen der an die Intersubjektivitätsstrukturen der Lebenswelt gebundenen Rationalisierung des Alltagskommunikation, für die Sprache das genuine und nicht ersetzbare Medium der Verständigung darstellt, und der wachsenden Komplexität von Teilsystemen zweckrationalen Handelns, in denen Steuerungsmedien wie Geld und Macht die Handlungen koordinieren. Eine Konkurrenz besteht also nicht zwischen den *Typen des verständigungs- und erfolgsorientierten Handelns*, sondern zwischen *Prinzipien der gesellschaftlichen Integration*: zwischen dem aus der Rationalisierung der Lebenswelt immer reiner hervorgehenden Mechanismus einer an Geltungsansprüchen orientierten sprachlichen Kommunikation und jenen entsprachlichten Steuerungsmedien, über die Systeme erfolgsorientierten Handelns ausdifferenziert werden. Die Paradoxie der Rationalisierung, von der Weber gesprochen hat, läßt sich dann abstrakt so fassen, daß die Rationalisierung der Lebenswelt eine Art der Systemintegration ermöglicht, die mit dem Integrationsprinzip der Verständigung in Konkurrenz tritt und unter bestimmten Bedingungen ihrerseits auf die Lebenswelt desintegrierend zurückwirkt.

Nun möchte ich diese These nicht von außen an Weber herantragen, sondern aus dem Gang der theoriegeschichtlich ausgebildeten Argumentation selbst gewinnen. In der Fassung einer Dialektik von toter und lebendiger Arbeit findet sich eine Entsprechung zur Dialektik der gesellschaftlichen Rationalisierung schon bei Marx. Wie die historischen Passagen des »Kapital« zeigen, untersucht Marx, wie der Akkumulationsprozeß die Lebenswelt jener Produzenten aushöhlt, die als einzige Ware ihre eigene Arbeitskraft anbieten können. Er verfolgt den widersprüchlichen Prozeß der gesellschaftlichen Rationalisierung an den selbstdestruktiven Bewegungen eines Wirtschaftssystems, das auf der Basis der Lohnarbeit die Güterproduktion als Erzeugung von Tauschwerten organisiert und dadurch desintegrierend in die Lebensverhältnisse der an diesen Transaktionen beteiligten Klassen eingreift. Sozialismus liegt für Marx in der Fluchtlinie einer mit der kapitalistischen Auflösung traditionaler Lebensformen *verfehlten* Rationalisierung der Lebenswelt. Auf die interessanten Beziehungen zwischen Weber und Marx werde ich aber nicht eingehen,[1] sondern die Argumentation an der Stelle aufnehmen, wo Repräsentanten des westlichen

1 K. Löwith, M. Weber und K. Marx, in: Löwith (1960), 1 ff.; W. Schluchter (1972); N. Birnbaum, Konkurrierende Interpretationen der Genese des Kapitalismus: Marx und Weber, in: C. Seyfarth, W. Sprondel (1973), 38 ff.; A. Giddens, Marx, Weber und die Entwicklung des Kapitalismus, ebd., 65 ff.

Marxismus, wie zunächst Lukács, dann Horkheimer und Adorno, Webers Theorie der Rationalisierung aufnehmen und an die von Hegel und Marx untersuchte Dialektik von toter und lebendiger Arbeit, von System und Sittlichkeit anschließen.

In dieser Tradition stellen sich die beiden Probleme, die bis heute für die Gesellschaftstheorie bestimmend sind. Zum einen geht es um die Erweiterung des teleologischen Handlungsbegriffs und um die Relativierung der Zwecktätigkeit an einem Modell der Verständigung, das nicht nur den Übergang von der Bewußtseins- zur Sprachphilosophie voraussetzt, sondern die kommunikationstheoretische Entwicklung und Radikalisierung der Sprachanalyse selber.[2] Neben der Erweiterung des handlungstheoretischen Ansatzes geht es aber um eine Integration von Handlungs- und Systemtheorie, die nur dann nicht, wie bei Parsons, zu einem systemtheoretischen Aufsaugen der Handlungstheorie führt, wenn es gelingt, die Rationalisierung der Lebenswelt und die Rationalisierung gesellschaftlicher Subsysteme klar auseinanderzuhalten. Die Rationalisierung ergibt sich dort aus der strukturellen Differenzierung der Lebenswelt, hier aus der Komplexitätssteigerung von Handlungssystemen. System- und Handlungstheorie sind die disjecta membra eines dialektischen Begriffs der Totalität, den Marx und selbst Lukács noch gebraucht haben, ohne daß sie ihn in Begriffen hätten rekonstruieren können, die ein Äquivalent für die Grundbegriffe der als idealistisch zurückgewiesenen Hegelschen Logik darstellen.

Ich werde zunächst die marxistische Rezeption von Webers Theorie der Rationalisierung bei Lukács, Horkheimer und Adorno untersuchen (1), um sodann am aporetischen Gang der Kritik der instrumentellen Vernunft zu zeigen, wie diese Problematik die Grenzen der Bewußtseinsphilosophie sprengt (2).

2 Siehe oben S. 369 ff.

1. Max Weber in der Tradition des westlichen Marxismus

Wenn man von den theoretischen Positionen ausgeht, die Hork-heimer und Adorno in den frühen 40er Jahren aus der Kritischen Theorie entwickelt haben,[3] treten die Konvergenzen zwischen We-bers Rationalisierungsthese und der auf der Traditionslinie Marx-Lukács liegenden Kritik der instrumentellen Vernunft hervor. Das gilt insbesondere für das gleichnamige Buch von Horkheimer aus dem Jahre 1946.[4]

Horkheimer ist mit Weber der Auffassung, daß formale Rationali-tät »der gegenwärtigen industriellen Kultur zugrundeliegt«.[5] Un-ter formaler Rationalität hatte Weber die Bestimmungen zusam-mengefaßt, die »Berechenbarkeit« von Handlungen ermöglichen: unter dem instrumentellen Aspekt die Wirksamkeit der verfügba-ren Mittel, und unter dem strategischen Aspekt die Richtigkeit der Mittelwahl bei gegebenen Präferenzen, Mitteln und Randbedin-gungen. Insbesondere diesen zweiten Aspekt der Wahlrationalität nennt Weber ›formal‹ im Unterschied zur materiellen Beurteilung der den subjektiven Präferenzen zugrunde liegenden Werte selber. Diesen Begriff verwendet er auch synonym mit Zweckrationalität. Dabei geht es um die Struktur von Handlungsorientierungen, die durch kognitiv-instrumentelle Rationalität unter Absehung von Maßstäben moralisch- oder ästhetisch-praktischer Rationalität be-stimmt ist. Weber betont den Rationalitäts*zuwachs*, der mit der Ausdifferenzierung einer im engeren Sinne kognitiven Wertsphäre und wissenschaftlich organisierter Lernprozesse eintritt: verlän-gerte Ketten von Handlungen können nun systematisch unter dem Geltungsaspekt von Wahrheit und Wirksamkeit beurteilt, im Sinne formaler Rationalität berechnet und verbessert werden. Horkhei-

3 Zur Theoriegeschichte des Frankfurter Instituts in den Jahren der Emigration vgl. M. Jay, Dialektische Phantasie, Ffm. 1976; H. Dubiel, Wissenschaftsorganisa-tion und politische Erfahrung, Ffm. 1978; D. Held, Introduction to Critical Theo-ry, London 1980.
4 M. Horkheimer, Zur Kritik der instrumentellen Vernunft, Ffm. 1967.
5 Horkheimer (1967), 13.

mer betont hingegen den Rationalitäts*verlust*, der in dem Maße eintritt, wie Handlungen nur noch unter kognitiven Aspekten beurteilt, geplant und gerechtfertigt werden können. Das kommt schon in der Wortwahl zum Ausdruck. Horkheimer setzt Zweckrationalität mit ›instrumenteller Vernunft‹ gleich. Die Ironie dieses Sprachgebrauchs besteht darin, daß Vernunft, die sich nach Kant auf das Vermögen der Ideen bezieht und praktische Vernunft ebenso wie ästhetische Urteilskraft einschließt, mit dem identifiziert wird, was Kant sorgfältig von ihr unterscheidet, eben mit der Verstandestätigkeit des erkennenden und nach technischen Imperativen handelnden Subjekts: »Als die Idee der Vernunft konzipiert wurde, sollte sie mehr zustandebringen, als bloß das Verhältnis von Mitteln und Zwecken zu regeln; sie wurde als das Instrument betrachtet, die Zwecke zu verstehen, *sie zu bestimmen.*«[6]

Trotz unterschiedlicher Akzentuierung folgt Horkheimer den beiden Thesen, die die Erklärungskomponenten der Weberschen Zeitdiagnose bilden: der These vom Sinnverlust (1) und der These vom Freiheitsverlust (2); die Differenzen ergeben sich erst bei der Begründung dieser Thesen, bei der sich Horkheimer auf die von Lukács vorgeschlagene Deutung der kapitalistischen Rationalisierung als Verdinglichung stützt (3).

(1) *Zur These vom Sinnverlust.* Horkheimer führt die instrumentelle Vernunft als ›subjektive Vernunft‹ ein und stellt sie der ›objektiven Vernunft‹ gegenüber. Dadurch ergibt sich eine Perspektive, die über die Einheit einer in sich differenzierten Vernunft hinaus- und in die Metaphysik zurückreicht: nicht Kant, sondern die Metaphysik bildet den eigentlichen Kontrast zu einem Bewußtsein, das allein das Vermögen formaler Rationalität, also »die Fähigkeit, Wahrscheinlichkeiten zu berechnen und dadurch einem gegebenen Zweck die richtigen Mittel zuzuordnen«[7] als vernünftig gelten läßt: »Im Brennpunkt der Theorie der objektiven Vernunft standen nicht die Zuordnungen von Verhalten und Ziel, sondern die Begriffe – wie mythologisch sie uns auch heute anmuten mögen –, die sich mit der Idee des höchsten Gutes beschäftigen, mit dem

6 Horkheimer (1967), 21.
7 Horkheimer (1967), 17.

Problem der menschlichen Bestimmung und mit der Weise, wie höchste Ziele zu verwirklichen seien.«[8] Der Ausdruck ›objektive Vernunft‹ steht für das ontologische Denken, das die Rationalisierung der Weltbilder vorangetrieben, die Menschenwelt als Teil einer kosmologischen Ordnung begriffen hatte: »Die philosophischen Systeme der objektiven Vernunft schlossen die Überzeugung ein, daß eine allumfassende oder fundamentale Struktur des Seins entdeckt und eine Konzeption der menschlichen Bestimmung aus ihr abgeleitet werden könne.«[9]

Den Hintergrund für die moderne Bewußtseinsgeschichte, für die Herausbildung der instrumentellen Vernunft als der herrschenden Form der Rationalität, bilden jene metaphysisch-religiösen Weltbilder, an denen Max Weber zunächst den Prozeß der Entzauberung (wenn auch eher unter Gesichtspunkten der ethischen als der theoretischen Rationalisierung) abgelesen hatte. Wie Weber sieht Horkheimer das Resultat dieser Weltbildentwicklung darin, daß sich kulturelle Wertsphären ausbilden, die spezifischen Eigengesetzlichkeiten gehorchen: »diese Aufteilung der Kultursphären ergibt sich daraus, daß die allgemeine objektive Wahrheit durch die formalisierte, zuinnerst relativistische Vernunft ersetzt wird.«[10]

Der Subjektivierung der Vernunft entspricht das Irrationalwerden von Moral und Kunst. Die Autoren der »Dialektik der Aufklärung«,[11] deren systematischen Gehalt Horkheimer in seiner »Kritik der instrumentellen Vernunft« nur zusammenfaßt, haben ein Kapitel einem Roman von de Sade gewidmet, um zu zeigen, daß den »dunklen Schriftstellern des Bürgertums« sogar im paradigmatischen Jahrhundert der Aufklärung die Dissoziierung von Vernunft und Moral bis in die letzten Konsequenzen zu Bewußtsein gekommen ist: »sie haben nicht vorgegeben, daß die formalistische Vernunft in einem engeren Zusammenhang mit der Moral als mit der Unmoral stünde«.[12] Das gleiche behauptet Horkheimer von der modernen Kunstentwicklung: die Dissoziierung der Kunst

8 Horkheimer (1967), 16.
9 Horkheimer (1967), 22.
10 Horkheimer (1967), 28.
11 M. Horkheimer, Th. W. Adorno, Dialektik der Aufklärung, Amsterdam 1947.
12 Horkheimer, Adorno (1947), 141.

von der Vernunft »überführt Kunstwerke in kulturelle Waren und ihren Konsum in eine Reihe von zufälligen Gefühlen, die von unseren wirklichen Intentionen und Bestrebungen getrennt sind.«[13]

Gewiß, Horkheimer unterscheidet sich von Weber in der Beurteilung des Auseinandertretens der kognitiven, normativen und expressiven Wertsphären. In Erinnerung an den emphatischen Wahrheitsbegriff der Metaphysik, mit der sich Weber interessanterweise niemals systematisch befaßt hat, dramatisiert Horkheimer die innere Entzweiung der Vernunft nach beiden Seiten: einerseits sieht er die normative und die expressive Wertsphäre jedes immanenten Geltungsanspruchs beraubt, so daß von moralischer und ästhetischer *Rationalität* nicht mehr die Rede sein kann; auf der anderen Seite traut er dem in Kritik verwandelten spekulativen Denken bei allem Zögern doch noch eine restitutive Kraft zu, die Weber für utopisch gehalten, des falschen Charismas der Vernunft verdächtigt hätte. Worin aber beide übereinstimmen ist die These, daß die sinnstiftende Einheit metaphysisch-religiöser Weltbilder zerfällt, daß dieser Umstand die Einheit modernisierter Lebenswelten in Frage stellt und damit die Identität der vergesellschafteten Subjekte und deren gesellschaftliche Solidarität ernsthaft gefährdet.

Die Moderne ist auch für Horkheimer dadurch gekennzeichnet, daß dieselbe Entzauberung, mit der Religion und Metaphysik die Stufe des mythisch-magischen Denkens überwunden hatten, die rationalisierten Weltbilder selbst in ihrem Kern, nämlich in der Glaubwürdigkeit der theologischen und der ontologisch-kosmologischen Prinzipien erschüttert hat. Das durch Lehre vermittelte religiös-metaphysische Wissen erstarrt zum Dogma, Offenbarung und überlieferte Weisheit verwandeln sich in bloße Tradition, Überzeugung wird zum subjektiven Fürwahrhalten. Die Denkform des Weltbildes selber wird obsolet, Heilswissen und Weltweisheit lösen sich in subjektivierte Glaubensmächte auf. Nun erst können Phänomene wie *Glaubensfanatismus* und *Bildungstraditionalismus* auftreten, und zwar als Begleiterscheinungen des Protestantismus auf der einen, des Humanismus auf der anderen Seite.

13 Horkheimer (1967), 47.

Sobald die Kenntnis von Gott, in dem die Geltungsaspekte des Wahren, Guten, Vollkommenen noch ungeschieden sind, jenen Wissenssystemen gegenübertritt, die nach Maßgabe von propositionaler Wahrheit, normativer Richtigkeit und Authentizität oder Schönheit spezialisiert sind, verliert der Modus des Festhaltens an religiösen Überzeugungen die Zwanglosigkeit, die sich einer Überzeugung einzig durch gute Gründe mitteilt.

Fortan ist religiöser *Glaube* durch Momente der Blindheit, der bloßen Meinung und der Überwältigung charakterisiert – Glauben und Wissen treten auseinander: »Glaube ist ein privater Begriff: er wird als Glaube vernichtet, wenn er seinen Gegensatz zum Wissen oder seine Übereinstimmung mit ihm nicht fortwährend hervorkehrt. Indem er auf die Einschränkung des Wissens angewiesen bleibt, ist er selbst eingeschränkt. Den im Protestantismus unternommenen Versuch des Glaubens, das ihm transzendente Prinzip der Wahrheit, ohne das er nicht bestehen kann, wie in der Vorzeit unmittelbar im Wort selbst zu finden und diesem die symbolische Gewalt zurückzugeben, hat er mit dem Gehorsam aufs Wort... bezahlt. Indem der Glaube unweigerlich als Feind oder Freund ans Wissen gefesselt bleibt, perpetuiert er die Trennung im Kampf, sie zu überwinden: sein Fanatismus ist das Mal seiner Unwahrheit, das objektive Zugeständnis, daß, wer *nur* glaubt, eben damit nicht mehr glaubt.«[14]

Auf der anderen Seite spaltet sich von der modernen Philosophie, die sich zugleich als Opponent und Erbe der Religion mit Wissenschaft zweideutig identifiziert und vorübergehend ins Wissenschaftssystem rettet, ein *Bildungswissen* ab. Dessen Rechtfertigung besteht primär darin, Traditionen fortzusetzen. Die Schwierigkeit des Bildungstraditionalismus besteht darin, daß er seine eigene Grundlage kaschieren muß; denn nur diejenigen Traditionen bedürfen der Beschwörung, die der Beglaubigung durch gute Gründe ermangeln. Jeder Traditionalismus trägt das Zeichen eines *Neo*traditionalismus: »Was sind die Konsequenzen der Formalisierung der Vernunft? Gerechtigkeit, Gleichheit, Glück, Toleranz, alle die Begriffe, die, wie erwähnt, in den vorhergehenden Jahrhunderten

14 Horkheimer, Adorno (1947), 31 f.

der Vernunft innewohnen oder von ihr sanktioniert sein sollten, haben ihre geistigen Wurzeln verloren. Sie sind noch Ziele und Zwecke, aber es gibt keine rationale Instanz, die befugt wäre, ihnen einen Wert zuzusprechen und sie mit einer objektiven Realität zusammenzubringen. Approbiert durch verehrungswürdige historische Dokumente, mögen sie sich noch eines gewissen Prestiges erfreuen, und einige sind im Grundgesetz der größten Länder enthalten. Nichtsdestoweniger ermangeln sie der Bestätigung durch die Vernunft in ihrem modernen Sinne. Wer kann sagen, daß irgendeines dieser Ideale enger auf Wahrheit bezogen ist als sein Gegenteil?«[15]

Dieser zweite, vom Historismus bewußt vollzogene Schub der Entzauberung bedeutet die ironische Wiederkehr der dämonischen Gewalten, die zunächst durch die einheitsstiftende, vereinheitlichend sinngebende Kraft religiöser und metaphysischer Weltbilder bezwungen worden waren. Die in der »Dialektik der Aufklärung« entwickelte These, daß Aufklärung in Mythos zurückschlägt, berührt sich mit der These der Weberschen »Zwischenbetrachtung«. Je mehr die »spezifische Eigenart jeder in der Welt vorkommenden Sondersphäre immer schroffer und unlösbarer« hervortritt, um so ohnmächtiger wird die Erlösungs- und Weisheitssuche gegenüber einem wiedererstarkten Polytheismus, einem Kampf der Götter, der nun freilich *im Zeichen unpersönlicher Mächte* von einer subjektiven Vernunft geführt wird. Dieser neue Polytheismus hat, weil er seiner mythischen Gestalt entkleidet ist, die bindende Kraft verloren und dem Schicksal, unter Abzug seiner sozialintegrativen Funktion, nur die Blindheit belassen, d. h. den Zufallscharakter des Gegeneinanders von irrational gewordenen Glaubensmächten. Selbst die Wissenschaft steht auf einem schwankenden Fundament, das nicht sicherer ist als das subjektive Engagement derer, die ihr Leben an dieses Kreuz nageln zu lassen entschlossen sind.[16]

Im übrigen ist die subjektive Vernunft die instrumentelle, d. h. ein Werkzeug der Selbsterhaltung. Horkheimer nennt die Idee der

15 Horkheimer (1967), 32.
16 Dieses heroische Selbstverständnis der modernen Wissenschaften bezeugt Max Weber in seinem Vortrag »Wissenschaft als Beruf« (Weber 1968 b, 582 ff.). Auch Popper bekennt sich zu diesem Subjektivismus, indem er wissenschaftliche Kritik

Selbsterhaltung das Prinzip, das die subjektive Vernunft zum Wahnsinn treibt, weil der Gedanke an etwas, das über die Subjektivität des Selbstinteresses hinausgeht, jeder Rationalität beraubt wird: »Das Leben des totemistischen Stammes, der Sippe, der Kirche des Mittelalters, der Nation in der Ära der bürgerlichen Revolutionen, folgte ideologischen Mustern, die sich durch geschichtliche Entwicklungen herausgebildet hatten. Solche Muster – magische, religiöse oder philosophische – spiegelten die jeweiligen Formen sozialer Herrschaft. Sie bildeten einen kulturellen Kitt, selbst nach dem Veralten ihrer Rolle in der Produktion; so förderten sie *auch* die Idee einer gemeinsamen Wahrheit, und zwar gerade durch die Tatsache, daß sie objektiviert worden waren . . . Diese älteren Systeme waren zergangen, weil die von ihnen geforderten Formen der Solidarität sich als trügerisch erwiesen und die mit ihnen verbundenen Ideologien hohl und apologetisch wurden.«[17] Im selben Zusammenhang spricht Max Weber von der Weltherrschaft der Unbrüderlichkeit.

Weber und Horkheimer stimmen also in den Grundzügen ihrer merkwürdig zwiespältigen Zeitdiagnose überein:

– die Glaubwürdigkeit der religiösen und metaphysischen Weltbilder fällt einem Rationalisierungsprozeß anheim, dem sie selbst ihre Entstehung verdankt hatten; insofern ist die Kritik der Aufklärung an Theologie und Ontologie vernünftig, d. h. aus internen Gründen einsichtig und irreversibel;

– dieser, nach der Überwindung des Mythos *zweite* Rationalisierungsschub ermöglicht ein modernes Bewußtsein, das von der Ausdifferenzierung eigengesetzlicher kultureller Wertsphären bestimmt ist; diese hat die Subjektivierung von Glauben und Wissen zur Folge: Kunst und Moral werden von Ansprüchen propositionaler Wahrheit abgespalten, während die Wissenschaft allein zum zweckrationalen Handeln einen praktischen Bezug behält (und den zur kommunikativen Praxis verliert);

nicht auf eine begründete Wahl zwischen Wissen und Glauben, sondern auf die irrationale Entscheidung »zwischen zwei Glaubensarten« zurückführt. K. R. Popper, Die offene Gesellschaft und ihre Feinde, Bd. II, Bern 1958, 304. Zur Kritik: J. Habermas, Dogmatismus, Vernunft und Entscheidung, in: ders. (1971 a), 307 ff. 17 Horkheimer (1967), 138 f.

– die subjektive Vernunft funktioniert als Werkzeug der Selbsterhaltung in einem Kampf, in dem sich die Beteiligten an grundsätzlich irrationalen, miteinander unversöhnlichen Glaubensmächten orientieren; sie vermag keinen Sinn mehr zu stiften und gefährdet mit der Einheit der Lebenswelt die Integration der Gesellschaft;
– da die Kraft sozialintegrativer Weltbilder und die gesellschaftliche Solidarität, die diese bewirken, nicht schlechthin unvernünftig sind, kann das »Auseinanderreißen der Kulturbereiche« von Wissenschaft, Moral und Kunst nicht schlechthin als vernünftig gelten, obwohl es auf Lernprozesse und damit auf Vernunft zurückgeht.

(2) *Zur These vom Freiheitsverlust.* Wie die These vom Sinnverlust aus dem intern nachzukonstruierenden Vorgang *kultureller* Rationalisierung abgeleitet wird, so die These vom Freiheitsverlust aus Prozessen *gesellschaftlicher* Rationalisierung. Freilich wählen Weber und Horkheimer verschiedene historische Bezugspunkte der europäischen Entwicklung, nämlich das 16./17. Jahrhundert und das späte 19. Jahrhundert. Im einen Fall ist es die Periode, in der Protestantismus, Humanismus und die moderne Wissenschaftsentwicklung die Einheit religiöser und metaphysischer Weltbilder in Frage stellen. Im anderen Fall ist es die Periode des Hochliberalismus an der Schwelle des Übergangs vom liberalen zum organisierten Kapitalismus.

Der take-off der kapitalistischen Entwicklung zehrt von den Qualitäten einer Lebensführung, die ihre methodische Rationalität der vereinheitlichenden Kraft der im Protestantismus verallgemeinerten asketischen Ethik verdankt. Mit einem leichten, psychoanalytisch informierten Vorbehalt teilt Horkheimer die Auffassung Webers, daß diese prinzipiengeleitete Ethik Grundlage für die kulturelle Reproduktion von persönlicher Unabhängigkeit und Individualität ist: »Gerade durch die Verneinung des Willens zur Selbsterhaltung auf Erden zugunsten der Erhaltung der ewigen Seele bestand das Christentum auf dem unendlichen Wert eines jeden Menschen, eine Idee, die sogar nichtchristliche oder antichristliche Systeme der abendländischen Welt erfüllte. Gewiß, der Preis war die Unterdrückung der vitalen Instinkte und – da eine solche Unterdrückung niemals glückt – eine Unaufrichtigkeit, die unsere Kultur durchherrscht. Dennoch erhöhte gerade die Verinnerlichung die

Individualität. Indem es sich verneint, indem es das Opfer Christi nachahmt, erlangt das Individuum gleichzeitig eine neue Dimension und ein neues Ideal, an dem es sein Leben auf Erden ausrichtet.«[18] In vager Form wiederholt Horkheimer Webers These von den religiös-asketischen Grundlagen des wirtschaftlich rationalen Handelns kapitalistischer Unternehmer; dabei bezieht er sich auf die Ära des Liberalismus und nicht auf die Phase der Durchsetzung der neuen Produktionsweise: »Der Individualismus ist der innerste Kern der Theorie und Praxis des bürgerlichen Liberalismus, der das Fortschreiten der Gesellschaft in der automatischen Wechselwirkung der divergierenden Interessen auf einem freien Markt sieht. Das Individuum konnte sich als ein gesellschaftliches Wesen nur erhalten, wenn es seine langfristigen Interessen auf Kosten der ephemeren, unmittelbaren Vergnügungen verfolgte. Die durch die asketische Disziplin des Christentums hervorgebrachten Qualitäten der Individualität wurden dadurch gestärkt.«[19]

Horkheimer begnügt sich mit Stilisierungen, gegen die er die Tendenz zum »Niedergang des Individuums« abheben kann. Und diese begründet er, wiederum Weber folgend, mit fortschreitender Bürokratisierung, d. h. mit der wachsenden Komplexität der in Wirtschaft und Staat zur Herrschaft gelangten Organisationsformen. Adornos Formel von der ›verwalteten Welt‹ ist ein Äquivalent für Webers Vision des ›stahlharten Gehäuses‹. Die Subsysteme zweckrationalen Handelns lösen sich von den motivationalen Grundlagen, die Weber anhand der protestantischen Ethik untersucht, und die Horkheimer im Hinblick auf den individualistischen Sozialcharakter beschrieben hatte. Was soll aber der ›Freiheitsverlust‹, den beide beschwören, im einzelnen bedeuten?

Weber konzipiert den Freiheitsverlust in handlungstheoretischen Begriffen. In der methodischen Lebensführung ist eine praktische Rationalität verkörpert, die Zweckrationalität auf Wertrationalität bezieht: die zweckrationalen Handlungen werden durch das moralische Urteil und den autonomen Willen eines durch Prinzipien bestimmten (in diesem Sinne wertrational handelnden) Individu-

18 Horkheimer (1967), 132.
19 Horkheimer (1967), 133.

ums gesteuert. Im Maße der Bürokratisierung von Wirtschafts-
und Verwaltungsbetrieben muß aber Zweckrationalität der Handlungen (mindestens Systemrationalität der Handlungsfolgen) unabhängig von den wertrationalen Urteilen und Entscheidungen der
Organisationsmitglieder sichergestellt werden. Die Organisationen selbst übernehmen die Regulierung von Handlungen, die subjektiv nur noch in verallgemeinerten utilitaristischen Motiven verankert zu sein brauchen. Diese Freisetzung der Subjektivität von
den Bestimmungen moralisch-praktischer Rationalität spiegelt
sich in der Polarisierung zwischen »Fachmenschen ohne Geist«
und »Genußmenschen ohne Herz«. Eine Umkehrung dieser Tendenz kann sich Weber nur in der Form vorstellen, daß die bürokratischen Maschinen dem Willen charismatischer Führer unterworfen werden: »Mit der Rationalisierung der politischen und
ökonomischen Bedarfsdeckung geht das Umsichgreifen der Disziplinierung als einer universellen Erscheinung unaufhaltsam vor
sich und schränkt die Bedeutung des Charismas und des individuell differenzierten Handelns zunehmend ein.«[20] Wenn der Kampf
zwischen schöpferischem Charisma und freiheitseinschränkender
Bürokratie doch noch gegen einen, wie es scheint, ›unaufhaltsamen‹ Zug der Rationalisierung gewonnen werden soll, dann nur
über das Organisationsmodell des »Führers mit Maschine«. Im
ökonomischen Bereich bedeutet das den Voluntarismus autoritärer
Wirtschaftsführer, im politischen Bereich eine plebiszitäre Führerdemokratie, und in beiden Bereichen eine optimale Führerauslese.
W. Mommsen bringt Webers Position auf »die nur scheinbar paradoxe Formel: möglichst viel Freiheit durch möglichst viel Herrschaft«.[21]
Horkheimer konzipiert den Freiheitsverlust in ähnlicher Weise,
wenn auch eher in psychoanalytischen als in handlungstheoretischen Begriffen: die Kontrolle des Verhaltens geht tendenziell von
der Gewissensinstanz des vergesellschafteten Individuums auf die
Planungsinstanzen gesellschaftlicher Organisationen über. Die

20 Weber (1964), 695.
21 W. Mommsen, Max Weber, Gesellschaft, Politik und Geschichte, Ffm. 1974,
138; vgl. auch W. Mommsens Studie: Max Weber und die deutsche Politik 1890 bis
1920, Tbg. 1959.

Subjekte brauchen sich immer weniger an ihrem Über-Ich zu orientieren und müssen sich immer mehr an die Imperative ihrer Umgebung anpassen. Diese These ist später von D. Riesman aufgenommen und als Umpolung von der »innengeleiteten« auf eine »außengeleitete« Lebensweise interpretiert, dabei auch trivialisiert worden[22]: »Wie alles im Leben heute immer mehr dazu tendiert, der Rationalisierung und Planung unterworfen zu werden, so muß das Leben eines jeden Individuums, einschließlich seiner verborgensten Impulse, die früher seine Privatsphäre bildeten, jetzt die Erfordernisse der Rationalisierung und Planung beachten: die Selbsterhaltung des Individuums setzt seine Anpassung an die Erfordernisse der Erhaltung des Systems voraus... Früher war die Realität dem Ideal entgegengesetzt, das vom autonom gedachten Individuum entwickelt wurde, und sie wurde mit ihm konfrontiert; die Realität sollte im Einklang mit diesem Ideal gestaltet werden. Heute sind solche Ideologien kompromittiert und werden vom fortschrittlichen Denken übergangen, das so, ungewollt, die Erhebung der Realität in den Rang des Ideals erleichtert. Anpassung wird daher zum Maßstab für jeden denkbaren Typ subjektiven Verhaltens. Der Triumph der subjektiven, formalisierten Vernunft ist auch der Triumph einer Realität, die dem Subjekt als absolut, überwältigend, gegenübertritt.«[23] Der Zuwachs an individuellen Wahlmöglichkeiten, den Horkheimer nicht leugnet, geht zusammen mit einem »Wechsel im Charakter der Freiheit«,[24] weil sich die Subsysteme zweckrationalen Handelns, je weiter der Rationalisierungsprozeß fortschreitet, gegenüber den ethisch begründeten Motiven ihrer Mitglieder verselbständigen und somit interne Verhaltenskontrollen, die noch einen Bezug zu moralisch-praktischer Rationalität haben, überflüssig machen.[25]

Bis hierher reichen die Parallelen. Während aber Weber von der Diagnose des Freiheitsverlustes unmittelbar zu therapeutischen

---

22 D. Riesman, Die einsame Masse, Darmst. 1956.
23 Horkheimer (1967), 96.
24 Horkheimer (1967), 98.
25 Diesen Gedanken einer Dialektik zwischen wachsenden Wahlmöglichkeiten bei gleichzeitig schwächer werdenden Bindungen nimmt heute R. Dahrendorf (Lebenschancen, Ffm. 1979) unter dem Stichwort Optionen vs. Ligaturen wieder auf.

Überlegungen übergeht und ein Organisationsmodell entwirft, das die rationalisierten Handlungsbereiche über das Charisma von Führern wieder mit der lebensgeschichtlich interpretierten Wertorientierung einzelner hervorragender Handlungssubjekte (freilich auf Kosten der beherrschten Gefolgschaften)[26] rückkoppelt, treiben Horkheimer und Adorno die Analyse einen Schritt weiter. Sie interessieren sich dafür, was die Verselbständigung der Subsysteme zweckrationalen Handelns bedeutet – und entsprechend die »Selbstentäußerung der Individuen, die sich an Leib und Seele nach der technischen Apparatur zu formen haben«.[27] Wenn aber die Kontrolle des Verhaltens von Persönlichkeitsinstanzen auf »die desto reibungslosere Arbeit der selbsttätigen Ordnungsmechanismen«[28] übergeht, rücken die *systemischen* Ordnungsmechanismen der betriebs- und anstaltsförmig organisierten Handlungsbereiche und die auf die Subjektivität des einzelnen Organisationsmitgliedes durchgreifenden Anpassungsimperative in den Vordergrund. Horkheimer und Adorno müssen zwei Einseitigkeiten vermeiden. Weber verharrt in den Grenzen einer Handlungstheorie, die für

26 Vgl. das Bild vom plebiszitären Führer, das W. Mommsen entwirft: »Der Politiker ist ausschließlich sich selbst und der von ihm im Hinblick auf bestimmte persönliche Wertideale gewählten Aufgabe verpflichtet. Seine Verantwortlichkeit beschränkt sich auf ›Bewährung‹; d. h. er muß durch Erfolge beweisen, daß die bedingungslose Hingabe seiner Gefolgschaft an ihn selbst rein als Person eine innere Berechtigung hat. Hingegen besteht keinerlei Verpflichtung gegenüber den materiellen Zielen der Massen; jeden Anklang an die Theorie, daß der demokratische Führer ein Mandat seiner Wähler auszuführen habe, bekämpfte Weber mit äußerstem Nachdruck. Bindung der Massen an die Person des führenden Politikers, nicht deren sachliche Überzeugung vom Wert der angestrebten Ziele, ist nach Weber das der ›plebiszitären Führerdemokratie‹. Nicht die sachlichen Zielsetzungen als solche entscheiden den Ausgang einer Wahl, sondern die persönliche charismatische Qualifikation des kandidierenden Führers. Nur auf solche Weise konnte sich Weber unter modernen Verhältnissen die unabhängige Herrschaft des großen Individuums unbeschadet aller verfassungsrechtlichen Kautelen vorstellen. Die ›Führerdemokratie‹ beschrieb er als beständigen Konkurrenzkampf der Politiker um die Gunst der Massen. Dieser wird vorwiegend mit demagogischen Mitteln geführt; ein System von formalen Spielregeln sorgt dafür, daß der obsiegende Politiker sich bewähren und im Falle seines Versagens gegebenenfalls abtreten muß.« (Mommsen 1974, 136 f.)
27 Horkheimer, Adorno (1947), 43.
28 Horkheimer, Adorno (1947), 43.

dieses Problem keinen Ansatz bietet. Eine Systemtheorie hinge-gen, die sich *ausschließlich* auf systemische Ordnungsleistungen konzentriert, vernachlässigt die Frage nach dem »Wechsel im Cha-rakter der Freiheit«, den die Dissoziierung der Handlungssysteme von der Lebenswelt, vor allem von den moralisch-praktischen An-trieben ihrer Mitglieder bedeutet. Horkheimer und Adorno inter-essieren sich gerade für den ironischen Zusammenhang, den die gesellschaftliche Rationalisierung zwischen der Umformung tradi-tionaler Lebensbereiche in Subsysteme zweckrationalen Handelns einerseits, und der »Verkümmerung der Individualität« anderer-seits, herzustellen scheint.

Horkheimer sieht die Zerstörung einer Identität, welche der ein-zelne aus der Orientierung an »geistigen Grundbegriffen« oder Prinzipien gewinnt, nicht nur unmittelbar mit Bürokratisierung verknüpft, sondern mit der Herauslösung der Systeme zweckra-tionalen Handelns aus »Kultur«, aus einem als vernünftig erfahre-nen Horizont der Lebenswelt. Je mehr sich Ökonomie und Staat in eine Verkörperung kognitiv instrumenteller Rationalität ver-wandeln und auch andere Lebensbereiche ihren Imperativen un-terwerfen, je stärker sie alles an den Rand drängen, worin sich moralisch- und ästhetisch-praktische Rationalität verkörpern kann, um so weniger finden Individuierungsprozesse eine Stütze im Be-reich der ins Irrationale abgedrängten oder ganz aufs Pragmatische zugeschnittenen kulturellen Reproduktion. In vormodernen Ge-sellschaften »gab (es) noch eine Kluft zwischen Kultur und Pro-duktion. Diese Kluft ließ mehr Auswege offen als die moderne Superorganisation, die das Individuum im Grunde zu einer bloßen Zelle funktionalen Reagierens verkümmern läßt. Die modernen organisatorischen Einheiten, wie die Totalität der Arbeit, sind or-ganische Bestandteile des sozialökonomischen Systems.«[29]

Für die Analyse jener Prozesse, die »die Kluft zwischen Kultur und Produktion« schließen, hält nun die marxistische Theorie den Grundbegriff der »Verdinglichung« bereit. Georg Lukács hat die-sen Schlüssel in »Geschichte und Klassenbewußtsein« benutzt, um Webers Analyse gesellschaftlicher Rationalisierung aus ihrem

29 Horkheimer (1967), 138.

handlungstheoretischen Rahmen zu lösen und auf anonyme Verwertungsprozesse im Wirtschaftssystem zu beziehen. Er macht den Versuch, den Zusammenhang zwischen der Ausdifferenzierung einer über Tauschwerte gesteuerten kapitalistischen Wirtschaft und der Deformation der Lebenswelt am Modell des Warenfetischs zu klären. Ich will zunächst auf diese erste marxistische Weberrezeption[30] eingehen, um dann zu erörtern, warum Horkheimer und Adorno ihre Kritik der instrumentellen Vernunft als eine »Negation der Verdinglichung«[31] verstehen und dennoch zögern, der Argumentation von Lukács, der sie doch den Anstoß verdanken, zu folgen.

(3) *Lukács' Interpretation der Weberschen Rationalisierungsthese.* In seiner zentralen Abhandlung über »Die Verdinglichung und das Bewußtsein des Proletariats« von 1922[32] entwickelt Lukács die These, daß »in der Struktur des Warenverhältnisses das Urbild aller Gegenständlichkeitsformen und aller ihnen entsprechenden Formen der Subjektivität in der bürgerlichen Gesellschaft aufgefunden werden« kann. Den neukantischen Ausdruck »Gegenständlichkeitsform« verwendet Lukács in einem durch Dilthey geprägten Sinn als geschichtlich entstandene »Daseins- oder Denkform«, die die »Totalität der Entwicklungsstufe der Gesamtgesellschaft« auszeichnet. Er begreift die Entwicklung der Gesellschaft als »die Geschichte der ununterbrochenen Umwälzung der Gegenständlichkeitsformen, die das Dasein der Menschen gestalten«.[33] Freilich teilt Lukács nicht die historistische Auffassung, wonach sich in einer Gegenständlichkeitsform die Partikularität einer jeweils einzigartigen Kultur ausdrückt. Die Gegenständlichkeitsformen vermitteln »die Auseinandersetzung des Menschen

---

30 Vgl. dazu M. Merleau-Ponty, Die Abenteuer der Dialektik, Ffm. 1968, 39 ff.
31 Horkheimer, Adorno (1947), 9.
32 G. Lukács, Werke, Bd. 2, Neuwied 1968, 257-397.
33 Ich vernachlässige die ästhetischen und kulturkritischen Schriften des jungen Lukács. Für den Begriff der »Gegenständlichkeitsform« sind insbesondere »Die Seele und die Formen« und die »Theorie des Romans« wichtig. Dazu A. Heller, P. Feher, G. Markus, R. Radnoti, Die Seele und das Leben, Ffm. 1977. Ferner A. Arato, P. Breines, The Young Lukács and the Origins of Western Marxism, N. Y. 1979, Part I.

mit seiner Umwelt, die die Gegenständlichkeit seines inneren wie äußeren Lebens bestimmen«.[34]

Sie wahren einen Bezug zur Universalität der Vernunft, denn Lukács hält, wie auch Horkheimer,[35] an dem hegelischen Gedanken fest, daß sich im Verhältnis der Menschen zueinander und zur Natur (zur äußeren Natur wie zu ihrer eigenen, inneren Natur) Vernunft objektiviert – wie unvernünftig auch immer. Auch die kapitalistische Gesellschaft ist durch eine spezifische Form bestimmt, die festlegt, wie ihre Mitglieder die objektive Natur, ihre interpersonalen Beziehungen und die jeweils eigene, subjektive Natur kategorial auffassen – eben die »Gegenständlichkeit ihres äußeren und inneren Lebens«. Mit unseren Worten: die in der kapitalistischen Gesellschaft dominierende Gegenständlichkeitsform präjudiziert die Weltbezüge, die Art und Weise, in der sprach- und handlungsfähige Subjekte sich auf etwas in der objektiven, der sozialen und ihrer jeweils subjektiven Welt beziehen können.

Lukács behauptet nun, daß wir diese Präjudizierung als ›Verdinglichung‹ charakterisieren können, nämlich als eine eigentümliche Assimilierung von gesellschaftlichen Beziehungen und Erlebnissen an Dinge, d. h. an Objekte, die wir wahrnehmen und manipulieren können. Jene drei Welten sind im gesellschaftlichen Apriori der Lebenswelt so schief koordiniert, daß in unser Verständnis interpersonaler Beziehungen und subjektiver Erlebnisse *Kategorienfehler* eingebaut sind: wir fassen sie unter der Form von Dingen, also als Entitäten auf, die zur objektiven Welt gehören, obgleich sie in Wahrheit Bestandteile unserer gemeinsamen sozialen oder der je eigenen subjektiven Welt sind. Weil nun, so müssen wir hinzufügen, das Verstehen und Auffassen für den kommunikativen Umgang selbst konstitutiv sind, affiziert ein derart systematisch angelegtes Mißverstehen die Praxis, nicht nur die »Denk-«, sondern auch die »Daseinsform« der Subjekte. Es ist die Lebenswelt selbst, die »verdinglicht« wird.

Die Ursache für diese Deformation sieht Lukács in einer Produk-

34 Lukács, Geschichte und Klassenbewußtsein, Werke, Bd. II. 1968, 336.
35 Horkheimer (1967), 21.

tionsweise, die auf Lohnarbeit beruht und das »Zur-Ware-Werden einer Funktion des Menschen«[36] erfordert. Lukács begründet diese These in mehreren Schritten. Er untersucht den Verdinglichungseffekt, den die Warenform in dem Maße, wie sie in den Produktionsprozeß eindringt, hervorruft, und zeigt dann, daß die Verdinglichung von Personen und von interpersonalen Beziehungen in der Sphäre der gesellschaftlichen Arbeit nur die Kehrseite der Rationalisierung dieses Handlungssystems darstellt (a). Indem Lukács Rationalisierung und Verdinglichung als zwei Aspekte desselben Vorgangs begreift, bereitet er zwei Argumente vor, die sich auf Webers Analyse stützen und doch gegen deren Konsequenzen richten. Mit dem Begriff der formalen Rationalität erfaßt Weber strukturelle Analogien zum zweckrationalen Wirtschaftshandeln in anderen Lebensbereichen, insbesondere in der staatlichen Bürokratie. Lukács zufolge verkennt Weber zwar den kausalen Zusammenhang, löst »die Phänomene der Verdinglichung vom ökonomischen Grund ihrer Existenz« ab und verewigt sie »als zeitlosen Typus menschlicher Beziehungsmöglichkeiten«; aber er zeigt, daß die Prozesse gesellschaftlicher Rationalisierung eine strukturbildende Bedeutung für die kapitalistische Gesellschaft im ganzen gewinnen. Diese Analyse nimmt Lukács auf und interpretiert sie in dem Sinne, daß die Warenform einen universellen Charakter annimmt und so zur Gegenständlichkeitsform der kapitalistischen Gesellschaft schlechthin wird (b). Auch in anderer Hinsicht macht sich Lukács den Begriff der formalen Rationalität zunutze. Dieser bildet für ihn die Brücke zwischen der Warenform und der von Kant analysierten Form der Verstandeserkenntnis. Auf diesem Wege führt Lukács den Begriff der Gegenständlichkeitsform in den Kontext der Erkenntnistheorie, dem er stillschweigend entlehnt worden war, wieder zurück, um die Kritik der Verdinglichung aus der philosophischen Perspektive der Hegelschen Kritik an Kant durchzuführen. Er übernimmt von Hegel den Begriff der Totalität eines vernünftig organisierten Lebenszusammenhangs und verwendet ihn als Maßstab für die Irrationalität gesellschaftlicher Rationalisierung. Mit diesem Rückgriff dementiert Lukács

36 Lukács (1968), 267.

476

freilich implizit Webers zentrale Behauptung, daß die metaphysisch gedachte Einheit der Vernunft mit dem Auseinandertreten eigengesetzlicher kultureller Wertsphären *endgültig* zerfallen ist, also auch dialektisch nicht wiederhergestellt werden kann (c).

ad a) Lukács entwickelt seinen Begriff der Verdinglichung aus Marxens Analyse der Warenform; er bezieht sich auf die berühmte Stelle im ersten Band des »Kapital«[37], wo Marx den Fetischcharakter der Ware beschreibt: »Das Geheimnisvolle der Warenform besteht also einfach darin, daß sie den Menschen die gesellschaftlichen Charaktere ihrer eigenen Arbeit als gegenständliche Charaktere der Arbeitsprodukte selbst, als gesellschaftliche Natureigenschaften dieser Dinge zurückspiegelt, daher auch das gesellschaftliche Verhältnis der Produzenten zur Gesamtarbeit als ein außer ihnen existierendes gesellschaftliches Verhältnis von Gegenständen. Durch dies quid pro quo werden die Arbeitsprodukte Waren, sinnlich übersinnliche oder gesellschaftliche Dinge ... Es ist nur das bestimmte gesellschaftliche Verhältnis der Menschen selbst, welches hier für sie die phantasmagorische Form eines Verhältnisses von Dingen annimmt.«[38]

Marx analysiert die Doppelform der Ware als Gebrauchs- und Tauschwert und die Umwandlung ihrer Naturalform in die Wertform mit Hilfe des Hegelschen Begriffs der Abstraktion, wobei sich Gebrauchs- und Tauschwert wie Wesen und Erscheinung zueinander verhalten. Das bereitet uns heute Schwierigkeiten, weil wir die nicht-rekonstruierten Grundbegriffe der Hegelschen Logik nicht unbesehen verwenden können; die ausgedehnte Diskussion über das Verhältnis von Marxens »Kapital« zu Hegels »Logik« hat diese Schwierigkeiten eher beleuchtet als beseitigt.[39] Ich

37 Marx, Das Kapital, Bd. I, Berlin 1960.
38 Marx (1960), 77 f.
39 H. G. Backhaus, Zur Dialektik der Wertform, in: A. Schmidt (Hrsg.), Beiträge zur Marxistischen Erkenntnistheorie, Ffm. 1969; H. J. Krahl, Zum Verhältnis von ›Kapital‹ und Hegelscher Wesenslogik, in: O. Negt (Hrsg.), Aktualität und Folgen der Philosophie Hegels, Ffm. 1970; H. Reichelt, Zur logischen Struktur des Kapitalbegriffs, Ffm. 1970; P. Mattik, Die Marxsche Arbeitswerttheorie, in: F. Eberle (Hrsg.), Aspekte der Marxschen Theorie 1, Ffm. 1973; J. Zeleny, Die Wissenschaftslogik und das Kapital, Ffm. 1973; D. Horster, Erkenntnis-Kritik als Gesellschaftstheorie, Hannover 1978, 187 ff.

werde deshalb auf die Formanalyse nicht weiter eingehen. Das tut auch Lukács nicht. Ihn interessiert nur der Verdinglichungseffekt, der in dem Maße eintritt, wie die Arbeitskraft der Produzenten zur Ware wird – »die Trennung der Arbeitskraft von der Persönlichkeit der Arbeiter, ihre Verwandlung in ein Ding, in einen Gegenstand, der auf dem Markt verkauft wird«.[40]

Der Grundgedanke ist in intuitiver Form leicht zu fassen. Solange die Interaktionsbeziehungen in der Sphäre der gesellschaftlichen Arbeit traditional, durch naturwüchsige Normen geregelt sind, stehen die Individuen zueinander und zu sich selbst in kommunikativen Beziehungen, die sie intentional eingehen. Dasselbe würde der Fall sein, wenn die sozialen Beziehungen eines Tages durch gemeinsame Willensbildung determiniert werden könnten. Solange aber die Produktion von Gütern als Produktion von Tauschwerten organisiert und die Arbeitskraft der Produzenten selbst als Ware getauscht wird, ist ein anderer Mechanismus der Handlungskoordinierung in Kraft: die ökonomisch relevanten Handlungsorientierungen werden aus lebensweltlichen Kontexten gelöst und an das Medium Tauschwert (oder Geld) angeschlossen. Soweit die Interaktionen nicht mehr über Normen und Werte, sondern über das Medium des Tauschwertes koordiniert werden, müssen die Handelnden aber eine objektivierende Einstellung zueinander (und zu sich selbst) einnehmen. Dabei begegnet ihnen der Mechanismus der Handlungskoordinierung selbst als etwas Externes. Die über das Tauschwertmedium laufenden Transaktionen fallen aus der Intersubjektivität sprachlicher Verständigung heraus, werden zu etwas, das in der objektiven Welt statthat, zur Pseudonatur.[41] Marx beschreibt den Effekt der Angleichung von Normativem und Subjektivem an den Status von wahrnehmbaren und manipulierbaren Dingen als Objektivierung oder »Versachlichung«. In dem Maße wie der Lohnarbeiter in seiner gesamten Existenz vom Markt abhängig wird, greifen die anonymen Verwer-

40 Lukács (1968), 274. Auf den Begriff der »abstrakten Arbeit« werde ich in der Schlußbetrachtung eingehen, siehe Bd. 2, S. 494 ff.
41 Diesen Begriff entwickelt H. Dahmer (Libido und Gesellschaft, Ffm. 1973) im Zusammenhang seiner Studien über die marxistisch inspirierte Sozialpsychologie der Freudschen Linken.

tungsprozesse in seine Lebenswelt ein und destruieren die Sittlichkeit einer kommunikativ hergestellten Intersubjektivität, indem sie
soziale Beziehungen in rein instrumentelle verwandeln. Die
Produzenten, sagt er, »existieren nur sachlich füreinander, was in
der Geldbeziehung, wo ihr Gemeinwesen selbst als ein äußerliches
und darum zufälliges Ding allen gegenüber erscheint, nur weiterentwickelt ist. Daß der gesellschaftliche Zusammenhang, der durch
den Zusammenstoß der unabhängigen Individuen entsteht, als
sachliche Notwendigkeit und zugleich als ein äußerliches Band ihnen gegenüber erscheint, stellt eben ihre Unabhängigkeit dar, für
die das gesellschaftliche Dasein zwar Notwendigkeit, aber nur
Mittel ist, also den Individuen selbst als ein Äußerliches erscheint,
im Geld sogar als ein handgreifliches Ding. Sie produzieren in und
für die Gesellschaft, als gesellschaftliche, aber zugleich erscheint
diese als bloßes Mittel, ihre Individualität zu vergegenständlichen.
Da sie weder subsumiert sind unter ein naturwüchsiges Gemeinwesen, noch andererseits als bewußt Gemeinschaftliche das Gemeinwesen unter sich subsumieren, muß es ihnen als den unabhängigen Subjekten gegenüber als ein ebenfalls unabhängiges, äußerliches, zufälliges Sachliches ihnen gegenüber existieren.«[42]
Bereits Weber hatte sich anhand von G. Simmels »Philosophie des
Geldes« über den Szenenwechsel belehren lassen, der sich einstellt,
sobald naturwüchsige kommunikative Beziehungen in »die universale Sprache des Geldes« übersetzt werden. Lukács greift nun
hinter Simmel auf die originale Analyse von Marx zurück, um im
kapitalistischen Tauschverkehr, der für Weber bloß exemplarischer
Ausdruck eines *allgemeineren* Vorgangs ist, das Grundphänomen
der gesellschaftlichen Rationalisierung dingfest zu machen. Die
eigentümliche Leistung von Lukács besteht darin, Weber und
Marx so zusammenzusehen, daß er die Herauslösung der Sphäre
gesellschaftlicher Arbeit aus lebensweltlichen Kontexten gleichzeitig unter *beiden* Aspekten, dem der Verdinglichung und der Rationalisierung betrachten kann. Indem sich die handelnden Subjekte
auf Tauschwertorientierungen umstellen, schrumpft ihre Lebenswelt auf die objektive zusammen: sie nehmen zu sich und anderen

42 Marx, Grundrisse der Kritik der Politischen Ökonomie, Berlin 1953, 908 f.

die objektivierende Einstellung erfolgsorientierten Handelns ein und machen sich damit selbst zum Objekt der Behandlung durch andere Aktoren. Um diesen Preis der Verdinglichung von Interaktionen gewinnen sie aber die Freiheit strategischen, am jeweils eigenen Erfolg orientierten Handelns. Die Verdinglichung ist, wie Marx an der oben angeführten Stelle fortfährt, »die Bedingung dafür, daß sie (die Produzenten) als unabhängige Privatpersonen zugleich in einem gesellschaftlichen Zusammenhang stehen«.[43] Für Marx, den Juristen, ist das Privatrechtssubjekt, das auf die zweckrationale Verfolgung seiner eigenen Interessen ausgerichtet ist, das Modell eines Handlungssubjekts, das über Tauschbeziehungen vergesellschaftet wird. So stellt sich für Lukács die Beziehung zwischen den Analysen von Marx und Max Weber zwanglos her: »Für uns ist das Prinzip, das hierbei zur Geltung gelangt, am wichtigsten: das Prinzip der auf Kalkulation, auf Kalkulierbarkeit eingestellten Rationalisierung.«[44] Lukács begreift die Verdinglichung lebensweltlicher Kontexte, die eintritt, wenn die Arbeiter ihre Interaktionen statt über Normen und Werte über das entsprachlichte Medium des Tauschwertes koordinieren, als die *Kehrseite* einer Rationalisierung ihrer Handlungsorientierungen. Damit macht er noch den systembildenden Effekt einer Vergesellschaftung, die sich über das Medium Tauschwert herstellt, aus der Perspektive der Handlungstheorie verständlich.

Wir werden sehen, daß auch für die Systemtheorie Geld als dasjenige Modell dienen wird, an dem sie den Begriff des Steuerungsmediums entwickelt. Die Medientheorie wird auf undramatische Weise den von Lukács herausgearbeiteten Doppelaspekt von Verdinglichung und Rationalisierung in ihre Begriffe aufnehmen. Auch hier wird die Umstellung der Handlungsorientierung von der sprachlichen Kommunikation auf das Geldmedium einen »Wechsel im Charakter der Freiheit« bedeuten: in einem drastisch erweiterten Horizont von Wahlmöglichkeiten entsteht eine von Konsensbildungsprozessen unabhängige Automatik der wechselseitigen Konditionierung durch Offerten.[45]

43 Marx (1953), 909.
44 Lukács (1968), 262.
45 Siehe unten Bd. 2, S. 395 ff.

ad b). Die Verdinglichung sozialer Beziehungen (und des Verhältnisses der Individuen zu sich selbst) findet ihren Ausdruck in der Organisationsform des vom privaten Haushalt abgetrennten kapitalistischen Betriebes, mit dem unternehmerisches Handeln (und damit die Kapitalrechnung, die an den Chancen des Marktes orientierten Investitionsentscheidungen, die rationale Arbeitsorganisation, die technische Nutzung wissenschaftlicher Erkenntnisse usw.) institutionalisiert wird. Nun hatte Max Weber, wie gezeigt, die strukturellen Analogien verfolgt, die zwischen formal rationalem Wirtschafts- und Verwaltungshandeln, zwischen den Organisationsformen des kapitalistischen Betriebes und der öffentlichen Bürokratie, zwischen der Konzentration der sachlichen Betriebsmittel hier und dort, zwischen den Handlungsorientierungen der Unternehmer und Beamten, der Arbeiter und Angestellten bestehen. Da Lukács nur ein einziges Medium, den Tauschwert, in Betracht zieht, und die Verdinglichung allein auf ›Tauschabstraktion‹ zurückführt, deutet er *alle* Erscheinungen des okzidentalen Rationalismus als Anzeichen des »Durchkapitalisierungsprozesses der ganzen Gesellschaft«.[46] Den von Weber diagnostizierten umfassenden Charakter der gesellschaftlichen Rationalisierung versteht Lukács als Bestätigung seiner Annahme, daß sich die Warenform als die in der kapitalistischen Gesellschaft dominierende Gegenständlichkeitsform durchsetzt: »Erst der Kapitalismus hat mit der einheitlichen Wirtschaftsstruktur für die ganze Gesellschaft eine – formell – einheitliche Bewußtseinsstruktur für ihre Gesamtheit hervorgebracht. Und diese äußert sich gerade darin, daß die Bewußtseinsprobleme der Lohnarbeit sich in der herrschenden Klasse verfeinert, vergeistigt, aber eben darum gesteigert wiederholen ... Die Verwandlung der Warenbeziehung in ein Ding von ›gespenstiger Gegenständlichkeit‹ kann also bei dem Zur-Ware-Werden aller Gegenstände der Bedürfnisbefriedigung nicht stehenbleiben. Sie drückt *dem ganzen Bewußtsein des Menschen* ihre Struktur auf: seine Eigenschaften und Fähigkeiten verknüpfen sich nicht mehr zur organischen Einheit der Person, sondern erscheinen als ›Dinge‹, die der Mensch ebenso ›besitzt‹ und ›veräußert‹,

46 Lukács (1968), 268.

wie die verschiedenen Gegenstände der äußeren Welt. Und es gibt naturgemäß keine Form der Beziehung der Menschen zueinander, keine Möglichkeit des Menschen, seine physischen und psychischen ›Eigenschaften‹ zur Geltung zu bringen, die sich nicht in zunehmendem Maße dieser Gegenständlichkeitsform unterwerfen würden.«[47]

In dem Maße wie die Warenform zur Gegenständlichkeitsform wird und die Beziehungen der Individuen zueinander, die Auseinandersetzung der Menschen mit der äußeren und ihrer inneren, subjektiven Natur regiert, muß die Lebenswelt verdinglicht werden und den Einzelnen, wie es die Systemtheorie ja auch vorsieht, zur »Umwelt« einer ihm äußerlich gewordenen, zu einem opaken System verdichteten, abstrahierten, verselbständigten Gesellschaft degradieren. Diese Perspektive teilt Lukács sowohl mit Weber wie mit Horkheimer; anders als sie ist er aber davon überzeugt, daß jene Entwicklung nicht nur praktisch aufgehalten werden kann, sondern aus theoretisch nachweisbaren Gründen an interne Schranken stoßen *muß*: die »scheinbar restlose, bis ins tiefste physische und psychische Sein des Menschen hineinreichende Rationalisierung der Welt findet (nämlich) ihre Grenze an dem formellen Charakter ihrer eigenen Rationalität«.[48]

Die Beweislast, die Marx politökonomisch mit einer Krisentheorie ablösen wollte, fällt nun auf den philosophisch zu führenden Nachweis immanenter Schranken der Rationalisierung. Lukács macht sich daran, die Eigenschaften formaler Rationalität auf der Ebene, auf der Hegels Kritik an Kants Erkenntnistheorie ansetzt, zu analysieren. Lukács projiziert diesen in handlungstheoretischen Zusammenhängen entwickelten Begriff auf die Ebene der Erkenntnistheorie. Für ihn findet die formale Rationalität nämlich ihren genauesten Ausdruck in den modernen Wissenschaften; und Kants Erkenntniskritik erklärt die Verstandestätigkeit, die sich in diesen Wissenschaften, prototypisch in der Physik Newtons, ausdrückt. Diese »läßt das ihr letzthin zugrundeliegende materielle Substrat in unangetasteter Irrationalität (›Unerzeugtheit‹, ›Gege-

47 Lukács (1968), 275 f.
48 Lukács (1968), 276.

benheit‹) auf sich beruhen, um in der so entstehenden, abgeschlossenen, methodisch rein gemachten Welt mit unproblematisch anwendbaren Verstandeskategorien ... ungehindert operieren zu können«.[49] Die Kantsche Theorie zerreißt zwar unbarmherzig die metaphysischen Illusionen der vorangegangenen Epoche, sie untergräbt die dogmatischen Ansprüche der objektiven Vernunft, aber dies nur, so meint Lukács, um den Szientismus zu rechtfertigen, nämlich die wiederum dogmatische »Annahme, daß die rationell-formalistische Erkenntnisweise die ›uns‹ einzig mögliche Art der Erfassung der Wirklichkeit ist«.[50]

Am Ende spiegelt auch die Kantsche Kritik nur die verdinglichten Bewußtseinsstrukturen, ist selber Ausdruck der universal gewordenen Warenform im Denken.[51]

Lukács folgt, durchaus konventionell, der Linie der Kantkritik von Schiller bis Hegel. Schiller identifiziert im Spieltrieb das ästhetische Prinzip, demzufolge, »der gesellschaftlich vernichtete, zerstückelte, zwischen Teilsystemen verteilte Mensch gedanklich wieder hergestellt werden soll«;[52] und Hegel entfaltet den (in Rousseaus Naturkonzept bereits angelegten) Begriff der Totalität eines Lebenszusammenhangs, »der die Zerrissenheit in Theorie und Praxis, Vernunft und Sinnlichkeit, in Form und Stoff innerlich überwunden hat oder überwindet, für den seine Tendenz, sich Form zu geben, nicht eine abstrakte, die konkrete Inhalte beiseite lassende Rationalität bedeutet, für den Freiheit und Notwendigkeit zusammenfallen«.[53] Lukács gesteht zwar ein, daß Hegels Logik, welche die Einheit der in ihre Momente auseinandergetretenen Vernunft dialektisch wiederherstellt, »noch sehr problematisch«[54] und seither nicht mehr ernsthaft weiterentwickelt worden sei; aber er verläßt sich dann doch auf die »dialektische Methode«, die über das der bürgerlichen Gesellschaft inhärente Denken hinausführen soll.

49 Lukács (1968), 298.
50 Lukács (1968), 299.
51 An diese These knüpfen die Arbeiten von A. Sohn-Rethel an; vgl. vor allem: Geistige und Körperliche Arbeit, Ffm. 1970.
52 Lukács (1968), 319.
53 Lukács (1968), 317.
54 Lukács (1968), 323.

Indem Lukács die Grundbegriffe der Hegelschen Logik unanalysiert übernimmt, setzt er die Einheit theoretischer und praktischer
Vernunft auf dem begrifflichen Niveau des absoluten Geistes voraus, während Weber die Paradoxie der gesellschaftlichen Rationalisierung gerade darin gesehen hatte, daß die Ausbildung (und institutionelle Verkörperung) formaler Rationalität als solche keineswegs irrational ist, sondern mit Lernprozessen zusammenhängt,
die eine *begründete* Wiederaufnahme metaphysischer Weltbilder
ebensosehr ausschließen wie die dialektische Anknüpfung an objektive Vernunft.

Allerdings fordert Lukács, trotz seines affirmativen Verhältnisses
zur griechischen Philosophie, zum Klassizismus überhaupt,[55]
nicht unmittelbar die Restauration von Gegenständlichkeitsformen, wie sie sich im metaphysisch-religiösen Ordnungsdenken
reflektieren. Auch an Hegel knüpft er mit einer junghegelianischen
Wendung an, nämlich aus der Perspektive der Marxschen Hegelkritik: »Die klassische Philosophie befindet sich entwicklungsge-
schichtlich in der paradoxen Lage, daß sie darauf ausgeht, die bürgerliche Gesellschaft gedanklich zu überwinden, den in ihr und
von ihr vernichteten Menschen spekulativ zum Leben zu erwek-
ken, in ihren Resultaten jedoch bloß zur vollständigen gedankli-
chen Reproduktion, zur apriorischen Deduktion der bürgerlichen
Gesellschaft gelangt ist.«[56] Solange die Einheit der Vernunft nur
dialektisch *gedacht*, innerhalb der Theorie vergewissert wird, wiederholt auch eine über die Schranken der formalen Rationalität
hinausgreifende Philosophie bloß die verdinglichte Struktur eines
Bewußtseins, die den Menschen anhält, sich kontemplativ zu einer
doch von ihm selbst geschaffenen Welt zu verhalten. Daher geht es
Lukács, wie dem Marx der »Deutsch-Französischen Jahrbücher«,
um die *praktische Verwirklichung* des vernünftigen Lebenszusammenhangs, den Hegel erst spekulativ auf den Begriff gebracht hatte. Der Objektivismus der Hegelschen Theorie besteht in ihrem
kontemplativen Charakter, also darin, daß sie die auseinanderge-

55 Vgl. dazu die Kontroverse zwischen Lukács und Adorno: G. Lukács, Wider
den mißverstandenen Realismus, Hbg. 1958.
56 Lukács (1968), 331.

tretenen Momente der Vernunft wiederum nur in der Theorie zusammenfügen und an Philosophie als dem Ort festhalten will, wo sich die Versöhnung der abstrakt gewordenen Totalität zugleich vollzieht und vollendet, wo sich der Begriff seines Versöhnungswerkes vergewissert. Damit verfehlt Hegel, so meint Lukács, die Ebene der geschichtlichen Praxis, auf der allein der kritische Gehalt der philosophischen Einsicht wirksam werden kann.

Nun war schon die Marxsche Bestimmung des Verhältnisses von Theorie und Praxis im entscheidenden Punkte zweideutig geblieben; in derjenigen Version, die Lukács ihr gibt, wird die Zweideutigkeit offenkundig. Lukács kann sich zunächst auf die zentrale Einsicht Max Webers einlassen. Die Moderne ist durch die motivationale Verankerung und institutionelle Verkörperung einer formalen Rationalität gekennzeichnet, die sich der Auflösung der substantiellen Einheit der Vernunft und dem Auseinandertreten in ihre abstrakten, zunächst unversöhnten Momente (Geltungsaspekte, Wertsphären) verdankt, womit die theoretische Wiederherstellung einer objektiven Vernunft *auf der Ebene des philosophischen Gedankens* ausgeschlossen ist. Sodann kann Lukács gegen Weber einwenden, daß sich die Vernunftmomente auf der Ebene rationalisierter Handlungssysteme nicht schon darum unversöhnlich gegenübertreten müssen, weil sie sich auf der Ebene kultureller Deutungssysteme nicht mehr begründet zu einer Totalität zusammenfügen, d. h. zum grundbegrifflichen Fundament von Weltbildern fusionieren lassen. In kapitalistischen Gesellschaften ist das Muster der Rationalisierung vielmehr dadurch bestimmt, daß sich der Komplex kognitiv-instrumenteller Rationalität *auf Kosten* praktischer Rationalität durchsetzt, indem sie kommunikative Lebensverhältnisse verdinglicht. Deshalb ist es sinnvoll, die Frage zu stellen: ob nicht die Kritik *des unvollständigen Charakters* der als Verdinglichung auftretenden Rationalisierung ein *Ergänzungsverhältnis* von kognitiv-instrumenteller Rationalität einerseits, moralisch-praktischer und ästhetisch-expressiver Rationalität andererseits als *den Maßstab* zu Bewußtsein bringt, der dem unverkürzten Begriff der Praxis, wir können sagen: dem kommunikativen Handeln selbst innewohnt. Diese Vernunft ist in den metaphysischen Weltbildern als eine substantiell einheitliche fingiert worden; aber der Begriff einer objektiven Vernunft ist am Ende der Rationalisierung der Weltbilder selbst anheimgefallen. Hier, in der »Theorie«, das ist die Pointe der Marxschen Hegelkritik, muß die unter dem Titel der Vernunft intendierte Versöhnung, aller Dialektik zum Trotz, eine Fiktion bleiben. Zwischen den differenzierten Vernunftmomenten besteht nur mehr ein formaler Zusammenhang, nämlich die prozedurale Einheit argumentativer Begründung. Also kann das, was sich in der »Theorie«, auf der Ebene kultureller Deutungssysteme, nur noch als formaler Zusammenhang präsentiert, allenfalls in der »Praxis«, in der Lebenswelt realisiert werden. Mit der Parole vom »Praktischwerden der Philosophie« macht sich Marx die Perspektive der junghegelianischen »Philosophie der Tat« zu eigen.

Lukács begeht nun den entscheidenden, von Marx freilich suggerierten Fehler, daß er jenes »Praktischwerden« wiederum theoretisch einholt und als revolutionäre Verwirklichung der Philosophie *vorstellt.* Darum muß er der Theorie noch mehr Leistungen zutrauen, als sogar die Metaphysik für sich reklamiert hatte. Nun muß nämlich die Philosophie nicht nur des Gedankens der Totalität, der als Weltordnung hypostasiert wird, mächtig sein, sondern auch noch des weltgeschichtlichen Prozesses, der geschichtlichen Entfaltung dieses Totalität durch die selbstbewußte Praxis derer, die sich durch Philosophie über ihre aktive Rolle im Selbstverwirklichungsprozeß der Vernunft aufklären lassen. Für die Aufklärungsarbeit einer Avantgarde der Weltrevolution muß Lukács ein Wissen reklamieren, das mit Webers strenger Einsicht in den Zerfall objektiver Vernunft in doppelter Hinsicht unvereinbar ist. Die in dialektische Geschichtsphilosophie überführte Metaphysik muß nicht nur über die begriffliche Perspektive verfügen, aus der sich die Einheit der abstrakt auseinandergetretenen Momente der Vernunft erkennen läßt; sie muß sich darüber hinaus zutrauen, die Subjekte, die diese Einheit praktisch herstellen werden, zu identifizieren und ihnen den Weg zu weisen. Aus diesem Grunde ergänzt Lukács seine Theorie der Verdinglichung durch eine Theorie des Klassenbewußtseins.

Diese Theorie läuft darauf hinaus, das proletarische Klassenbewußtsein als Subjekt-Objekt der Geschichte im ganzen zu inthro-

nisieren.[57] Lukács scheut sich auch nicht, die instrumentalistischen, im stalinistischen Terror enthüllten Konsequenzen zu ziehen, die sich aus jenem Geschichtsobjektivismus für Fragen der
Organisation des revolutionären Kampfes ergeben. Darauf will ich

57 Diesen Sachverhalt ignoriert die bedeutende, aber eingestandenermaßen »sehr
freizügige« Lukács-Interpretation von M. Merleau-Ponty: »Diese ›Geschichtsphilosophie‹ liefert uns weniger die Schlüssel zur Geschichte, als daß sie uns diese
wieder zur permanenten Frage macht; sie gibt uns nicht so sehr eine bestimmte,
hinter der empirischen Geschichte verborgene Wahrheit, als daß sie die empirische
Geschichte als Genealogie der Wahrheit darstellt. Es ist durchaus überflüssig zu
sagen, daß uns der Marxismus den Sinn der Geschichte enthüllt: er macht uns
mitverantwortlich für unsere Zeit und ihre Parteiungen; er beschreibt uns nicht die
Zukunft; er läßt unser Fragen nicht aufhören; im Gegenteil, er vertieft es. Er zeigt
uns die Gegenwart als gestaltet durch eine Selbstkritik, eine Macht der Negation
und Aufhebung, deren historischer Delegierter das Proletariat ist.« (M. Merleau-
Ponty, Die Abenteuer der Dialektik, Ffm. 1968, 70) Hier assimiliert Merleau-
Ponty die Position des frühen Lukács an einen existentialistischen Marxismus, dem
es weniger um einen objektiven Sinn der Geschichte als um die praktische »Beseitigung von Unsinn« (ebd., 50) geht. Lukács selbst hat seine in »Geschichte und
Klassenbewußtsein« entwickelte These im Vorwort zur Ausgabe von 1968 revo-
ziert. Man muß dieser Selbstkritik keineswegs in *allen* Punkten folgen, wenn man
ihr in *einem* zustimmt: »Ist aber das identische Subjekt-Objekt in Wahrheit mehr
als eine rein metaphysische Konstruktion? Wird durch eine noch so adäquate
Selbsterkenntnis, auch wenn diese zur Basis eine adäquate Erkenntnis der gesellschaftlichen Welt hätte, also in einem noch so vollendeten Selbstbewußtsein wirklich ein identisches Subjekt-Objekt zustande gebracht? Man muß diese Frage nur
präzis stellen, um sie zu verneinen. Denn der Erkenntnisinhalt verliert damit doch
nicht seinen entäußerten Charakter. Hegel hat mit Recht, gerade in der ›Phänomenologie des Geistes‹, die mystisch-irrationalistische Verwirklichung des identischen
Subjekt-Objekts, die ›intellektuelle Anschauung‹ Schellings abgelehnt und eine philosophisch rationale Lösung des Problems gefordert. Sein gesunder Realitätssinn
ließ diese Forderung Forderung bleiben; seine allgemeinste Weltkonstruktion kul-
miniert zwar in der Perspektive ihrer Verwirklichung, er zeigt aber innerhalb seines
Systems nie konkret, wie diese Forderung zur Erfüllung gelangen könne. Das
Proletariat als identisches Subjekt-Objekt der wirklichen Menschheitsgeschichte ist
also keine materialistische Verwirklichung, die die idealistischen Gedankenkon-
struktionen überwindet, sondern weit eher ein Überhegeln Hegels, eine Konstruktion, die an kühner gedanklicher Erhebung über jede Wirklichkeit objektiv den
Meister selbst zu übertreffen beabsichtigt.« (Lukács, 1968, 25) Vgl. dazu Arato,
Breines (1979), Part Two; weniger einheitlich sieht die Konzeption von ›Geschichte
und Klassenbewußtsein‹ J. P. Arnasson, Zwischen Natur und Gesellschaft, Frankfurt 1970, 12 ff. Zu Merleau-Ponty vgl. meinen Literaturbericht in: J. Habermas
(1971 a), 387 ff., bes. 422 ff.

hier nicht eingehen.[58] Lukács' Versuch, so resümiert Wellmer mit Recht, »hinter Webers abstraktem Begriff der ›Rationalisierung‹ die spezifisch politisch-ökonomischen Gehalte des kapitalistischen Industrialisierungsprozesses sichtbar zu machen, war Teil eines breiter angelegten Unternehmens, durch welche er die philosophische Dimension der Marxschen Theorie wieder zur Geltung zu bringen hoffte. Daß dieser Versuch schließlich scheiterte, ist m. E. auf ironische Weise dem Umstand geschuldet, daß Lukács' philosophische Rekonstruktion des Marxismus in einigen zentralen Punkten einer Rückkehr zum objektiven Idealismus gleichkam.«[59]

58 Lukács (1968), II, 471-518, dazu meine Kritik in Habermas (1971 a), 37 ff.
59 Wellmer (1977 a), 477 f.

2. Die Kritik der instrumentellen Vernunft

Die Kritik der instrumentellen Vernunft versteht sich als eine Kritik der Verdinglichung, die an Lukács' Weberrezeption anknüpft, ohne die (hier nur angedeuteten) Konsequenzen einer objektivistischen Geschichtsphilosophie in Kauf zu nehmen.[60] Bei diesem Versuch verstricken sich Horkheimer und Adorno ihrerseits in Aporien, aus denen wir lernen und *Gründe für einen Paradigmenwechsel* in der Gesellschaftstheorie herauslesen können. Ich will zunächst skizzieren, wie Horkheimer und Adorno Webers Rationalisierungsthese in Anknüpfung an Lukács umformen.[61] Die Version, die Lukács der Theorie der Verdinglichung gegeben hat, wird historisch durch das Fehlschlagen der Revolution und die nicht vorausgesehenen Integrationsleistungen der fortgeschrittenen kapitalistischen Gesellschaften dementiert (1). Sie ist wegen ihrer affirmativen Anknüpfung an den objektiven Idealismus Hegels auch theoretisch angreifbar (2). Deshalb sehen sich Horkheimer und Adorno genötigt, die Fundamente der Verdinglichungskritik tiefer zu legen und die instrumentelle Vernunft zu einer Kategorie des weltgeschichtlichen Zivilisationsprozesses im ganzen zu erweitern, d. h. den Prozeß der Verdinglichung hinter den kapitalistischen Anfang der Moderne zurück in die Anfänge der Menschwerdung hinein zu verlängern (3). Damit drohen aber die Konturen des Vernunftbegriffs zu verschwimmen; die Theorie nimmt einerseits Züge einer eher traditionellen, die Bezüge zur Praxis verleugnenden Kontemplation an; zugleich tritt sie die Kompetenz

---

60 Ich lasse die in den 30er Jahren entwickelte Position des nach New York emigrierten Frankfurter Kreises zunächst außer acht; vgl. aber Bd. 2, S. 555 ff.
61 Indem ich die »Dialektik der Aufklärung« als den Bezugspunkt der Weberrezeption wähle, nehme ich in Kauf, die unverkennbaren Differenzen zwischen Horkheimers und Adornos Positionen nur in Nebenbemerkungen berücksichtigen zu können. Zu der von den Adorno-Herausgebern H. Schweppenhäuser und R. Tiedemann repräsentierten, sich als orthodox verstehenden Adorno-Interpretation vgl. F. Grenz, Adornos Philosophie in Grundbegriffen, Ffm. 1974. Demgegenüber wahrt A. Schmidt die Kontinuität der Kritischen Theorie in ihrer Horkheimerschen Version: A. Schmidt, Zur Idee der Kritischen Theorie, Mü. 1974; ders., Die Kritische Theorie als Geschichtsphilosophie, Mü. 1976.

der Darstellung einer nur noch indirekt beschworenen Vernunft an die Kunst ab (4). Die negativ-dialektische Selbstaufhebung des philosophischen Denkens führt in Aporien, die zu der Frage Anlaß geben, ob nicht diese Argumentationslage nur die Konsequenz eines der Bewußtseinsphilosophie verhafteten, an das Verhältnis von Subjektivität und Selbsterhaltung fixierten Ansatzes ist (5).

(1) Für die Ausbildung der Kritischen Theorie sind, wie H. Dubiel nachgewiesen hat,[62] vor allem drei historische Erfahrungen bestimmend gewesen, die in einer Enttäuschung der revolutionären Erwartungen konvergieren. Die sowjetische Entwicklung bestätigte im großen und ganzen Max Webers Prognose einer beschleunigten Bürokratisierung, und die stalinistische Praxis lieferte die blutige Bestätigung der Kritik Rosa Luxemburgs an der Leninschen Organisationstheorie und deren geschichtsobjektivistischen Grundlagen. Der Faschismus bewies sodann die Fähigkeit fortgeschrittener kapitalistischer Gesellschaften, in Krisensituationen auf die Gefahr einer revolutionären Veränderung mit dem Umbau des politischen Systems zu antworten und den Widerstand der organisierten Arbeiterschaft zu absorbieren. Die Entwicklung in den USA zeigte schließlich auf *andere* Weise die Integrationskraft des Kapitalismus: ohne offene Repression bindet die Massenkultur das Bewußtsein der breiten Bevölkerung an die Imperative des Status quo. Die sowjetrussische Verkehrung des humanen Gehalts des revolutionären Sozialismus, das Scheitern der sozialrevolutionären Arbeiterbewegung in *allen* Industriegesellschaften und die sozialintegrativen Leistungen einer in die kulturelle Reproduktion eindringenden Rationalisierung – dies waren die Grunderfahrungen, die Horkheimer und Adorno Anfang der 40er Jahre theoretisch zu verarbeiten suchten. Sie kontrastierten mit zentralen Annahmen jener Theorie der Verdinglichung, die Lukács Anfang der 20er Jahre aufgestellt hatte.

Als objektive Voraussetzung für die Überwindung des Kapitalismus nennt Marx die im Kapitalismus selbst entfesselten Produktivkräfte, wobei er in erster Linie an Produktivitätssteigerungen durch wissenschaftlich-technischen Fortschritt, durch die Qualifi-

62 Dubiel (1978), 15-135.

zierung der Arbeitskraft und durch eine verbesserte Organisation des Arbeitsprozesses gedacht hat. Zu den Produktivkräften, die mit den Produktionsverhältnissen »in Widerspruch« treten würden, rechnete er freilich das subjektive Potential der Arbeiter auch insofern, als es sich (nicht nur in produktiver, sondern) in kritisch-revolutionärer Tätigkeit äußert. Der Kapitalismus, so nahm Marx an, würde nicht nur die objektiven, sondern eben auch »die wesentlichen subjektiven Voraussetzungen der Selbstbefreiung des Proletariats mitproduzieren«.[63] Lukács hält an dieser Position grundsätzlich fest, aber er bereits revidiert Marxens Einschätzung der modernen Wissenschaften. Zwar werden die Wissenschaften über den technischen Fortschritt mit der Produktivitätsentfaltung immer stärker rückgekoppelt; mit der Ausbildung eines szientistischen Selbstverständnisses, welches die Grenzen der objektivierenden Erkenntnis mit den Grenzen von Erkenntnis überhaupt identifiziert, übernehmen die Wissenschaften jedoch zugleich eine ideologische Rolle. Das positivistisch verengte Wissenschaftsverständnis ist ein spezieller Ausdruck jener allgemeinen Verdinglichungstendenzen, die Lukács kritisiert. Hier beginnt die Linie der Argumentation, die Horkheimer und Adorno (und in prononcierter Weise Marcuse)[64] so weit fortführen, daß aus ihrer Sicht die wissenschaftlich-technischen Produktivkräfte mit den Produktionsverhältnissen verschmelzen und die systemsprengende Kraft ganz einbüßen. Die rationalisierte Welt zieht sich zu einer ›falschen‹ Totalität zusammen.

Demgegenüber beharrt Lukács darauf, daß die »scheinbar restlose« Rationalisierung der Welt, obwohl sie »bis ins tiefste physische und psychische Sein des Menschen« hineinreicht, an eine innere Grenze stößt – ihre Grenze findet sie »an dem formellen Charakter ihrer eigenen Rationalität«.[65] Lukács rechnet also in der subjektiven Natur der Menschen mit einem Reservat, das gegen Verdinglichung resistent ist. Gerade

63 Wellmer (1977 a), 472.
64 H. Marcuse, Der eindimensionale Mensch, Neuwied 1965; dazu J. Habermas, Technik und Wissenschaft als ›Ideologie‹, Ffm. 1968; ders., Die Rolle der Philosophie im Marxismus, in: Habermas (1976a), 49 ff.
65 Lukács (1968), 276.

dadurch, daß der einzelne Arbeiter gezwungen ist, seine Arbeitskraft als eine Funktion von seiner Gesamtpersönlichkeit abzuspal-
ten und als Ware, als etwas buchstäblich zu Veräußerndes, zu objektivieren, wird seine abstrakt gewordene entleerte Subjektivität
zum Widerstand gereizt: »Durch die Spaltung, die gerade hier
zwischen Objektivität und Subjektivität in dem sich als Ware objektivierenden Menschen entsteht, wird diese Lage zugleich des
Bewußtwerdens fähig gemacht.«[66] Diese Behauptung stützt sich
implizit auf Hegel, der die Selbstbewegung des Geistes als eine in
bestimmtem Sinne logische Notwendigkeit konstruiert. Wenn
man diese Voraussetzung fallenläßt und jene Behauptung als empirische betrachtet, bedarf es offensichtlich *anderer* Gründe, um
plausibel zu machen, warum sich der einzelne Lohnarbeiter über
seine Objektrolle erheben, warum gar das Proletariat im ganzen
ein Bewußtsein ausbilden soll, mit dem sich, und an dem sich die
Selbstenthüllung der auf Warenproduktion gegründeten Gesellschaft vollziehen kann. Lukács versichert nur, »daß der Verdinglichungsprozeß, das Zur-Ware-Werden des Arbeiters ihn – solange
er sich nicht bewußtseinsmäßig dagegen auflehnt – zwar annul-
liert, seine ›Seele‹ verkümmert und verkrüppelt, jedoch gerade sein
menschliches Wesen nicht zur Ware verwandelt. Er kann sich also
gegen dies sein Dasein innerlich vollkommen objektivieren . . .«.[67]
Horkheimer und Adorno, die der Hegelschen Logik nicht unbesehen trauen, bestreiten diese Behauptung mit empirischen Gründen: weil sie an der Theorie der Verdinglichung festhalten, müssen
sie die historischen Erfahrungen erklären, die so deutlich dafür
sprechen, daß die subjektive Natur der Massen widerstandslos in
den Sog der gesellschaftlichen Rationalisierung hineingerissen
worden ist – und diesen Prozeß eher beschleunigt als gehemmt
hat.
Sie entwickeln eine Theorie des Faschismus und der Massenkultur,
die die sozialpsychologischen Aspekte einer bis in die innersten
Bezirke der Subjektivität vordringenden, die motivationalen
Grundlagen der Persönlichkeit erfassenden Deformation behan-

66 Lukács (1968), 352.
67 Lukács (1968), 356.

delt und die kulturelle Reproduktion unter Gesichtspunkten der Verdinglichung erklärt. Während die Theorie der Massenkultur[68] davon ausgeht, daß die Warenform auch die Kultur ergreift und damit tendenziell *alle* Funktionen des Menschen besetzt, rechnet die *Theorie des Faschismus*[69] mit einer vorsätzlichen, von politischen Eliten beabsichtigten Umfunktionierung der Widerstände, welche die subjektive Natur der Rationalisierung entgegensetzt. Horkheimer interpretiert das schriller gewordene Unbehagen in der Kultur als einen Aufstand der subjektiven Natur gegen Verdinglichung, als eine »Revolte der Natur«: »Je lauter die Idee der Rationalität verkündet und anerkannt wird, desto mehr wächst in der Geistesverfassung der Menschen das bewußte oder unbewußte Ressentiment gegen die Zivilisation und ihre Instanz im Individuum, das Ich.«[70] Horkheimer hat bereits die Phänomene vor Augen, die inzwischen von Foucault, Laing, Basaglia und anderen thematisiert worden sind.[71]

Die sozialpsychologischen, von der Gesellschaft externalisierten, auf die Individuen abgewälzten »Kosten« einer aufs Kognitiv-Instrumentelle eingeschränkten Rationalisierung treten in verschiedenen Erscheinungsformen auf – ihr Spielraum reicht von den klinifizierten Geisteskrankheiten über Neurosen, Suchtphänomene, psychosomatische Störungen, Motivations- und Erziehungsprobleme bis zum Protestverhalten ästhetisch inspirierter Gegenkulturen, religiöser Jugendsekten und krimineller Randgruppen (die heute auch den anarchistischen Terrorismus einschließen). Den Faschismus deutet Horkheimer als gelungene Umfunktionierung, als Benutzung der Revolte der inneren Natur zugunsten der

68 Horkheimer, Adorno (1947), 144-198.
69 Horkheimer (1967), 93-123; ich beschränke mich hier auf den sozialpsychologischen Aspekt einer Theorie, für die auch die ökonomischen Arbeiten von F. Pollock wichtig gewesen sind. Zu den differenzierten Faschismus-Analysen des Instituts für Sozialforschung in den Jahren von 1939-1942 vgl. den von H. Dubiel und A. Söllner herausgegebenen und eingeleiteten Dokumentarband: Horkheimer, Pollock, Neumann, Kirchheimer, Gurland, Marcuse, Wirtschaft, Recht und Staat im Nationalsozialismus, Ffm. 1981.
70 Horkheimer (1967), 108.
71 Vgl. die Beiträge zu dem der Frankfurter Schule gewidmeten Heft der Pariser Kulturzeitschrift »Esprit«, Mai 1978.

gesellschaftlichen Rationalisierung, gegen die jene sich richtet. Im Faschismus »hat die Rationalität eine Stufe erreicht, auf der sie sich nicht mehr begnügt, einfach die Natur zu unterdrücken; die Rationalität beutet jetzt die Natur aus, indem sie ihrem eigenen System die rebellischen Potentialitäten der Natur einverleibt. Die Nazis manipulierten die unterdrückten Wünsche des deutschen Volkes. Als die Nazis und ihre industriellen und militärischen Hintermänner ihre Bewegung lancierten, mußten sie die Massen gewinnen, deren materielle Interessen nicht die ihren waren. Sie appellierten an die rückständigen Schichten, die durch die industrielle Entwicklung verurteilt waren, das heißt durch die Techniken der Massenproduktion ausgepreßt wurden. Hier, unter den Bauern, mittelständischen Handwerkern, Einzelhändlern, Hausfrauen und kleinen Unternehmern waren die Vorkämpfer der unterdrückten Natur zu finden, die Opfer der instrumentellen Vernunft. Ohne die aktive Unterstützung durch diese Gruppen hätten die Nazis niemals die Macht ergreifen können.«[72]

Diese These erklärt nicht nur die Klassenbasis, auf der der Faschismus zur Macht gelangt ist, sondern auch die geschichtliche Funktion, die er übernommen hat, nämlich in einer »verspäteten Nation« die Prozesse der gesellschaftlichen Modernisierung zu beschleunigen[73]: »Die Revolte des natürlichen Menschen – im Sinne der rückständigen Schichten der Bevölkerung – gegen das Anwachsen der Rationalität hat in Wirklichkeit die Formalisierung der Vernunft gefördert und dazu gedient, die Natur mehr zu fesseln als zu befreien. In diesem Licht könnten wir den Faschismus als eine satanische Synthese von Vernunft und Natur beschreiben – das genaue Gegenteil jener Versöhnung der beiden Pole, von der Philosophie stets geträumt hat.«[74]

Die psychischen Mechanismen, mit deren Hilfe die Revolte der inneren Natur zu einer Verstärkung der Kräfte, gegen die sie sich richtet, umfunktioniert wird, untersuchen Horkheimer und Adorno empirisch; sie berücksichtigen, angeregt durch die früheren

---

72 Horkheimer (1967), 118 f.
73 Zu dieser These R. Dahrendorf, Gesellschaft und Demokratie in Deutschland, Mü 1965.
74 Horkheimer (1967), 119.

Arbeiten von E. Fromm,[75] vor allem das ideologische Muster des Antisemitismus und die sadomasochistische Triebstruktur des autoritär geformten Charakters.[76] Diese Untersuchungen sind freilich inzwischen in eine Erforschung politischer Vorurteile eingemündet, die sich von den psychoanalytischen Annahmen entfernt und den Bezug zur Begrifflichkeit einer kritischen Theorie der Verdinglichung aufgegeben hat.

Die *Theorie der Massenkultur* bezieht sich auf die weniger spektakulären Erscheinungen einer sozialen Integration des Bewußtseins über die Massenmedien. An der Fetischisierung des Kunstwerks zum Kulturgut und an der Regression des Kunstgenusses zu Konsum und gesteuerter Unterhaltung untersucht Adorno den »Warenfetischismus neuen Stils«, wobei er überzeugt ist, daß sich im sadomasochistischen Charakter des Kleinbürgers, der sich für den totalen Staat mobilisieren läßt, und »im Akzeptanten der heutigen Massenkunst, die gleiche Sache nach verschiedenen Seiten« darstellt. Schon Lukács hatte zugestanden, daß der Verdinglichungsprozeß, je weiter er sich von der Produktionssphäre und den Alltagserfahrungen der proletarischen Lebenswelt entfernt, und je mehr er Gedanken und Gefühle in ihrem qualitativen Sein verändert, um so unzugänglicher wird für die Selbstreflexion.[77] An diese Überlegungen knüpft Adorno in seiner Arbeit »Über den Fetischcharakter in der Musik und die Regression des Hörens«[78] an: »Freilich setzt sich im Bereich der Kulturgüter der Tauschwert auf besondere Weise durch. Denn dieser Bereich erscheint in der Warenwelt eben als von der Macht des Tausches ausgenommen, ... und dieser Schein ist es wiederum, dem die Kulturgüter ihren Tauschwert allein verdanken. ... Setzt die Ware allemal sich aus Tauschwert und Gebrauchswert zusammen, so wird der reine Ge-

75 E. Fromm, Arbeiter und Angestellte am Vorabend des Dritten Reiches. Eine sozialpsychologische Untersuchung, hrsg. von W. Bonß, Stuttg. 1980.
76 Th. W. Adorno, E. Frenkel-Brunswik, D. J. Levinson, R. N. Sanford, The Authoritarian Personality, N. Y. 1950; deutsch: Amsterd. 1968; dazu M. v. Freyhold, Autoritarismus und politische Apathie, Ffm. 1971.
77 Lukács (1968), 456.
78 Th. W. Adorno, Über den Fetischcharakter in der Musik und die Regression des Hörens, in: Ges. Schr., Bd. 14, Ffm. 1973 c.

brauchswert, dessen Illusion in der durchkapitalisierten Gesellschaft die Kulturgüter bewahren müssen, durch den reinen Tauschwert ersetzt, der gerade als Tauschwert die Funktion des Gebrauchswertes trügend übernimmt. In diesem quid pro quo konstituiert sich der spezifische Fetischcharakter der Musik: die Affekte, die auf den Tauschwert gehen, stiften den Schein des Unmittelbaren, und die Beziehungslosigkeit zum Objekt dementiert ihn zugleich ... Man hat nach dem Kitt gefragt, der die Warengesellschaft noch zusammenhält. Zur Erklärung mag jene Übertragung vom Gebrauchswert der Konsumgüter auf ihren Tauschwert innerhalb einer Gesamtverfassung beitragen, in der schließlich jeder Genuß, der vom Tauschwert sich emanzipiert, subversive Züge annimmt. Die Erscheinung des Tauschwerts an den Waren hat eine spezifische Kittfunktion übernommen.«[79] Adorno erläutert diese Behauptung an den veränderten Produktionsbedingungen der Massenkultur, an der Entdifferenzierung der Formen der standardisiert hergestellten Kulturgüter, an der veränderten Rezeptionsweise des mit Unterhaltung fusionierten Kunstgenusses und schließlich an der Funktion der Anpassung an den als Paradies angebotenen Alltag: »Kulturindustrie setzt joviale Versagung anstelle des Schmerzes, der in Rausch und Askese gegenwärtig ist ... Die permanente Versagung, die Zivilisation auferlegt, wird den Erfaßten unmißverständlich in jeder Schaustellung der Kulturindustrie nochmals zugefügt und demonstriert.«[80]

Ich möchte auf diese Theorie nicht weiter eingehen; sie ist eher durch ihre allgemeine Fragestellung als durch ihre Hypothesen im einzelnen interessant geblieben. Adorno hat eine kulturkritische Perspektive eingenommen, die ihn gegenüber Benjamins etwas voreiligen Hoffnungen auf die emanzipatorische Kraft der Massenkultur, damals in erster Linie des Films, mit Recht skeptisch gestimmt hat.[81] Andererseits hat er von dem durchaus ambivalenten Charakter einer über Massenmedien ausgeübten sozialen Kontrolle, wie wir sehen werden, keinen klaren Begriff. Eine Analyse,

79 Adorno (1970 ff.), 14, 25 f.
80 Horkheimer, Adorno (1947), 168.
81 J. Habermas, Bewußtmachende oder rettende Kritik, in: ders., Philosophischpolitische Profile (1981 a), 336 ff.

die von der Warenform der Kulturgüter ausgeht, assimiliert die neuen Massenkommunikationsmittel an das Medium des Tauschwertes, obwohl die strukturellen Ähnlichkeiten nicht weit genug reichen. Während das Geldmedium sprachliche Verständigung als Mechanismus der Handlungskoordinierung *ersetzt*, bleiben die Medien der Massenkommunikation auf sprachliche Verständigung angewiesen. Diese bilden technische Verstärker der sprachlichen Kommunikation, die räumliche und zeitliche Distanzen überbrücken und die Kommunikationsmöglichkeiten multiplizieren, das Netz kommunikativen Handelns verdichten, ohne aber die Handlungsorientierungen von lebensweltlichen Kontexten überhaupt abzukoppeln. Gewiß, das eminent erweiterte Kommunikationspotential wird vorerst durch Organisationsformen neutralisiert, die einbahnige, also nicht umkehrbare Kommunikationsflüsse sicherstellen. Ob eine auf die Massenmedien zugeschnittene Massenkultur Kräfte zur regressiven Integration des Bewußtseins entfaltet, hängt aber in erster Linie davon ab, ob »die Kommunikation die Angleichung der Menschen durch ihre Vereinzelung (besorgt)«,[82] und keineswegs davon, ob die Gesetze des Marktes immer tiefer in die Kulturproduktion selbst eingreifen.[83]

(2) Horkheimer und Adorno radikalisieren Lukács' Theorie der Verdinglichung sozialpsychologisch in der Absicht, die Stabilität entwickelter kapitalistischer Gesellschaften zu erklären, ohne den Ansatz bei der Kritik des Warenfetischismus preisgeben zu müssen. Die Theorie soll erklären, warum der Kapitalismus gleichzeitig die Produktivkräfte steigert und die Kräfte des subjektiven Widerstands stillstellt. Lukács hatte die Gültigkeit einer Logik unterstellt, derzufolge der Prozeß der Verdinglichung des Bewußtseins zur Selbstaufhebung im proletarischen Klassenbewußtsein führen *muß*. Horkheimer und Adorno schieben Hegels Logik beiseite und machen sich daran, die Evidenzen, die jene Voraussage widerlegen, empirisch zu erklären. Daß sich die objektive Vernunft auch in dialektischen Begriffen nicht wiederherstellen läßt, darin sind sie mit Weber, dem »Erzpositivisten«, einer Meinung.

82 Horkheimer, Adorno (1968), 263.
83 Siehe Bd. 2, S. 571 ff.

In seiner über Lukács hinausweisenden Hegelkritik kann Adorno wiederum ein Argument von Lukács aufnehmen und verschärfen. Es geht um das Problem der Beziehung von Geist und Materie, das sich für Lukács im erkenntnistheoretischen Zusammenhang der Ding-an-sich-Problematik gestellt hatte. Lukács zitiert hier einen Satz von Emil Lask: »Für die Subjektivität ist es nicht selbstverständlich, sondern bildet gerade das ganze Ziel ihres Nachforschens, zu welcher Kategorie sich logische Form überhaupt dann differenziert, wenn es gilt, irgendein bestimmtes einzelnes Material in kategorialer Betroffenheit zu erfassen, oder anders ausgedrückt, welches einzelne Material überall den Materialbereich der einzelnen Kategorien ausmacht.«[84] Während nun Lukács unterstellt, daß sich dieses Problem nur für das Verstandesdenken ergibt und auf der Linie einer dialektischen Vermittlung von Form und Inhalt lösen läßt, sieht Adorno dasselbe Problem im Kern der dialektischen Begrifflichkeit wiederkehren.[85] *Alles* begriffliche, von bloßer Intuition sich abhebende Denken, auch das dialektische, verfährt identifizierend und verrät die Utopie der Erkenntnis: »Was ... an Wahrheit durch die Begriffe über ihren abstrakten Umfang hinaus getroffen wird, kann keinen anderen Schauplatz haben als das von den Begriffen unterdrückte, Mißachtete und Weggeworfene. Die Utopie der Erkenntnis wäre, das Begriffslose mit Begriffen aufzutun, ohne es ihnen gleichzumachen. Ein solcher Begriff von Dialektik weckt Zweifel an seiner Möglichkeit.«[86]

Wie Adorno diesen programmatischen Gedanken als »Negative Dialektik« durchführt, oder besser: in seiner Undurchführbarkeit vorführt, brauche ich an dieser Stelle nicht zu diskutieren.[87] In

84 Lukács (1968), 293, Anm. 2.
85 Adorno weist schon in seiner Frankfurter Antrittsvorlesung 1931 die von Lukács vorgeschlagene Lösung der Ding-an-sich-Problematik zurück, weil sie auf einem genetischen Fehlschluß beruhe; Th. W. Adorno, Die Aktualität der Philosophie, in: ders., Ges. Schr., Bd. 1, Ffm. 1973 a, 337.
86 Th. W. Adorno, Negative Dialektik, in: ders., Ges. Schr., Bd. 6, Ffm. 1973 b, 21.
87 S. Buck-Morss, The Origin of Negative Dialectics, N. Y. 1977, 63 ff., arbeitet die genuin Adornosche Linie der Kritischen Theorie heraus und betont die Kontinuität der Adornoschen Philosophie von den frühen 30er Jahren bis zu den reifen

unserem Zusammenhang ist nur das Argument wichtig, mit dem er, fast existentialistisch, Hegels Logik zurückweist: »Erkenntnis geht aufs Besondere, nicht aufs Allgemeine. Ihren wahren Gegenstand sucht sie in der möglichen Bestimmung der Differenz jenes Besonderen selbst von dem Allgemeinen, das sie als gleichwohl

Werken der »Negativen Dialektik« und der »Ästhetischen Theorie«. Schon in den philosophischen Frühschriften beginnt Adorno mit dem Verzicht auf die Illusion »daß es möglich sei, in Kraft des Denkens die Totalität des Wirklichen zu ergreifen« (1973 a, 325). Er kritisiert von Anbeginn den sei es heimlichen oder eingestandenen Idealismus des Identitätsdenkens, ob es sich im Hegelschen System oder im neuontologischen Denken Heideggers auslegt. In dem Vortrag »Die Idee der Naturgeschichte« findet sich die stärkste Version der Adornoschen Heideggerkritik: »Für Heidegger ist es so, daß Geschichte als eine umfassende Struktur des Seins verstanden, gleichbedeutend ist mit dessen eigener Ontologie. Daher solche matten Antithesen wie Geschichte und Geschichtlichkeit, in denen nichts steckt, als daß irgendwelche am Dasein beobachteten Seinsqualitäten dadurch, daß sie vom Seienden weggenommen, transponiert werden in das Bereich der Ontologie und zur ontologischen Bestimmung werden, zur Auslegung dessen beitragen sollen, was im Grunde nur noch einmal gesagt wird. Dies Moment der Tautologie hängt nicht mit Zufälligkeiten der Sprachform zusammen, sondern adhäriert mit Notwendigkeit der ontologischen Fragestellung selbst, die am ontologischen Bemühen festhält, aber durch ihre rationale Ausgangsposition nicht vermag, sich selbst ontologisch als das auszulegen, was sie ist: nämlich als produziert von, sinnbezogen auf die Ausgangsposition der idealistischen ratio.« (1973 a, 351 f.) Und weiter: »Die tautologische Tendenz scheint sich mir durch nichts anderes zu erklären als durch das alte idealistische Motiv der Identität. Sie entsteht dadurch, daß ein Sein, das geschichtlich ist, unter eine subjektive Kategorie Geschichtlichkeit gebracht wird. Das unter der subjektiven Kategorie Geschichtlichkeit befaßte geschichtliche Sein soll mit Geschichte identisch sein. Es soll sich den Bestimmungen fügen, die von Geschichtlichkeit ihm aufgeprägt werden. Die Tautologie scheint mir weniger ein sich selbst Ergründen der mythischen Tiefe der Sprache zu sein als eine neue Verdeckung der alten klassischen These der Identität von Subjekt und Objekt. Und wenn neuerdings bei Heidegger eine Wendung zu Hegel vorliegt, scheint das diese Deutung zu bestätigen.« (1973 a, 353 f.)

Die Kritik des Identitätsdenkens radikalisiert Adorno aber erst später zu einer Kritik des identifizierenden Denkens überhaupt, die der Philosophie nicht nur den Totalitätsanspruch nimmt, sondern die Hoffnung auf eine dialektische Erfassung des Nicht-Identischen. 1931 spricht Adorno noch zuversichtlich von der »Aktualität der Philosophie«, weil er ihr einen polemischen, nicht-affirmativen Zugriff auf eine Wirklichkeit zutraut, die in Spuren und Trümmern die Hoffnung gewährt, einmal zur richtigen und gerechten Wirklichkeit zu geraten. Die »Negative Dialektik« gibt diese Hoffnung preis.

Unabdingbares kritisiert. Wird aber die Vermittlung des Allgemeinen durchs Besondere und des Besonderen durchs Allgemeine auf die abstrakte Normalform von Vermittlung schlechthin gebracht, so hat das Besondere dafür, bis zu seiner autoritären Abfertigung in den materialen Teilen des Hegelschen Systems, zu zahlen.«[88] Die dialektische Versöhnung von Allgemeinem und Besonderem bleibt, nach Hegels eigenen Begriffen, metaphysisch, weil sie dem Nichtidentischen am Besonderen sein Recht nicht läßt.[89] Die Struktur des verdinglichten Bewußtseins setzt sich noch in der Dialektik, die zu seiner Überwindung aufgeboten wird, fort, weil ihr alles Dinghafte als das radikal Böse gilt: »Wer alles, was ist, zur reinen Aktualität dynamisieren möchte, tendiert zur Feindschaft gegen das andere, Fremde, dessen Namen nicht umsonst in Entfremdung anklingt; jener Nicht-Identität, zu der nicht allein das Bewußtsein, sondern eine versöhnte Menschheit zu befreien wäre.«[90]

Allein, wie soll sich die Idee der Versöhnung, in deren Licht Adorno die Verfehlungen der idealistischen Dialektik doch nur sichtbar machen kann, explizieren lassen, wenn sich die Negative Dialektik als der einzig mögliche, eben diskursiv nicht begehbare Weg der Rekonstruktion anbietet? An dieser Schwierigkeit, über ihre eigenen normativen Grundlagen Rechenschaft zu geben, hat die Kritische Theorie von Anbeginn laboriert; seitdem Horkheimer und Adorno Anfang der 40er Jahre die Wendung zur Kritik der instrumentellen Vernunft vollzogen haben, macht sie sich drastisch bemerkbar.

Horkheimer hat zunächst an jenen beiden Positionen angesetzt, die auf die Ablösung der objektiven Vernunft durch die subjektive, auf den Zerfall von Religion und Metaphysik, in entgegengesetzter Weise reagieren. In dem Kapitel über »Gegensätzliche Allheilmittel« entwickelt er die *doppelte Frontstellung* gegen die traditionsorientierten Ansätze der zeitgenössischen Philosophie auf der

88 Adorno (1973b), 322 f.
89 G. Rose, The Melancholy of Science, An Introduction to the Thought of Th. W. Adorno, London 1978, 43 ff.; zum Begriff der Verdinglichung bei Adorno vgl. auch F. Grenz (1974), 35 ff.
90 Adorno (1973b), 191.

einen, gegen den Szientismus auf der anderen Seite – eine Front-stellung, die die innerphilosophischen Auseinandersetzungen der Kritischen Theorie bis heute bestimmt. Der aktuelle Anlaß, auf den Horkheimer sich seinerzeit bezieht, ist eine Auseinander-setzung von Vertretern des logischen Positivismus mit neuthomisti-schen Strömungen.[91] Der Neuthomismus steht stellvertretend für *alle* Versuche, in Anknüpfung an Plato oder Aristoteles den onto-logischen Anspruch der Philosophie, die Welt im ganzen zu be-greifen, sei es vorkritisch oder im Zeichen des objektiven Idealis-mus zu erneuern, und die in der modernen Geistesentwicklung auseinandergetretenen Momente der Vernunft, die Geltungsaspek-te des Wahren, Guten und Schönen metaphysisch wieder zusam-menzufügen: »Heute besteht eine allgemeine Tendenz« – und sie setzt sich tatsächlich bis heute fort –[92] »vergangene Theorien der objektiven Vernunft wiederzubeleben, um der rasch verfallenden Hierarchie allgemein akzeptierter Werte eine philosophische Grundlage zu geben. Zusammen mit pseudoreligiösen oder halb-wissenschaftlichen Seelenkuren, Spiritismus, Astrologie, billigen Sorten vergangener Philosophien wie Yoga, Buddhismus oder My-stik und populären Bearbeitungen klassischer objektivistischer Philosophien werden mittelalterliche Ontologien zum modernen Gebrauch empfohlen. Aber der Übergang von der objektiven zur subjektiven Vernunft war kein Zufall, und der Prozeß der Ent-wicklung von Ideen kann nicht willkürlich in einem gegebenen Augenblick rückgängig gemacht werden. Wenn die subjektive Ver-nunft in Gestalt der Aufklärung die philosophische Basis von Glaubensüberzeugungen aufgelöst hat, die ein wesentlicher Be-standteil der abendländischen Kultur gewesen sind, so war sie da-zu imstande, weil diese Basis sich als zu schwach erwiesen hat. Ihre Wiederbelebung ist aber durch und durch künstlich . . . Das Abso-lute selbst wird ein Mittel, objektive Vernunft ein Entwurf für subjektive Zwecke . . .«[93]

91 Y. H. Krikorian (Ed.), Naturalism and Human Spirit, N. Y. 1944.
92 Aus der Reihe der Neukonservativen, die sich in großer Zahl aus den Schulen von J. Ritter und E. Voegelin rekrutieren, ragt heraus: R. Spaemann, Zur Kritik der politischen Utopie, Stuttg. 1977.
93 Horkheimer (1967), 66.

Horkheimer stellt sich freilich mit seiner Kritik an den traditionsorientierten Ansätzen nicht etwa auf die Seite des logischen Empirismus. Was er der Metaphysik entgegenhält, stützt sich keineswegs auf die im Positivismus vollzogene falsche Gleichsetzung von
Vernunft und Wissenschaft; er wendet sich vielmehr gegen die
falsche Komplementarität zwischen dem positivistischen Verständnis von Wissenschaft und einer Metaphysik, die die wissenschaftlichen Theorien, ohne zu ihrem Verständnis beizutragen,
bloß überhöht. Horkheimer hält den Neupositivismus wie den
Neuthomismus für beschränkte Wahrheiten, die beide versuchen,
»sich eine despotische Rolle im Bereich des Denkens anzuma-
ßen«.[94] Der logische Empirismus muß, wie der Traditionalismus,
auf selbstevidente oberste Prinzipien zurückgreifen; nur ist es die
in ihren Grundlagen unaufgeklärte wissenschaftliche Methode, die
jener anstelle von Gott, Natur oder Sein verabsolutiert. Der Positivismus weigert sich, die von ihm behauptete Identität von Wissenschaft und Wahrheit zu begründen. Er beschränkt sich auf die
Analyse der in der Wissenschaftspraxis vorgefundenen Verfahrens-
weisen. Darin mag sich Verehrung für die institutionalisierten Wissenschaften ausdrücken; warum aber bestimmte Prozeduren als
wissenschaftlich anerkannt werden dürfen, bedarf der normativen
Rechtfertigung: »Um die absolute Autorität zu sein, muß Wissenschaft als ein geistiges Prinzip gerechtfertigt werden, darf sie nicht
bloß aus empirischen Verfahren abgeleitet und dann auf der Basis
dogmatischer Kriterien des wissenschaftlichen Erfolgs als Wahrheit verabsolutiert werden.«[95]

Natürlich ist man neugierig auf die Explikation des Maßstabes,
den Horkheimer seiner eigenen Kritik an der »eingeschränkten
Wahrheit« des Szientismus zugrunde legt. Entweder muß er diesen
Maßstab einer Theorie entnehmen, welche die Grundlagen der
modernen Natur-, Sozial- und Geisteswissenschaften im Horizont
eines umfassenderen Begriffs von Wahrheit und Erkenntnis aufklärt; oder er muß sich, falls es eine solche Theorie nicht oder noch
nicht gibt, selber auf den steinigen Weg immanenter Wissen-

94 Horkheimer (1967), 82.
95 Horkheimer (1967), 80.

schaftskritik begeben und den gesuchten Maßstab einer Selbstreflexion abgewinnen, die in die lebensweltlichen Fundamente, die Handlungsstrukturen und den Entstehungszusammenhang wissenschaftlicher Theoriebildung, objektivierenden Denkens überhaupt hinabreicht.[96] Die folgende Stelle ist im Hinblick auf diese Alternative unklar: »Die moderne Wissenschaft, wie die Positivisten sie verstehen, bezieht sich wesentlich auf Aussagen über Tatsachen und setzt deshalb die Verdinglichung des Lebens im allgemeinen und der Wahrnehmung im besonderen voraus. Sie sieht in der Welt eine Welt von Tatsachen und Dingen und versäumt es, die Transformation der Welt in Tatsachen und Dinge mit dem gesellschaftlichen Prozeß zu verbinden. Gerade der Begriff der Tatsache ist ein Produkt – ein Produkt der gesellschaftlichen Entfremdung; in ihm wird der abstrakte Gegenstand des Tausches als Modell gedacht für alle Gegenstände der Erfahrung in der gegebenen Kategorie. Die Aufgabe der kritischen Reflexion ist es nicht nur, die verschiedenen Tatsachen in ihrer historischen Entwicklung zu verstehen – und selbst das impliziert erheblich mehr, als die positivistische Scholastik sich je hat träumen lassen –, sondern auch, den Begriff der Tatsache selbst zu durchschauen, in seiner Entwicklung und damit in seiner Relativität. Die durch quantitative Methoden ermittelten sogenannten Tatsachen, welche die Positivisten als die einzig wissenschaftlichen zu betrachten pflegen, sind oft Oberflächenphänomene, die die zugrunde liegende Realität mehr verdunkeln als enthüllen. Ein Begriff kann nicht als das Maß der Wahrheit akzeptiert werden, wenn das Wahrheitsideal, dem er dient, in sich gesellschaftliche Prozesse voraussetzt, die das Denken nicht als letzte Gegebenheiten gelten lassen kann.«[97]

Einerseits ist die Reminiszenz an Lukács' Kritik des wissenschaftlichen Objektivismus deutlich; andererseits wissen wir, daß Horkheimer die Grundannahmen der Hegelschen (oder hegelmarxisti-

96 Das ist als Forderung im Umkreis der zweiten Generation der Kritischen Theorie, wie die Arbeiten von Apel, Habermas, Schnädelbach, Wellmer u. a. zeigen, ernstgenommen worden.
97 Horkheimer (1967), 83 f.; zum Empiriebegriff der frühen Kritischen Theorie vgl. jetzt W. Bonß, Kritische Theorie und empirische Sozialforschung, Diss. Bielefeld 1981.

schen) Kantkritik nicht umstandslos akzeptieren möchte: er ist sich mit Weber darin einig, daß die Spaltung von theoretischer und praktischer Vernunft, die Aufspaltung der Rationalität in die Geltungsaspekte von Wahrheit, normativer Richtigkeit, Authentizität oder Wahrhaftigkeit, nicht durch einen wie immer auch dialektischen oder materialistischen Rückgriff auf die verlorengegangene Totalität, auf das Seiende im Ganzen, ungeschehen gemacht werden kann.

Der Appell an die kritische Reflexion kann deshalb nicht als verschleierter Aufruf zum Rückzug auf einen marxistisch restaurierten Hegel verstanden werden; er kann nur verstanden werden als *erster Schritt* zu einer Selbstreflexion der Wissenschaften, die später tatsächlich durchgeführt worden ist. Einerseits hat die im Rahmen der analytischen Wissenschaftstheorie vorangetriebene Selbstkritik mit bewundernswerter Konsequenz zu den allerdings zweideutigen Positionen des sogenannten Postempirismus geführt (Lakatos, Toulmin, Kuhn, M. Hesse, Feyerabend). Andererseits ist im methodologischen Grundlagenstreit der Sozialwissenschaften das einheitswissenschaftliche Konzept unter dem Einfluß der Phänomenologie, der Hermeneutik, der Ethnomethodologie, der linguistischen Philosophie, auch der Kritischen Theorie preisgegeben worden,[98] freilich ohne daß eine klare Alternative sichtbar geworden wäre. Beide Argumentationslinien führen keineswegs zu einer unzweideutigen Wiederaufnahme der Rationalitätsproblematik; sie geben sogar Raum für skeptizistische und vor allem relativistische Schlußfolgerungen (Feyerabend, Elkana). Es verhält sich also, auch aus der Retrospektive gesehen, nicht so, als hätte Horkheimer die kritische Reflexion getrost der List der Wissenschaftsentwicklung überlassen dürfen. Diese Perspektive war ihm auch ziemlich fremd. Dennoch haben Horkheimer und Adorno ihre Aufgabe nicht in einer materialen Wissenschaftskritik gesehen, nicht darin, an die Situation des Zerfalls der objektiven Vernunft anzuknüpfen, um am Leitfaden einer an ihre Gegenstände entäußerten subjektiven Vernunft, wie sie sich in der Praxis der fortgeschrittensten Wissenschaften auslegt, einen »phänomenolo-

98 Bernstein (1979).

gischen«, durch Selbstreflexion erweiterten Begriff der Erkenntnis zu entwickeln – um damit einen (nicht den einzigen) Zugang zu einem differenzierten, aber umfassenden Begriff der Rationalität zu öffnen.[99] Sie haben statt dessen die subjektive Vernunft, aus der ironisch verfremdeten Perspektive der unwiderruflich zerfallenen objektiven, einer unnachsichtigen Kritik unterzogen.

(3) Dieser paradoxe Schritt ist durch die Überzeugung motiviert, daß die »große« Philosophie, mit Hegel als Kulminations- und Endpunkt, die Idee der Vernunft, die einer universalen Versöhnung von Geist und Natur, zwar nicht mehr aus eigener Kraft systematisch entfalten und begründen kann – insofern ist sie mit den metaphysisch-religiösen Weltbildern untergegangen; daß aber Philosophie, weil der Zeitpunkt ihrer einmal möglichen, von Marx proklamierten Verwirklichung versäumt worden ist, gleichwohl die einzige uns zugängliche Erinnerungsstätte für das Versprechen eines humanen gesellschaftlichen Zustandes bildet – insofern liegt unter den Trümmern der Philosophie auch die Wahrheit begraben, aus der Denken allein seine negierende, die Verdinglichung transzendierende Kraft zieht: »Philosophie, die einmal überholt schien, erhält sich am Leben, weil der Augenblick ihrer Verwirklichung versäumt ward« – mit diesem Satz hebt die »Negative Dialektik« an.[100]

Horkheimer und Adorno stehen vor folgendem Problem. Auf der einen Seite bestreiten sie den Satz von Lukács, daß die scheinbar restlose Rationalisierung der Welt ihre Grenze an dem formellen Charakter ihrer eigenen Rationalität findet – und zwar empirisch mit Hinweis auf die Erscheinungsformen einer penetranten Verdinglichung von Kultur und innerer Natur, theoretisch mit dem Nachweis, daß auch der hegelmarxistisch fortgeschriebene objektive Idealismus die Linie des Identitätsdenkens bloß fortsetzt und die Struktur des verdinglichten Bewußtseins in sich selbst reproduziert. Auf der anderen Seite radikalisieren Horkheimer und Adorno Lukács' Kritik der Verdinglichung. Sie halten die restlose Rationalisierung der Welt nicht bloß für »scheinbar« und brauchen

99 Habermas (1968b).
100 Adorno (1973b).

daher eine Begrifflichkeit, die ihnen gestattet, nichts weniger denn das Ganze als das Unwahre zu denunzieren. Sie können dieses Ziel auf dem Wege einer immanent ansetzenden Wissenschaftskritik nicht erreichen; denn die Begrifflichkeit, die ihr Desiderat erfüllen könnte, liegt immer noch auf dem Anspruchsniveau der großen philosophischen Überlieferung. Diese aber, und das ist der Webersche Stachel noch in der Kritischen Theorie, ist in ihrem systematischen Anspruch nicht einfach zu erneuern – sie hat ihren eigenen Anspruch »überlebt«, kann jedenfalls in der Form der Philosophie nicht erneuert werden. Ich will versuchen, klarzumachen, wie die Autoren der »Dialektik der Aufklärung« diese Schwierigkeit zu lösen versuchen – und um welchen Preis.

Horkheimer und Adorno generalisieren zunächst die Kategorie der Verdinglichung. Dabei lassen sich, wenn man den impliziten Ausgangspunkt, die von Lukács in »Geschichte und Klassenbewußtsein« entwickelte Theorie der Verdinglichung im Auge behält, drei Schritte unterscheiden:

(a) Lukács hatte die für kapitalistische Gesellschaften spezifische Gegenständlichkeitsform aus der Analyse des Lohnarbeitsverhältnisses gewonnen, das durch die Warenform der Arbeitskraft charakterisiert ist; er hatte daraus ferner die Strukturen des verdinglichten Bewußtseins abgeleitet, wie sie sich im Verstandesdenken moderner Wissenschaften, insbesondere in ihrer philosophischen Selbstauslegung bei Kant ausdrücken. Horkheimer und Adorno betrachten hingegen diese Bewußtseinsstrukturen, also das, was sie subjektive Vernunft und identifizierendes Denken nennen, als grundlegend; die Tauschabstraktion ist lediglich die historische Gestalt, in der das identifizierende Denken seine welthistorische Wirkung entfaltet und die Verkehrsformen der kapitalistischen Gesellschaft bestimmt. Die gelegentlichen Hinweise auf die in Tauschverhältnissen objektiv gewordenen Realabstraktionen können nicht darüber hinwegtäuschen, daß Horkheimer und Adorno keineswegs wie Lukács (und Sohn-Rethel) die Denkform aus der Warenform ableiten. Das identifizierende Denken, dessen Gewalt Adorno eher in der Ursprungsphilosophie als in der Wissenschaft am Werk sieht, liegt historisch tiefer als die formale Rationalität der Tauschbeziehung; allerdings gewinnt es erst über die Ausdifferenzierung des Tauschwertmediums seine universale Bedeutung.[101]

(b) Nach dieser, wenn man will, idealistischen Rückübersetzung des Verdinglichungsbegriffs in den Kontext der Bewußtseinsphilosophie geben Horkheimer und Adorno den Strukturen des verdinglichten Bewußtseins eine so abstrakte Fassung, daß sich diese nicht nur auf die theoretische Form des identifizierenden Denkens, sondern auf die Auseinandersetzung des zielgerichtet handelnden Subjekts mit der äußeren Natur überhaupt erstreckt. Diese Auseinandersetzung steht unter der Idee der Selbsterhaltung des Subjekts; Denken dient der technischen Verfügung über und der informierten Anpassung an die äußere, im Funktionskreis instrumentellen Handelns objektivierte Natur. Es ist »instrumentelle Vernunft«, die den Strukturen des verdinglichten Bewußtseins zugrunde liegt. Auf diese Weise verankern Horkheimer und Adorno den Mechanismus, der die Verdinglichung des Bewußtseins erzeugt, in den anthropologischen Grundlagen der Gattungsgeschichte, in der Existenzform einer Gattung, die sich durch Arbeit reproduzieren muß. Damit nehmen sie ihren zunächst vorgenommenen Abstraktionsschritt, nämlich die Ablösung des Denkens vom Reproduktionszusammenhang, teilweise zurück. Die instrumentelle Vernunft wird in Begriffen von Subjekt-Objektbeziehungen konzipiert. Die interpersonale Beziehung zwischen Subjekt und Subjekt, die für das Tauschmodell maßgebend ist, hat für die instrumentelle Vernunft keine konstitutive Bedeutung.[102]

(c) Diese Abstraktion von der gesellschaftlichen Dimension wird in einem letzten Schritt rückgängig gemacht, aber auf eine merkwürdige Weise. Horkheimer und Adorno verstehen »Beherrschung« der Natur nicht als Metapher; sie bringen die Kontrolle der äußeren Natur mit dem Kommando über Menschen und der Repression der eigenen, inneren Natur unter dem Titel ›Herr-

---

101 Zum abgeleiteten Status der Tauschrationalität im Werke Adornos siehe auch J. F. Schmucker, Adorno-Logik des Zerfalls, Stuttg. 1977, 105 ff.

102 J. F. Schmucker (1977), 106: »Während die Dialektik der Selbsterhaltung beim Mitglied der modernen Tauschgesellschaft durch den Tauschprozeß hindurch konstituiert wird, ist sie hingegen für die Struktur der odysseeischen Subjektivität aus dem Prinzip der Naturbeherrschung abgeleitet worden.«

schaft‹ auf denselben Nenner: »Naturbeherrschung schließt Menschenbeherrschung ein.«[103] Das ist beinahe ein analytischer Satz, wenn man davon ausgeht, daß in der Verfügung des Subjekts über die vergegenständlichte Natur und in der Herrschaft eines Subjektes, das ein anderes Subjekt oder sich selbst zum Gegenstand macht, dieselbe Struktur von Gewaltausübung wiederkehrt. Das zunächst zur instrumentellen Vernunft erweiterte Identitätsdenken wird noch einmal erweitert zu einer Logik der Herrschaft über Dinge *und* Menschen. Die instrumentelle Vernunft macht, alleingelassen, »die Beherrschung der Natur drinnen und draußen zum absoluten Lebenszweck«[104], sie ist der Motor einer »verwilderten Selbstbehauptung«.

Lukács hatte mit dem Begriff der Verdinglichung jenen eigentümlichen Zwang zur Assimilation zwischenmenschlicher Beziehungen (und der Subjektivität) an die Dingwelt bezeichnet, der eintritt, wenn soziale Handlungen nicht länger über Werte, Normen oder sprachliche Verständigung, sondern über das Medium des Tauschwertes koordiniert werden. Horkheimer und Adorno lösen den Begriff nicht nur vom speziellen geschichtlichen Kontext der Entstehung des kapitalistischen Wirtschaftssystems, sondern überhaupt von der Dimension zwischenmenschlicher Beziehungen ab und generalisieren ihn zeitlich (über die gesamte Gattungsgeschichte) und sachlich (indem sie beides, Kognition im Dienste der Selbsterhaltung und Repression der Triebnatur, derselben Logik der Herrschaft zurechnen). Diese doppelte Generalisierung des Verdinglichungsbegriffs führt zu einem Begriff instrumenteller Vernunft, der die Urgeschichte der Subjektivität und den Bildungsprozeß der Ich-Identität in eine geschichtsphilosophisch umfassende Perspektive rückt.

Das Ich, das sich in der Auseinandersetzung mit den Gewalten der äußeren Natur bildet, ist das Produkt erfolgreicher Selbstbehauptung, Resultat der Leistungen instrumenteller Vernunft in doppelter Hinsicht: es ist das unaufhaltsam im Aufklärungsprozeß voranstürmende Subjekt, das sich die Natur unterwirft, die Produktiv-

103 Horkheimer (1967), 94.
104 Horkheimer, Adorno (1947), 45.

kräfte entwickelt, die Welt um sich herum entzaubert; aber es ist zugleich das Subjekt, das sich selbst zu beherrschen lernt, das die eigene Natur unterdrückt, die Selbstobjektivierung ins Innere vorantreibt und darüber sich selbst immer undurchsichtiger wird. Die Siege über die äußere Natur werden mit den Niederlagen der inneren erkauft. Diese Dialektik der Rationalisierung erklärt sich aus der Struktur einer Vernunft, die für den absolut gesetzten Zweck der Selbsterhaltung instrumentalisiert wird. Wie diese instrumentelle Vernunft allen Fortschritt, den sie herbeiführt, zugleich mit Irrationalität schlägt, zeigt sich an der Geschichte der Subjektivität:

»In dem Augenblick, in dem der Mensch das Bewußtsein seiner selbst als Natur abschneidet, werden alle die Zwecke, für die er sich am Leben hält, der gesellschaftliche Fortschritt, die Steigerung aller materiellen und geistigen Kräfte, ja Bewußtsein selber, nichtig und die Inthronisierung des Mittels als Zweck, die im späten Kapitalismus den Charakter des offenen Wahnsinns annimmt, ist schon in der Urgeschichte der Subjektivität wahrnehmbar. Die Herrschaft des Menschen über sich selbst, die sein Selbst begründet, ist virtuell allemal die Vernichtung des Subjekts, in dessen Dienst sie geschieht, denn die beherrschte, unterdrückte und durch Selbsterhaltung aufgelöste Substanz ist gar nichts anderes als das Lebendige, als dessen Funktion die Leistungen der Selbsterhaltung einzig sich bestimmen, eigentlich gerade das, was erhalten werden soll.«[105]

Welchen Stellenwert hat nun diese These im Zusammenhang der eingangs genannten Aufgabe, ohne Rückgriff auf das Totalitätsdenken der in gewisser Weise ›überlebten‹ Philosophie einen umfassenden Begriff von Vernunft zu rehabilitieren? Diese Geschichtsphilosophie gibt einen katastrophischen Blick auf ein bis zur Unkenntlichkeit entstelltes Verhältnis von Geist und Natur frei. Von Entstellung darf aber nur insoweit die Rede sein, als das ursprüngliche Verhältnis von Geist und Natur insgeheim doch so konzipiert wird, daß sich die Idee der Wahrheit mit der einer universalen Versöhnung verbindet – wobei Versöhnung die Inter-

105 Horkheimer, Adorno (1947), 70 f.

aktion des Menschen mit der Natur, mit Tieren, Pflanzen und Mineralien einschließt.[106] Wenn nun Geist das Prinzip ist, das die äußere Natur nur um den Preis der Unterdrückung der inneren unter Kontrolle bringt; wenn er das Prinzip einer Selbsterhaltung ist, die zugleich Selbstzerstörung bedeutet; dann ist die subjektive Vernunft, die den Dualismus von Geist und Natur voraussetzt, so sehr im Irrtum befangen wie die objektive, die eine ursprüngliche Einheit beider behauptet: »Solche Hypostasierung geht aus dem grundlegenden Widerspruch in der Verfassung des Menschen hervor. Auf der einen Seite hat das gesellschaftliche Bedürfnis, die Natur zu kontrollieren, stets die Struktur und die Formen des menschlichen Denkens bedingt und so der subjektiven Vernunft den Primat verliehen. Auf der anderen Seite konnte die Gesellschaft nicht gänzlich den Gedanken an etwas unterdrücken, das über die Subjektivität des Selbstinteresses hinausgeht, dem nachzustreben das Selbst nicht umhinkonnte. Selbst die Trennung und formale Rekonstruktion der beiden Prinzipien als getrennte beruhen auf einem Element der Notwendigkeit und historischen Wahrheit. Durch ihre Selbstkritik muß die Vernunft die Beschränktheit der beiden entgegengesetzten Begriffe von Vernunft erkennen; sie muß die Entwicklung der Kluft zwischen beiden analysieren, wie sie durch alle Lehren verewigt wird, die dazu neigen, ideologisch über die philosophische Antinomie in einer antinomischen Welt zu triumphieren.«[107] Als eine solche Selbstkritik versteht Horkheimer seinen Versuch, die komplementären Beschränkungen von Positivismus und Ontologie aufzuzeigen: »Der grundlegende, in dieser Studie diskutierte Tatbestand, die Beziehung zwischen dem subjektiven und dem objektiven Begriff der Vernunft, ist im Licht der obigen Reflexionen über Geist und Natur, Subjekt und Objekt zu behandeln. Was im ersten Teil als subjektive Vernunft bezeichnet wurde, ist jene Einstellung des Bewußtseins, die sich ohne Vorbehalt der

---

106 Zum Zusammenhang von Wahrheit und Naturgeschichte bei Adorno vgl. F. Grenz (1974), 57 f.
107 Horkheimer (1967), 163 f.

Entfremdung von Subjekt und Objekt, dem gesellschaftlichen Prozeß der Verdinglichung anpaßt, aus Furcht, sie verfiele sonst der Unverantwortlichkeit, der Willkür, und werde zu einem bloßen Gedankenspiel. Die gegenwärtigen Systeme der objektiven Vernunft stellen auf der anderen Seite Versuche dar, die Auslieferung des Daseins an Zufall und blindes Ungefähr zu vermeiden. Aber die Anwälte der objektiven Vernunft sind in Gefahr, hinter den industriellen und wissenschaftlichen Entwicklungen zurückzubleiben, einen Sinn zu behaupten, der sich als Illusion erweist und reaktionäre Ideologien zu schaffen.«[108]

Diese Dialektik bringt uns die Unwahrheit beider Positionen zu Bewußtsein. Damit stellt sich die Frage nach ihrer Vermittlung. Die in der »Dialektik der Aufklärung« entwickelte These setzt das Denken freilich nicht auf die nächstliegende Spur, die durch den Eigensinn der verschiedenen Rationalitätskomplexe und die nach universalen Geltungsaspekten aufgespaltenen Prozesse der gesellschaftlichen Rationalisierung hindurchführt und die eine Einheit der Rationalität unter der Hülle einer zugleich rationalisierten und verdinglichten Alltagspraxis vermuten läßt. Horkheimer und Adorno verfolgen vielmehr die weitgehend verwischte Spur, die zu den Ursprüngen der instrumentellen Vernunft zurückführt, um so den Begriff der objektiven Vernunft noch zu *überbieten*: »Seit der Zeit, da die Vernunft das Instrument der Beherrschung der menschlichen und außermenschlichen Natur durch den Menschen wurde – das heißt seit ihren frühesten Anfängen –, ist ihre eigene Intention, die Wahrheit zu entdecken, vereitelt worden.«[109] Einerseits suggeriert diese Überlegung einen Begriff der Wahrheit, der am Leitfaden der universalen Versöhnung, einer Emanzipation des Menschen durch die Resurrektion der Natur, ausgelegt werden kann: die Vernunft, die ihrer Intention, Wahrheit zu entdecken, folgte, müßte, »indem sie ein Instrument der Versöhnung ist, zugleich mehr sein als ein Instrument«.[110] Andererseits können Horkheimer und Adorno diesen Begriff der Wahrheit nur sugge-

108 Horkheimer (1967), 162.
109 Horkheimer (1967), 164.
110 Horkheimer (1967), 165.

rieren, denn sie müßten sich ja auf eine Vernunft vor der (von Anbeginn instrumentellen) Vernunft stützen, wenn sie jene Bestimmungen explizieren wollten, die nach ihrer eigenen Darstellung der instrumentellen Vernunft keinesfalls innewohnen können. Zum Statthalter dieser ursprünglichen, von der Intention auf Wahrheit abgelenkten Vernunft erklären Horkheimer und Adorno ein Vermögen, Mimesis, über das sie aber, im Banne der instrumentellen Vernunft, nur reden können wie über ein undurchschautes Stück Natur. Sie bezeichnen das mimetische Vermögen, in dem eine instrumentalisierte Natur ihre wortlose Klage erhebt, als »Impuls«.[111]

Das Paradox, in dem sich die Kritik der instrumentellen Vernunft verstrickt und das sich auch der geschmeidigsten Dialektik hartnäckig widersetzt, besteht mithin darin, daß Horkheimer und Adorno eine *Theorie* der Mimesis aufstellen müßten, die nach ihren eigenen Begriffen unmöglich ist. So ist es nur konsequent, daß sie »universale Versöhnung« nicht, wie Hegel es noch versucht hat, als die Einheit der Identität und der Nicht-Identität von Geist und Natur zu explizieren versuchen, sondern als eine Chiffre, beinahe lebensphilosophisch, stehenlassen. Allenfalls läßt sich diese Idee noch in den Bildern der jüdisch-christlichen Mystik umkreisen – schon die Formel des jungen Marx vom dialektischen Zusammenhang einer Humanisierung der Natur mit der Naturalisierung des

111 Gewiß bezeichnet Mimesis nicht, wie G. Rohrmoser (Das Elend der Kritischen Theorie, Frbg. 1970, 25) meint, »die Form einer unmittelbaren Teilhabe und unmittelbaren Wiederholung der Natur durch den Menschen«; aber noch im Schrecken der wortlosen Anpassung an die erlittene Übermacht einer auf Eingriffe der instrumentellen Vernunft chaotisch zurückschlagenden Natur *erinnert* sie an das Modell eines gewaltfreien Austausches des Subjekts mit der Natur: »Die Konstellation aber, unter der Gleichheit sich herstellt, die unmittelbare der Mimesis wie die vermittelte der Synthesis, die Angleichung ans Ding im blinden Vollzug des Lebens wie die Vergleichung des Verdinglichten in der wissenschaftlichen Begriffsbildung, bleibt die des Schreckens.« (Horkheimer, Adorno 1947, 213) Daß mimetisches Verhalten, »die organische Anschmiegung ans Andere«, im Zeichen des Schreckens steht, nimmt der Mimesis nicht die Rolle des Statthalters für eine ursprüngliche Vernunft, deren Platz durch die instrumentelle Vernunft usurpiert worden ist. Das verkennt Schmucker (1977), 29, Anm. 63; ähnlich G. Kaiser, Benjamin, Adorno, Ffm. 1974, 99.

Menschen weist ja auf diese Tradition zurück.[112] Die »Dialektik der Aufklärung« ist eine ironische Angelegenheit: sie weist der Selbstkritik der Vernunft den Weg zur Wahrheit und bestreitet zugleich die Möglichkeit, »daß auf dieser Stufe vollendeter Entfremdung die Idee der Wahrheit noch zugänglich ist«.[113]

(4) Das wirft die Frage auf, welchen Status Horkheimer und Adorno für diejenige Theorie, die sich nicht länger auf das kritische Aneinanderabarbeiten von Philosophie und Wissenschaft verlassen will, noch in Anspruch nehmen können. Einerseits teilt sie mit der Tradition der großen Philosophie, die sie, wie immer auch gebrochen, fortsetzt, wesentliche Züge: das Beharren auf Kontemplation, auf einer von der Praxis abgewendeten Theorie; das Abzielen auf die Totalität von Natur und Menschenwelt; die Rückwendung zu den Anfängen mit dem Versuch, hinter den Bruch der Kultur mit Natur zurückzugehen; sogar den Wahrheitsbegriff, den Horkheimer einmal definiert als die Übereinstimmung von Sprache und Wirklichkeit: »Philosophie ist die bewußte Anstrengung, all unsere Erkenntnis und Einsicht zu einer sprachlichen Struktur zu verknüpfen, in der die Dinge bei ihrem rechten Namen genannt werden.«[114] Andererseits betrachten Horkheimer und Adorno die Systeme der objektiven Vernunft als Ideologie; diese verfallen hoffnungslos einer Kritik, die ruhelos zwischen der subjektiven und der objektiven Vernunft hin- und hergeht.

Wenn Horkheimer das Geschäft der Philosophie darin sieht, den Dingen ihren rechten Namen zu geben, so muß man sehen, was er vom Akt der Namengebung hält: »Ist Lachen bis heute das Zeichen der Gewalt, der Ausbruch blinder verstockter Natur, so hat es doch das entgegengesetzte Element in sich, daß mit Lachen die blinde Natur ihrer selbst als solcher gerade innewerde und damit der zerstörenden Gewalt sich begebe. Dieser Doppelsinn des Lachens steht dem des Namens nahe, und vielleicht sind die Namen nichts als versteinerte Gelächter, so wie heute noch die Spitznamen, die einzigen, in denen etwas vom ursprünglichen Akt der

---

112 Zur Bedeutung dieses Motivs bei Bloch, Benjamin und Scholem vgl. J. Habermas (1981 a).

113 Horkheimer (1967), 165.

114 Horkheimer (1967), 167.

Namengebung fortlebt.«[115] Die Kritik der instrumentellen Vernunft will Kritik in dem Sinne sein, daß die Rekonstruktion ihres unaufhaltsamen Ganges an die Opfer erinnert, an die mimetischen Impulse einer unterdrückten Natur, der äußeren, aber vor allem der subjektiven Natur: »Durch solches Eingedenken der Natur im Subjekt, in dessen Vollzug die verkannte Wahrheit aller Kultur beschlossen liegt, ist Aufklärung der Herrschaft überhaupt entgegengesetzt, und der Ruf, der Aufklärung Einhalt zu tun, ertönte auch zu Vaninis Zeiten weniger aus Angst vor der exakten Wissenschaft als aus Haß gegen den zuchtlosen Gedanken, der aus dem Banne der Natur heraustritt, indem er als deren eigenes Erzittern vor ihr selbst sich bekennt.«[116] Aufgabe der Kritik ist es, bis ins Denken selbst hinein Herrschaft als unversöhnte Natur zu erkennen. Aber selbst wenn das Denken der Idee der Versöhnung mächtig wäre, diese sich nicht von außen geben lassen müßte, wie sollte es diskursiv, in seinem eigenen Element und nicht bloß intuitiv, in stummem »Eingedenken«, die mimetischen Impulse in Einsichten verwandeln, wenn doch Denken stets identifizierendes Denken ist, an Operationen gebunden, die außerhalb der Grenzen instrumenteller Vernunft keinen angebbaren Sinn haben, zumal heute, wo mit dem Siegeszug der instrumentellen Vernunft die Verdinglichung des Bewußtseins universal geworden zu sein scheint?

Anders als Marcuse[117] hat Adorno aus dieser Aporie, darin konsequenter als Horkheimer, nicht mehr herausführen wollen. Die »Negative Dialektik« ist beides: der Versuch, zu umschreiben, was sich diskursiv nicht sagen läßt, und die Warnung, in dieser Lage doch noch bei Hegel Zuflucht zu suchen. Erst die »Ästhetische Theorie« besiegelt dann die Abtretung der Erkenntnis-Kompetenzen an die Kunst, in der das mimetische Vermögen objektive Gestalt gewinnt. Adorno zieht den theoretischen Anspruch ein: Ne-

---

115 Horkheimer, Adorno (1947), 96. Zu Adornos Philosophie der Sprache F. Grenz (1974), 211 ff.
116 Horkheimer, Adorno (1947), 55.
117 Zu Marcuses Versuch, sich den Aporien, vor allem auch den quietistischen Konsequenzen der von ihm geteilten Kritik der instrumentellen Vernunft mit Hilfe einer Triebtheorie zu entwinden, vgl. J. Habermas, Psychischer Thermidor und die Wiedergeburt der rebellischen Subjektivität, in: ders. (1981 a).

gative Dialektik und Ästhetische Theorie können nur noch »hilflos aufeinander verweisen«.[118]

Adorno hatte schon in den frühen 30er Jahren gesehen, daß die Philosophie lernen muß, »auf die Totalitätsfrage zu verzichten« und »ohne die symbolische Funktion auszukommen, in welcher bislang, wenigstens im Idealismus, das Besondere das Allgemeine zu repräsentieren schien«.[119] Er hatte sich damals schon, mit Bezugnahme auf Benjamins Begriff des Allegorischen,[120] das Motiv »der Erweckung des Chiffernhaften, Erstarrten« in der zur zweiten Natur gewordenen Geschichte[121] methodisch angeeignet und ein Programm der »Deutung des Intentionslosen« durch »Zusammenstellung des Kleinsten« entworfen, das der Selbstgewißheit der »autonomen ratio« abschwört: es ging um die Herstellung von Modellen, »mit denen die ratio prüfend, probierend einer Wirklichkeit sich nähert, die dem Gesetz sich versagt, das Schema des Modelles aber je und je nachahmen mag, wofern es recht geprägt ist«.[122]

Auf diese tastenden Versuche, dem Schatten des identifizierenden Denkens, der Reifikation zu entkommen, greift Adorno später, als er sich der Dialektik der Aufklärung zu entringen versucht, zurück, um sie zu radikalisieren. Die »Negative Dialektik« ist nurmehr als ein Exerzitium, eine Übung, zu verstehen. Indem sie dialektisches Denken noch einmal reflektiert, führt sie vor, was man nur so zu Gesicht bekommt: die Aporetik des Begriffs des Nicht-Identischen.[123] Es verhält sich keineswegs so, daß die »Ästhetik einen Schritt weiter von dem Wahrheitsgehalt ihrer Gegenstände entfernt (ist) als die Negative Dialektik, die es immer schon mit Begriffen zu tun hat«.[124] Vielmehr kann Kritik, weil sie es mit Begriffen zu tun hat, lediglich demonstrieren, warum die Wahr-

---

118 Th. Baumeister, J. Kulenkampff, Geschichtsphilosophie und philosophische Ästhetik, in: Neue Hefte für Philosophie, H. 5, 1973, 74 ff.

119 Adorno (1973a), 336.

120 W. Benjamin, Ursprung des deutschen Trauerspiels, Ffm. 1963.

121 Adorno (1973a), 357.

122 Adorno (1973a), 341.

123 J. F. Schmucker (1977), 141 ff.

124 F. Grenz (1974), 117.

heit, die sich der Theorie entzieht, in den avanciertesten Werken der modernen Kunst einen Unterschlupf findet, aus dem sie freilich ohne »Ästhetische Theorie« auch wiederum nicht hervorzulocken wäre.

A. Honneth hat gezeigt,[125] daß Adorno noch als Theoretiker seine Darstellungsweise der ästhetischen angleicht; sie ist geleitet von der »Idee des Glücks einer Freiheit dem Gegenstand gegenüber, welche diesem mehr von dem seinen gibt, als wenn er unbarmherzig der Ordnung der Ideen eingegliedert würde«.[126] Ihr Darstellungsideal bezieht Adornos Theorie »aus der mimetischen Leistung des Kunstwerks, nicht aus dem Begründungsprinzip der neuzeitlichen Wissenschaft«.[127] Absichtlich regrediert das philosophische Denken, im Schatten einer Philosophie, die sich überlebt hat, zur Gebärde.

So sehr die Intentionen ihrer jeweiligen Geschichtsphilosophien entgegengesetzt sind, so sehr ähneln sich beide, Adorno am Ende seines Denkweges, und Heidegger, in ihrer Stellung zum theoretischen Anspruch des objektivierenden Denkens und der Reflexion: das Eingedenken der Natur gerät in schockierende Nähe zum Andenken des Seins.[128]

Wenn man vom Spätwerk Adornos auf die Intentionen zurückschaut, denen die Kritische Theorie *anfänglich* gefolgt ist, kann man den Preis ermessen, den die Kritik der instrumentellen Vernunft für ihre konsequent eingestandenen Aporien entrichten muß. Die Philosophie, die sich hinter die Linien des diskursiven Denkens aufs »Eingedenken der Natur« zurückzieht, bezahlt für die erweckende Kraft ihres Exerzitiums mit der Abkehr vom Ziel theoretischer Erkenntnis – und damit von jenem Programm des »interdisziplinären Materialismus«, in dessen Namen die Kritische Gesellschaftstheorie Anfang der dreißiger Jahre einmal angetreten

125 A. Honneth, Adorno and Habermas, Telos, Spring 1979, 45 ff.
126 Th. W. Adorno, Der Essay als Form, in: ders., Ges. Schr., Bd. 11, 1974, 27.
127 In diesem Sinne auch R. Bubner, Kann Theorie ästhetisch werden? Neue Rundschau, 1978, 537 ff.
128 H. Mörchen hat der Heidegger-Rezeption Adornos eine detaillierte und umfangreiche Studie gewidmet: Macht und Herrschaft im Denken von Heidegger und Adorno, Stuttg. 1980.

war. Schon Anfang der vierziger Jahre hatten Horkheimer und Adorno dieses Ziel aufgegeben, ohne sich allerdings die praktischen Konsequenzen eines Verzichts auf die Anknüpfung an die Sozialwissenschaften einzugestehen – sonst hätten sie nach dem Kriege ein Institut für Sozialforschung nicht wieder aufbauen können. Gleichwohl *hatten* sie, wie das Vorwort zur »Dialektik der Aufklärung« unmißverständlich erklärt[129], die Hoffnung preisgegeben, das Versprechen der frühen Kritischen Theorie noch einlösen zu können.

Demgegenüber möchte ich darauf beharren, daß das Programm

---

129 »Hatten wir auch seit vielen Jahren bemerkt, daß im modernen Wissenschaftsbetrieb die großen Erfindungen mit wachsendem Zerfall theoretischer Bildung bezahlt werden, so glaubten wir immerhin, dem Betrieb so weit folgen zu dürfen, daß sich unsere Leistung vornehmlich auf Kritik oder Fortführung fachlicher Lehren beschränkte. Sie sollte sich wenigstens thematisch an die traditionellen Disziplinen halten, an Soziologie, Psychologie und Erkenntnistheorie. Die Fragmente, die wir hier vereinigt haben, zeigen jedoch, daß wir jenes Vertrauen aufgeben mußten« (Horkheimer, Adorno [1947] 5). Vorzüglich analysiert diesen Wandel der Auffassungen über das Verhältnis von Philosophie und Wissenschaft und den Status der Gesellschaftstheorie H. Dubiel (1978), 51 ff., 81 ff., 113 ff., 125 ff. Dubiel verfolgt durch die 30er Jahre hindurch eine »Rephilosophierung« der gesamten Theorieorientierung des in die USA emigrierten Instituts: »In der ›Dialektik der Aufklärung‹ schließlich wird jedwede fachwissenschaftliche Arbeit mit ihrer produktionstechnischen und sozialtechnischen Anwendung identifiziert und als ›positivistisch‹, ›instrumentalistisch‹ etc. diskreditiert. Gegen diesen in den Fachwissenschaften exemplarisch greifbaren ›instrumentalistischen‹ Zeitgeist soll Philosophie sich verkapseln als mentales Reservat einer verschütteten intellektuellen Kultur. Symptomatisch für diese (implizite) Verhältnisbestimmung von Philosophie und Fachwissenschaft ist die Forschungspraxis des Instituts selber. In den umfangreichen Faschismusforschungen und in den »Studies in prejudice« wurde ja in der Tat noch weiter empirisch und einzelwissenschaftlich gearbeitet. Doch diese empirischen Studien zum Beispiel Adornos und seine zeitlich parallelen philosophischen Reflexionen stehen in verblüffender Unvermitteltheit nebeneinander« (ebd., 125 f.).
Freilich hatte Adorno dem Horkheimerschen Programm einer das Erbe der Philosophie antretenden, auf interdisziplinäre Forschung gestützten materialistischen Gesellschaftstheorie von Anfang an mit verhohlener Skepsis gegenübergestanden. In seiner Antrittsvorlesung von 1931 drückt er diese Skepsis in der Form einer Parabel aus, in der der Soziologie die Rolle eines Diebes zufällt, der Schätze entwendet, deren Wert er nicht erkennt. (Adorno [1973 a], 340.) Hier ist Adornos spätere Positivismuskritik, die auf eine totale Entwertung der Sozialwissenschaften hinausläuft, bereits angelegt.

der frühen Kritischen Theorie nicht an diesem oder jenem Zufall, sondern an der Erschöpfung des Paradigmas der Bewußtseinsphilosophie gescheitert ist. Ich werde zeigen, daß ein Paradigmenwechsel zur Kommunikationstheorie die Rückkehr zu einem Unternehmen gestattet, das seinerzeit mit der Kritik der instrumentellen Vernunft *abgebrochen* worden ist; dieser erlaubt ein Wiederaufnehmen der *liegengebliebenen* Aufgaben einer kritischen Gesellschaftstheorie. Im folgenden Abschnitt möchte ich exemplarisch die Grenzen der Bewußtseinsphilosophie erläutern und auf Motive hinweisen, die schon bei Horkheimer und Adorno selbst über diese Grenzen hinaustreiben.

(5) Die philosophische Selbstauslegung der Moderne, der auch die Kritik der instrumentellen Vernunft eingeordnet werden kann, hat D. Henrich am Beispiel Heideggers einmal so charakterisiert: »Sie akzeptiert, daß Subjektivität ihre Vollzüge nur aus den ihr eigenen Strukturen bestimmen kann, also nicht aus Einsicht in allgemeinere Zwecksysteme. Sie glaubt aber zugleich zu erkennen, daß Subjektivität und Vernunft selbst nur den Status von Mitteln oder Funktionen haben, die der Reproduktion eines sich selbst erhaltenden, gegen Bewußtsein aber gleichgültigen Prozesses dienen. Der moderne Materialismus hat zuerst in Hobbes diese Position ausgesprochen. Sie erklärt Eindruck und Wirkung von Darwin und Nietzsche, von Marx und Freud im modernen Bewußtsein. In Marx sind freilich via Hegel und Feuerbach Züge der Versöhnungsmetaphysik eingegangen.«[130] Auch Horkheimer und Adorno lassen sich von der Idee der Versöhnung leiten; aber lieber verzichten sie ganz auf deren Explikation, als daß sie einer *Metaphysik* der Versöhnung verfallen. Das führt sie, wie gezeigt, in die Aporien einer Kritik, die den Anspruch auf theoretische Erkenntnis in gewisser Weise einzieht. Die Kritik der instrumentellen Vernunft, die in der Negativen Dialektik auf ihren Begriff gebracht wird, dementiert, indem sie mit Mitteln der Theorie arbeitet, ihren theoretischen Anspruch.

Nun ist an dieser Stelle Furcht vor einem Rückfall in Metaphysik

---

130 D. Henrich, Die Grundstruktur der modernen Philosophie, in: H. Ebeling (Hrsg.), Subjektivität und Selbsterhaltung, Ffm. 1976, 117.

nur solange angebracht, wie man sich im Horizont der neuzeitlichen Subjektphilosophie bewegt. In den bewußtseinstheoretischen Grundbegriffen von Descartes bis Kant kann die Idee der Versöhnung nicht plausibel untergebracht, in den Begriffen des objektiven Idealismus von Spinoza und Leibniz bis Schelling und Hegel nur überschwenglich formuliert werden. Horkheimer und Adorno wissen das, aber sie bleiben an diese Begriffsstrategie noch in dem Versuch, deren Bann zu brechen, fixiert. Sie analysieren zwar nicht im einzelnen, wie die subjektive Vernunft funktioniert; aber auch sie folgen noch Modellvorstellungen, die Grundgedanken der idealistischen Erkenntnistheorie und der naturalistischen Handlungstheorie verbinden. Die subjektive Vernunft reguliert genau zwei fundamentale Beziehungen, die das Subjekt zu möglichen Objekten aufnehmen kann. Unter ›Objekt‹ versteht die Subjektphilosophie alles, was als seiend vorgestellt werden kann; unter Subjekt zunächst die Fähigkeiten, sich in objektivierender Einstellung auf solche Entitäten in der Welt zu beziehen und sich der Gegenstände, sei es theoretisch oder praktisch, zu bemächtigen. Die beiden Attribute des Geistes sind Vorstellen und Handeln. Das Subjekt bezieht sich auf Objekte entweder, um sie so, wie sie sind, vorzustellen, oder so, wie sie sein sollen, hervorzubringen. Diese beiden Funktionen des Geistes sind ineinander verschränkt: die *Erkenntnis* von Sachverhalten ist strukturell auf die Möglichkeit von *Eingriffen* in die Welt als der Gesamtheit von Sachverhalten bezogen; und erfolgreiches Handeln verlangt wiederum Kenntnis des Wirkungszusammenhangs, in den es interveniert. Der erkenntnistheoretische Zusammenhang von Erkennen und Handeln ist auf dem Wege von Kant über Marx bis Peirce um so deutlicher zu Bewußtsein gelangt, je mehr sich ein naturalistischer Begriff von Subjekt durchgesetzt hat. Der in Empirismus und Rationalismus entwickelte, auf kontemplatives Verhalten, d. h. auf die theoretische Erfassung von Gegenständen eingeschränkte Subjektbegriff wird so umgeformt, daß er den in der Moderne entwickelten Begriff der Selbsterhaltung in sich aufnimmt.

Den metaphysischen Weltbildern zufolge bedeutete *Selbsterhaltung* das Streben eines jeden Seienden, den Zweck zu verwirklichen, der seinem Wesen, gemäß einer natürlichen Ordnung, unveränderlich innewohnt. Das moderne Denken löst den Begriff der Selbsterhaltung von einem solchen System oberster Zwecke; der Begriff wird »intransitiv«.[131] Nach den Grundannahmen der Newtonschen Physik erhält sich jeder Körper im Zustand der Ruhe oder der gleichförmig geradlinigen Bewegung, soweit nicht andere Kräfte auf ihn einwirken. Nach den Grundannahmen der bürgerlichen Sozialphilosophie und Ökonomie erhält sich jedes Individuum gesellschaftlich am Leben, indem es rational seinem wohlverstandenen eigenen Interesse folgt. Nach den Grundannahmen der Darwinschen Biologie und der heutigen Systemtheorie erhält ein Organismus, eine Population, ein System seinen Bestand durch Abgrenzung gegen und Anpassung an eine veränderliche, überkomplexe Umwelt.[132]

In dieser Perspektive verwandeln sich die Attribute des Geistes, Erkennen und zielgerichtetes Handeln, zu Funktionen der Selbsterhaltung von Subjekten, die wie Körper und Organismen einen einzigen abstrakten »Zweck« verfolgen: ihren kontingenten Bestand zu sichern. Auf diese Weise begreifen Horkheimer und Adorno die subjektive Vernunft als die instrumentelle. Objektivierendes Denken und zweckrationales Handeln dienen der Reproduktion eines »Lebens«, welches durch die Hingabe erkenntnis- und handlungsfähiger Subjekte an eine blind auf sich selbst gerichtete, intransitive Selbsterhaltung als einzigen »Zweck« charakterisiert ist: »Daß die Vernunft beim Bürger schon immer durch Beziehung zur individuellen Selbsterhaltung definiert gewesen sei, läuft scheinbar Lockes exemplarischer Bestimmung zuwider, derzufolge Vernunft die Leitung der intellektuellen Tätigkeit bezeichnet, gleichgültig, welchen Zwecken diese immer dienen möge. Aber die Vernunft ist weit entfernt davon, mit dieser Lossage von jedem bestimmten Zweck aus dem Bann des Selbstinteresses der Monade herauszutreten; sie bildet vielmehr nur Prozeduren aus, jedem beliebigen Zweck der Monade desto willfähriger zu dienen. Die anwachsende formale Allgemeinheit der bürgerlichen Ver-

---

131 H. Blumenberg, Selbsterhaltung und Beharrung, in: Ebeling (1976), 144 ff.
132 N. Wiener, Kybernetik, Regelung und Nachrichtenübertragung bei Lebewesen und in der Maschine, Düssel. 1963.

nunft bedeutet nicht das anwachsende Bewußtsein der universalen Solidarität.«[133]

Was Solidarität bedeutet, nämlich »die Anwesenheit des Allgemeinen im besonderen Interesse«, erläutert Horkheimer mit dem Hinweis auf Plato und Aristoteles, anhand einer Metaphysik also, deren Begrifflichkeit den Erfahrungen der Moderne nicht mehr gewachsen ist: »Diese metaphysischen Systeme drücken in teilweise mythologischer Form die Einsicht aus, daß Selbsterhaltung nur in einer überindividuellen Ordnung erreicht werden kann, das heißt durch gesellschaftliche Solidarität«.[134] Die Ideen der gesellschaftlichen Solidarität können Horkheimer und Adorno nicht entmythologisieren, weil sie meinen, den universal gewordenen Prozeß der Verdinglichung nur von innen transzendieren zu können, und glauben, daß noch die Kritik der instrumentellen Vernunft dem Modell, dem die instrumentelle Vernunft selber gehorcht, verhaftet bleibt.

Wie das einzelne Subjekt gegenüber den Objekten, so verhält sich auch das gesellschaftliche Subjekt gegenüber der Natur – Natur wird objektiviert und beherrscht im Dienste der Reproduktion des gesellschaftlichen Lebens. Dabei setzt sich der Widerstand des gesetzmäßigen Zusammenhangs der Natur, an dem sich das gesellschaftliche Subjekt erkennend und handelnd abarbeitet, in der Formierung der Gesellschaft und ihrer individuellen Mitglieder fort: »Der Widerstand der äußeren Natur, auf den der Druck letztlich zurückgeht, setzt sich innerhalb der Gesellschaft durch die Klassen fort und wirkt auf jedes Individuum von Kindheit an als Härte der Mitmenschen.«[135] Die durch instrumentelle Vernunft regulierten Beziehungen zwischen Subjekt und Objekt bestimmen nicht nur jenes Verhältnis zwischen Gesellschaft und äußerer Natur, das sich historisch im Stand der Produktivkräfte, insbesondere des wissenschaftlich-technischen Fortschritts ausdrückt. Die Struktur der Ausbeutung einer objektivierten und verfügbar gemachten Natur wiederholt sich auch im Inneren der Gesellschaft,

---

133 M. Horkheimer, Vernunft und Selbsterhaltung, in: Ebeling (1976), 47 f.
134 Horkheimer (1967), 164.
135 Horkheimer, Adorno (1947), 256.

sowohl in den interpersonalen Beziehungen, die durch Unterdrük-
kung sozialer Klassen, wie auch in den intrapsychischen Beziehungen, die durch Repressionen der Triebnatur gekennzeichnet
sind.

Nun ist aber die Begrifflichkeit der instrumentellen Vernunft dazu
geschaffen, einem Subjekt die Verfügung über Natur zu ermöglichen, *nicht dazu, einer objektivierten Natur zu sagen, was ihr
angetan wird.* Die instrumentelle Vernunft ist eine »subjektive«
auch in dem Sinne, daß sie die Beziehungen zwischen Subjekt und
Objekt aus der Perspektive des erkennenden und handelnden Subjekts, nicht aus der des wahrgenommenen und manipulierten Gegenstandes ausdrückt. Sie stellt deshalb auch keine explikativen
Mittel bereit, um zu erklären, was denn die Instrumentalisierung
gesellschaftlicher und intrapsychischer Beziehungen *aus der Perspektive der vergewaltigten und deformierten Lebenszusammenhänge* bedeutet; diesen Aspekt wollte Lukács der gesellschaftlichen Rationalisierung mit dem Begriff der Verdinglichung abgewinnen. So kann die Beschwörung gesellschaftlicher Solidarität
lediglich anzeigen, *daß* die Instrumentalisierung der Gesellschaft
und ihrer Mitglieder etwas zerstört; aber sie kann nicht explizit
angeben, *worin* die Zerstörung besteht.

Die Kritik der instrumentellen Vernunft, die den Bedingungen der
Subjektphilosophie verhaftet bleibt, denunziert als Makel, was sie
in seiner Makelhaftigkeit nicht erklären kann, weil ihr für die Integrität dessen, was durch instrumentelle Vernunft zerstört wird,
eine hinreichend geschmeidige Begrifflichkeit fehlt. Freilich haben
Horkheimer und Adorno einen Namen dafür, Mimesis. Und
wenn sie auch eine Theorie der Mimesis nicht geben können, so
ruft der Name doch Assoziationen hervor, die beabsichtigt sind:
Nachahmung, Imitation bezeichnen ein Verhältnis zwischen Personen, bei dem sich die eine der anderen anschmiegt, sich mit ihr
identifiziert, in sie einfühlt. Angespielt wird auf eine Beziehung, in
der die Entäußerung des einen an das Vorbild des anderen nicht
den Verlust seiner selbst bedeutet, sondern Gewinn und Bereiche-
rung. Weil sich das mimetische Vermögen der Begrifflichkeit von
kognitiv-instrumentell bestimmten Subjekt-Objektbeziehungen
entzieht, gilt es als das bare Gegenteil der Vernunft, als Impuls.

Diesem spricht Adorno nicht schlechthin eine kognitive Funktion ab. In seiner Ästhetik versucht er zu zeigen, was das Kunstwerk der erschließenden Kraft der Mimesis verdankt. Aber an den mimetischen Leistungen läßt sich der vernünftige Kern erst freilegen, wenn man das Paradigma der Bewußtseinsphilosophie, nämlich ein die Objekte *vorstellendes* und an ihnen sich *abarbeitendes* Subjekt, zugunsten des Paradigmas der Sprachphilosophie, der intersubjektiven Verständigung oder Kommunikation aufgibt und den kognitiv-instrumentellen Teilaspekt einer umfassenderen *kommunikativen Rationalität* einordnet.

Dieser Paradigmenwechsel liegt an den wenigen Stellen, wo sich Adorno doch dazu entschließt, die komplementären Ideen der Versöhnung und der Freiheit zu explizieren, zum Greifen nahe; vollzogen hat er ihn nicht. ›Versöhnung‹ erläutert er einmal mit dem Hinweis auf Eichendorffs Wort von der »Schönen Fremde« so: »Der versöhnte Zustand annektierte nicht mit philosophischem Imperialismus das Fremde, sondern hätte sein Glück daran, daß es in der gewährten Nähe das Ferne und Verschiedene bleibt, jenseits des Heterogenen wie des Eigenen.«[136] Adorno beschreibt Versöhnung in Begriffen einer *unversehrten Intersubjektivität*, die sich allein herstellt und erhält in der Reziprozität der auf freier Anerkennung beruhenden *Verständigung*. Schon George Herbert Mead hatte die symbolisch vermittelte Interaktion zum neuen Paradigma der Vernunft erhoben, hatte Vernunft auf diejenige kommunikative Beziehung zwischen Subjekten zurückgeführt, die in dem mimetischen Akt der Rollenübernahme, also darin wurzelt, daß sich Ego die auf ihn gerichteten Verhaltenserwartungen von Alter zu eigen macht. Ich werde auf Meads Grundgedanken zurückkommen. Ähnlich wie mit der Idee der Versöhnung, die durch gewaltlose Intersubjektivität ermöglicht wird, verhält es sich mit dem Komplementärbegriff der Freiheit.

Wie G. H. Mead gehen Horkheimer und Adorno davon aus, daß Induviduierung nur auf dem Wege der Sozialisierung möglich ist – so daß die »Emanzipation des Individuums« keine Emanzipation *von* der Gesellschaft sein würde, »sondern die Erlösung der Ge-

136 Adorno (1973 b), 6, 192.

sellschaft von der Atomisierung«, d. h. von einer Vereinzelung der Subjekte, welche in »Perioden der Kollektivierung und der Massenkultur ihren Höhepunkt erreichen kann«.[137] Adorno entwikkelt diesen implizit kommunikativen Begriff der Freiheit in den folgenden Sätzen: »Frei sind die Subjekte, nach Kantischem Modell, soweit, wie sie ihrer selbst bewußt, mit sich identisch sind; und in solcher Identität auch wieder unfrei, soweit sie deren Zwang unterstehen und ihn perpetuieren. Unfrei sind sie als nichtidentische, als diffuse Natur, und doch als solche frei, weil sie in den Regungen, die sie überwältigen – nichts anderes ist die Nichtidentität des Subjekts mit sich – auch des Zwangscharakters der Identität ledig werden. Persönlichkeit ist die Karikatur von Freiheit. Die Aporie hat den Grund, daß Wahrheit jenseits des Identitätszwanges nicht dessen schlechthin anderes wäre, sondern durch ihn vermittelt.«[138]

Adorno entwirft hier die Perspektive einer Ich-Identität, die sich allein in Formen einer unversehrten Intersubjektivität bildet. Dabei ist die Kant-Auslegung inspiriert von Freuds Strukturmodell. Die in einer Gesellschaft etablierten Formen der interpersonalen Verständigung bestimmen die aus den Interaktionen des Kindes mit seinen Bezugspersonen hervorgehende Formation des Über-Ichs; von dieser wiederum hängt es ab, wie die Formen intrapsychischer Verständigung aussehen, wie sich das Ich mit der Realität der äußeren und seiner eigenen, inneren Natur auseinandersetzen kann.

Adorno kann das mimetische Vermögen nicht aus dem abstrakten Gegensatz zur instrumentellen Vernunft aufhellen. Die Strukturen einer Vernunft, auf die Adorno nur *anspielt,* werden der Analyse erst zugänglich, wenn die Ideen der Versöhnung und der Freiheit als Chiffren für eine wie auch immer utopische Form der Intersubjektivität entziffert werden, die eine zwanglose Verständigung der Individuen im Umgang miteinander ebenso ermöglicht wie die Identität eines sich zwanglos mit sich selbst verständigenden Individuums – Vergesellschaftung ohne Repression. Das bedeutet ei-

137 Horkheimer (1967), 130.
138 Adorno (1973b), 294.

nerseits einen Paradigmawechsel in der Handlungstheorie: vom zielgerichteten zum kommunikativen Handeln; andererseits einen Wechsel der Strategie beim Versuch, den modernen, mit einer Dezentrierung des Weltverständnisses möglich gewordenen Rationalitätsbegriff zu rekonstruieren. Nicht mehr Erkenntnis und *Verfügbarmachung* einer objektivierten Natur sind, für sich genommen, das explikationsbedürftige Phänomen, sondern die Intersubjektivität möglicher *Verständigung* – sowohl auf interpersonaler wie auf intrapsychischer Ebene. Der Fokus der Untersuchung verschiebt sich damit von der *kognitiv-instrumentellen* zur *kommunikativen Rationalität*. Für diese ist nicht die Beziehung des einsamen Subjekts zu etwas in der objektiven Welt, das vorgestellt und manipuliert werden kann, paradigmatisch, sondern die intersubjektive Beziehung, die sprach- und handlungsfähige Subjekte aufnehmen, wenn sie sich miteinander über etwas verständigen. Dabei bewegen sich die kommunikativ Handelnden im Medium einer natürlichen Sprache, machen von kulturell überlieferten Interpretationen Gebrauch und beziehen sich gleichzeitig auf etwas in der einen objektiven, ihrer gemeinsamen sozialen und jeweils einer subjektiven Welt.

Im Unterschied zu »Vorstellung« oder »Erkenntnis« bedarf »Verständigung« des Zusatzes »ungezwungen«, weil der Ausdruck hier im Sinne eines normativen Begriffs verwendet werden soll. Aus der Perspektive der Teilnehmer bedeutet »Verständigung« nicht einen empirischen Vorgang, der ein faktisches Einverständnis verursacht, sondern einen Prozeß der gegenseitigen Überzeugung, der die Handlungen mehrerer Teilnehmer auf der Grundlage einer *Motivation durch Gründe* koordiniert. Verständigung bedeutet die auf *gültiges Einverständnis* abzielende Kommunikation. Nur deshalb dürfen wir hoffen, über die Klärung der formalen Eigenschaften verständigungsorientierten Handelns einen Begriff von Rationalität zu gewinnen, der den Zusammenhang jener in der Moderne auseinandergetretenen Momente der Vernunft ausdrückt, gleichviel ob wir diese Vernunftmomente in den kulturellen Wertsphären, in ausdifferenzierten Formen der Argumentation oder in einer, wie auch immer entstellten, kommunikativen Alltagspraxis aufsuchen.

Wenn wir aber davon ausgehen, daß die Reproduktion des gesell-schaftlichen Lebens nicht nur an die Bedingungen der kognitiv-instrumentellen Auseinandersetzung (einzelner oder kooperativ vereinigter Subjekte) mit der äußeren Natur und nicht nur an die Bedingungen der kognitiv-strategischen Auseinandersetzung von Individuen und Gruppen miteinander geknüpft ist; wenn wir da-von ausgehen, daß Vergesellschaftung ebensosehr unter Bedingun-gen der Intersubjektivität der Verständigung von Interaktionsteil-nehmern steht; müssen wir auch das naturalistische Konzept der Selbsterhaltung reformulieren – auf andere Weise freilich, als es D. Henrich in einer Kontroverse mit Blumenberg und anderen vorgeschlagen hat.[139]

Henrich vertritt dort die These, daß nicht die absolut gesetzte intransitive Selbsterhaltung, sondern der *Zusammenhang von Sub-jektivität und Selbsterhaltung* für die Stellung des modernen Be-wußtseins konstitutiv sei. Die subjektive Vernunft, so meint er, ist nicht identisch mit der instrumentellen, weil die Selbstreferenz des handelnden Subjekts, das Selbst der Selbsterhaltung, mit der Selbstreferenz des erkennenden Subjekts, dem Selbstbewußtsein, zusammengedacht werden muß. Der Prozeß des bewußten Lebens sei »auch dadurch ein ständiger Akt der Selbsterhaltung, daß er sich in Beziehung auf eigene jeweils nicht aktualisierte Möglichkei-ten der Einheitsbildung zu orientieren hat«.[140] Weil sich das Sub-jekt zugleich handelnd *und* erkennend auf seine Objekte bezieht, könne es seinen Bestand nur erhalten, wenn es sich reflexiv auch zu sich als erkennendem Subjekt verhält. Die Einheit von Selbster-haltung und Selbstbewußtsein verbiete aber die Instrumentalisie-rung des Bewußtseins im Dienste *bloßer* Selbsterhaltung: »Was das moderne Denken erwartet und was es auch hofft, ist nur dies: das um seinen Bestand im Blick auf eigene Kriterien der Richtigkeit besorgte Selbst möge am Ende einen internen Grund seiner eige-nen Möglichkeit finden, der ihm nicht ebenso fremd und gleich-gültig entgegenkommt wie der Aspekt der Natur, gegen den es die Energie seiner Selbstbehauptung zu kehren hat. Selbstbewußtsein

139 Vgl. D. Henrich (1976).
140 Henrich (1976), 138.

erwartet eine Vernunft seines eigenen Wesens und Leistens in dem es gründenden Zusammenhang, von dem es zugleich weiß, daß es sinnlos wäre, ihn als einen weiteren Zusammenhang beherrschbarer Gegenständlichkeit vorzustellen.«[141] Henrich möchte, ähnlich wie seinerzeit Lukács, auf eine interne, in die Subjektivität selbst eingebaute Schranke aufmerksam machen, die einer vollständigen Selbstobjektivierung des Bewußtseins entgegensteht; er möchte dem Selbstbewußtsein die Charakterisierung abgewinnen, die erklärt, inwiefern die Subjektivität in der Erfüllung von Imperativen der Selbsterhaltung *nicht* aufgehen *kann*.

Diese gegen Heidegger, implizit gegen Horkheimer und Adorno gerichtete These versucht Henrich mit Hilfe einer Theorie des Selbstbewußtseins durchzuführen.[142] Diese führt allerdings nicht zu einer alternativen Selbstauslegung der Moderne, weil Henrich von dem nämlichen Modell der Bewußtseinsphilosophie ausgeht, das auch seine Kontrahenten zugrunde legen. Diesem Modell zufolge bezieht sich das Subjekt, ob nun vorstellend oder handelnd, in objektivierender Einstellung auf Gegenstände oder Sachverhalte. Nun soll das epistemische *Selbst*bewußtsein für die Subjektivität eines in dieser Weise auf Objekte sich beziehenden Subjekts bestimmend sein. Als Subjekt ist es wesentlich dadurch charakterisiert, daß es ein Wissen nicht nur von Objekten, sondern gleichursprünglich auch von sich selber hat. Dieses Wissen des Subjektes von sich selbst, in dem Wissen und Gewußtes zusammenfällt, *muß nach dem Modell des Wissens von Objekten gedacht werden.* Das Sichwissen, das für Selbstbewußtsein konstitutiv ist, muß in der Weise expliziert werden, daß sich das Subjekt auf sich wie auf ein beliebiges Objekt bezieht und von seinen Erlebnissen, wie von beliebigen Sachverhalten, eine Beschreibung gibt, aber mit der intuitiv durchschlagenden Gewißheit, selbst mit diesem Objekt bzw. diesen Sachverhalten identisch zu sein. Dieser begriffsstrategische Zwang führt, wie Henrich selber mit aller wünschenswerten Klarheit entwickelt, in einen Zirkel, den Tugendhat folgendermaßen

141 Henrich (1976), 114.
142 D. Henrich, Fichtes ursprüngliche Einsicht, Ffm. 1967; ders., Selbstbewußtsein, in: Bubner, Cramer, Wiehl (Hrsg.) (1970), I, 257 f.; dazu: U. Pothast, Über einige Fragen der Selbstbeziehung, Ffm. 1971.

referiert: »Das Selbstbewußtsein soll doch ein Ichbewußtsein sein. Ein Ich aber, so hörten wir, soll etwas nur dann sein, wenn es die Struktur der Identität von Wissendem und Gewußtem hat. Wenn nun aber das Selbstbewußtsein gemäß der Reflexionstheorie sich in einem Sichzurückwenden auf sich vollziehen soll, dann wird erst im Akt dieser Rückwendung jene Identität von Wissendem und Gewußtem hergestellt. Andererseits soll das Subjekt, auf das sich der Akt zurückwendet, bereits ein Ich sein. Der Akt soll also einerseits, indem er sich zurückwendet, das Ich vorstellen, und andererseits konstituiert sich das Ich gemäß dem Begriff vom Ich erst in diesem Akt. Daraus ergibt sich, wie Henrich zeigt, ein Zirkel. Indem die Reflexionstheorie ein bereits vorhandenes Subjekt voraussetzt, setzt sie schon das voraus, was sich in Wirklichkeit erst in der Beziehung auf sich konstituieren soll.«[143]

Aus dieser Schwierigkeit sucht Henrich einen Ausweg mit der Annahme, daß dem Selbstbewußtsein ein ich-loses Bewußtsein zugrunde liegt, welches nicht mehr durch eine Selbstbeziehung, aber immer noch durch eine Art ursprüngliche Vertrautheit oder Bekanntschaft mit sich als einem gleichwohl Unpersönlichen ausgezeichnet sein soll. Henrich konstruiert einen Begriff von Bewußtsein, der einerseits die Spuren eines Selbst, das seiner nur als Objekt habhaft werden kann, tilgen, andererseits so etwas wie Subjektivität diesseits der Selbstobjektivierung zurückbehalten soll: »Eine Selbstbeziehung kommt dem Bewußtsein allenfalls insofern zu, als wir uns über es verständigen: es ist Bewußtsein und Kenntnis von Bewußtsein in einem und somit, in unserer schwer vermeidbaren, aber mißverständlichen Rede: Kenntnis von sich. Die wissende Selbstbeziehung, die in der Reflexion vorliegt, ist kein Grundsachverhalt, sondern ein isolierendes Explizieren, aber nicht unter der Voraussetzung eines wie immer gearteten implizierten Selbstbewußtseins, sondern eines (impliziten) selbstlosen Bewußtseins vom Selbst.«[144] Dieser Begriff ist nicht weniger paradox als der Begriff des identifizierend gedachten Nicht-Identischen, und zwar aus dem gleichen Grunde. Während aber Adorno

143 E. Tugendhat, Selbstbewußtsein und Selbstbestimmung, Ffm. 1979, 62.
144 Henrich, in: Bubner, Cramer, Wiehl (1970), 280.

nichts als die Unausweichlichkeit der Paradoxie zeigen möchte, glaubt Henrich, mit seiner Konstruktion die Bedingungen einer »widerspruchsfreien Thematisierung von Selbst und Bewußtsein« angeben zu können. Das gelingt ihm nicht.[145]

Die Zweideutigkeit der Reduktion von Selbstbewußtsein auf ein depersonalisiertes, anonymisiertes Bewußtsein zeigt sich schon daran, wie Henrich das Konzept des ich-losen Bewußtseins an zwei theoretische Stränge anschließt, die sich zueinander konträr verhalten. Einerseits bildet die Vorstellung, daß das Selbst gegenüber der Grundstruktur eines unpersönlichen Bewußtseins sekundär ist, eine Brücke zum Akosmismus der fernöstlichen Mystik: »Selbstüberwindung ist der Königsweg zur Selbsterkenntnis.«[146] Auf der anderen Seite bildet die Vorstellung, daß Selbstkenntnis im Sinne der Reflexität für Bewußtsein nicht konstitutiv sein kann, eine Brücke zu jenen Körper-Geist-Theorien, die Bewußtsein als einen objektiven Prozeß begreifen: »Eine Erklärung im Rahmen der ... Neurologie könnte vielleicht den unauflöslichen Zusammenhang zwischen zwei Prozessen aufzeigen, die Bewußtsein und Bewußtseinskenntnis entsprechen.«[147] In diesen beiden Ausgängen, in Mystik und Objektivismus, spiegelt sich die paradoxe Struktur des Begriffs eines ich-losen Bewußtseins, der solche Alternativen erzeugt. Wenn man das Modell eines sich auf Gegenstände beziehenden Subjekts beibehalten und hinter die Reflexionsstruktur des Bewußtseins gleichwohl zurückgehen möchte, ist nur die Lösung konsequent, die Henrich vermeiden will: die Subsumtion des Bewußtseins unter Kategorien der Selbsterhaltung. Das ist es, was Horkheimer und Adorno behaupten: der Reflexivität einer vergegenständlichenden Beziehung sind »eigene Kriterien der Richtigkeit«, außer denen einer kognitiv-instrumentellen Bestandsicherung, nicht zu entnehmen.

Daher kann Luhmann ohne Schwierigkeiten das Reflexivwerden der beiden im Subjekt-Objekt-Modell zugelassenen Beziehungen systemtheoretisch abbilden. Die Systemtheorie ersetzt »Subjekt«

145 Tugendhat (1979), 64 ff.
146 Henrich (1970), 283.
147 Vgl. auch Pothast (1971), 76.

durch »System«, »Gegenstand« durch »Umwelt« und bringt die Fähigkeiten des Subjekts, Gegenstände zu erkennen und zu behandeln, auf den Begriff von Systemleistungen, die darin bestehen, die Komplexität der Umwelt zu erfassen und zu reduzieren. Wenn Systeme darüber hinaus lernen, sich reflexiv auf die Einheit des eigenen Systems zu beziehen, so ist das nur ein weiterer Schritt, die eigene Komplexität zu steigern, um der überkomplexen Umwelt besser gewachsen zu sein – auch dieses »Selbstbewußtsein« bleibt im Banne der Logik der Bestandsicherung von Systemen.[148] Das Spezifische, das Henrich für die Selbsterhaltung selbstbewußter Subjekte gegenüber einer die Vernunft instrumentalisierenden, einer »verwilderten« Selbstbehauptung mit Recht zur Geltung bringen will, läßt sich im Rahmen einer Subjektphilosophie, die von der Systemtheorie in unaufhaltsamer Ironie unterlaufen wird, nicht retten. Henrich meint, »daß Selbsterhaltung mehr ist als ein Wort unserer Sprache, mit der wir das Verhalten von Systemen und Organismen erfolgreich beschreiben können. Es muß mit diesem Wort Erlaubnis und Anspruch verbunden bleiben, den eigentlichen Charakter eines Prozesses angemessen zu erfassen, der zugleich als Grundprozeß *bewußten* Lebens von ihm selber erfahren werden kann.«[149] Aber Adornos Verzweiflung erklärt sich gerade daraus, daß man nichts als instrumentelle Vernunft zurückbehält, wenn man »den Grundprozeß bewußten Lebens« nur radikal genug in dessen eigenen, von der Bewußtseinsphilosophie angebotenen Kategorien denkt.

Freilich ist der Übergang von der Bewußtseinsphilosophie zur Sprachanalyse, den im Anschluß an Frege und an Wittgenstein die formale Semantik vollzieht, nur ein erster Schritt. Das kann man sich gerade am Phänomen des Selbstbewußtseins klarmachen. Die Erlebnissätze der ersten Person bieten gewiß einen methodisch zuverlässigeren Ausgangspunkt für die Analyse des Ich-Begriffs als die nur intuitiv zugängliche Erfahrung des Sichwissens. Auch hat E. Tugendhat gezeigt, daß sich die erwähnte Schwierigkeit der

---

148 N. Luhmann, Selbstthematisierungen des Gesellschaftssystems, in: ders., Soziologische Aufklärung, Bd. 2, Köln 1976, 72 ff.
149 Henrich (1976), 113.

egologischen Bewußtseinstheorien auflöst, wenn man deren Ausgangsfrage semantisch reformuliert.[150] Gleichzeitig bringt aber die auf den semantischen Gesichtspunkt beschränkte Sprachanalyse den vollen, in der performativen Verwendung des Ausdrucks »Ich« präsenten Sinn der Selbstbeziehung zum Verschwinden, weil sie die Beziehung von Subjekt und Gegenstand bzw. System und Umwelt wiederum durch eine *zweistellige Relation*, eben die zwischen Satz und Sachverhalt ersetzt und damit innerhalb der Grenzen eines Modells bleibt, das die Selbstbeziehung epistemisch verkürzt. Wiederum werden die *Erlebnisse*, die Ego in Erlebnissätzen von sich selber aussagt, als privilegiert zugängliche *Sachverhalte* oder innere Episoden vorgestellt und damit *an Entitäten in der Welt assimiliert*. An jene Selbstbeziehung, die traditionell als Selbstbewußtsein zugleich thematisiert und verstellt worden ist, kommt man erst heran, wenn man die semantische Fragestellung pragmatisch erweitert. So bietet die Analyse der Bedeutung, nicht zwar des referentiellen, aber des performativen Gebrauchs des Ausdrucks »Ich«, innerhalb des Systems der Personalpronomina, einen aussichtsreichen Schlüssel zur Problematik des Selbstbewußtseins.

Auf den Zusammenhang von Subjektivität und sprachlich erzeugter Intersubjektivität komme ich noch zurück. Das Thema Selbstbewußtsein ist nur eine Gelegenheit, bei der sich zeigt, daß sich Phänomene, die innerhalb der Grenzen der traditionellen Begrifflichkeit zu den eingestandenen oder uneingestandenen Paradoxien des Nicht-Identischen oder des nicht-reflexiven Bewußtseins führen, sprachanalytisch erst einholen lassen, wenn man sich das dreistellige, auf Bühler zurückgehende Modell der Zeichenverwendung zunutze macht[151] und die Analyse sprachlicher Bedeutungen von vornherein auf die Idee der Verständigung von Kommunikationsteilnehmern über etwas in einer Welt bezieht. Dieses Modell hat eine über die linguistische Wendung der Subjektphilosophie hinausgreifende *kommunikationstheoretische Wende* eingeleitet. Mich interessiert in unserem Zusammenhang nicht deren philo-

150 Tugendhat (1979), 63 ff.
151 K. Bühler (1934); siehe oben S. 372 f.

sophiegeschichtliche Bedeutung, sondern die Zäsur, die *das Ende der Subjektphilosophie* für die *Gesellschaftstheorie* bedeutet.

Wenn wir davon ausgehen, daß sich die Menschengattung über die gesellschaftlich koordinierten Tätigkeiten ihrer Mitglieder erhält, und daß diese Koordinierung durch Kommunikation, und in zentralen Bereichen durch eine auf Einverständnis zielende Kommunikation hergestellt werden muß, erfordert die Reproduktion der Gattung eben *auch* die Erfüllung der Bedingungen einer dem kommunikativen Handeln innewohnenden Rationalität. Diese Bedingungen werden in der Moderne greifbar – mit der Dezentrierung des Weltverständnisses und der Ausdifferenzierung verschiedener universaler Geltungsansprüche. Im selben Maße wie die religiös-metaphysischen Weltbilder an Glaubwürdigkeit einbüßen, verändert sich deshalb der Begriff der Selbsterhaltung nicht nur unter dem von Blumenberg betonten Aspekt: er verliert nicht nur seine teleologische Ausrichtung an objektiven Zwecken, so daß eine intransitiv gewordene Selbsterhaltung in den Rang eines obersten Zweckes für Kognition und erfolgsorientiertes Handeln aufrücken kann. In dem Maße, wie sich die normative Integration des Alltagslebens lockert, erhält der Begriff auch eine zugleich universalistische und individualistische Ausrichtung. Ein Prozeß der Selbsterhaltung, der den Rationalitätsbedingungen kommunikativen Handelns genügen muß, wird von den Interpretationsleistungen der Subjekte abhängig, die ihr Handeln über kritisierbare Geltungsansprüche koordinieren. Für die Stellung des modernen Bewußtseins ist deshalb weniger die Einheit von Selbsterhaltung und Selbstbewußtsein charakteristisch, als vielmehr jenes von der bürgerlichen Sozial- und Geschichtsphilosophie ausgedrückte Verhältnis: daß sich der gesellschaftliche Lebenszusammenhang zugleich über die mediengesteuerten zweckrationalen Handlungen ihrer Mitglieder wie über deren gemeinsamen, in der kommunikativen Praxis aller Einzelnen verankerten Willen reproduziert.[152]

Die durch kommunikative Vernunft bestimmte Subjektivität stemmt sich gegen eine Denaturierung des Selbst um der Selbsterhaltung willen. Die kommunikative Vernunft läßt sich nicht, wie

152 H. Neuendorff, Der Begriff des Interesses, Ffm. 1973.

die instrumentelle, einer erblindeten Selbsterhaltung *widerstandslos* subsumieren. Sie erstreckt sich nicht auf ein selbsterhaltendes Subjekt, das sich vorstellend und handelnd auf Objekte bezieht oder auf ein bestanderhaltendes System, das sich gegen eine Umwelt abgrenzt, sondern auf eine symbolisch strukturierte Lebenswelt, die sich in den Interpretationsleistungen ihrer Angehörigen konstituiert und nur über kommunikatives Handeln reproduziert. So findet die kommunikative Vernunft nicht einfach den Bestand eines Subjekts oder eines Systems vor, sondern hat Teil an der Strukturierung dessen, was erhalten werden soll. Die utopische Perspektive von Versöhnung und Freiheit ist in den Bedingungen einer kommunikativen Vergesellschaftung der Individuen angelegt, sie ist in den sprachlichen Reproduktionsmechanismus der Gattung schon eingebaut.

Andererseits setzen sich die Selbsterhaltungsimperative der Gesellschaft nicht nur in der Teleologie der Handlungen ihrer individuellen Mitglieder, sondern zugleich in den funktionalen Zusammenhängen aggregierter Handlungseffekte durch. Die Integration der Gesellschaftsmitglieder, die sich über Verständigungsprozesse vollzieht, findet ihre Grenze nicht nur an der Gewalt widerstreitender Interessen, sondern ebensosehr am Gewicht systemischer Erhaltungsimperative, die ihre Gewalt objektiv, im Durchgriff durch die Handlungsorientierung der betroffenen Aktoren entfalten. Die Problematik der Verdinglichung ergibt sich dann weniger aus einer im Dienste der Selbsterhaltung verabsolutierten Zweckrationalität, einer wild gewordenen instrumentellen Vernunft, als vielmehr daraus, daß sich die losgelassene funktionalistische Vernunft der Systemerhaltung über den in der kommunikativen Vergesellschaftung angelegten Vernunftanspruch hinwegsetzt und die Rationalisierung der Lebenswelt ins Leere laufen läßt.

An der Rezeption der Weberschen Theorie der Rationalisierung von Lukács bis Adorno wird deutlich, daß gesellschaftliche Rationalisierung stets als Verdinglichung des Bewußtseins gedacht worden ist. Die Paradoxien, zu denen das führt, zeigen aber, daß dieses Thema mit den begrifflichen Mitteln der Bewußtseinsphilosophie nicht befriedigend bearbeitet werden kann. Bevor ich die Verdinglichungsproblematik wieder aufnehme und in Begriffen kommunikativen Handelns einerseits, einer über Steuerungsmedien laufenden Subsystembildung andererseits reformuliere, möchte ich diese Grundbegriffe aus ihrem theoriegeschichtlichen Kontext entwickeln. Während die Rationalisierungs-/Verdinglichungsproblematik auf einer »deutschen«, durch Kant und Hegel bestimmten Linie des gesellschaftstheoretischen Denkens angesiedelt ist, die von Marx über Weber bis zu Lukács und zur Kritischen Theorie führt, bahnt sich der Paradigmawechsel, auf den es mir ankommt, bei George Herbert Mead und Emile Durkheim an. Mead (1863-1931) und Durkheim (1858-1817) gehören wie Weber (1864-1920) der Generation der Gründungsväter der modernen Soziologie an. Beide entwickeln Grundbegriffe, in denen sich Webers Theorie der Rationalisierung aufnehmen und aus der Aporetik der Bewußtseinsphilosophie befreien läßt – Mead mit einer kommunikationstheoretischen Grundlegung der Soziologie, Durkheim mit einer Sozial- und Systemintegration aufeinander beziehenden Theorie der gesellschaftlichen Solidarität.